PRÓBA MIŁOŚCI

MIROSŁAWA
KARETA

PRÓBA
MIŁOŚCI

WYDAWNICTWO WAM

Opieka redakcyjna: Agnieszka Ćwieląg-Pieculewicz
Redakcja: Anna Śledzikowska
Korekta: Katarzyna Onderka
Projekt okładki: Dominik Wicher
Zdjęcie na okładce: © faestock, Malivan_Iuliia, ltummy, RAndrei / Shutterstock
Skład: Lucyna Sterczewska

Postaci i wydarzenia opisane w książce są fikcyjne.
Wszelkie podobieństwo do prawdziwych osób
lub zdarzeń jest przypadkowe i niezamierzone.

ISBN 978-83-277-1638-5

WYDAWNICTWO WAM
ul. Kopernika 26 • 31-501 Kraków
tel. 12 62 93 200
e-mail: wam@wydawnictwowam.pl

DZIAŁ HANDLOWY
tel. 12 62 93 254-255 • faks 12 62 93 496
e-mail: handel@wydawnictwowam.pl

KSIĘGARNIA WYSYŁKOWA
tel. 12 62 93 260
www.wydawnictwowam.pl

Druk: SKLENIARZ • Kraków

Publikację wydrukowano na papierze Ecco book cream 70 g vol. 2.0
dostarczonym przez Antalis Poland Sp. z o.o.

~ I ~

Dawno, dawno temu w małym domku pod lasem żyli sobie mąż i żona wraz z trzema synami: Tadzikiem, Kazikiem i Jerzykiem. Dwaj starsi bracia byli mądrzy i piękni, najmłodszego zaś wszyscy nazywali Głuptaskiem. Martwili się rodzice, co z niego wyrośnie, bo nawet dobrze wysłowić się nie umiał. Ludziska kiwali głowami, a za plecami śmiali się z niego, no bo co myśleć o takim, co to każdemu wierzy i odda nieznajomemu ostatnią koszulę? Nie robili mu jednak krzywdy, gdyż był dobry i poczciwy, cieszył się z byle czego, a i innych swoją naiwnością rozweselał.

Pewnego razu ojciec przyłapał chłopa na kradzieży drzewa z lasu.

– Poczekaj ty! – krzyczał, prowadząc go do piwniczki, gdzie zamierzał zamknąć winowajcę. – Zaraz zawołam policję! Już ty z karceru prędko nie wyjdziesz!

Starsi bracia wrócili właśnie ze szkoły. Patrzyli z dumą na ojca, który był wielki i groźny, nosił zielony mundur i miał długą strzelbę. Pilnował porządku w lesie i wszyscy się go bali. Ale trzeci syn, który do szkoły nie chodził, tylko całymi dniami siedział na przyzbie i muchy łapał, poderwał się z miejsca.

– Zlituj się, tatulu! – zawołał, zachodząc mu drogę.

Nieskładnie to wypadło, bo jak zawsze język mu się plątał. Ale ojciec, który od dawna uczył się tej dziwnej mowy Głuptaska, zrozumiał go.

– Prawo jest prawem! – powiedział surowo, kładąc rękę na ramieniu najmłodszego syna. – Kto je łamie, musi ponieść karę. Ty też to wreszcie pojmij!

Starsi bracia potaknęli. Nie tylko w domu, ale także w szkole dyscypliną ich uczono, że trzeba przestrzegać zasad. Nieraz ich od tej nauki tyłki i ręce bolały.

– Zlituj się, tatulu! – prosił jednak Głuptasek. Uczył się powoli i trzeba mu było wszystko wielokrotnie powtarzać. – Przecież on nie ma pracy, a w chałupie szóstka dzieci do wykarmienia!

– Prawo jest prawem! – powiedział jeszcze raz leśniczy, choć już mu zaczynało brakować cierpliwości. – Odstąp, synu!

Głuptasek jednak nie odstąpił, zaczął błagać jeszcze goręcej:

– Zima idzie, czy on ma pozwolić, żeby mu dzieciska pozamarzały? Ty byś pozwolił, tatulu?!

Zawahał się ojciec na chwilę, zamyślił. Starsi bracia przyglądali się mu bez słowa. Nawet matka stanęła w progu domu i słucha, co też się będzie działo.

Widzi ojciec, że sprawa jest poważna, bo nie tylko jego, ale honor całego państwa leży na szali. Poprawił skórzany pas i z powagą rzecze:

– Prawo jest prawem, jeszcze raz ci powiadam. Może to kiedyś i ty zrozumiesz, Głuptasku, choć brak mi już nadziei! Ten człowiek musi zapłacić za kradzież, której się dopuścił.

Na to Głuptasek rzucił się ojcu do kolan.

– Zlituj się, tatulu! – zaczął zawodzić, a ściskał mu nogi tak mocno, że się leśniczy nie mógł na krok ruszyć. – Puść biedaka do domu!

Szarpnął się ojciec, a kiedy to nie pomogło, zamachnął się na syna. Rękę zaś miał ciężką i twardą.

– Uciekaj! – krzyknął Głuptasek do chłopa, który stał z rozwartą gębą.

Ten jednak nie zrozumiał i nawet do głowy mu nie przyszło uciekać.

Starsi bracia, widząc, że się ojciec bierze do bicia, rzucili swoje kajety i podbiegli do niego.

– Zostaw Głuptaska! – zawołali, wieszając się obaj u ojcowskiej prawicy. – Nie widzisz, że on nic nie pojmuje?!

– Daruj Wasylowi! – poprosiła żona, która też przybiegła ratować Głuptaska. – Wiele drzewa w lesie nie ubyło, państwo nasze przez to nie zbiednieje, a oni mogli się chociaż ogrzać!

Ojciec poszarpał się jeszcze trochę, pokrzyczał, ale wreszcie się poddał.

– No, puszczajcie już! – mruknął, lewą ręką przygładzając nastroszone wąsy. – Zlituję się, ale tak dalej nie może być! Kłusownictwo i złodziejstwo się panoszą, co dzień widzę w lesie ślady działalności takich jak on! Państwo może nie zbiednieje, ale motłoch trzeba uczyć porządku i poszanowania prawa!

A gdy już go puścili i stanęli z boku, uwolnił skrępowane ręce Wasyla i pogroził mu palcem.

– Żeby mi to było ostatni raz! Jak cię znowu przyłapię, długo nie wyjdziesz z paki!

Raz jeszcze przygładził wąsy, poprawił broń na ramieniu i wrócił do lasu. Żona wzięła się w kuchni za szykowanie wieczerzy, starsi bracia pozbierali zeszyty i poszli ćwiczyć kaligrafię. Głuptasek usiadł na przyzbie zadowolony i zaśmiał się w stronę nieba, że takie niebieskie. A Wasyl poszedł ścieżką przez las do swej chałupy. Ze wzrokiem wbitym w ziemię dumał, jak to zrobić następnym razem, żeby się nie dać przyłapać.

~

Nie minęło wiele czasu, przeszła jesień, po niej nastała mroźna zima, a potem seledynowa wiosna. Na przednówku wiele małych kopczyków usypano na cmentarzach koło cerkwi i miejscowego kościoła. Złożono tam także najmłodsze dziecko Wasyla. Odbyło się to po cichu i bez łez, bo dziecina od początku była mała i słaba, a Wasylowa kobieta piersi miała puste. Jak mogła wykarmić maleństwo, gadali ludzie, skoro sama ledwie się na nogach trzymała?

Gdy zieleń na drzewach i miedzach nabrała soczystości, w domku leśniczego Józefa na świat przyszła dziewczynka – oczka miała jak jagódki, a usteczka jak maliny. Bracia zachwycili się maleństwem i od razu nadali siostrzyczce imię – Rozalka. Sami przez długie miesiące urośli i jeszcze wypięknieli, policzki mieli rumiane od biegania po lesie, a mięśnie mocne od rąbania drewna i noszenia wody ze studni. Głuptasek także wybujał tego lata i dorównywał im już wzrostem, do pracy się jednak nie nadawał. Całymi dniami leżał tylko na przypiecku, śmiał się do siostry i podjadał to, co matka uwarzyła dla starszych synów i męża.

Gdy lato miało się ku końcowi, a z nieba na ziemię wciąż lał się żar, leśniczy włożył inny mundur, pożegnał żonę i dzieci i poszedł do wojska. Powołano też kilku chłopów z pobliskiej wioski. Wojna wisiała na włosku, a jednak nikt nie wierzył, że wybuchnie. Aż tu nagle pierwszego dnia września niebo zasnuły smugi dymu, a horyzont rozświetliły łuny pożarów. Obok leśniczówki przechodzili ludzie z karabinami na plecach, kłusowały konie, przetaczały się fury wiozące przerażonych uciekinierów i ich dobytek. Leśniczyna częstowała utrudzonych chlebem, a dla dzieci miała po kubeczku mleka. Jej synowie uwijali się po obejściu, czerpali wodę ze studni, darli prześcieradła w długie pasy i pomagali opatrywać krwawiące rany. Wszyscy z przerażeniem patrzyli w przyszłość, przeczuwając, że świat, który znali, właśnie się kończy. Tylko Głuptasek radośnie witał gości i zagadywał do nich po swojemu. Gdy odchodzili, beztrosko machał im na pożegnanie.

A potem na niebie i na ziemi nastała cisza. Z tego samego lasu zaczęli wychodzić inni żołnierze, z naszytymi na czapkach czerwonymi gwiazdkami, z karabinami zawieszonymi na parcianych sznurkach i wygłodniałymi oczami. Przed nimi leśniczyna zamknęła chatę na głucho, córce do buzi wsadziła smoczek-pypkę, a synom kazała się schować w piwniczce.

Żołnierze przyszli i poszli, ale na okolicę padł blady strach. Znowu zaczęły się pożary, teraz jednak płonęły już tylko niektóre domy i obejścia. Dziedzice ze dworów uciekali do miast. W lasach znajdowano ograbione i okaleczone trupy żołnierzy. Chłopi, którzy już bez mundurów wracali cichcem do swych chałup, opowiadali straszne rzeczy. Władzę przejmowały wszędzie tymczasowe komitety, które zaczęły zaprowadzać nowe porządki. We wsi pod lasem pojawili się bracia Murienko, znani w całym powiecie zabijacy i opoje. Zgromadzili grupę podobnych sobie i utworzyli komitet włościański. Mówili, że wreszcie nastała sprawiedliwość.

Leśniczy długo nie wracał z wojny. Jego rodzina nie otwierała drzwi nikomu, bo nie wiadomo już było, kto z sąsiadów jest wrogiem, a kto przyjacielem. Tylko Głuptasek, jak to on, nadal rwał się do każdego człowieka. Kiedy miał zostać sam w domu, leśniczyna musiała go zamykać w piwniczce. Był wtedy bardzo nieszczęśliwy i zawodził niskim głosem, jak przywiązany u budy pies.

– Nie płacz, Głuptasku – tłumaczyli mu matka i bracia. – Siedź tu cicho i pilnuj drzwi!

Wtedy chłopak przestawał płakać, patrzył tylko w zbite z ciężkich, dębowych desek wrota – i pilnował.

Tak przeczekali w strachu kilka tygodni, aż wreszcie jednego wieczoru rozległo się w izbie ciche pukanie. Rodzina przyczaiła się w mroku, czekając, aż przybysz sobie pójdzie. Ale pukanie powtórzyło się. A potem w oknie kuchni ukazała się brodata, wymizerowana, obca twarz.

– Otwórzcie, to ja! – zawołał znajomy głos i wtedy już nikt nie zdołał powstrzymać Głuptaska, który rzucił się odsuwać rygiel.

Nazajutrz leśniczy ogolił się i włożył swój stary zielony mundur, o dwa numery już na niego za obszerny. Nie dawał mu on jednak żadnej władzy, ani nawet ochrony. Wkrótce pojawili się pod leśniczówką nowi panowie z komitetu włościańskiego. Mieli konie i strzelby, przyświecali sobie pochodniami, dowódca zaś w jednej ręce trzymał jakiś papier, a w drugiej zwój sznura.

– Otwierać! – zażądali, gdy leśniczy wycelował do nich przez okno ze swojej dwururki. – Nie stawiajcie oporu, Józefie, to ocalicie przynajmniej rodzinę!

Zawahał się leśniczy, ręce mu zadrżały. Popatrzył na żonę tulącą do piersi niemowlę, na trzech niedorostków, w których oczach czaił się strach. Potem znów spojrzał w mrok za oknem, policzył ludzkie sylwetki, oblane pomarańczowym blaskiem pochodni.

– Wychodzić, bo was dymem wykurzymy! – zawołał jeszcze raz jeden z Murienków.

Wtedy leśniczy podjął decyzję. Odłożył strzelbę, przytulił na chwilę żonę i dzieci.

– Bywajcie z Bogiem – powiedział nieswoim głosem.

– Nie, Józuś, nie wierz im! – krzyknęła przeraźliwie leśniczyna.

Ale on już otworzył drzwi i wyszedł przed dom akurat w chwili, gdy pierwsza głownia poszybowała w stronę dachu.

– Jezus, Maryjo! Gorze! – wrzasnęła leśniczyna.

Dwóch starszych synów, przez nikogo niepowstrzymywanych, rzuciło się do studni i po drabinę pożar gasić.

Leśniczego otoczyła zaś zwarta, pomrukująca wrogo ciżba. Wielu było takich, których w dawnych latach złapał na kradzieży drewna lub zakładaniu sideł, do niektórych nawet strzelał. Pamiętali mu to i teraz chcieli się zemścić. Murienko zarzucił mu na szyję pętlę ze sznura i pociągnął za sobą w stronę rosnących nieopodal drzew.

– Nu, Józefie, szykujcie się na śmierć!

Dwaj starsi synowie lejący wodę na dach, który już się zajął, nie dosłyszeli tych słów. Ale żona leśniczego krzyknęła straszliwie, jakby serce miało jej pęknąć, a mała Rozalka rozpłakała się w jej ramionach. Głuptasek dotąd stał tylko w progu, zaciskał ręce i mamrotał coś po swojemu, przyglądając się zajściu, z którego nic nie rozumiał. Teraz rzucił się biegiem za odchodzącymi. Cała grupa doszła już do wielkiego orzecha za domem. Leśniczego podsadzono na siodło, Murienko odczytał coś po ukraińsku z papieru, który ze sobą przywiózł. I wtedy dopadł konia najmłodszy syn.

– Zostawcie tatula! – zawołał tak głośno, jak tylko potrafił. – Zlitujcie się, zostawcie nam tatula!

Jeźdźcy chcieli go odpędzić kopniakami i uderzeniami nahajek. Głuptasek upadł, ale podniósł się zaraz, i dalejże błagać, a zawodzić:

– Nie bierzcie tatula! Nie zabijajcie go!

I wtedy stała się dziwna rzecz. Jeden z mężczyzn, którzy otaczali drzewo, niespodziewanie zasłonił chłopaka przed gradem ciosów i wyzwisk.

– Pomyłuj! – zwrócił się wprost do dowódcy. – On mi pomógł zeszłego roku, karę darował.

– Tobie pomógł? A ilu innych przez niego na zatracenie poszło?! – krzyknęli pozostali. – Na pohybel polskim panom, krwiopijcom! Pogonić konia!

– Tak?! No to podejdź tu który, spróbuj! – wrzasnął na to obrońca leśniczego i złapał za uzdę nerwowo podrygujące zwierzę. W drugiej garści ściskał trzonek siekiery i toczył wokół groźnym spojrzeniem. – To nie polski pan!

– Ty, Wasyl! – zainteresował się Murienko. – A co ty tak go bronisz?

– Ja człowiek biedny, ale dumny! – odrzekł mu Wasyl hardo. Od ubiegłej jesieni zmienił się, wyprostował, nawet wąsy, zawsze obwisłe, teraz sterczały mu buńczucznie. – Swoje długi spłacam!

Murienko patrzył przez chwilę na Wasyla, mrużąc oczy, coś tam sobie kalkulował.

– Puśćcie go! – zarządził wreszcie, a potem przyłożył pochodnię do kartki papieru. Płonący strzęp pofrunął nad głową Głuptaska w ciemny las.

Jeden z jeźdźców ściągnął leśniczemu pętlę z szyi i zepchnął go na ziemię. Mruczeli cicho, ale nikt nie śmiał przeciwstawić się Murience.

– Jeszcze się spotkamy! – Pokiwał głową watażka, ścisnął piętami boki konia i pokłusował do wsi. Inni ruszyli jego śladem.

Leśniczy z pomocą syna wstał z ziemi. Spojrzeli obaj na Wasyla, nie wiedząc, jak mu dziękować.

– Jesteśmy kwita – mruknął chłop i splunął im pod nogi. – Ale ja bym na twoim miejscu stąd zniknął. Drugi raz ci życia nie uratuję.

A potem odwrócił się i poszedł za tamtymi.

Kraków, poniedziałek, 25 maja 1992

Było wczesne majowe popołudnie. Wreszcie zawitała prawdziwa wiosna – niebo było czyste, a mlecze na Błoniach błyszczały w blasku słońca jak rozsypane bryłki złota. Mało kto jednak miał czas, by się temu przyglądać i zachwycać soczystymi barwami. Na Alejach Trzech Wieszczów ruch już się zatrzymał. Tramwaje dzwoniły na tarasujące przejazd samochody, szczęśliwcy, którym udało się wyjść wcześniej z pracy, gnali przed siebie, by zdążyć na następny autobus lub po zakupy. Tylko grupki młodzieży odreagowującej stres po maturze snuły się po ulicach bez celu, w poczuciu zupełnej beztroski.

Nikt nie zwracał uwagi na trzech mężczyzn, którzy szli wolno aleją Focha, odczytując numery na szarych, zaniedbanych domach. Zatrzymali się przy jednej z furtek, szepcząc coś z podnieceniem. Długą chwilę naradzali się, nim najstarszy zdecydował się nacisnąć dzwonek. Stali w milczeniu, spięci, w jakimś dziwnie uroczystym oczekiwaniu. Wreszcie drzwi z boku budynku otworzyły się. Ze środka wypłynęła najpierw chmura pyłu, a następnie wyjrzała przyprószona bielą głowa mężczyzny w zgrabnym kapelusiku malarskim.

– Nikogo nie ma w domu! – zawołał wbrew oczywistej logice. – Proszę przyjść wieczorem!

Przybysze poruszyli się niespokojnie, wymienili uwagi w języku, który przyciągnął ciekawskie spojrzenie przechodzącej obok kobiety z ratlerkiem na smyczy. Nim jednak któryś zebrał się na odpowiedź, głowa mężczyzny wraz z kapelusikiem zniknęła, a drzwi się zatrzasnęły. Chwilę potem, gdy trzej nieznajomi stali jeszcze przed domem, a kobieta przy sąsiedniej furtce przesadnie długo szukała kluczy w torebce, zerkając na nich podejrzliwie, we wnętrzu starej willi rozległ się ogłuszający łomot, a przez uchylone okno na parterze dały się słyszeć krzyki.

Nie porozumiewając się tym razem ani słowem, mężczyźni zrobili w tył zwrot i szybko pomaszerowali w kierunku, z którego przyszli. Wkrótce zlali się z tłumem przechodniów kręcących się koło budek z hot dogami przy stadionie Cracovii.

Staszek Mróz stał w chmurze wirującego pyłu i w osłupieniu wpatrywał się w wyrwę w ścianie ziejącą tuż obok starego ceramicznego pionu kanalizacyjnego, który właśnie skończyli odkuwać. Jego współpracownik, ugodzony w stopę odłamkiem muru, miotał się na jednej nodze i klął na czym świat stoi. Po drugiej stronie otworu widać było przysypaną ceglanym miałem lodówkę. Nie zważając na to, że naderwana ściana może lada chwila runąć, majster przelazł do kuchni, otworzył zamrażalnik, pogmerał chwilę w jego pokrytych szronem czeluściach, po czym wydobył woreczek z kawałkiem zamrożonego mięsa.

– Przyłóż! – poradził, podając go koledze.

Ściągnął następnie kapelutek i podrapał się z frasunkiem po szpakowatej czuprynie, która na skroniach przybrała teraz rudawy odcień.

Dobrze chociaż, że to nie on stawiał tę ściankę! Musiała powstać w końcu lat sześćdziesiątych, gdy Maksio założył rodzinę i zaszła konieczność urządzenia na dole drugiej łazienki dla starszych państwa. Z wielkiej kuchni wydzielono wówczas fragment bez okna i jakiś specjalista z Bożej łaski wymurował przepierzenie oraz wykuł otwór na drzwi w ścianie do przedpokoju. Czy to ówczesna zaprawa źle trzymała, czy też majster popełnił błąd w sztuce, tak czy owak, skutki były opłakane. I to nie tylko przez Mareczka, który usiadł na środku pobojowiska wsparty plecami o muszlę klozetową, jedną ręką przyciskając przez skarpetkę zamrożone mięso do stłuczonej stopy, a drugą rozmazując na policzku łzy bólu, pomieszane z ceglanym pyłem. Znajdowali się przecież w mieszkaniu Ani Petrycy! Ta zaś z rozsądnej i zawsze sympatycznej dziewczyny zamieniła się ostatnio w histeryczkę o zgoła nieprzewidywalnych reakcjach. Majster niedawno widział ją w akcji i wolał nie myśleć, co się stanie, gdy za kilka godzin wróci do domu i zamiast czystej, schludnej dziury w łazience oraz wymienionego pionu zastanie taką demolkę!

– I co teraz? – zajęczał Mareczek, młodszy o trzy dekady praktykant, dopiero wciągający się w tajniki budowlanego rzemiosła.

Staszek jeszcze jednym spojrzeniem omiótł popękaną ścianę, po czym nasadził na głowę swoje tradycyjne nakrycie złożone ze starej gazety.

– Kujemy! – zadecydował. – I to szybko, bo trzeba zwalić ścianę i uprzątnąć cały ten bałagan, zanim dzieciaki wrócą ze szkoły!

Pewnie nie przejmowałby się aż tak bardzo dzieciakami, ani nawet Anią, gdyby nie wielki sentyment, jaki od czasów własnego dzieciństwa żywił do ich babci, pani Isi. Niebawem miały minąć dwa lata, od kiedy starsza pani zmarła, a Staszek ciągle jeszcze nie mógł uwierzyć, że jej nie ma.

Nie mógł zresztą uwierzyć w wiele innych rzeczy. Na przykład w to, że świętej pamięci Benedykt Petrycy, jej mąż i znany lekarz, był tajnym współpracownikiem Służby Bezpieczeństwa. Mimo że ponoć istniały na to dowody, Staszek miał wiele wątpliwości. Przecież takie papiery łatwo można sfabrykować! Jeśli tylko komuś zależało na skompromitowaniu profesora albo jego syna, znanego działacza opozycji, był to najprostszy sposób! Zwłaszcza teraz, gdy tyle się mówiło o lustracji, brudnych sekretach skrywanych w esbeckich teczkach i rzeszach nieujawnionych agentów. Ludzie byli przewrażliwieni, wszędzie węszyli zdradę. Wiadomo – wystarczy rzucić błotem, a trochę brudu zawsze się przyklei. Majster nie wierzył w te pomówienia, znał przecież rodzinę Petrycych od wielu lat. Nie mógł się też nadziwić, że Maksio nie broni czci swojego przybranego ojca. Może to i lepiej, że pani Isia nie dożyła tej chwili?

Chociaż bywał co dzień w domu przy alei Focha, Staszek nie miał jeszcze okazji poruszyć tego tematu. Ba, nawet w sprawie remontu nie bardzo miał z kim gadać! Gospodarz – lekarz na etacie w klinice i radny Krakowa – był ostatnimi czasy tak zabiegany, że obowiązki związane z prowadzeniem domu musiały przejąć dzieci. I zrobiła to nie Ania, studentka czwartego roku psychologii, ale dwójka najmłodszych – Gabrysia i Franek. Spisywali się na medal, częstowali go świetną kawą, a od czasu do czasu nawet obiadem. Bo nie każdego dnia był teraz u Petrycych obiad na stole.

Staszek kuł zawzięcie, tynk odpadał płatami, a zaprawa osypywała się jak piasek, w ogóle nie trzymając cegieł. Może i dobrze, że to dziś runęło, bo inaczej komuś mogłaby się stać krzywda. A ta rodzina miała w ostatnim czasie wystarczająco dużo dramatów.

Nikt mu wprawdzie tego nie powiedział wprost, ale Staszek Mróz miał oczy, uszy i głowę na karku. Potrafił wyciągać wnioski z tego, co widział i słyszał. Wniosek zaś nasuwał się jeden – że biednego Maksia opuściła żona.

Maksymilian stał przy przejściu dla pieszych u wylotu ulicy Piłsudskiego i czekał na zielone światło. Błądząc wzrokiem ponad linią pełznących naprzód samochodów, trafił spojrzeniem na znajomą twarz. Na chodniku pośrodku alej, w grupce przechodniów stał Mariusz Skwarek, kardiolog. Nie widzieli się od początku marca, gdy Petrycy robił u niego badania i wraz z wynikami – całkiem zresztą dobrymi jak na ten poziom stresu, który od pewnego czasu przeżywał – odebrał zaświadczenie o niezdolności do pracy. To dzięki temu papierkowi, mimo że przełożony odmówił mu urlopu, mógł wyjechać na kilka dni do Paryża, gdzie spodziewał się znaleźć wyjaśnienie rodzinnej tajemnicy.

Prawda, do której dotarł, a także wydarzenia, jakie miały miejsce potem, zdecydowanie negatywnie wpłynęły na czynność śródbłonka jego naczyń wieńcowych, a tym samym przyspieszyły postępy miażdżycy, na którą Maksymilian – prawdopodobnie genetycznie, po mamie – był narażony. Aby się pozbyć ucisku za mostkiem, który ostatnio stale mu towarzyszył, już od kilku miesięcy zapisywał sam sobie i łykał lekkie krople nasercowe. Teraz jednak, widząc po drugiej stronie pasów kolegę specjalistę, uznał, że zsyła mu go los. Przełożył więc aktówkę do drugiej ręki i pomachał do niego przez szerokość ulicy, by zasygnalizować, że chce zamienić dwa słowa. Skwarek drgnął i wyostrzył spojrzenie, w tej chwili jednak nadjechał autobus i kontakt wzrokowy został przerwany. Gdy zaś pole widzenia oczyściło się, kardiologa nie było już w poprzednim miejscu. Stał z boku i ze skupieniem studiował oryginalną fasadę domu Ekielskiego zajmującego narożnik po przeciwnej stronie ulicy.

Uśmiech jak zdmuchnięty zniknął z twarzy Maksymiliana. Kolega widział go, doktor był tego pewny. Zamierzał jednak uniknąć spotkania, nie życzył sobie kontaktu.

„Nie chce podać mi ręki!" – pomyślał Petrycy. W uszach mu zaszumiało, a serce znowu wykonało jakąś dziwną ewolucję, której skutkiem stał się tępy ból promieniujący aż do żuchwy.

Odetchnął, wciągając w płuca powietrze gęste od ołowiu i innych metali ciężkich. Dzień był piękny i przejrzysty, z chodnika można było dostrzec pojedyncze stokrotki na trawniku rozdzielającym obie jezdnie. A jednak doktor wiedział, że nad alejami, aż do wysokości przekraczającej wzrost dorosłego człowieka, unosi się niewidzialny obłok trucizn, w którym tkwią wszyscy uczestnicy ruchu. Znał doskonale wyniki badań krakowskiego powietrza. Najgorsza sytuacja była właśnie tu, wzdłuż arterii przelotowej miasta, którą osobiście mijał przynajmniej dwa razy dziennie, w drodze do i z pracy. Gdyby miał postępować zgodnie z tym, co mu podpowiadał rozsądek, powinien sprzedać dom i wyprowadzić się na daleką wieś, a wizyty w Krakowie ograniczyć do niezbędnego minimum. Ale tego doktor nie zamierzał uczynić. Na przekór wszystkim i wszystkiemu trwał w miejscu, w którym się urodził, wykształcił i przepracował bez mała ćwierć wieku.

„Nie mogę teraz odejść – tłumaczył sobie w momentach, gdy miał ochotę rzucić wszystkim i po prostu uciec. – Jeszcze nie teraz".

Od trzech tygodni, kiedy zaczął się zaplanowany wcześniej remont starego domu, te chwile załamania zdarzały się mu coraz częściej. Staszek Mróz zajmował się gniazdem rodzinnym Petrycych tak, jakby chodziło o jego własne, nie dało się jednak uniknąć niedogodności – doktor praktycznie żył na placu budowy. Znosił to bez słowa skargi, gdyż modernistyczna willa stanowiła – obok nazwiska – jego dziedzictwo po wyjątkowym człowieku, którego nadal, bez względu na okoliczności, a nawet wbrew nim, nazywał swoim ojcem.

Sznur samochodów stanął, światło się zmieniło. Maksymilian Petrycy wraz z innymi spiesznie wszedł na przejście. Nawet jednego spojrzenia nie poświęcił już znajomemu, który właśnie mijał go, wmieszany w tłum, gdzieś z lewej strony.

„Nie on pierwszy i nie ostatni" – stwierdził filozoficznie, trąc zwiniętą w pięść dłonią okolice mostka.

~

Doktor Petrycy miał już okazję przyzwyczaić się do niechętnych spojrzeń i demonstracyjnego unikania jego towarzystwa przez dawnych dobrych znajomych. Po raz pierwszy spotkało go to, gdy wkrótce po ogłoszeniu stanu wojennego został zatrzymany, a potem niespodziewanie zwolniony z aresztu. Zarzuty nielegalnego handlu walutą, które mu postawiono, były wyssane z palca, choć funkcjonariusze Służby Bezpieczeństwa utrzymywali, że mają na to świadków oraz dowody. Maksymilian – związany z działalnością opozycyjną – wiedział, że na uczciwy proces nie może liczyć. Spodziewał się jednak, że w zamian za wypuszczenie na wolność będą go nakłaniać do podpisania deklaracji o współpracy. Tymczasem nic takiego nie nastąpiło.

– Raz odmówiłem i to im wystarczyło. Widać za mały jestem, żeby się mieli wysilać na przekonywanie mnie – tłumaczył jakiś czas później na zebraniu towarzyskim.

Kilka tygodni spędzonych na Montelupich wspominał jako najgorszy czas w swoim życiu. Gdy bez podania przyczyny wypuszczono go z więzienia, koszmar niestety się nie zakończył. Powrót do pracy na dawnych warunkach sprawił, że koledzy zaczęli się mu przyglądać z nieskrywaną podejrzliwością. Na jego widok cichły rozmowy, niektórzy zaś wprost zarzucali mu zdradę. Nie umiał z tym walczyć i dopiero niezłomna postawa jego przyjaciół, Beaty i Przemka Jaroszów, cieszących się w środowisku wielkim autorytetem, sprawiła, że powoli nieufność wobec niego zaczęła znikać. Zdołał nawet na tyle poprawić swój wizerunek, że kilka lat później, gdy wystartował w wyborach samorządowych z listy Komitetu Obywatelskiego, bez problemu dostał się do Rady Miasta Krakowa, a nawet został jej wiceprzewodniczącym.

Tytuł ten utracił na fali przetasowań we władzach miasta na początku dziewięćdziesiątego pierwszego roku. Dokładnie w momencie, gdy w poszukiwaniu kompromisowego kandydata na stanowisko prezydenta miasta ktoś zgłosił kandydaturę Petrycego, bulwarowa prasa ujawniła tajemnicę jego niemieckiego pochodzenia. Maksymilian – sam będąc jeszcze w szoku po tym odkryciu, dodatkowo przytłoczony nagłym upublicznieniem prywatnych zapisków swej matki – uniósł się honorem i zgłosił rezygnację, która została przyjęta. Ponad rok zajęło mu odzyskiwanie równowagi ducha i utraconej pozycji. Gdy okrzepł już na tyle, że nieoficjalnie zaproponowano mu posadę ministerialną w przyszłym rządzie, w mieście gruchnęła wieść, że jego przybrany ojciec był „agentem". Oskarżenia te z wielką pewnością siebie wygłosił na radiowej antenie Stefan Ulat, emerytowany profesor Akademii Medycznej i dawny kolega Benedykta.

– W tych donosach są informacje, które prócz mnie mógł znać tylko on! Ale to nie jest jedyna przesłanka. Dałem do ekspertyzy próbki pisma. Wynik jest jednoznaczny – oznajmił.

Maksymilian nie wahałby się wkroczyć na drogę sądową, gdyby z innych źródeł nie dowiedział się o faktach, które niestety potwierdzały rewelacje Ulata. Prywatne śledztwo przeprowadzone w tej sprawie przez doktora zaprowadziło go aż do Paryża, do mieszkania tajemniczej Michelle de Merteuil, będącej przed laty – jak się okazało – pierwszą żoną Benedykta Petrycego. Odkrycie tożsamości i powiązań kobiety, którą polska emigracja pogrudniowa i opozycjoniści w kraju nazywali „mateczką", mniej jednak wstrząsnęło Maksymilianem niż wgląd w dokumenty Służby Bezpieczeństwa, jakie ta wpływowa osoba zgromadziła i ukryła w swoim domu. Wynikało z nich jednoznacznie, że Benedykt, torturowany w ubeckiej katowni w roku pięćdziesiątym, został wreszcie szantażem zmuszony do współpracy. Robił, co mógł, by jej uniknąć i zminimalizować skutki donosów, obciążając w nich głównie Stefana Ulata. O tym, kim był ten ostatni i jak niecnych czynów dopuścił się przed wojną, hrabina opowiedziała Petrycemu bardzo drobiazgowo. Czy mogło to być jednak brane pod uwagę jako okoliczność łagodząca?

Najbardziej druzgocące dla Maksymiliana było stwierdzenie, że od początku narzędziami szantażu zastosowanego wobec Benedykta stała się jego matka i on sam. Okupacyjna miłość Jadwigi i niemieckiego urzędnika Maxa Bayera, powiązanie ich z niewyjaśnionym nigdy mordem, dokonanym przez hitlerowców na polskiej rodzinie i ukrywanych przez nią Żydach, mogły stanowić pretekst do osadzenia matki Maksymiliana w obozie pracy przymusowej oraz pozbawienia jej praw rodzicielskich. Do tego zaś Benedykt za żadną cenę nie chciał dopuścić. Po wyjściu ze stalinowskiego więzienia napisał kilka zdań do przybranego syna:

Nie wiem, co zeznawałem, przymuszony męczarniami. Tłukli moją głową o ścianę, obili nerki, połamali kości. Zamknęli w piwnicy, pozbawili jedzenia i snu. Grozili, że zaaresztują Twoją mamę, a Ciebie oddadzą do sierocińca. Ale opierałem się im, póki mogłem. Jeśli komuś zaszkodziłem, nie było to świadome, i z serca przepraszam. Chciałbym, żebyś to wiedział. Może kiedyś ta wiedza Ci się przyda.

Wertując akta bezpieki, Maksymilian Petrycy wreszcie pojął, co się zdarzyło na początku osiemdziesiątego drugiego roku, gdy w kilka tygodni po aresztowaniu został niespodziewanie zwolniony z więzienia. Oto Benedykt, załamany podniesionymi przeciw synowi zarzutami natury kryminalnej, perspektywą kary wieloletniego więzienia i pozostawienia bez środków do życia jego żony z czwórką małych dzieci, sam skontaktował się z funkcjonariuszem SB i zaproponował mu swoje usługi. Rzecz była wyreżyserowana – aresztowanie

Maksymiliana od początku tylko temu miało służyć. W tamtym okresie jednak żaden z nich nie mógł tego wiedzieć. Dopiero lektura raportów Lucjana Pawlickiego, oficera prowadzącego jego ojca, uzmysłowiła Maksymilianowi całą misterną intrygę, w której nieświadomie odegrał rolę wyznaczoną mu przez SB. Gdy o tym wszystkim myślał, serce pękało mu z żalu i wściekłości. Zrozumiał zachowanie Benedykta Petrycego w ostatnich latach życia – zgorzkniałego, zamkniętego w sobie starca, któremu nieludzki system odebrał resztki szacunku do samego siebie.

– Gdyby dało się to zło jakoś naprawić. Ale boję się, że już nie zdążę – miał powiedzieć Benedykt do Michaliny de Merteuil, z którą spotkał się krótko przed śmiercią. Przed najbliższymi milczał aż do końca, nie chcąc ich obciążać swoim poczuciem winy.

Te właśnie słowa sprawiły, że Maksymilian Petrycy powstrzymał hrabinę, gdy zamierzała wrzucić w ogień esbeckie teczki.

– Proszę mi wierzyć, znałem swojego tatę. Nie to miał na myśli, kiedy mówił o naprawieniu zła, które uczynił.

– Cóż więc miał na myśli? Proszę mi powiedzieć! Co on by zrobił? – dopytywała się z gniewem.

– Myślę że to samo, co zrobiła pani, kiedy się z nim spotkała tamtej jesieni po pięćdziesięciu latach – powiedział cicho Maksymilian.

Widząc jej łzy, nie dokończył. Był jednak pewien, że tylko jedno słowo może rozpocząć proces naprawiania zła. Krótkie i proste, ale jakże trudne do wypowiedzenia słowo „przepraszam". W aktach widniały nazwiska osób skrzywdzonych donosami jego ojca. Tym ludziom należała się prawda i – o ile to możliwe – zadośćuczynienie.

– On rzeczywiście nie zdążył, więc teraz w jego imieniu muszę to zrobić ja – powiedział do Michaliny na zakończenie długiej i bardzo dla obu stron wyczerpującej rozmowy. Pierwsza żona Benedykta nie była do końca przekonana, nie kryła też emocji. Sama w pokątny sposób weszła w posiadanie tych dokumentów tylko po to, by je zniszczyć. Widząc jednak determinację Maksymiliana i uznając, że ma on prawo na swój sposób bronić pamięci człowieka, którego nazwisko nosił, w końcu oddała mu papiery. Pomogła nawet zakupić u bukinistów nad Sekwaną kilka roczników starych czasopism, między którymi przy odrobinie sprytu można było w sposób niebudzący podejrzeń przemycić teczki przez granicę.

– Życzę powodzenia – rzuciła na pożegnanie, wzdychając przy tym teatralnie. – I niech pan nie zapomni o naszej umowie!

Umowa dotyczyła Dominiki Niewiadomskiej, prawniczki, która pośredniczyła w handlu trefnym towarem między francuską hrabiną a Lucjanem Pawlickim, byłym pracownikiem Służby Bezpieczeństwa z Krakowa. Maksymilian miał wymazać młodą kobietę z pamięci oraz notesu i przemilczeć jej udział w przedsięwzięciu, Michalina zaś – w razie kłopotów – wziąć całą winę na siebie.

Tak się rozstali, by – jak wskazywały wszelkie znaki na niebie i ziemi – już nigdy więcej się nie spotkać. Następnego dnia Petrycy bez przeszkód przekroczył granicę, a jego bagaż nie był nawet kontrolowany.

W czasie wielu godzin jazdy, oglądając mijane krajo-brazy, smugi świateł, a potem już tylko czerń za oknem, miał okazję przemyśleć sobie wiele rzeczy. Coraz wy-raźniej docierało do jego świadomości, jak podle został wykorzystany przez tajną policję w roli narzędzia do znie-wolenia człowieka, którego kochał i szanował. Dopiero teraz uzmysłowił sobie ogrom zła, z którego wcześniej – nawet jako działacz opozycji – nie zdawał sobie w pełni sprawy.

„Wszyscy byliśmy sterowani" – myślał z goryczą, słu-chając chrapania współpasażera na sąsiednim siedzeniu. – „Manipulowano nami jak kukiełkami w teatrze lalek!"

Czuł, że nie wolno mu tego wszystkiego zachować dla siebie. Tak działał ten system, przez kilka dekad w ten wła-śnie sposób rządząca klika – pod kuratelą obcego mocar-stwa – sprawowała w Polsce niepodzielną władzę. A zatem dokumenty, do których dotarł Maksymilian, to nie była prywatna sprawa pomiędzy jego ojcem a kilkorgiem soli-darnościowych działaczy. To był jeden z mikroskopijnych trybików, za pomocą których potężnej machinie „imperium zła" udawało się trzymać naród w zniewoleniu.

Nawet nie wiedział, że zaciska pięści, dopiero ból wbija-jących się w ciało paznokci sprawił, że wyprostował palce i oparł je o kolana. Zrozumiał, że jest tylko jedna droga, którą może podążyć – ujawnienie prawdy. W tym również szokującego faktu, z którym ciągle jeszcze nie mógł się po-godzić, że zawartość esbeckich archiwów nie została znisz-czona, ale stała się przedmiotem handlu, być może nawet na ogromną skalę.

„To zło wcale nie zniknęło, ono szerzy się dalej i dotyka nas wszystkich. Jeśli ktoś nie położy temu kresu, zatruje nas, porazi, i to na długie lata".

Wysiadł z autokaru nieco chwiejnie, gdyż po wielogodzinnej jeździe w obie strony nogi odmawiały mu posłuszeństwa. Umysł miał jednak klarowny, a cele jasno wytyczone. Nie spodziewał się tylko, że ich osiągnięcie będzie go aż tak wiele kosztować.

~

Od razu wyczuł, że coś się zmieniło. Marysia uciekała spojrzeniem w bok, nie szukała bliskości. Po powitaniu szybko uwolniła się z jego objęć. Wtedy jeszcze nie zwrócił na to uwagi, zbyt był zajęty tym, co miał jej do powiedzenia. Później wielokrotnie analizował w myślach te pierwsze chwile po przyjeździe z Paryża i zastanawiał się, co zrobił źle. Nie potrafił jednak znaleźć odpowiedzi.

Wysłuchała go, siedząc na łóżku, zawinięta w koc, niewidzącym spojrzeniem wpatrzona w okno. Od kiedy zaszła w ciążę, sporo czasu spędzała w tej pozycji, tak jakby wśród natłoku domowych i zawodowych obowiązków potrzebowała samotności do oswojenia się z nową sytuacją. Może gromadziła siły, by sprostać kolejnemu wyzwaniu, przed którym stanęła? Później, gdy już stało się najgorsze i normalna rozmowa przestała być możliwa, wyrzucał sobie, że nigdy jej o to nie zapytał.

– Co chcesz z tym wszystkim zrobić? – odezwała się dopiero, kiedy skończył.

– Upublicznić – wypalił bez zastanowienia. – Ludziom należy się prawda!

– Ludziom?

– No społeczeństwu. Wszystkim.

– I myślisz, że ich to tak bardzo zainteresuje?

– Myślę, że tak – powiedział z przekonaniem. – Ulat rzucał swoje oskarżenia w eter, każdy mógł tego słuchać. Niech teraz każdy posłucha, jak do tego wszystkiego doszło!

– I nie przeszkadza ci, że znowu będą rozgrzebywać historię naszej rodziny? Komentować, spekulować, oceniać? – w jej głosie zabrzmiały niepokojące nuty, ale nie zmieniła pozycji i nie oderwała wzroku od okna, choć nie było za nim nic, poza łysymi jeszcze gałęziami drzew.

– Spekulować? – zdziwił się Maksymilian. – Teraz jest pole do spekulacji! Chcę o tym wszystkim opowiedzieć właśnie po to, żeby ludzie poznali prawdę. Niech każdy ma możliwość dokonania oceny we własnym sumieniu.

– A nasze dzieci? Nie wystarczy ci to, przez co już musiały przejść? – Wreszcie odwróciła głowę i spojrzała wprost na niego. W jej oczach wyczytał gniew, mimo że ciągle doskonale nad sobą panowała.

– Nasze dzieci… – Nagle poczuł się bezradny. To był argument poniżej pasa. – One zrozumieją. Może przez chwilę będzie to bolesne, ale potem… Zrozumieją na pewno, że tak było lepiej. Dla wszystkich!

– Nie dla wszystkich, tylko dla ciebie – wycedziła lodowato. – Znowu się będzie mówić o panu Petrycym. Wszystko jedno, źle czy dobrze, byle się mówiło! Czy nie o to ci chodzi?

Była niesprawiedliwa. Doktor skurczył się, jakby dostał niespodziewanie cios w żołądek.

– Jak możesz tak myśleć? – wyszeptał tylko. – Przecież mnie znasz.

– Nie wiem już, czy cię znam – powiedziała, uciekając znów spojrzeniem w bok. – Zmieniłeś się, Maksymilianie. Kiedy Jasiek mówił, że polityka zmienia ludzi, nie chciałam mu wierzyć. Ale teraz sama zaczynam mieć wątpliwości.

– Zrozum, ja muszę to wszystko naprawić! – Niespodziewanie dla samego siebie znalazł się tuż obok niej. Objął ją ramieniem i spróbował odwrócić do siebie, ale wyczuł opór. – Zdarzyły się okropne rzeczy, a ja o niczym nie miałem pojęcia! Przez co on musiał przejść! Ile wycierpiał w samotności. Gdybym tylko wiedział…

– Ale nie wiedziałeś! – Poruszyła się gwałtownie, zrzucając jego rękę. – I nie możesz już nic zmienić!

– Masz rację – powiedział cicho. – Ale mogę przynajmniej przeprosić ludzi, których skrzywdził.

– Przeprosić? Za co? Że byliśmy ślepi, że nie potrafiliśmy kojarzyć faktów?

– Kochanie…

– Co, kochanie?! Czy to my ponosimy odpowiedzialność za jego wybory?!

Bezradność na chwilę pozbawiła go mowy. Ona tymczasem ciągnęła ze wzburzeniem:

– Myślisz, że mnie jest z tym łatwo?! Kochałam go jak ojca!

Zaczęła płakać, ale Maksymilian, chwilę wcześniej odepchnięty, nie śmiał już jej przytulić. Siedział z opuszczonymi bezwładnie rękami i zastanawiał się, co teraz powiedzieć. Bo jedno wiedział na pewno – i tak, bez względu na przebieg tej rozmowy, zrobi to, co uważa za słuszne.

– Znałaś go prawie tak dobrze jak ja – odezwał się wreszcie, gdy po raz ostatni pociągnęła nosem i otarła oczy. – Sama widziałaś, jak ciężko było mu żyć z tym brzemieniem, pamiętasz tamte lata, ostatnie przed jego śmiercią.

Ledwo zauważalnie skinęła głową.

– Więc chyba rozumiesz, że muszę tych ludzi przeprosić. W jego imieniu. On na pewno tego by sobie życzył.

– Przeprosić w jego imieniu? – Zmarszczyła brwi. – Przecież to niemożliwe! Nie da się przeprosić za coś, co uczynił inny człowiek. Nie da się przeprosić za kogoś! Nawet jeśli się wie, że on żałował.

Miała rację. Doktor nie musiał się długo zastanawiać, by jej to przyznać. Ale mógł zrobić co innego, coś, do czego miał moralne prawo.

– Jeśli nie przeprosić, to przynajmniej zadośćuczynić. To jeden z warunków odpuszczenia – powiedział w natchnieniu.

– Zadośćuczynić? – Znowu nie zrozumiała jego intencji. – Jak? Wypłacisz im odszkodowanie?

– No nie wiem – zawahał się Maksymilian. – Jeśli sytuacja będzie tego wymagała…

Długo patrzyła na niego z niedowierzaniem.

– Ty naprawdę zamierzasz to zrobić! – Pokręciła głową. – Chcesz z tym wyjść do ludzi i wystawić się na lincz.

– Ale jaki lincz, Marysiu? Kochanie, trochę jednak przesadzasz.

Wzruszyła ramionami.

- Lincz czy infamia, jakie to ma znaczenie? To nie będzie, jak twierdzisz, bolesne tylko przez chwilę. To się będzie za nami ciągnęło przez lata! Zrujnujesz nasze życie i życie naszych dzieci. Wykończysz nas psychicznie i finansowo. Czy tego chcesz?

– Przecież dobrze wiesz, że nie! – krzyknął, nie panując już nad sobą. Gdy w autokarze planował swoje następne posunięcia, nie przewidział aż takiego oporu z jej strony. Nie chciała czy nie potrafiła go zrozumieć? A może to on nie rozumiał wszystkiego, skoro nie mógł pojąć jej punktu widzenia? – Wiesz, że kocham was najmocniej na świecie i nigdy nie zrobiłbym wam krzywdy! Ale są sprawy ważniejsze. Zrozum. Ważniejsze niż miłość i rodzina!

– Benedykt tak nie uważał.

– I zapłacił za to straszliwą cenę!

Przez chwilę milczeli, każde pogrążone we własnych myślach.

– I jak niby zamierzasz to zrobić? – zapytała wreszcie.

– Uzgodniliśmy z Joanną… – zaczął, ale nie dane mu było dokończyć.

– Uzgodniliśmy?! Z Joanną?! – Marysia poderwała się z łóżka wyjątkowo sprężyście jak na piąty miesiąc ciąży. Oczy zapłonęły jej wściekłością. – To ja już nie mam nic do powiedzenia?!

– Ależ oczywiście, że masz!

Zorientował się poniewczasie, że wymieniając imię dziennikarki, popełnił fatalny błąd.

– Od dwudziestu czterech lat noszę twoje nazwisko! I nasze dzieci też je noszą! A ty z jakąś cizią ot tak decydujesz o naszym losie?! I dopiero potem mówisz o tym wszystkim mnie?!

Krzyczała, stojąc przed nim z kocem nadal narzuconym na ramiona, trzęsąc się ze wzburzenia. Brzuch podskakiwał przy każdym jej słowie. Wiedział, że nie powinna się aż tak denerwować, szczególnie po zabiegu amniopunkcji, który przeszła kilka dni wcześniej. Ale nie potrafił jej uspokoić.

– Wybacz – powiedział tylko, pochylając głowę, na którą sypały się gromy. – Ale w tej sprawie ja po prostu nie mogę postąpić inaczej.

Kraków, sobota, 21 marca 1992

Joanna Lipska mrugnęła do niego i uśmiechnęła się pokrzepiająco. Właśnie kończył się blok reklam, za chwilę mieli wejść na fonię.

– Do dzieła! – szepnęła bezgłośnie, a zaraz potem modulowanym specjalnie głosem powitała słuchaczy. – Naszym gościem jest dzisiaj Maksymilian Petrycy, doktor nauk medycznych, działacz opozycyjny, a obecnie radny miasta Krakowa.

– Dobry wieczór państwu. – Głos miał schrypnięty z emocji. Świadomość, że słucha go tylu ludzi, a także waga tego, co miał powiedzieć, na chwilę odebrały mu wszelką odwagę.

– Zaprosiłam pana dzisiaj, żeby porozmawiać o oskarżeniach, które nie tak dawno padły na naszej antenie. Pana zmarły ojciec Benedykt Petrycy, zasłużony dla Krakowa lekarz i społecznik, został pomówiony o współpracę ze Służbą

Bezpieczeństwa. Czy chciałby się pan jakoś ustosunkować do tych zarzutów?

– Tak – wyszeptał Maksymilian. W głowie miał pustkę, wszystko, co sobie wcześniej przygotował, zniknęło. Odchrząknął, rzucając dziennikarce ponad mikrofonem rozpaczliwe spojrzenie. Potrzebował pytań pomocniczych!

– Wiem, że udało się panu dotrzeć do dokumentów, które pozwalają jednoznacznie stwierdzić…

– …że te oskarżenia były prawdziwe.

Gonitwa myśli ustała, pustka znowu wypełniła się treścią. Klamka zapadła. Powiedział to.

– Nie ma pan żadnych wątpliwości? Przecież tak wiele mówi się teraz o możliwości dokonywania fałszerstw.

– Niestety, jestem pewny, że mój ojciec współpracował. Co gorsza, wiem, że w dużej części sam się do tego przyczyniłem.

– Pan?! Panie doktorze, żebyśmy zostali dobrze zrozumiani!

– Nie wprost. Moja osoba była wykorzystywana przez Służbę Bezpieczeństwa do szantażowania ojca. Widziałem na własne oczy zdjęcia wykonane przez nich w czasie demonstracji studenckich w marcu sześćdziesiątego ósmego. Była tam moja twarz, i wśród tłumu, i w dużym powiększeniu. Także twarz mojego przyjaciela. Widziałem notatkę służbową ze spotkania esbeków z moim ojcem kilka dni później. Namawiano go do współpracy w zamian za to, że nie będą wobec nas wyciągnięte konsekwencje.

– I pański ojciec przyjął tę „propozycję"?

– Uznał, że nie ma wyjścia. Oczywiście lawirował, jego… – Maksymilian zawahał się przy słowie „donosy", które niosło tak wiele treści. – Jego raporty były bardzo ogólnikowe, pisał je tak, by nikomu nie zaszkodzić. Ale nie wiadomo, które informacje i w jaki sposób SB mogła wykorzystać. Dlatego nie mogę się z tym pogodzić, że ojciec podjął taką decyzję. Gdy na to patrzę z perspektywy lat, wolałbym wtedy wylecieć z uczelni i sam zapłacić za swoje wybory, niż teraz przechodzić przez to wszystko. Próbować usprawiedliwić przed światem postępowanie tak bliskiej mi osoby, którego… nie da się usprawiedliwić!

Doktor zamilkł i zacisnął wargi. Do oczu napłynęły mu łzy.

– Powszechnie wiadomo, że na skutek brutalnych przesłuchań w stalinowskim więzieniu Benedykt Petrycy stracił zdrowie i możliwość wykonywania swojego zawodu – podjęła wątek Joanna, widząc, że jej rozmówca potrzebuje chwili na opanowanie wzruszeń. – Po wyjściu nie mógł już być chirurgiem, gdyż połamane przez śledczych palce nie odzyskały pełnej sprawności. Zajął się leczeniem chorób krwi.

– To prawda – wydusił Petrycy, ciągle na granicy płaczu. – Proszę mi wybaczyć, ale… jeszcze nie ochłonąłem po przeczytaniu kwitów, które Służba Bezpieczeństwa zgromadziła w jego teczkach. Bardzo mi trudno to zaakceptować.

– Jak pan sądzi, czy doświadczenia ze stalinowskiego więzienia wpłynęły na jego późniejsze decyzje? Czy lęk przed torturami, które mogłyby dotknąć na przykład pana, czynił go bardziej podatnym na żądania esbeków?

– Nie mam pojęcia – wyszeptał Maksymilian. – Ojciec nigdy nie wydawał mi się człowiekiem bojaźliwym, a w każdym razie nie bał się o siebie. Ale wiem, mam na to dowody z teczek, że chciał chronić moją matkę i mnie. A potem, po wprowadzeniu stanu wojennego, także synową i czworo wnucząt. To właśnie jego miłość i przywiązanie do rodziny Służba Bezpieczeństwa wykorzystywała bezwzględnie przez długie lata. Pisali o tym wprost! – Głos znowu mu zadrżał, tym razem z gniewu. – Nie mam słów na określenie tego, co wyziera z tych dokumentów. To byli ludzie kompletnie pozbawieni uczuć i sumienia! Sterowali zza kulis postępowaniem nieświadomych niczego osób, rozpracowywali je, łamali ich kariery, rozbijali rodziny, pozbawiali godności. Wszystko po to, by osiągnąć jakieś swoje cele. Nie, nawet nie swoje! Cele komunistycznego państwa, z którym się identyfikowali. Nie mam słów.

– Czy myśli pan, że poznanie motywów kierujących pańskim ojcem może w jakiś sposób wpłynąć na stanowisko pokrzywdzonych przez niego osób? Nie tak dawno na naszej antenie profesor Stefan Ulat domagał się sprawiedliwości.

Wspomnienie o człowieku, wobec którego Benedykt swoimi donosami wyrównał tylko rachunek krzywd, sprawiło, że Petrycy momentalnie ochłonął. Nie wiedział jednak, co ma odpowiedzieć. To była niezwykle delikatna sprawa. Doktor nie mógł ujawnić wszystkiego, co wiedział o Ulacie. Nie miał żadnych dowodów przeciw niemu, zresztą przestępstwa te były już przedawnione.

– Profesor powiedział wówczas, że uważa lustrację za dziejową konieczność. – Wobec przedłużającego się milczenia włączyła się znowu Joanna. Uczucia miotające jej rozmówcą uzewnętrzniały się na jego twarzy, ale słuchacze nie mogli przecież tego widzieć. Radio zaś kierowało się własnymi prawami, nie znosiło ciszy. – Stwierdził, że powinna ona objąć nie tylko osoby na najwyższych stanowiskach w państwie. Że ludziom prześladowanym przez system należy się, by sprawcy ich nieszczęść przyznali się do winy. Co pan o tym sądzi?

– Ci, którzy nie żyją, nie mogą się już przyznać. Ani bronić – powiedział cicho doktor. – Nie mogą też przeprosić, nawet gdyby chcieli.

– Domyślam się, że mówi pan w tej chwili o swoim ojcu – stwierdziła Joanna. – Myśli pan, że on, gdyby żył, chciałby przeprosić?

– Z relacji osoby, która była mu kiedyś bardzo bliska, dowiedziałem się, że żałował tego, co zrobił. Czy miałby jednak odwagę, by teraz, w wolnej Polsce, publicznie stawić temu czoło? Nie mam pojęcia. – Doktor zawahał się na chwilę. – Wiem natomiast z własnego doświadczenia, jak się czuje człowiek postawiony pod pręgierzem opinii publicznej. Podle. Dlatego bałbym się żądać tego od kogokolwiek.

– Uznaje pan, że lepiej pozostawić wszystko w spokoju i w zapieczętowanych, niedostępnych archiwach?

– Nie. Każdy powinien mieć dostęp do dokumentów, które go dotyczą. Pokrzywdzeni rzeczywiście mają prawo do sprawiedliwości, tu zgadzam się z panem Ulatem. Zwłaszcza że te archiwa wcale nie są takie niedostępne.

– Zanim do tego przejdziemy, chciałam jeszcze raz powtórzyć swoje pytanie – powstrzymała go Joanna. – Czy sądzi pan, że ujawnienie okoliczności, w których ludzie byli zmuszani do współpracy, pozwoli ich ofiarom coś zrozumieć i przebaczyć?

Doktor Petrycy przez chwilę uczciwie się nad tym zastanowił.

– Wątpię – odrzekł wreszcie.

– A jednak oczyszczenie atmosfery wokół tajnych służb Peerelu i ich współpracowników wydaje się konieczne. To się już dokonuje w Niemczech, Czechach i na Węgrzech.

– I u nas też trzeba będzie to zrobić. Także dlatego, że póki zawartość esbeckich archiwów będzie dla obywateli objęta tajemnicą, może stanowić doskonały materiał do różnych przetargów, a nawet do uprawiania szantażu przez tych nielicznych, którzy ją poznali. Mam nawet powody sądzić, że już stanowi.

– No właśnie. W jaki sposób dotarł pan do teczek swojego ojca?

– To jest najbardziej niepokojące w całej tej historii. Dowiedziałem się, że te teczki zostały skreślone z ewidencji i zniszczone na przełomie osiemdziesiątego dziewiątego i dziewięćdziesiątego roku. Ale okazało się, że to nieprawda. Istniały nadal i były w prywatnym posiadaniu byłego funkcjonariusza SB, który po prostu chciał je sprzedać z jak największym zyskiem. Dostałem od niego propozycję kupna.

– Słucham?! – Bardzo udatnie zagrała zdziwienie. Wiedziała już o tym przecież od kilku tygodni, gdy Maksymilian zdecydował się wtajemniczyć ją w całą aferę.

– Tak, ja nie żartuję. Byłem tak zaskoczony, że z początku nie zrozumiałem, o co mu chodzi. Dopiero po niewczasie pojąłem, co się dzieje. Zacząłem szukać dojścia do tych dokumentów. Niestety, zostały już wtedy sprzedane i wywiezione za granicę.

– Włos się jeży, gdy się tego słucha. Co pan zamierza zrobić z całą tą wiedzą?

– Jeszcze nie wiem, dopiero niedawno odzyskałem te papiery. Trzeba je będzie oddać do przebadania nie tylko pod względem autentyczności, w którą niestety musiałem uwierzyć, ale także zawartości. Nie mam pojęcia, kto mógłby się tym zająć, sam ciągle jeszcze jestem oszołomiony tym, do czego dotarłem. Żałuję, że nie mogę o tym wszystkim porozmawiać z ojcem, zapytać go, co czuł, czego się bał lub na co liczył. Zostałem z tym sam, bezradny jak dziecko we mgle. Dlatego uważam, że ten problem powinien być rozwiązany systemowo. Tak, żeby nikogo nie skrzywdzić, ale też nie zakłamywać rzeczywistości.

– Czy to jest pana apel do rządzących?

– Nie miałam takich intencji, ale… tak, można by to potraktować i w ten sposób.

– Więc co chciał pan osiągnąć, występując dzisiaj na naszej antenie?

– Chciałem powiedzieć, że bardzo mi przykro. Nie mogę przeprosić za ojca, to nie w mojej mocy, ale chcę wyrazić żal. I obiecać, że zrobię wszystko, żeby to się nigdy nie powtórzyło. Żeby nie było w naszym kraju więcej sytuacji, gdy łamie się ludziom kręgosłup moralny i niszczy sumienia, wykorzystując do własnych autorytarnych celów ich najniższe pobudki bądź prawdziwie wzniosłe uczucia. Bo te też wykorzystywano! Miłość i troskę o innych, czasem naiwność. Grzebano ludziom w prywatności i gromadzono haki, by groźbą kompromitacji wymuszać potem takie, a nie inne postępowanie! – zachłysnął się i otrzeźwiał. – Dlatego tu jestem i mówię państwu szczerze o tym, czego się dowiedziałem o moim ojcu. Gotów jestem przyjąć wszystkie konsekwencje, jakie mnie mogą za to spotkać w życiu politycznym.

– Zmierza pan w nim pozostać?

Spojrzał na nią zdziwiony. Takiego pytania się nie spodziewał.

– Jeśli taka będzie wola wyborców – odrzekł krótko.

Rok wcześniej, gdy niektórzy odsądzali go od czci za wybór, jakiego w czasie wojny dokonała jego matka, wiążąc się z Niemcem, to jemu samemu wydawało się, że powinien się wycofać z pełnienia funkcji publicznych. Dlatego zrezygnował z fotela wiceprzewodniczącego Rady Miasta Krakowa, choć na szczęście nie złożył mandatu. Od tamtego czasu jednak sporo sobie przemyślał i okrzepł w swoich poglądach. Potrafił ich już bronić.

– Nie ponoszę odpowiedzialności za to, co uczynił mój ojciec... czy matka. – Przy ostatnim słowie głos mu zauważalnie drgnął. – Mogę odpowiadać tylko za swoje czyny.

– Oczywiście – wtrąciła szybko Joanna. – Nikt przecież panu niczego nie zarzuca.

– Gdy wypominano mi niemieckie pochodzenie i tragiczne zdarzenie z czasów wojny, w które rzekomo była zamieszana moja rodzina, mogłem z czystym sumieniem stwierdzić, że Jadwiga Ptaszyńska nikogo nie skrzywdziła – przerwał jej, wpatrzony w mikrofon, skupiony maksymalnie na tym, co chciał powiedzieć. – Potwierdził to świadek tamtych wydarzeń, w rozmowie, z której mam nagranie.

– Tak, czytałam wywiad z panem na ten temat w „Gazecie Wyborczej".

– Natomiast to, co uczynił mój przybrany ojciec, a o czym dowiedziałem się niedawno, dotknęło boleśnie bardzo wielu ludzi. W tym także, choć na samym końcu, mnie i moją rodzinę.

Joanna, zapominając, że jest w radiu, bez słowa potwierdziła skinieniem. On zaś zaczerpnął głęboko tchu, zanim dokończył:

– Zło jest złem. Choć to cholernie boli, bo kochałem i nadal kocham Benedykta, nie mam prawa go usprawiedliwiać i szukać okoliczności łagodzących. To mogą zrobić tylko ci, którzy zostali przez niego skrzywdzeni.

Kraków, poniedziałek, 25 maja 1992

Ból za mostkiem powoli minął. Pogrążony w myślach doktor nawet nie zauważył, kiedy minął hotel Cracovia i stadion sportowy i doszedł do furtki. Zawieszona na niej skrzynka znów była pełna. Wygarnął plik kopert i przejrzał je pobieżnie. Adresowane ręcznie i maszynowo, wszystkie listy skierowane były do niego. Bez czytania mógł powiedzieć, co zawierają – obelgi i złorzeczenia, opisy smutnych historii ludzkiego życia i prośby o wsparcie, a także wyrazy uznania za odwagę cywilną, której przejawem był ów radiowy wywiad. Te ostatnie, najmniej liczne, najczęściej były podpisane imieniem i nazwiskiem.

Niechciana korespondencja już dawno przestała robić na nim wrażenie i niemal w całości służyła jako rozpałka w starym piecu węglowym, który ze względu na kapryśną wiosenną pogodę jeszcze do niedawna był stale w użyciu. Teraz jednak doktor uważniej przyjrzał się znaczkowi z globusem zodiakalnym i napisem SVERIGE na jednej z kopert. Rozrywając niecierpliwie dobrej jakości papier, wkroczył na koślawą ścieżkę prowadzącą do domu. Wystarczył mu rzut oka na zawartość – dwie kartki zapisane drobnym, niedbałym pismem lekarza. Nacisnął klamkę, czując na grzbiecie dreszcz emocji. Zamierzał zaraz zaszyć się w swoim gabinecie, by w ciszy zapoznać się z treścią listu, a może nawet wysilić na odpowiedź. Ale gdy tylko wszedł do przedpokoju, w jednej chwili o tym zapomniał. Przed nim rozciągał się krajobraz zniszczenia, w którym – przyprószeni miałem z cegły i zaprawy – krzątali się Staszek Mróz i jego pomocnik.

– Maksiu, nie uwierzysz, co się stało – zaczął majster, otrzepując spodnie i wzniecając przy tym dodatkowe chmury pyłu. – Nie wiem, kto wam robił tę łazienkę, ale, z przeproszeniem, spartolił robotę.

– Nie wierzę – wyszeptał Maksymilian.

Otwartą kopertę wsunął do kieszeni marynarki, pozostałe upuścił koło drzwi do piwnicy i powoli ruszył w głąb przedpokoju, a stamtąd do łazienki. W miejscu gdzie jeszcze rano była ściana, widniało teraz gruzowisko. Petrycy wyminął Mroza i zobaczył po drugiej stronie wnętrze kuchni w dawnym mieszkaniu swoich rodziców, zajmowanym obecnie przez Anię. Przepełniony kosz na śmieci, stos brudnych naczyń oraz rozłożone na stole resztki śniadania – przysypane teraz kurzem i odpryskami tynku – nie wystawiały jego córce najlepszego świadectwa.

„Powinna się wreszcie nauczyć dbać o porządek w swoim otoczeniu!" – pomyślał, zawieszając wzrok na wrzuconym do zlewu, na wpół rozmrożonym kawałku mięsa w woreczku, z którego sączyła się strużka krwi. – „Przecież za chwilę zostanie matką! Jak wtedy zdoła to wszystko ogarnąć?!"

Gdyby obok niego stała Marysia, doktor na pewno nie powstrzymałby się od komentarza. Żony przy nim jednak nie było, a przed Staszkiem nie chciał wylewać żalów. Co więcej, miał przeczucie, że nie odważy się powiedzieć tego Ani. Ich relacje były tak złe jak jeszcze nigdy dotąd.

– Czy ona już to widziała? – zapytał, odchrząkując, gdyż złośliwe drobinki pyłu dostały się mu do gardła i utrudniały mówienie.

– Jeszcze nie – odpowiedział majster z przejęciem, które wskazywało, że doskonale zdaje sobie sprawę z powagi sytuacji. – Ale dobrze by było, żeby ktoś ją na to przygotował, zanim tutaj wejdzie.

– A my, tam na górze? Jesteśmy bezpieczni czy też istnieje możliwość, że nagle znajdziemy się piętro niżej? – ciągnął rzeczowo doktor, unosząc głowę i wodząc wzrokiem po suficie w poszukiwaniu rys i pęknięć.

– To była tylko ścianka działowa! Katastrofa budowlana jeszcze wam nie grozi – uspokoił go Staszek. – Postaramy się do jutra uprzątnąć ten gruz, kupimy partię cegieł i w czwartek, a najdalej w piątek, zaczniemy stawiać nową. Ale rozmowy z twoją córką się nie podejmuję.

– No dobrze! – westchnął Maksymilian, wycofując się ze zrujnowanej łazienki i zasuwając łańcuszek w drzwiach wejściowych. – Zejdę, jak się zacznie dobijać, i uprzedzę ją, żeby nie doznała szoku.

Myśl o tym, że Ania będzie musiała teraz przeprowadzić się na górę, sprawiła, że jego plecy, mocno już pochylone po zajściu z kardiologiem i opróżnieniu skrzynki na listy, zgarbiły się jeszcze bardziej. Ogarnął wzrokiem pobojowisko.

„Jak w moim życiu" – pomyślał, z rezygnacją wstępując na schody.

W mieszkaniu na piętrze nie było jeszcze nikogo, kuchenne palniki stały wygaszone, a lodówka ziała pustką. Maksymilian zatrzasnął drzwi, na których widoczne było wgniecenie po jednej z jego najbardziej gwałtownych kłótni z Marysią. Pogładził palcem blachę w miejscu, gdzie odprysnął lakier.

„Wtedy jeszcze mogliśmy sobie wszystko powiedzieć i wyjaśnić – pomyślał tęsknie. – Czemu potem przestała ze mną rozmawiać?"

Zastanawiał się nad tym już ponad miesiąc i ciągle nie potrafił znaleźć odpowiedzi. Rozpraszały go zresztą tysiące domowych i zawodowych spraw, którymi się musiał zająć. Jak choćby teraz, gdy głód dawał się mu we znaki, nieprzeczytany list parzył przez kieszeń marynarki, a świadomość, że nie ma obiadu dla dzieci, szarpała sumienie. Szybko zapomniał więc o Marysi, przeszedł do dużego pokoju i wybrał numer pani Moniki, która już od lat pomagała Petrycym w większych porządkach i pracach domowych.

– Chciałbym zaproponować pani trochę więcej godzin u nas. Taką, powiedzmy, ćwiartkę etatu – powiedział, dziwiąc się, czemu wpadł na ten pomysł dopiero teraz. – Zakupy, sprzątanie, pranie, prasowanie. No i regularne gotowanie obiadów, oczywiście...

Wysłuchał w skupieniu jej pytań.

– Stawkę oczywiście możemy negocjować – zapewnił. – A co do czasu... – Ze zmarszczonymi brwiami dokonał w myślach krótkiej kalkulacji. – To pewnie będzie tak ze dwie godziny dziennie – zawyrokował.

Odetchnął, gdy się zgodziła, wrócił do kuchni i nastawił garnek z wodą. Wyjął z kieszeni mocno już wymiętą kopertę. W lewym górnym rogu widniała mała naklejka z wydrukowanym adresem nadawcy: *Dr Bogna Grocholska, Invärtesläkare, 72 Annebodavägen, Stockholm.*

„Odpisała!" – pomyślał znowu ze wzruszeniem.

W tej chwili woda zaczęła się gotować, więc wyciągnął z zamrażalnika dwie paczki pierogów, pomedytował chwilę, po czym spod warstwy szronu wydobył jeszcze jedną. Franek ostatnio zaczął rosnąć i miał wilczy apetyt, dzień w dzień wymiatał lodówkę do czysta.

„To dobrze, niech chłopak je!" – pomyślał, energicznie rozpruwając nożem torebki i wrzucając ich zawartość do wrzątku.

Zamieszał drewnianą łyżką, a potem usiadł, wracając do listu. Wreszcie zaczął czytać.

Drogi Maksymilianie!

Dużo czasu zajęło mi oswojenie się z tym, czego się od Ciebie dowiedziałam, i dlatego dopiero teraz zdobyłam się na odpowiedź. Musiałam ochłonąć, przemyśleć pewne sprawy, spojrzeć z dystansu. To już przecież prawie dziesięć lat, powinnam umieć zdobyć się na dystans. A jednak to wszystko nadal boli, jakby się zdarzyło wczoraj.

Najbardziej chyba boli dlatego, że Benedykt Petrycy był moim mistrzem. Niewielu jest ludzi, którzy prócz rozległej wiedzy dysponują tak wielką kulturą, obyciem, ale także zasadami moralnymi. Twój ojciec – przybrany, jak się niedawno dowiedziałam – wydawał się mieć wszystkie te przymioty. Promieniowała z niego dobroć. I to chyba ona najbardziej przyciągała młodych. Czasem wystarczyło jedno jego zdanie, a nawet spojrzenie. Nikt tak jak on nie potrafił przywrócić studentowi czy młodemu już lekarzowi wiary w siebie!

A Ty mi piszesz, że donosił. Między innymi na mnie. Że kłopoty, w które wpadłam, i które zaprowadziły mnie aż tutaj, do Sztokholmu, to jego wina. I że masz co do tego absolutną pewność.

Nie wiem ciągle, jak potraktować Twoje słowa. Najchętniej uznałabym, że to głupi żart, ale za dobrze Cię znam, by podejrzewać o takie dowcipy. Wiem też, że nie zamierzałeś mi sprawić bólu. Kierowałeś się zapewne dobrą intencją, chciałeś coś naprawić. A to, że zburzyłeś mój obraz świata, który był chyba zbyt idealistyczny, że zrzuciłeś z postumentu człowieka, którego niezwykle szanowałam, że od kilku tygodni nie mogę sobie znaleźć miejsca, a po nocach męczą mnie koszmary z przeszłości – to tylko skutek uboczny Twej szczerości. Może za jakiś czas, gdy już rana trochę się zabliźni, będę potrafiła Ci podziękować. Bo na razie – wybacz – ciągle nie mogę w to uwierzyć.

Czuję się jak dziecko, któremu brutalnie uświadomiono, że Święty Mikołaj nie istnieje. Chciałabym móc się obrazić – tylko na kogo? Na Ciebie? Z pewnością cierpisz jeszcze bardziej niż ja. Na niego? Przecież przeszedł już na drugą stronę, w miejsce, gdzie wszystko staje się dużo prostsze. Przedstawiłeś mi motywy, którymi się kierował. Nie mnie je oceniać. Jeśli jest Bóg – a z biegiem czasu coraz bardziej utwierdzam się w przekonaniu, że tak – On zrobi to za mnie.

Przyznam, że myśl o Bogu jest bardzo pokrzepiąca. Chciałoby się mieć świadomość, że ktoś za to zło zapłaci. Za cierpienie moje, Twoje i Benedykta. Kto nam zgotował taki los? Kto kierował tym wszystkim zza wygodnego biurka w wygodnym gabinecie? Mam nadzieję, że zostanie rozliczony z każdej nikczemnej decyzji i z każdego podłego czynu!

Moje życie ułożyło się na tyle szczęśliwie, że niczego nie żałuję. Nie mogę jednak przyjąć spokojnie tego, o czym mi powiedziałeś. Benedykt był kimś więcej, niż profesorem i kolegą z pracy. Był ideałem. A Ty ten ideał jednym swoim listem po prostu zniszczyłeś. Niech Ci Bóg wybaczy, bo ja na razie nie mogę.

Czytał ten list raz, drugi i trzeci, a litery coraz bardziej rozmazywały mu się przed oczami. Ostatnie słowa wstrząsnęły nim mocniej niż wszystko, co go spotkało od czasu radiowego wywiadu. Były po prostu druzgocące.

Wreszcie odłożył kartkę i tępym wzrokiem spojrzał na garnek z dziko bulgocącą wodą. Unosiły się z niego kłęby pary, spowijając kuchnię przezroczystą zasłoną. Przez chwilę wracał myślami do rzeczywistości, wreszcie zerwał się z miejsca i zmniejszył płomień. Nie było już jednak czego ratować. W środku pieniła się i wirowała gęsta zupa serowa, w której pływały strzępy ciasta i kapusty, urozmaicone barwnymi plamami rozgotowanych truskawek. Nawet nie zauważył, że wrzucił do wody trzy różne rodzaje pierogów.

~

Bar mleczny Flisak na rogu Kościuszki i alei Krasińskiego był mocno zatłoczony, kolejka wiła się aż do wejścia. Doktor nie mógł opanować nerwowego spoglądania na zegarek. Za niespełna trzy godziny miało się odbyć spotkanie działaczy Unii Demokratycznej z Bronisławem Geremkiem, który przez jeden dzień gościł w Krakowie. Petrycy dowiedział się o tym przez przypadek, od znajomego, który się tam wybierał. Konstatacja, że nie dostał od kolegów zaproszenia ani nawet informacji na ten temat, dotknęła go, ale nie zdziwiła. Od czasu wywiadu radiowego, w którym wzywał do przeprowadzenia radykalnej lustracji, definitywnie utracił swą pozycję w partii, w której wielu działaczy było z gruntu przeciwnych takiemu posunięciu.

Studiując listę dań na drewnianej tablicy, zastanawiał się, jak ma dziś wybrnąć z sytuacji. Czy pójść bez zaproszenia i rozpętać dyskusję na jeden z najgorętszych obecnie tematów? Czy też darować sobie i udawać, że nic o spotkaniu nie wiedział? Czas upływał, a on ciągle nie potrafił podjąć decyzji. Wreszcie, po odstaniu swego w kolejce, zamówił cztery porcje ruskich pierogów oraz dodatkowo zupę pomidorową dla Franka i kompot dla Gabrysi. Z ciężką tacą dotarł do stolika, zajętego wcześniej przez dzieci. Zaczęli pałaszować, nie zważając na głodne spojrzenia osób oczekujących na wolne miejsce. Ania, dla której zostawił w drzwiach kartkę z informacją, że są we Flisaku, nie nadchodziła.

„Może jest jeszcze na zajęciach" – myślał doktor, choć wcale nie był tego pewny. Równie dobrze mogła się już zacząć sesja. Nawet nie wiedział, czy córka nie miała dziś jakiegoś egzaminu! Poczuł niemiłe ukłucie. Jakoś nie potrafi dogadać się z własnymi dziećmi. Jasiek już od czasów liceum traktował go jak wroga, a w klasie maturalnej wyprowadził się nawet do Nowej Huty, do dziadka. Ania, jeszcze do niedawna oczko w głowie tatusia, po awanturze związanej z pamiętnikiem babci najwyraźniej nie mogła go ścierpieć. Dwójka najmłodszych, jak dotąd, nie stwarzała większych problemów...

„Ale oni też jakoś specjalnie się do mnie nie garną, nawet teraz, gdy na pewno brakuje im matki. Dlaczego?" – zastanawiał się doktor. Uświadomił sobie, że od kiedy wyszli z domu, nie zamienili ze sobą nawet słowa, jeśli nie liczyć kilku jego suchych poleceń.

Przerwał jedzenie i przyjrzał się uważniej swoim latoroślom. Gabrysia w ostatnich tygodniach mocno wyszczuplała, buzia się jej wyciągnęła i nabrała wyrazistych rysów.

„Jaka ona śliczna!" – pomyślał i sam się zdziwił, że dopiero teraz dostrzega w córce zadatki na piękną kobietę.

Franek przeciwnie, chowający głowę w ramiona, z wielkimi stopami i przydługimi rękami, przypominał na razie bardziej goryla niż mężczyznę. Ale w ostatnim czasie znacznie urósł, a potężny apetyt świadczył o tym, że młody organizm zbiera się do skoku.

Doktor nagle zapragnął pogadać z nimi, ot tak, o wszystkim.

– Jak tam w szkole? – zagaił standardowo.

Na chwilę podnieśli wzrok, zanim znowu wlepili go w talerze. W ich oczach dostrzegł zdziwienie, a może nawet i niechęć.

– W porzo – mruknął Franek, a Gabrysia tylko mu potaknęła.

– Uczysz się do egzaminu? – zwrócił się tym razem do niej, licząc na to, że otrzyma odpowiedź nieco bardziej rozbudowaną. I się nie zawiódł.

– Tak. Do klas z angielskim jest podobno duża konkurencja – oświadczyła, przełykając pieroga.

– Skąd wiesz? – spróbował rozpaczliwie podtrzymać konwersację, na co usłyszał zwięzłe:

– Czytałam w gazecie.

– O! Ty czytasz gazety? – ucieszył się Maksymilian, ale córka, zgarniając resztki smażonej cebuli, tym razem nawet nie spojrzała w jego stronę.

Podziękował i wstał od stolika, żeby kupić obiad na wynos dla Ani. Żadne z dzieci nie odpowiedziało. Franek płynnie wymienił talerze i przeszedł do dodatkowej porcji.

„O czym Marysia z nimi rozmawiała?!" – zastanawiał się, po raz drugi stojąc w ogonku. Doskonale pamiętał wszystkie te popołudnia, gdy po powrocie ze szkoły, siedząc przy obiedzie, paplali jedno przez drugie, a ona krzątała się po kuchni, zadając tylko od czasu do czasu jakieś pytanie. „Jak ona to robiła?!"

Podejrzewał jednak, że jakkolwiek teraz próbowałby ją naśladować, i tak natrafiłby na mur milczenia swoich dzieci.

Czuł, że jest tylko jedna sprawa, która ich obecnie interesuje, i w głębi ducha wiedział doskonale, jakie pytanie chcieliby mu zadać. Ale on nie znał na nie odpowiedzi i tego właśnie tematu unikał jak ognia już od wielu tygodni.

~

Jedyną osobą, która mogła wiedzieć, kiedy wróci mama, była Janka Rosa. Gdy po powrocie z Flisaka doktor zobaczył jej poloneza zaparkowanego na chodniku przed furtką, nawet się ucieszył. Przynajmniej jeden problem rozwiązał się sam – z przyczyn od niego niezależnych nie będzie mógł dziś wieczorem siać fermentu na spotkaniu z Geremkiem. Już w przedpokoju spowitym przez Staszka w folie malarskie doszedł go z góry tubalny głos:

– A gdzie je trzyma? Nie będę wam przecież grzebać po szafach!

– Ciocia! – Gabrysia rzuciła się pędem po drewnianych stopniach, a Franek, usiłując zachować pozory stateczności i powagi, pospieszył za nią. On też bardzo lubił Jankę, która od czasu wypadku okazywała mu wyjątkowe względy i po cichu dokarmiała czekoladą.

Z góry dobiegła odpowiedź Ani. Ach, więc była już w domu! Doktor powoli wstępował na schody, przysłuchując się temu, co się działo powyżej.

– Zrobiłam dla niej wisiorek na Dzień Matki. – Usłyszał głosik Gabrysi, przesiąknięty łzami. – Serduszko z gliny, popatrz.

– Och, jakie piękne! Daj, zabiorę je razem z sukienkami. – Również w tonie Janki dała się słyszeć jakaś dziwna miękkość i tkliwość. Kiedy jednak Petrycy wszedł na piętro, przyjaciółka rodziny szybko otarła oczy, odchrząknęła i huknęła z dawną mocą:

– O! Maksiu!

– Witaj. Co słychać? – zagaił obojętnie, choć miał ochotę zasypać ją pytaniami.

– A, przyjechałam do Krakowa, bo miałam zebranie w klubie. Domagamy się poważnych zmian w transporcie miejskim i planujemy taką małą akcję z okazji dnia bez samochodu – zaczęła energicznie, ale urwała, gdy tylko spojrzała doktorowi w oczy. – Gorąco się zrobiło, Marysia potrzebuje letnich ciuchów. Więc wpadłam przy okazji.

– Chodź. – Poprowadził ją do sypialni, w której znajdowały się dwie szafy. Zawartość jednej z nich należała do jego żony. – Sama musisz poszukać, ja się na tym nie znam.

Usiadł na łóżku i w milczeniu przyglądał się, jak Janka wprawnymi ruchami rozgarnia garderobę i dokonuje selekcji.

– Jak ona się czuje? – Nie wytrzymał.

– Lepiej – powiedziała półgębkiem, zerkając w stronę drzwi. – Dba o siebie, odpoczywa. Rozmawiamy.

– O mnie?

Janka szybko wsadziła głowę w głąb szafy.

– O wszystkim. – Dobiegło go niewyraźnie.

– Czy jest coś, o czym powinienem wiedzieć?

– Musisz być cierpliwy – mruknęła, wyjmując naręcze ubrań. – Przecież z tego nie wychodzi się jednym skokiem. To musi potrwać.

– Nie chciała mi nic przekazać? Zupełnie nic?

Westchnęła, odkładając na bok wybrane szmatki, i znowu spojrzała mu w oczy.

– Ona nawet nie wie, że tu dzisiaj jestem.

Stosik odzieży na łóżku powiększał się. Doktor dał wreszcie za wygraną i poszedł do przedpokoju po torbę. W tym czasie do sypialni znów wtargnęły dzieci.

– A jak tam Flip i Flap? Nie smutno im bez nas?

– O, na pewno jest im bardzo smutno, kiedy mają czas o tym myśleć. Ale wierzcie mi, na wsi jest dla nich tak wiele atrakcji, że przez większość dnia i nocy są bardzo zajęte. Gdybyście widzieli, jak ten głupi pies zareagował, gdy po raz pierwszy spotkał się z kozą sąsiadów! Zaczął szczekać falsetem! A zwiewał przed nią, aż się kurzyło.

– A kiciuś? – dopytała Gabrysia.

– Zrobił się z niego istny postrach myszy! Poluje niezmordowanie, a potem przynosi nam swoje ofiary i zostawia w różnych dziwnych miejscach, czasem na ganku, czasem w sypialni. Raz myszka ożyła i zaczęła biegać po kuchni. Trzeba było widzieć waszą matkę, jak szybko wyskoczyła na stół...

Urwała, w pokoju zapadła cisza.

– Chciałabym ją odwiedzić – szepnęła dziewczynka.

Janka znów musiała odchrząknąć, zanim odpowiedziała.

– Dajcie jej czas. Chociaż do wakacji.

– Już się nie mogę doczekać, aż się ta buda skończy! – zawołał Franek i łupnął pięścią w narzutę przykrywającą rodzicielskie łóżko.

Stojący w progu Maksymilian spuścił wzrok. Chciałby mieć, jak oni, nadzieję na spędzenie z Marysią choćby dwóch tygodni na wsi. Ale tego nie było w planach ani jego, ani tym bardziej jej.

Wsadził ręce do kieszeni i poszedł do kuchni. Siedziała tam Ania, pochylona nad stołem, z twarzą ukrytą w dłoniach. Na ten widok serce mu się ścisnęło. Odruchowo pogłaskał ją po włosach.

– Zostaw!

Gwałtownie poderwała głowę i rzuciła mu spojrzenie przepełnione taką złością, że aż się cofnął. Natychmiast stracił ochotę na rozmowę i pocieszanie jej.

– Będziesz się musiała przenieść do dużego pokoju – rzucił sucho. Odwrócił się i nalał wody do czajnika. – Staszek obiecał, że postara się uprzątnąć ten bajzel jak najszybciej. Do tego czasu czuj się tu na górze jak u siebie.

Dawny pokój Ani, po jej przeprowadzce do mieszkania babci Isi, zajęła Gabrysia. Nie było już szans, by zgodziła się znowu zamieszkać z Frankiem i odstąpić starszej siostrze niegdysiejsze lokum. Maksymilian nawet nie zamierzał jej tego proponować, wolał na jakiś czas zrezygnować z oglądania telewizji.

Ania przyjęła to rozstrzygnięcie ze stoickim spokojem. Wzruszyła tylko ramionami i znowu podparła rękami czoło, kryjąc twarz.

– Hej, laleczko, co u ciebie? – zapytała Janka, zaglądając do kuchni. W ręku trzymała wypchaną torbę, widać zakończyła już pakowanie.

Ania nie raczyła odpowiedzieć, pokręciła tylko głową, nie podnosząc wzroku. Wyglądało to rozpaczliwie.

– Napijesz się kawy? – zapytał Petrycy, chcąc ratować sytuację.

– Dzięki, ale muszę już jechać. Nie mogę zostawiać jej tak długo samej – powiedziała Janka, nie spuszczając z Ani zatroskanego spojrzenia. – Wezmę jeszcze tylko jakieś sandałki z dołu.

Zszedł razem z nią i wybrał z szafy w przedpokoju ulubione buty Marysi. Odprowadził Jankę do samochodu, własnoręcznie umieścił w bagażniku torbę. Potem nachylił się do starej przyjaciółki rodziny, z którą od wielu lat darł koty, a bywały momenty, gdy nie mógł wprost znieść jej towarzystwa.

– Nie wiem, jak ci mam dziękować – powiedział cicho.

– Zwyczajnie – odparła, sadowiąc się za kierownicą. – W końcu od czego ma się przyjaciół!

Wyjechała z fasonem na aleję Focha, wymuszając pierwszeństwo na nadjeżdżającym z przeciwka maluchu. Doktor zaś wrócił do mieszkania, które w chaosie spowodowanym nieobecnością Marysi i remontem nie przypominało już w niczym dawnego azylu i ostoi bezpieczeństwa. Bez słowa minął kuchnię, w której nadal urzędowała Ania, a także zamknięte drzwi do pokojów młodszych dzieci, zza których dobiegała już głośna muzyka. Wszedł do gabinetu i opadł na fotel. Było jeszcze dość wcześnie i gdyby chciał, mógłby zdążyć na spotkanie z Geremkiem. Wiele się teraz działo, nie tak dawno Unia dogadała się z liberałami i Polskim Programem Gospodarczym na temat tworzenia koalicji, a w niedzielę wydała oświadczenie, że zamierza podjąć konkretne kroki celem odwołania rządu premiera Olszewskiego. Szykowało się nowe rozdanie. Ale doktor wiedział, że nie jest już brany pod uwagę przy obsadzie stanowisk i jakoś wcale tego nie żałował. Pochłaniało go zresztą zupełnie co innego.

Sięgnął po kopertę ze szwedzkim znaczkiem pocztowym i znowu wyjął ze środka dwie kartki pokryte niedbałym pismem. Zapatrzył się w roztańczone litery, ale teraz nie układały się one w żadne słowa. Przed oczami miał za to wykrzywioną gniewem twarz Bogny Grocholskiej, jej pałające spojrzenie i falującą pierś, opiętą przyciasnym fartuchem lekarskim. Tak wyglądała wiele lat temu, w dniu, w którym – po części za jej sprawą – poznał swoją przyszłą żonę.

Kraków, piątek, 1 kwietnia 1966

Haniebnie zaspał. Na zajęcia przybiegł w ostatniej chwili i tylko dlatego nie miał pojęcia, co się święci. Jednak nawet gdyby wiedział, i tak nie potrafiłby temu zapobiec.

Doktor Grocholska mogła być od nich starsza najwyżej o pięć lat. Wysoka i zbudowana jak gwiazda filmowa, robiła na płci brzydkiej piorunujące wrażenie. Co najmniej połowa trzeciego roku Wydziału Lekarskiego kochała się w niej na zabój i Grocholska dobrze o tym wiedziała. Gdy miała zajęcia ze studentami, bujne włosy spinała w kok tak ciasny, że naprężona skóra unosiła w górę kąciki jej oczu – nietkniętych nawet odrobiną tuszu czy cienia do powiek. Pod służbowy fartuch wciskała wtedy golf, a gdy już pogoda wymuszała lżejsze odzienie, zapinała się aż po samą szyję. Piękne nogi kryła w grubych wełnianych pończochach, tak jakby miała uczulenie na nylon. Mówiła głosem ostrym i kategorycznym, nie żałując złośliwości, gdy jakiś zapatrzony w nią młodzian zaczynał się plątać w wywiadzie czy przy badaniu fizykalnym.

Jednym słowem, robiła wszystko, by wyglądać na profesjonalistkę, którą też bez wątpienia była. Rzecz w tym, że studenci płci przeciwnej i tak dostrzegali wyłącznie jedną – kobiecą – stronę jej osoby.

Gdy Maksymilian, zziajany, dołączył do grupy stojącej przy łóżku pacjenta, Grocholska właśnie mówiła:

– Jak się źle czujesz, to idź do domu. Dość mamy chorych, nie potrzeba nam jeszcze słaniającego się, niedokończonego lekarza. I nie zawracaj mi głowy!

Adresatem tych słów nie był wychudzony staruszek w pasiastej piżamie, śledzący bystrym wzrokiem wymianę zdań, ale Szymczyk, krzepki młodzian, wsparty teraz ciężko o poręcz łóżka i rzeczywiście jakby nieco siny.

– Kolega ma problemy z sercem – pospieszył z wyjaśnieniem Lasicki. – W zeszłym roku nawet zemdlał na zajęciach w prosektorium.

Staruszek na łóżku aż się skurczył, a Maksymilian zmarszczył brwi. Jako żywo nie mógł sobie takiego faktu przypomnieć. Szymczyk to był chłop na schwał, zapalony sportowiec i jeden z najgorętszych wielbicieli pięknej lekarki. Od kiedy mieli z nią zajęcia, nie mógł znieść, że asystentka nie zwraca na niego najmniejszej uwagi. Teraz też nawet jej powieka nie drgnęła.

– Przesuń się! – warknęła, po czym potoczyła wkoło morderczym spojrzeniem. – Ty! – dźgnęła palcem prosto w serce Lasickiego. – Od czego zaczniesz?

Lasickiemu nie dane było jednak zacząć. Szymczyk puścił nagle poręcz łóżka, zrobił kilka chwiejnych kroków, po czym wywrócił oczami i osunął się na ziemię. Koledzy obstąpili go, ktoś klepnął siarczyście w policzek, ktoś inny zbadał puls.

– Pani doktor, on nie oddycha!

– Przestańcie się wydurniać – mruknęła. – Szymczyk, wstawaj!

Szymczyk ani drgnął. Staruszek wychylił się z łóżka, by lepiej widzieć, co się dzieje na podłodze w przejściu.

– Wynieście go na korytarz – zarządziła Grocholska zimno. – I nich mu ktoś poda wody.

Czterech studentów, w tym Petrycy, ujęło kolegę za ręce i nogi i wyciągnęło jego bezwładne ciało z sali. Twarz Szymczyka przybrała siny odcień, wargi miał już białe.

– Jezus Maria, on naprawdę nie oddycha! – przeraził się nie na żarty Maksymilian.

Dopiero jego okrzyk sprawił, że asystentka ruszyła się z miejsca.

– Przepuśćcie mnie! – odepchnęła ich i pochyliła się nad leżącym.

Szymczyk nie dawał oznak życia, przez uchylone powieki połyskiwały białka gałek ocznych. Lekarka uklękła obok, chwyciła jedną ręką czoło, a drugą podbródek mężczyzny, otwierając mu usta i odchylając głowę, by uwolnić język. Przyłożyła palec do tętnicy szyjnej, potem nachyliła się i przez kilka sekund nasłuchiwała oddechu. Ten nie następował. Wtedy ujęła leżącego za nos i szybko dwa razy wdmuchnęła mu do ust powietrze. Studenci stali wokół jak zaczarowani, przypatrując się na żywo procedurze sztucznego oddychania usta-usta – i to w jakim wykonaniu! Gdy jednak Grocholska wyprostowała się i złożyła ręce na mostku nieprzytomnego studenta, by wykonać pierwsze uciski klatki piersiowej, Szymczyk poruszył się i powoli otworzył oczy.

Na jego twarz wróciły kolory, a na ustach wykwitł uśmiech pełen błogości.

– Jeszcze! – wyszeptał. – Powietrza!

Zerwała się na nogi, nie wiadomo, czy bardziej wściekła, czy przerażona, i spojrzała prosto w roześmianą twarz Maksymiliana.

– Petrycy! – powiedziała zduszonym głosem. Wydawało się, że teraz jej brakuje tchu. – Ja ci tego nie daruję!

– Ale pani doktor... – próbował tłumaczyć. Owszem, śmiał się z innymi, ale nie był przecież niczemu winien! Nie chciała go jednak słuchać.

Szymczyk usiadł, i to całkiem sprężyście jak na człowieka przez kilka minut pozbawionego tlenu. Maksymilian przypomniał sobie, że jego kolega, zapalony nurek, od wielu miesięcy ćwiczył wstrzymywanie oddechu i chwalił się, że dochodzi już do pięciu minut.

– Ciesz się, że ci nie zrobiłam konikopunkcji! – rzuciła lodowatym tonem lekarka, odzyskując panowanie nad sobą. – A wy wszyscy... – Potoczyła wokół złowrogim spojrzeniem, nie wyłączając starszego pana, który opuścił swe łóżko i wsparty rękami o kolana przyglądał się scenie. – Wy wszyscy jeszcze mi za to zapłacicie!

– Ale pani doktor! Dzisiaj prima aprilis! – zaoponował Lasicki.

Asystentka najwyraźniej jednak nie znała się na żartach. Dalszy ciąg zajęć upłynął w atmosferze tak gęstej, że można było w powietrzu zawiesić siekierę.

Tego dnia Maksymilian spędził jeszcze kilka godzin w korytarzach dawnego Szpitala św. Łazarza, czekając, aż

Bogna skończy dyżur. Nie poszedł z kolegami na piwo, by już otwarcie roztrząsać wszystkie sensacyjne szczegóły niedawnego zajścia. Niewybredne dowcipy przestały go bawić, opowiadającego o swych doznaniach Szymczyka miał ochotę zdzielić w pysk. Wreszcie zobaczył ją – wyszła na ulicę Kopernika i zatrzymała się, spoglądając w niebo. Było teraz błękitne i pogodne, choć kilka chwil wcześniej nagły wiatr przygnał śniegową chmurę i na zieleńcach ciągle jeszcze widać było cienką warstwę puchu.

– Czy mogę panią odprowadzić?

Zwykle po pracy szła pod Halę Targową, robiła tam drobne zakupy, a potem podjeżdżała „jedynką" kilka przystanków w stronę Wieczystej. Wynajmowała pokój w małym domku przy ulicy Ślicznej. Wiedział o tym, gdyż niejeden raz, w pewnym oddaleniu, szedł za nią aż pod furtkę, usiłując zebrać odwagę i zagadać. Nigdy się jednak na to nie zdobył.

Teraz sam nie wiedział, jak to się stało, że gdy stanęła na schodkach szpitala, podszedł i po prostu wyjął jej z ręki torbę. Spojrzała zadziwiona, ale nie zaprotestowała.

– Pod warunkiem, że mi nie zemdlejesz! – rzuciła sucho.

Poszli razem, mijając kościół Jezuitów, i przy wiadukcie kolejowym skręcili w Blich.

– Nie miałem z tym nic wspólnego – powiedział wreszcie to, co od kilku godzin leżało mu na wątrobie. – Słowo daję, nic!

Nawet na niego nie spojrzała.

– Chciałbym zaprosić panią na kawę – brnął dalej.

„Jak nie teraz, to nigdy!" – pomyślał. Podobała mu się jak dotąd żadna dziewczyna. Z własnych obserwacji i uwag kolegów mógł zakładać, że jest sama.

Idąc wzdłuż nasypu, doszli do przystanku tramwajowego. Od strony wiaduktu rozpiętego nad ulicą Dietla nadjeżdżała „jedynka". Bogna zatrzymała się i wyciągnęła rękę, odbierając mu swoją torbę. Dziś widocznie nie zamierzała robić sprawunków.

– To co z tą kawą? Proszę mi nie odmawiać! – wyrwało mu się z głębi serca.

Uśmiechnęła się kpiąco, unosząc cienkie brwi.

– O piątej w Marago?

– Będę czekał! – zapewnił, ona zaś odwróciła się na pięcie i wsiadła do tramwaju, nie poświęcając mu już ani jednego spojrzenia.

Czekał od wpół do piątej do szóstej. Nie przyszła. Cóż, mógł się tego spodziewać. Po prostu z niego zakpiła, był w końcu prima aprilis. Po trzech kwadransach zdenerwowanie i podniecenie zaczęło ustępować, nie spodziewał się już, że ją zobaczy, siedział jednak nadal. Nawet nie zauważył, kiedy zaczął się przysłuchiwać parze przy sąsiednim stoliku. Nie widział twarzy faceta, łysiejącego lekko bruneta, doskonale za to mógł obserwować siedzącą na wprost dziewczynę. Miała zaczesaną na bok, modną krótką fryzurkę, wyraziste oczy i pełne, bardzo zmysłowe usta. Te usta co chwilę wyginały się lekceważąco, a oczy były pełne znużenia. Towarzyszący jej mężczyzna od godziny nawijał o zebraniu z aktywem partyjnym w Jaszczurach, podczas którego założono studencką milicję.

– Był też apel do was, studentów kierunków humanistycznych! – oświadczył z zadęciem.

Całkiem otwarcie wywróciła oczami, a potem spojrzała wprost na zapatrzonego Maksymiliana.

– Ratunku! – wyszeptała bezgłośnie.

Petrycy drgnął, nie wiedząc, czy ma to wziąć do siebie.

– Co mówiłaś? – dopytywał tymczasem łysiejący ideolog.

– Nic, nic. Ziewnęło mi się.

– No więc chodzi o to, aby wygłosić w terenie cykl prelekcji motywujących ludność do czynu społecznego i w ogóle do większego zaangażowania. Przybliżyć im historię naszego ustroju i wszystkie uwarunkowania.

Zrobiła w stronę Maksymiliana grymas tak wyrazisty, że jej towarzysz urwał, Petrycy zaś, tknięty nagłym impulsem, poderwał się z miejsca.

– To ty! – zawołał. – No kto by się spodziewał?!

Zrobiła wielkie oczy, udając zdziwienie.

– Zdzichu! – uśmiechnęła się tak pięknie, że Maksymilianowi aż dech zaparło w piersiach. – Co za niespodzianka!

Cmoknęła go w oba policzki ponad głową zaskoczonego kolegi, a potem sięgnęła po torebkę.

– Bardzo cię przepraszam, ale spotkałam kuzyna i matka mi nie daruje, jeśli go nie przyprowadzę na kolację.

Zerwała płaszcz z wieszaka i już była gotowa do wyjścia, zanim obaj mężczyźni zdążyli ochłonąć.

– Co robisz w Krakowie? – zapytała tonem lekkiej konwersacji, ujmując Maksymiliana pod ramię.

– Jak to co? – zdziwił się Petrycy. W tej samej chwili poczuł na stopie nacisk damskiego pantofelka i od razu wszedł w rolę. – Znaczy tego, dziś właśnie przyjechałem.

– Chodźmy! – pociągnęła go do drzwi, zanim jej towarzysz zdążył cokolwiek z siebie wykrztusić.

Wyszli razem na Zwierzyniecką w cichy, wiosenny zmierzch.

– W którą stronę pani idzie? – zapytał, modląc się w duchu, by pozwoliła mu się odprowadzić.

– Myślałam, że już jesteśmy na ty. Maryśka! – Energicznie uścisnęła mu prawicę, a potem wskazała w stronę mostu na Wiśle. – Szybko, żeby nas nie dogonił!

Petrycy był tak oszołomiony tempem zawarcia tej znajomości, że dopiero gdy biegiem minęli plac budowy największego w mieście domu handlowego, przypomniał sobie, że nie jest przecież kuzynem Zdzichem i też się powinien przedstawić.

Kraków, wtorek 26 maja 1992

Droga Bogno!

Bardzo się ucieszyłem z Twojego listu, chociaż to, co piszesz, nie jest łatwe do przyjęcia. Nie chciałem burzyć Twojego spokoju i porządku świata. Pragnąłem tylko być uczciwy wobec Ciebie i innych, a także – mam takie głębokie poczucie – wypełnić ostatnią wolę mojego ojca.

Do dokumentów wytworzonych przez SB od początku podchodziłem nieufnie i z wielką ostrożnością. Sam bardzo chciałem podważyć ich wiarygodność i miałem nadzieję, że znajdę dowód na to, że zostały sfałszowane. Szybko jednak musiałem spojrzeć prawdzie w oczy. Choć treść rozmów z moim ojcem w 82 roku i następnych latach spisywał esbek, i w żadnym miejscu nie figuruje pod nimi podpis Benedykta, uzyskałem pewność, że doniesienia zawarte w raportach pochodzą od niego. Prócz informacji zebranych w punkcie medycznym dysponował bowiem wiedzą, którą można było wynieść tylko z naszego domu, więcej, tylko z rozmów, które odbyliśmy w cztery oczy.

Czy powinienem był milczeć? Tak uważała na przykład moja żona, i nie tylko ona. Już wtedy, w Paryżu, dostałem propozycję, by to wszystko spalić. Ale przecież nie ma rzeczy, które dałoby się ukryć na zawsze, nie ma możliwości wymazania zdarzeń, do których doszło, szczególnie jeśli zostali skrzywdzeni ludzie. Prędzej czy później prawda wychodzi na jaw. Dlatego zadecydowałem – to był impuls, jedna chwila – że wolę zrobić to sam, na swoich warunkach i w wybranym przez siebie momencie – niż do końca życia czuć lęk, że wszystko się wyda. Zrobiłem to w radio, gdyż w ten właśnie sposób fragment przeszłości Benedykta został już wcześniej upubliczniony przez profesora Ulata. Chciałem zakończyć sprawę, przeciąć spekulacje, a także przerwać grę, w którą próbował mnie wciągnąć oficer SB odpowiedzialny za wiele naszych nieszczęść. Jak się okazało, otworzyłem tylko puszkę Pandory.

Ale nawet w innej sytuacji, gdyby ta sprawa nie stała się już wcześniej tematem publicznym i gdybym nie czuł się zmuszony opowiedzieć o tym na antenie radiowej, i tak napisałbym o wszystkim do Ciebie. Bo byłaś jedną z trzech osób wymienionych w tych dokumentach z nazwiska, które znałem osobiście i wobec których teraz czuję się winny. Dręczy mnie świadomość, że ja i mój ojciec mogliśmy się przyczynić do Twojego wyjazdu z kraju. Dlatego ogromnie Ci jestem wdzięczny za te słowa z listu, że Twoje życie ułożyło się szczęśliwie i niczego nie żałujesz. Nie jest to wprawdzie rozgrzeszenie, ale w jakiś sposób to stwierdzenie przynosi mi ulgę.

Prócz Twojego, wyłowiłem z tych materiałów nazwiska
dwóch innych osób, które kojarzyłem z widzenia i wiedziałem,
że w jakiś sposób ucierpiały.

Doktor zamarł z piórem w ręku, zastanawiając się, czy jest
sens opisywać jej te spotkania.
„A co tam! – pomyślał. – Niech wie, jak różnie ludzie
reagują na ujawnienie prawdy o tamtych wydarzeniach!"
Odwrócił kartkę i ciągnął dalej:

Nie wiem, czy kojarzysz panią Eleonorę, już wtedy emeryt-
kę, która była jedną z łączniczek z Arcybiskupim Komitetem
Pomocy Więzionym i Internowanym. Pamiętałem, że gdzieś
w połowie 82 roku została napadnięta przez nieznanych
sprawców na rogu ulic św. Anny i Jagiellońskiej, że wyrwano
jej torebkę i obalono na ziemię, tak że upadając, złamała rękę
w nadgarstku.
Dzięki pomocy kancelarii parafialnej udało mi się ją od-
naleźć, i dobrze się stało, bowiem pani Eleonora, mocno już
zniedołężniała, mieszka sama w otoczeniu siedmiu kotów
i pilnie potrzebuje pomocy. Ujęło mnie jednak za serce to,
co mi powiedziała w pierwszym odruchu, gdy jej wyznałem
prawdę: „Nic się nie stało, kochaneczku, nie rób sobie wyrzu-
tów! Ot, trochę mnie poturbowali i postraszyli, ale nic mi się
nie stało! Najgorsze, że oni zabrali wtedy te zapiski! Potem
już ich nigdy sama nie nosiłam, wykorzystywałam do tego
takich młodych synków, bo łatwiej im było uciec".
Wiedziałem, o kim mówi, kręciła się tam bowiem grupa
młodych ludzi, bardzo patriotycznie nastawionych, którzy

chcieli nawiązać kontakty z dawnymi żołnierzami AK i WiN-u, by pod ich kuratelą utworzyć oddział partyzancki. O tym również, niestety, była mowa w raportach SB i znalazła się tam zapowiedź, że trzeba to środowisko rozpracować. Próbowałem się dowiedzieć, jakie były potem losy tych chłopaków, ale pani Eleonora nic mi już na ten temat nie mogła powiedzieć. Między nami nawiązało się natomiast po tej pierwszej wizycie coś na kształt przyjaźni. Odwiedzam ją czasami i przynoszę gazety, udało mi się też załatwić dla niej bardziej regularną pomoc z PCK.

Drugą osobą, do której dotarłem, choć z przygodami, był niejaki Fabiańczyk. Zapamiętałem go jako osiłka, który pomagał nosić paczki z lekami z darów – najpierw na ulicę św. Anny, potem do sióstr karmelitanek na Kopernika, wreszcie do Domu Medyka na Grzegórzecką, gdzie został przeniesiony punkt wydawania lekarstw. Jednego wieczoru został pobity, a leki, które miał w aucie, skradziono. Byłem wtedy w okolicy i opatrywałem mu paskudnie rozcięty łuk brwiowy, więc dość dobrze zapadł mi w pamięć. Nauczony po spotkaniu z panią Eleonorą, że ludzie aktywni w tamtych latach mogą być teraz w różnych, często trudnych sytuacjach życiowych, postanowiłem sprawdzić, co się z nim dzieje.

Okazało się, że on akurat radzi sobie znakomicie. Aby się do niego dostać, musiałem pokonać dwa sekretariaty obsadzone personelem jakby żywcem wyjętym z Aniołków Charliego – a mam tu na myśli nie tylko urodę strzegących go dam, ale także ich predyspozycje fizyczne. Po wejściu do jego gabinetu czułem się, jakbym zdobył twierdzę. On tymczasem potraktował mnie z mieszaniną ciekawości i nieufności, przy *czym w miarę jak rozwijałem swoją opowieść, ta ostatnia rosła. Gdy doszedłem do przeprosin, omal nie wyrzucił mnie za drzwi. Opanował się, ale jego mina i przekaz pozawerbalny były jednoznaczne – nie życzy sobie żadnych kontaktów ze mną i z przeszłością.*

Widzisz więc, jak trudno jest znaleźć drogę postępowania, która odpowiadałaby wszystkim. Jedni woleliby, żeby tego w ogóle nie ruszać, wpadają w gniew, gdy się tylko wspomni o ciemnych stronach tych heroicznych w gruncie rzeczy czasów. Inni domagają się sprawiedliwości i ukarania winnych. Jeszcze inni, może najmniej liczni, jak pani Eleonora, niczego dla siebie nie chcą, choć żyją często na granicy nędzy i akurat oni mieliby prawo do zadośćuczynienia. Różnie reagują też moi znajomi. Kilku przyjaciół straciłem, kilku innych znowu sobie o mnie przypomniało. Żona...

Ręka doktora, w której trzymał pióro, drgnęła. Zawahał się, przeciągnął palcami po powiekach, a potem skrupulatnie wykreślił to ostatnie słowo. Ze zmarszczonymi brwiami patrzył na powstałą czarną plamę, brzydki akcent w schludnej, czysto zapisanej płaszczyźnie kartki. Potem dokończył:

Bardzo byłbym rad, gdybyśmy – po wyjaśnieniu tego, co moim zdaniem wymagało wyjaśnienia – podtrzymali naszą starą znajomość. Ale oczywiście nie mogę tego wymagać, jeśli będzie to dla Ciebie ponad siły. Wszystko zrozumiem, także brak odpowiedzi.

Pozostaję z przyjaźnią
Maksymilian

Było już po północy, gdy doktor wyszedł wreszcie ze swojego gabinetu. W mieszkaniu było ciemno, zdawało się, że wszyscy domownicy śpią. Ale gdy mijał duży pokój, przez zamknięte drzwi dobiegł go szmer, a potem już całkiem wyraźnie podniesiony głos. Ania rozmawiała przez telefon, a raczej w tej chwili krzyczała już niemal do słuchawki:

– Przyjedź, proszę! Nie możesz mnie samej z tym zostawić!

Maksymilian nie wiedział, czemu się zatrzymał – nie po to przecież, żeby podsłuchiwać! Ale z Anią działo się coś niedobrego. Kilka razy próbował nawiązać z nią dialog, przedstawiał najbardziej racjonalne – naukowe! – argumenty. Wszystko na nic, dziewczyna zamknęła się w sobie. Starał się czytać z jej twarzy, ale ilekroć na nią spoglądał, czuł się tak, jakby stanął przed ścianą zabarykadowanego od środka domu. Próbował patrzeć jej w oczy i widział dwie zatrzaśnięte okiennice.

Chciał się tylko dowiedzieć, jak jej może pomóc. Domyślał się, co ją gnębi, ale nie znał sposobu, by do niej dotrzeć. W rozmowie z Tomkiem była wreszcie szczera, mówiła wprost, czego jej potrzeba.

– Nie dam rady bez ciebie! Nie zostawiaj mnie samej!

Petrycemu serce ścisnęło się boleśnie. Odruchowo wyciągnął rękę i położył ją na klamce.

„Nie jesteś sama!" – chciał powiedzieć. Pragnął ją wziąć na kolana i przytulić, jak dawniej, w czasach, gdy była jeszcze małą dziewczynką i wszystko było o wiele prostsze.

Po drugiej stronie drzwi przez chwilę trwała cisza, widocznie Tomek coś jej tłumaczył.

– Potrzebuję ciebie! – odpowiedziała mu Ania z taką pasją, że Petrycy zadrżał, cofnął się o krok i szybko schował rękę za siebie.

Nie był w stanie jej pomóc, nie był Tomkiem. Szczerze teraz współczuł chłopakowi, który – choć w dalekim Teksasie – musiał ciągle znosić humory swej niedawno poślubionej małżonki. A jednak potrafił stawić jej czoło. Coś znowu mówił przez chwilę, póki mu Ania nie przerwała.

– Więc nie przyjedziesz?! – rzuciła cicho, a w jej głosie zabrzmiała groźba.

Maksymilian poczuł, że pocą się mu ręce. Nerwowo je zaplótł, nastawiając jednocześnie ucha, tak jakby mógł usłyszeć odpowiedź zza oceanu. Nie doszły go oczywiście żadne słowa. Po suchym trzasku rzuconej słuchawki, jęku sprężyn w wersalce i stłumionym przez poduszki szlochu swojej córki mógł się jednak domyślić, jak brzmiały.

Chwilę wahał się jeszcze, wyłamując palce, niepewny, co ma dalej zrobić.

„Pogadam z nią jutro" – stwierdził wreszcie, odchodząc od drzwi.

Liczył na to, że za kilka godzin emocje opadną i Ania wreszcie zechce się otworzyć. A tak naprawdę – po prostu się jej bał.

~ II ~

Nadeszły ciężkie czasy dla leśniczego i jego rodziny. Zaraz po tym, jak Wasyl oswobodził go z rąk braci Murienków, Józef zniknął. Pojawiał się w domu o różnych porach dnia, a czasem i w nocy. Aby ułatwić sobie ucieczkę, zrobił podkop prowadzący z piwniczki w las. Kilka razy, już późną jesienią, pojawili się w leśniczówce uzbrojeni ludzie w mundurach, w niebieskich czapkach z czerwonym otokiem. Groźbami próbowali zmusić leśniczynę, by im powiedziała, gdzie się mąż ukrywa. I ona jednak, i dzieci, milczeli. Nawet Głuptasek, choć zawsze tak otwarty wobec obcych, wcale się w swojej dziwnej mowie do przybyszów nie odzywał.

Póki zdrowie mu dopisywało, sprzyjało też leśniczemu szczęście. Gdy jednak nastały mrozy, przeziębił się i zachorował. Resztką sił przywlókł się do domu, gdzie żona otuliła go w pierzyny i napoiła sokiem z malin. Przeleżał tak wiele dni, kasląc i majacząc. Potem zaczęło mu się poprawiać, gorączka spadła, był jednak bardzo słaby. Gdy u drzwi ponownie rozległo się łomotanie, nie zdążył nawet wstać z łóżka, a co dopiero zejść do piwnicy, by skorzystać z drogi ucieczki. Żołnierze wyciągnęli go z pościeli, pod bronią wyprowadzili na podwórze i usadzili w saniach. W ostatniej chwili pozwolili żonie narzucić nań długi kożuch.

– Dokąd go zabieracie?! – krzyknęła, tonąc we łzach. – Przecie on chory!

Świsnął bat, zacięli konie. Nikt jej nie odpowiedział.

Od tego czasu jeszcze większy padł na nich strach. Bywały takie noce, że obudzeni szczekaniem psa zbiegali do piwniczki i z bijącymi głośno sercami, drżąc z zimna, czekali koło zamaskowanej dziury w ścianie, w każdej chwili gotowi do ucieczki. Głuptasek siedział tam nawet w dzień, wpatrzony w grube dębowe drzwi, tak jak mu kiedyś przykazano. Może pomagało mu to pokonać lęk, może traktował pilnowanie drzwi jako zadanie, z którego nikt go jeszcze nie zwolnił, dość że nie kwapił się teraz do wychodzenia na zewnątrz i zagadywania do obcych. Leśniczyna w głębi ducha była rada, że już się o niego nie musi zamartwiać.

A zima była mroźna, siarczysta. Tylko dzięki przezorności matki, która poukrywała przed rekwizycją słoninę oraz worki z mąką i krupami, mieli jeszcze co do garnka włożyć. Starsi synowie pomagali jej jak mogli – kradli drzewo w lesie i rozstawiali wnyki po to, by przeżyć. I pewnie jakoś by przezimowali i dotrwali szczęśliwie do wiosny, a potem przenieśli się do Lwowa, gdzie – jak się leśniczyna dowiedziała – przetrzymywano w więzieniu Józefa i wielu innych aresztowanych mężczyzn, gdyby nie wydarzenia pewnej lutowej nocy.

Wszyscy spali już głęboko, gdy rozległo się szczekanie psa. Tym razem jednak nie był to fałszywy alarm. Na podwórze zajechały wielkie sanie, a w nich czterech żołnierzy. Załomotali do drzwi, a gdy im nikt nie otworzył, bez większego wysiłku wyłamali zawiasy. Zatrzymali leśniczynę i jej dzieci w chwili, gdy chłopcy odsuwali ciężką skrzynię w piwnicy, zasłaniającą wejście do podkopu. Ustawili ich wszystkich pod ścianą. Dwóch żołnierzy trzymało wycelowaną w nich broń, a inni zaczęli przeszukiwać dom.

– Macie godzinę, żeby się spakować. Decyzją władzy sowieckiej zostajecie przesiedleni do innej *obłasti*[1] Związku Radzieckiego – przeczytał z kartki dowódca, gdy już skończyli.

Trudno opisać, co się działo. Leśniczyna zaczęła krzyczeć i drzeć włosy z głowy, Rozalka płakała, a trzej bracia stali przerażeni, ciągle z rękami do góry, bojąc się poruszyć.

– No już! – pogonił ich dowódca. – Na co czekacie?! *Pakowat'sa!*

Nie wiedzieli, co mają pakować, więc po kilku chwilach dwóch żołnierzy pospieszyło im z pomocą – pościągali z łóżek pierzyny, ze skrzyni wygarnęli stos ciepłej odzieży, zawinęli to wszystko w prześcieradła i takie wielkie tobóły wynieśli na oczekujące ich sanie. Przez otwarte drzwi wionęło do chaty lodowate powietrze – na zewnątrz było ze dwadzieścia stopni poniżej zera, śnieg trzaskał pod butami.

– Jedzenie! – ponaglił dowódca. – Naczynia! Narzędzia! Bierzcie wszystko, co macie!

Dużo tego nie było, bo przecież zapasy pochowane zostały w skrytkach w lesie. Gdy jeden z żołnierzy wszedł do kurnika, zaczął zabijać jej drób i wrzucać go do wora, otrzeźwiała i leśniczyna. Narzuciła na siebie jakieś odzienie, kazała się też ubrać i synom. Wtedy okazało się, że Głuptasek gdzieś zniknął.

Nie musieli go długo szukać – był w piwnicy, przy swoich drzwiach. Nie dało się go od nich oderwać. Zaczęły się krzyki

---

[1] Obwód (ros.) – jednostka administracyjna.

i szamotanie, jeden z żołdaków uderzył Głuptaska kolbą karabinu w głowę. Chłopiec zalał się krwią, ale drzwi nie puścił.

– Zlitujcie się! – zawołała leśniczyna. – Nie zabijajcie go! Przecież widzicie, że on jest niespełna rozumu!

Dowódca, usłyszawszy wrzawę, osobiście zszedł do piwnicy, zmrużył oczy i coś szybko powiedział do swych podkomendnych. Wyprężyli się na baczność, a potem ściągnęli z zawiasów ciężkie wrota.

– Bierz to ze sobą! – powiedzieli do Głuptaska, który szlochając i jęcząc, nawet na chwilę nie puścił metalowego okucia. – Tylko szybko, bo czas ruszać!

Oczywiście chłopiec nie miał siły, by udźwignąć taki ciężar. Więc jeden z żołnierzy zarzucił sobie drzwi na plecy, a Głuptasek, ocierając krew z czoła, poszedł za nim. Zatrzymał się jeszcze przy piecu i schował do kieszeni kilka kamieni, którymi się bawił w dawnych dobrych czasach. Potem ściągnął ze ściany mały święty obrazek i wsunął go za pazuchę. Z takim bagażem jako pierwszy wsiadł na sanie. Najdłużej zwlekała leśniczyna, wracając jeszcze w ostatniej chwili po pypkę dla Rozalki. Wreszcie wszyscy, okutani w kożuchy i chusty, zasiedli ściśnięci pomiędzy drzwiami, workiem z martwymi kurami, koszem pełnym kuchennych naczyń i tobołkami z pościelą. Dowódca spiął swojego konia, jeden z żołnierzy zaciął wałacha w zaprzęgu, dwóch stanęło z tyłu na płozach. I pojechali.

~

Noc była ciemna, bez miesiąca i gwiazd, niebo zasnute chmurami. Mróz ściskał i zaraz wszyscy mieli szron na rzęsach, bo im łzy pozamarzały. Na szczęście nie jechali długo – zatrzymali się w najbliższym miasteczku na stacji kolejowej. Tam się okazało, że takich jak oni jest więcej. Z całej okolicy przywożono wysiedleńców, najwięcej Polaków, ale także Żydów i Ukraińców. Wszystkich ich, razem z dobytkiem, zapakowano do pociągu towarowego, zasunięto drzwi i zabezpieczono je kolczastym drutem.

W wagonie była żeliwna koza, wiaderko węgla i dwa rzędy drewnianych prycz. Z wielkim trudem rodzina leśniczego znalazła dla siebie kawałek wolnego miejsca na dole. Stłoczeni ludzie, obłożeni bagażem, siedzieli po ciemku, bo zimowy świt jak zwykle zwlekał z nadejściem. Słuchali westchnień i głośnego oddechu przestraszonych współtowarzyszy niedoli, których twarzy ciągle jeszcze nie znali. I wtedy Głuptasek zaczął płakać.

– Szszsz! – upomniał go niecierpliwie ktoś z kąta wagonu. – Taki wielki chłopak! Wstyd!

– Cicho, ciii! – spłoszyła się leśniczyna. – Nie płacz, bo Rozalkę obudzisz.

Ale Głuptasek już się rozszlochał na dobre, rozmazując kułakami po twarzy łzy pomieszane z krwią z rozciętego czoła.

– Przestań się mazgaić! – Odezwał się znowu ten sam gniewny, męski głos. – Weź się w garść!

– A pan się przestań wydzierać! – Ujął się za Głuptaskiem inny głos, młodszy, weselszy, dochodzący gdzieś z góry. – Znalazł się nadzorca!

Przez prycze i podłogę przeleciał szmer.

– Cisza, ludzie! – Nie ustępował skryty w kącie Nadzorca. – Bo nas wszystkich wystrzelają!

– Bój się pan Boga, panie! Co pan mówisz! – przestraszyła się jakaś kobiecina.

W tej chwili, na potwierdzenie jego słów, rozległ się łomot, jakby ktoś z zewnątrz uderzył kolbą karabinu w drzwi. Kilkoro dzieci pisnęło, Głuptasek zaczął krzyczeć już na całe gardło. W wagonie wszczął się ruch. Leśniczyna chciała przytulić syna, ale ręce miała zajęte, bo trzymała śpiące niemowlę. Bracia spróbowali zatkać mu usta, co jeszcze pogorszyło sytuację. Starszy człowiek, klnąc straszliwie, wyskoczył ze swego kąta, przepchnął się przez rozłożone wszędzie bagaże i próbował dosięgnąć Głuptaska. Wtedy niespodziewanie zeskoczył z górnej pryczy właściciel młodego głosu.

– Chcesz się pan bić? – rzucił, stając w pozycji boksera. – To dalej, spróbuj ze mną!

Nie był, wbrew pozorom, taki znowu młody. Chudy i żylasty, z zapadniętymi policzkami, w przyodziewku wiatrem podszytym, marnie się prezentował naprzeciw człowieka z wielkim brzuchem i w futrzanej czapie. Ale to Nadzorca ustąpił bez walki. Wyciągnął tylko przed siebie palec i pogroził adwersarzowi.

– Ja cię znam! Ja cię pamiętam! Pilnujcie się ludzie, bo jeszcze nie wiecie, co to za baciar! Pilnujcie portfeli! – wołał, cofając się na swoje miejsce.

Baciar splunął tylko w jego stronę, a potem odwrócił się do Głuptaska. Przez zakratowane i zasłonięte blendami okienka zaczęły się przedostawać pierwsze promienie wstającego słońca.

– Ty krwawisz! – zawołał. Wyciągnął z kieszeni palta chustkę do nosa i otarł wilgoć z twarzy Głuptaska, który, zaskoczony, na chwilę przestał płakać. – Ta joj, brzydkie to rozcięcie.

Leśniczyna, przerażona, zaczęła biadolić i pomstować na żołnierzy, którzy pobili jej syna. Jegomość w futrze znowu syknął ostrzegawczo ze swojego kąta, a z zewnątrz ktoś łupnął w drzwi.

– Ja mam bandaże. – Rozległ się nagle głos delikatny jak muzyka fletu. – Przepuśćcie mnie, proszę, opatrzę mu ranę.

Wszyscy umilkli i rozstąpili się. A do Głuptaska podeszła najpiękniejsza istota, jaką spotkał w całym swoim życiu. Skórę miała białą jak mleko, włosy złote, a oczy błękitne. Poruszała się z gracją, a w spojrzeniu miała samą dobroć. Niosła skórzaną torebkę, w której schowane były małe nożyczki, igła i nici chirurgiczne, jodyna oraz opatrunki. I chociaż to, co mu robiła, piekło i bolało jak diabli, chłopiec nawet nie jęknął. Wstrzymywał dech, gdy dotykały go jej delikatne ręce.

– To księżniczka! – szepnął do matki, równie jak on przejętej.

A leśniczyna tylko potwierdziła skinieniem.

Zapatrzeni w tę piękną istotę ledwie zauważyli, kiedy pociąg ruszył. Dopiero po chwili, gdy kołysanie stało się silniejsze, a głuchy odgłos kół ocierających się o szyny bardziej wyraźny, nagle zamilkli i zamarli w bezruchu.

– Jedziemy – powiedziała spokojnie Księżniczka, kończąc bandażowanie Głuptaskowego czoła. – Miej nas, Boże, w swojej opiece.

– Kto się w opiekę odda Panu swemu... – zanuciła kobiecina na górnej pryczy i zaraz cały wagon podchwycił tę melodię. Także w innych wagonach ludzie dołączyli do śpiewu i wkrótce cały pociąg rozbrzmiewał jedną pieśnią.

Tylko dwie osoby milczały. Głuptasek siedział z rozwartą gębą zapatrzony w Księżniczkę, która chowała środki opatrunkowe do swojej torebki. Obok niego stał Baciar, śledząc zachwyconym wzrokiem każdy jej ruch. Obaj byli już zakochani w niej na zabój.

~

Toczy się pociąg przez śnieżną krainę, wiatr świszczy i wciska się do środka wszystkimi szparami, na szybkach mróz rysuje lodowe kwiaty i ornamenty. Coraz zimniej w wagonie, coraz głośniej szczękają zębami podróżni. Leśniczyna rozwinęła swój tobół, wydobyła z niego pierzynę, owinęła siebie i dzieci.

– Trza napalić w kozie! – woła Nadzorca z dalekiego kąta.

Ba, ale jak to zrobić, skoro organizatorzy tej upiornej podróży dali wprawdzie trochę węgla, ale nie zapewnili nic na rozpałkę?

– Chociaż trochę drewna by się przydało, chociaż jakieś drzazgi – deliberują ludzie.

– Porąbmy jedną pryczę! – rzucił propozycję Baciar, ale go zaraz Nadzorca obsztorcował:

– Czyś pan oszalał?! Chcesz, żeby nas rozstrzelali za zniszczenie mienia państwowego?!

Zaczęli się kłócić, a w wagonie coraz zimniej. Leśniczyna i jej dzieci przysłuchują się rozmowie, wreszcie najstarszy brat przypomniał sobie o ciężkich drzwiach z piwnicy, które przez upór Głuptaska zabrali ze sobą. Schylił się – są, leżą pod bagażami!

– Musisz nam pomóc – mówią do najmłodszego brata. – Jak nie porąbiemy drzwi, zamarzniemy wszyscy jeszcze przed wieczorem!

Smutno było Głuptaskowi, wahał się długo, ale gdy go o to poprosiła sama Księżniczka, zgodził się wreszcie poświęcić drzwi. Baciar miał w swym skromnym bagażu siekierkę, wraz z synami leśniczyny nastrugali szczapek i z ich pomocą zdołali wreszcie rozniecić ogień w żelaznym piecyku. Rozpalił się mocno, ale trzeba było podejść blisko, żeby rozgrzać zgrabiałe ręce. W kątach wagonu oddech nadal zamarzał na wargach.

Wreszcie zatrzymali się na jakiejś dużej stacji kolejowej.

– Wypuśćcie nas! – zażądał głośno Baciar i kopnął żelazne okucie.

Także w innych wagonach podniosły się krzyki i rozległo walenie w drzwi. Nie zwracając już uwagi na ostrzeżenia Nadzorcy, ludzie zaczęli tupać. Ale nikt z zewnątrz nie zwrócił uwagi na ten hałas. Dopiero po długim czasie jakaś litościwa dusza zdjęła deski zasłaniające jedno okno.

– To Lwów! – zawołał ktoś z górnego piętra. – Ludzie, jesteśmy we Lwowie!

Z daleka słychać było polską mowę i nawoływania. Strażnicy jednak nikogo nie dopuszczali do pociągu. Dopiero po kilku godzinach rozległ się głos, wywołujący z wyraźnym rosyjskim akcentem nazwisko rodziny leśniczego.

– To my, mamuś! Nas wołają! – ucieszył się najstarszy syn.

– Może nas wypuszczą? – zastanowił się średni.

– Nie bądźcie głupi! – prychnął ze swojego kąta Nadzorca. – Co najwyżej dadzą wam kulkę w łeb!

– Niech pan nie straszy! – oburzyła się jakaś kobieta, ale ziarno niepewności już zostało posiane.

Głosy nawołujących były coraz bliżej, a leśniczyna nie wiedziała, czy na nie odpowiedzieć. Siedziała z wytrzeszczonymi ze strachu oczami, gryząc palce w wełnianej rękawiczce.

– Mówię wam, nawet się nie przyznawajcie, że tu jedziecie! – doradził jeszcze Nadzorca, gdy grupa mężczyzn na zewnątrz podeszła do ich drzwi.

– *Siemja*[2] Burzynski! – krzyknął znów ten sam głos.

Przez chwilę było cicho, widać nasłuchiwali, czy im kto odpowie. Potem zamienili między sobą kilka słów po rosyjsku. Na ten dźwięk dopiero Głuptasek zerwał się z pryczy i dopadł do drzwi.

– Trzymajcie go, bo ich wszystkich zgubi! – krzyknął histerycznie Nadzorca, ale już było za późno.

– Tata! – wrzeszczał Głuptasek, łomocąc pięściami w deski. – Tam jest nasz tata! Tato!

– Cóż on tam bełkocze? – zapytał ktoś w wagonie.

Może i mowa Głuptaska była dla obcych niezrozumiała, ale ojciec po drugiej stronie rozpoznał jego głos. Patrol zawrócił, odryglowano i odsunięto ciężkie drzwi. Dwóch enkawudzistów podsadziło Józefa, który po chwili znalazł się w ramionach najmłodszego syna. I natychmiast wagon ponownie zamknięto.

---

[2] Rodzina (ros.).

Trudno opisać radość rodziny, znowu połączonej. I rozpacz ludzi, gdy Józef im powiedział:

– Wywożą nas na wschód. To już któryś transport, z całego województwa wysiedlają Polaków.

Nikt tego nie skomentował. Ciężko im się zrobiło na
sercach, jakby kto wyssał z nich całą nadzieję.

– Na Sybir? – zapytał cicho Nadzorca.

A Józef, tuląc do piersi cudem odzyskane żonę i dzieci,
nawet nie musiał potwierdzać. Wszyscy i tak wiedzieli, prze-
czuwali to od samego początku.

Kraków, wtorek, 26 maja 1992

– Co z nim?

– Bez zmian.

Maksymilian Petrycy dopiął pożyczony fartuch, wyminął
dwa inne łóżka i podszedł do pacjenta leżącego w samym
rogu sali. Spojrzał na jego twarz zasłoniętą plątaniną kabli
i rurek. Sińce i opuchlizna znikneły bez śladu, z ran nieprzytomnego zdjęto już bandaże i większość plastrów, wygolone
włosy odrosły. A jednak doktor tylko z najwyższym trudem
rozpoznawał w podpiętym do respiratora człowieku Lucjana
Pawlickiego, dawnego esbeka, który odegrał szczególną rolę
w historii rodziny Petrycych. Jego twarz była wychudzona,
woskowożółta i zniekształcona, gdyż część czoła zapadała się
w miejscu, w którym przeprowadzono kraniektomię.

Gdyby Petrycemu nie udało się odszukać Michaliny
de Merteuil i przejrzeć posiadanych przez nią teczek, Pawlicki

pozostałby dla niego pewnie sfrustrowanym reliktem minionej epoki, typkiem spod ciemnej gwiazdy, kombinatorem handlującym aktami wyniesionymi na lewo z archiwów bezpieki i sprzedającym do prasy informacje pozyskane w równie nikczemny sposób. Nawet do głowy by mu nie przyszło, że ma do czynienia z wysoce inteligentnym i niezwykle efektywnym funkcjonariuszem SB, autorem diabolicznej intrygi, nazywanej przezeń „grą operacyjną", której ofiarą padł zarówno Maksymilian, jak i jego ojciec.

Dopiero teraz ujawniło się w pełni znaczenie niektórych zdań, wypowiadanych wcześniej przez Pawlickiego. Doskonale wiedział, co mówi, gdy w Środę Popielcową w restauracji Balaton rzucił Petrycemu w twarz stwierdzenie, że miłość to najmocniejszy hak, który pozwala silniejszym wykorzystywać słabszych. Z dokumentów wynikało, że w sposób mistrzowski i bez żadnych skrupułów stosował go przez lata wobec Benedykta, a niewykluczone, że i wobec wielu innych ludzi. Nawet teraz Maksymilian mimowolnie zaciskał pięści, gdy o tym myślał. Wiele by dał, by móc jeszcze raz pogadać z policjantem i powiedzieć mu, co sądzi o takich jak on.

Ale to nie dlatego doktor niemal codziennie odwiedzał klinikę chirurgiczną i wbrew rozsądkowi liczył na to, że Pawlicki wydobrzeje. Był on jedynym człowiekiem, który mógł wiedzieć, kto wyrwał z teczek donosy napisane własnoręcznie przez Benedykta i przesłał ich kopie Ulatowi, licząc – i słusznie – na wywołanie skandalu. Podczas jednego z ich ostatnich spotkań padły słowa, do których początkowo Maksymilian nie przywiązywał wielkiej wagi:

– We wszystkim, co się działo wtedy i co się teraz dzieje, chodzi tylko o ciebie! Masz wroga, który nie cofnie się przed niczym. Pomyśl, kto cię może aż tak bardzo nienawidzić.

Już wtedy do świadomości doktora dotarł pierwszy sygnał, że Pawlicki jest najprawdopodobniej poddawany jakiejś presji. Miał obrażenia głowy i złamane żebra i – choć sam twierdził, że spadł ze schodów – Petrycy gotów był się założyć, że został pobity. Oczywiście mogło to nie mieć zupełnie nic wspólnego ze sprawą Benedykta, ale jednak… Zachowanie Pawlickiego od tej chwili diametralnie się zmieniło. Ujawnił wówczas doktorowi nazwisko Dominiki Niewiadomskiej, do znajomości którego wcześniej za nic się nie chciał przyznać. Nalegał, żeby Petrycy skontaktował się z nią i odzyskał sprzedane przez niego teczki, a wtedy dowie się wszystkiego o kulisach sprawy. Gdy zaś Maksymilian wyruszył za podsuniętym mu tropem w podróż do Paryża, doszło do wypadku.

Poszukujący po powrocie kontaktu z Pawlickim doktor dowiedział się, że kilka minut po wyjściu z pracy Lucjan został potrącony przez samochód na ulicy Mogilskiej. Kierowca auta tłumaczył, że ten człowiek wtargnął mu prosto pod koła w miejscu niedozwolonym dla pieszych, o zmroku i przy fatalnych warunkach pogodowych. Dla potwierdzenia swojej wersji miał licznych świadków, pasażerów tramwaju, który właśnie w tej chwili podjeżdżał na przystanek. Niektórzy twierdzili, że potrącony mężczyzna biegł, by zdążyć na tramwaj, innym wyglądało to na próbę samobójczą. Nikt nie dopatrywał się w tym zdarzeniu tego, co Maksymilianowi nasunęło się od razu, choć nie miał odwagi powiedzieć tego głośno – usiłowania zabójstwa.

Jakkolwiek było, Pawlicki tylko cudem wyszedł z życiem, a raczej z ostatnią jego iskrą, tlącą się gdzieś w głębi zmasakrowanego ciała. W swym nieszczęściu miał wiele szczęścia – na miejscu wypadku w ciągu kilku minut pojawiła się pusta karetka reanimacyjna, która przypadkowo przejeżdżała właśnie tą drogą. Od razu znalazł się pod fachową opieką neurologiczną, a ze względu na rozległość urazów głowy, niezwłocznie przeprowadzono zabieg usunięcia fragmentu kości w celu zmniejszenia ciśnienia wewnątrzczaszkowego. Mimo to jego stan nie poprawił się. Ze złamaną żuchwą, trudnymi do określenia uszkodzeniami mózgu i wielonarządowymi obrażeniami wewnętrznymi Pawlicki od wielu tygodni leżał podpięty do aparatury podtrzymującej oddychanie. Jego serce pracowało, wolno lecz uparcie, a każdy skurcz wypiętrzał na taśmie elektrokardiografu zygzakowatą linię. Czasem drgnęły mu powieki, niekiedy poruszył palcami. Wbrew opiniom lekarzy jego matka i była żona nie traciły nadziei, że pewnego dnia Lucjan wybudzi się ze śpiączki.

Maksymilian regularnie zaglądał na oddział intensywnej terapii i od dyżurujących pielęgniarek dowiadywał się zawsze tego samego: „bez zmian". Dość szybko porzucił mrzonki o tym, że Pawlicki – nawet jeśli przeżyje – kiedykolwiek zacznie mówić. A jednak nadal tu przychodził, gnany z jednej strony wściekłością i żądzą zemsty, z drugiej zaś – irracjonalną wiarą, że coś się jeszcze wyjaśni.

Nie tylko on czekał na jakiś przełom. Oddział był wizytowany przez funkcjonariuszy UOP-u, których obecność – choć nienachalna – wywoływała wielki stres u lekarzy i pielęgniarek. Stałym gościem była też żona Pawlickiego. I to właśnie ona zbliżała się teraz korytarzem, wyprzedzana falą dźwiękową.

– Ja to się nadziwić nie mogę, po co rozsądny człowiek, w dodatku kobieta, pcha się w takie miejsce! Na co to komu? Co ona chce osiągnąć?

Petrycy drgnął nerwowo, słysząc za plecami stukot obcasów i jej świdrujący, trudny do pomylenia głos. Najchętniej rzuciłby się do ucieczki, ale droga była już odcięta, a skok z okna mógł być ryzykowny. Odwrócił się więc i przybrał twarz w przepraszający uśmiech mający oznaczać: „Już jestem spóźniony do pracy". Nie śmiał całkowicie zignorować jej obecności, nie była to bowiem tylko jeszcze jedna znajomość z widzenia, jakich w szpitalu miał tysiące.

Od kilku tygodni łączyła ich pewna brzydka tajemnica.

Kraków, poniedziałek, 13 kwietnia 1992

Obserwował ją długo, zanim zdecydował się zgadnąć. Była głośna, roszczeniowa i prowokująca. Nawet przy dziewczynkach, które przyprowadziła kilka razy ze sobą, nie mogła się powstrzymać od komentarzy. Sypała nimi jak z rękawa: że durak, że oferma, że tylko taki jak on mógł się dać przejechać dwa kroki od komendy wojewódzkiej. Dzieci z początku nie słuchały jej jazgotu, pewnie zresztą znały już na pamięć treść wygłaszanych przez nią zdań. Patrzyły wielkimi oczami na rząd łóżek i nieruchomych postaci, na aparaturę odmierzającą każdy oddech i rejestrującą uderzenia serca nieprzytomnych, na opatrunki, spod których ledwie była widoczna twarz ich ojca. Potem już na tyle oswoiły się z tajemnicą życia i majestatem śmierci, że same zaczęły marudzić:

– Po co znów tutaj, chodźmy lepiej na lody! Przecież tata i tak się nie obudzi.

– Skąd wiecie? – strofowała je matka, ale z coraz słabszym przekonaniem. Sama była już mocno znużona przeciągającą się niepewnością. – Zdarzały się już takie przypadki!

– Ee tam…

– Jakie ee tam?! Czy tobie jest wszystko jedno, co z nami będzie?! Nie rozumiesz, że nie mamy pieniędzy, że bez niego przyjdzie nam… – Tu głos pani Ilony zazwyczaj się rwał i następowała seria szlochów.

Doktor był głęboko przekonany, że była żona Pawlickiego rozpacza tak bynajmniej nie nad losem ojca swoich dzieci. Utwierdzały go w tym jej dalsze wywody.

– Dlatego tu przychodzę i gadam do niego, żeby wreszcie mnie usłyszał! Żeby coś dotarło do tego… – Czasem zdołała się powstrzymać i nie kończyła zdania. Ale zdarzało się jej także dopowiedzieć je do końca, a Petrycy za każdym razem miał wrażenie, że gotowa jest sięgnąć pod prześcieradło i potrząsnąć pokiereszowanym ciałem swojego eksmęża, by wywołać oczekiwaną reakcję w tym „zakutym łbie". Miało nią być ocknięcie się i podanie numeru konta.

W normalnych okolicznościach Maksymilian nigdy by się nie zdecydował, żeby do niej podejść. Ale to nie były normalne okoliczności. Sam był zdesperowany i szukał jakiejkolwiek, choćby najcieńszej nitki, która by go mogła doprowadzić do tajemniczego „bossa", jak zwykł w myślach nazywać zleceniodawcę Pawlickiego. Dlatego – choć z początku, podobnie jak tajniak z UOP-u, szybko wychodził, gdy tylko Pawlicka ukazywała się na horyzoncie – z biegiem czasu zaczął się jej kłaniać, potem pozostawać w sali, wreszcie zebrał się na odwagę.

– A pana co łączyło z moim mężem? – zapytała ostro.

Petrycy miał już wówczas przygotowany plan i odpowiedź na to pytanie.

– Interesy – powiedział krótko i zrobił tajemniczą minę. – Nasza znajomość była czysto zawodowa.

Oko jej błysnęło, odwróciła się i przyjrzała się mu z uwagą.

– Zawodowa? To on robił coś jeszcze prócz pierdzenia w stołek na komendzie?

Doktor tylko dyskretnie kiwnął głową.

– Wie pan coś o tym?! – Teraz już tylko do niej należała inicjatywa. Zrobiła dwa szybkie kroki i przyparła Petrycego do respiratora. – Czym się zajmował?! Gdzie trzymał pieniądze?!

– Droga pani – wydusił Maksymilian, czując się niekomfortowo w tak bliskiej odległości zarówno od nieprzytomnego Pawlickiego, jak i od jego żony. – To nie jest miejsce, żeby o tym rozmawiać. Zresztą i tak nie mogę pani nic powiedzieć, obowiązuje mnie tajemnica.

Cofnęła się, marszcząc wyskubane brwi.

– Kto by pomyślał! – mruknęła do siebie. – A ja go uważałam za takiego niedołęgę! Twój szef, mówiłam, ten to miał jaja! Nie poszedł się korzyć przed żadną komisją, nie żebrał o weryfikację, tylko wziął i założył agencję ochrony! I co? Jego żona rozbija się teraz po Krakowie czarną beemwicą, sama widziałam, nosi futro z norek i jeździ na wakacje do

Bułgarii! A my... – Tu głos się jej załamał, a na policzek spłynęła drobna łezka.

– O, niesprawiedliwie go pani oceniała! – mruknął Petrycy z przekąsem. – Lucjan był dużo bardziej pomysłowy i operatywny, niż się komukolwiek zdawało. Też potrafił zarobić na całkiem godziwą emeryturę.

– A więc jednak! Nie ściemniał. – Rzuciła szybkie spojrzenie na twarz eksmałżonka, przejechała pieszczotliwie upierścienionym palcem po jego policzku, a potem złapała doktora za łokieć. – Wie pan co? Chodźmy na chwilę do bufetu! Tu rzeczywiście nie da się spokojnie rozmawiać.

Siedzieli nad szklankami z kawą rozpuszczalną, a Ilonie usta się nie zamykały. Doktor, choć od jej przenikliwego głosu w uszach mu dzwoniło, podtrzymywał ten słowotok za pomocą wtrącanych zręcznie monosylab i wieloznacznej mimiki. Naciskany, zasłaniał się tajemnicą służbową.

– Tak mi właśnie mówił, jak przyszedł ostatnim razem na imieniny Samanty! – Przypominała sobie Ilona, w podnieceniu po raz trzeci sypiąc cukier do kawy. – Wyglądał jak siedem nieszczęść, o kulach, poobijany. Myślałam, że mnie okłamuje, żeby zatrzeć to fatalne wrażenie. A tymczasem on... Jak pan to powiedział? Prowadzi interesy?

Doktor skinął niezobowiązująco i łyknął ze szklanki.

– Nie do wiary! – Cieszyła się. – Więc to konto jednak istnieje! Bo widzi pan... On mi wtedy mówił, że nie trzyma pieniędzy w Polsce, tylko za granicą! Pomyślałam sobie, że zmyśla, nawet mu coś dogadałam na ten temat. A on na to: Poczekaj, Ilona, sama zobaczysz, my też jeszcze pojedziemy na urlop, i to nie do Bułgarii, o nie, my polecimy na Kanary.

Zrobiła przerwę na oddech, napiła się przesłodzonej kawy, aż się Petrycy skrzywił, i ciągnęła bez mrugnięcia powieki:

– Mówię mu, taka oferma jak ty, nawet ciociosanu nie umiałeś tu donieść, na schodach się potrafisz wykopyrtnąć i łeb rozwalić, co ty mi tutaj taki kit wciskasz. A tu się okazuje, że prawdę mówił! Żc te pieniądze jednak są!

Spojrzała na doktora oczami rozjaśnionymi nadzieją. Gdyby nie wiedział, co nią kieruje i jakie myśli skrywa pod starannym uczesaniem, uznałby w tej chwili, że jest piękną kobietą.

– Boże, spraw, żeby on wyzdrowiał! – ciągnęła w uniesieniu. – Albo przynajmniej niech się choć na chwilę wybudzi! Na jedną chwilę, tyle tylko, żebyśmy mogli dokończyć tamtą rozmowę.

– Na to bym już nie liczył – wtrącił Petrycy cicho. Uznał, że nadszedł właściwy moment na rozwinięcie intrygi.

Drgnęła, wyraźnie zaskoczona jego słowami.

– A pan skąd o tym wie? – warknęła, zupełnie już innym tonem. – Zna się pan?

– Jestem lekarzem.

– I co z tego?! To pana nie uprawnia…

– Dokumenty bankowe zwykle trzyma się w domu – rzucił Maksymilian od niechcenia, jakby jej nie słyszał.

Urwała i zamarła z oczekującym wyrazem twarzy.

– Wszystkie informacje, których pani potrzebuje, powinny być w jego papierach – ciągnął doktor szeptem. – Wystarczyłoby przeszukać szuflady biurka.

– Mówi pan? – odezwała się wreszcie, nie spuszczając z niego uważnego spojrzenia. Cała jej agresja zniknęła.

– Tak sądzę.

– Tylko jak ja mam to zrobić? Mieszkamy oddzielnie. Nawet nie wiem, czy on ma jakieś biurko!

– A adres pani zna? – zapytał doktor niewinnie.

– Mam gdzieś zapisany – mruknęła niechętnie. – Ale co z tego, skoro ten palant nie dał mi kluczy!

– Jeśli Lucjan miał klucze ze sobą, to są na pewno w szpitalnym depozycie. Nie powinno być problemu z wydaniem jego rzeczy, jest pani w końcu najbliższą mu osobą. – Wzruszył ramionami Petrycy. Głos miał obojętny, ale z wrażenia aż się spocił. – Znam personel tego oddziału, mogę pani pomóc to załatwić.

– Naprawdę?! Pomoże mi pan?!

– I nawet pójdę z panią do jego mieszkania jako świadek! – zapewnił ją solennie.

– Jest pan cudowny! – Przez chwilę obawiał się, że Ilona rzuci mu się na szyję.

– Ale chciałbym prosić o coś w zamian.

Cofnęła się, spuściła wzrok, spochmurniała.

– Nie może pan na nic liczyć. Ja nie mam pracy, jestem w długach. No i mam dwójkę dzieci na utrzymaniu. Ile by tych pieniędzy tam było, na pewno będzie za mało. Więc jeśli chce pan coś dla siebie utargować…

– Zupełnie nie o to mi chodzi! – przerwał jej Petrycy, czując, że się czerwieni. – Może być pani spokojna, nie potrzebuję oszczędności pani męża!

– Więc czego chce pan w zamian?

– Jak już mówiłem, łączyły nas z Lucjanem pewne sprawy… nazwijmy to, zawodowe. Był ogniwem pomiędzy mną a pewnym człowiekiem… – urwał, zastanawiając się nad każdym słowem. – Rzecz w tym, że straciłem kontakt z tym człowiekiem. Potrzebuję wglądu do notesu, w którym Lucjan zapisywał adresy i telefony. I do jego służbowych notatek.

Ilona nie spieszyła się z odpowiedzią. Raz jeszcze posłodziła i dopiła kawę, przejechała językiem po wargach, zlizując z nich resztki szminki.

– Załatwione – powiedziała w końcu, wyciągając przez stół do Maksymiliana dłoń o krwistoczerwonych paznokciach. – Jeśli tylko uda się nam wyciągnąć te klucze z depozytu, umowa stoi.

Kraków, wtorek, 26 maja 1992

– Słyszał pan już? – Stanęła teraz naprzeciw doktora z ręką opartą na biodrze. Nawet jednego spojrzenia nie poświęciła byłemu mężowi, którego serce też ani o ułamek sekundy nie przyspieszyło na dźwięk jej głosu. – Rutkiewicz zaginęła!

Doktor wzdrygnął się, jak zawsze, gdy zwracała się do niego z tak bliska. Zwłaszcza że informacja była wstrząsająca.

– Nie słyszałem – mruknął przepraszająco, wymijając ją w przejściu. – Pani wybaczy, muszę lecieć do pracy.

– Ale niech pan przyzna, że to nie jest zajęcie dla kobiety! Po co się tam znowu pchała, w te Himalaje?

Petrycy był już na korytarzu, jedna z pielęgniarek wyszła z dyżurki, żeby go wypuścić z oddziału.

– Ja tego naprawdę nie mogę zrozumieć, życie jej było niemiłe czy co? – Dobiegł ich jeszcze przenikający przez ściany trajkot.

Poranek był gorący, niebo bezchmurne. Maksymilian odetchnął głęboko, gdy tylko znalazł się na ulicy. Na rogu Strzeleckiej kupił „Dziennik Polski" i od razu zaczął go przeglądać, wsparty o ladę kiosku. Krótką informację o Wandzie Rutkiewicz znalazł na jednej z dalszych stron – himalaistkę widziano po raz ostatni dwa tygodnie wcześniej w obozie na wysokości ośmiu tysięcy metrów, następnego dnia miała podjąć atak na szczyt Kanczendzongi. Szanse na jej odnalezienie po upływie tego czasu znawcy tematu uznawali za minimalne.

„Następna" – pomyślał. Westchnął i wzniósł oczy do nieba.

Przypomniał sobie uczucia, jakich doznawał za każdym razem – on i wszyscy wokół – na wieść o osiągnięciach polskich himalaistów. W rzeczywistości lat siedemdziesiątych i osiemdziesiątych ta grupa ludzi sprawiała, że świat wydawał się nagle bardziej otwarty, bliski, możliwy do zdobycia. Znajdowali sposób, rodzaj wytrychu, dzięki któremu udawało się im wyrwać z izolacji, w jakiej żyło całe społeczeństwo. Robili to dla siebie, dla zaspokojenia własnej potrzeby wolności, ale dzięki temu, że odnosili sukcesy, dzielili się nią z innymi, którym ten dar nie był dany. Wielu ludzi, których poznał potem w „Solidarności", uprawiało wspinaczkę wysokogórską. Ci najwięksi zaś odgrywali trudną do przecenienia rolę w... Tak, w podsycaniu nadziei! Wszyscy twierdzili, że nie przypadkiem wybór Karola Wojtyły na Stolicę Apostolską zbiegł się ze zdobyciem przez Wandę Rutkiewicz Everestu. Tak to w każdym razie zinterpretował sam papież. „Dobry Bóg tak chciał, że w tym samym dniu weszliśmy oboje tak wysoko" – powiedział, gdy spotkał się z nią podczas pierwszej pielgrzymki.

Być może modlitwa o pokój jej duszy była jeszcze przedwczesna. Maksymilian nie wierzył jednak w cudowne ocalenia i był przekonany, że osoby podejmujące takie ryzyko idą w góry z pełną świadomością, że może to być ich ostatni raz.

„Pięknie jest umrzeć, robiąc to, co się kocha" – pomyślał, zastanawiając się jednocześnie, w jakich okolicznościach sam byłby gotowy wyzionąć ducha. Ponieważ nie znalazł odpowiedzi, a myśl o śmierci wywołała nieprzyjemny i dobrze mu znany ucisk za mostkiem, doktor szybko wrócił wzrokiem do gazety.

Zaraz obok niepozornej notki o zaginięciu Rutkiewicz wielką czcionką donoszono o kolejnym konflikcie na linii prezydent–rząd. Tym razem chodziło o szyfrogram od premiera Olszewskiego, jaki podczas wizyty w Moskwie, na dwie godziny przed spotkaniem z Borysem Jelcynem na Kremlu, otrzymał Lech Wałęsa. „Nieodpowiedzialność rządu mogła doprowadzić do całkowitego załamania rozmów!" – grzmiał prezydent po powrocie do kraju. Siła tego stwierdzenia była jednak już niewielka, gdyż przygotowywany od dawna układ o wzajemnych stosunkach między Polską a Federacją Rosyjską oraz towarzyszący mu protokół majątkowo-finansowy, zostały tamtego dnia podpisane. I to bez dwóch punktów spornych, które były Polsce bardzo nie na rękę[3].

---

[3] Polska miała się w nich zobowiązać do pomocy finansowej w budowie mieszkań dla rosyjskich żołnierzy wracających po latach do Rosji oraz do przekazania opuszczanych przez nich baz wojskowych polsko-rosyjskim przedsiębiorstwom. Spółki te miały później część wypracowanego zysku oddawać na ten pierwszy cel. Przeciwnicy tych zapisów, przy których upierała się strona rosyjska, dopatrywali się w nich próby stworzenia w Polsce obszarów eksterytorialnych, wyjętych spod miejscowego prawodawstwa, mogących

Doktor zwinął gazetę, odkłonił się koledze z „czerwonej chirurgii" i ruszył w stronę własnego szpitala. Na ulicy Kopernika o tej porze ruch był ożywiony i zdominowany przez pracowników oraz pacjentów klinik usytuowanych na całej jej długości. Maksymilian szedł powoli, gdyż do rozpoczęcia przyjęć miał jeszcze sporo czasu, a na poranną odprawę i tak by już nie zdążył. Sytuacja w poradni ciągle jeszcze była napięta. Jego szef od razu się zorientował, że zwolnienie lekarskie, związane z badaniami serca, było tylko przykrywką, pod którą Maksymilian ukrył swój wyjazd za granicę. Tym razem jednak Lasicki nie wezwał Petrycego na rozmowę. Doktor czuł, że ich konflikt wszedł w fazę wojny, choć na razie zimnej. Przełożony krążył wokół niego niczym chmura burzowa, z której lada moment i pod byle pretekstem mogły się zacząć sypać pioruny. Aby tego uniknąć, Maksymilian wolał nie pokazywać się za często na zebraniach zespołu, do czego prawo dawał mu mandat radnego.

Przed gabinetem już zaczęli się gromadzić pacjenci, doktor jednak miał jeszcze kwadrans do rozpoczęcia przyjęć. Usiadł przy biurku i wyciągnął z dna szuflady notes Pawlickiego. Od kiedy utracił wszystkie przechowywane w domu teczki dotyczące swego ojca, ten ostatni, zdobyty nieco później „dowód w sprawie", wolał trzymać w pracy.

Ilona Pawlicka dotrzymała słowa, choć nie znalazła w mieszkaniu męża ani jednego dokumentu, który by ją mógł naprowadzić na ślad zagranicznego rachunku bankowego.

---

także stanowić bazę dla rosyjskiego wywiadu. Tych właśnie dwóch punktów dotyczył wyrażony w szyfrogramie sprzeciw premiera.

W kiepsko umeblowanym i nieprzytulnym M-2 w ogóle nie było dużo papierów, jeśli nie liczyć kilku pisemek pornograficznych oraz nienoszących śladów czytania egzemplarzy „Trybuny". Koło telefonu leżał jednak notes z adresami i on właśnie trafił do rąk Petrycego.

– Ale gdyby się pan dowiedział, gdzie Lucjan trzyma pieniądze… – Ilona spojrzała doktorowi głęboko w oczy, jakby chciała zajrzeć w samo dno jego duszy i zorientować się, jakie ma intencje. – Gdyby się pan czegokolwiek dowiedział, to proszę mi przysiąc…

– Od razu pani o tym powiem! – zapewnił ją solennie Petrycy, mokry jak mysz i marzący już tylko o tym, by wreszcie opuścić mieszkanie Pawlickiego.

– No! – Uniosła palec, i tym sposobem dobili targu.

Już od miesiąca, zamiast zajmować się własną habilitacją lub przynajmniej pracą na rzecz samorządu, doktor studiował notes Pawlickiego. Grzebał w nim, prześwietlał strony, wgryzał się w rzędy imion i nazwisk, które absolutnie nic mu nie mówiły.

„Przecież nie dam rady ich wszystkich sprawdzić!" – myślał.

Przeszukanie mieszkania byłego esbeka, bardzo ryzykowne, tak naprawdę nic mu nie dało. Nadal tkwił w martwym punkcie i nie wiedział, czy kiedykolwiek uda mu się ruszyć z miejsca. A ta świadomość była jak cierń w mózgu, nie do zniesienia.

Podobnie czuł się w chwili, gdy sowicie opłacony pracownik tygodnika „Nie" podał mu nazwisko Lucjana Pawlickiego bez żadnej dodatkowej wskazówki, kto zacz i gdzie można go szukać. Wtedy doktor też był w desperacji. Jak wyłowić spośród setek Pawlickich tego właściwego? A jednak intuicja wskazała mu drogę. Zadzwonił wtedy do najlepiej zorientowanej i ustosunkowanej osoby, jaką znał. Do Włodka Drabela.

– Że też wcześniej na to nie wpadłem! – Tknięty tą myślą gwałtownie wyprostował się na krześle, odłożył na bok notes i sięgnął po słuchawkę.

Kolega radny odebrał, i to dość szybko, już po dwóch dzwonkach, choć zazwyczaj nie było łatwo go złapać.

– No co jest, doktorku? – Był chyba w doskonałym humorze. – Będę mógł liczyć na twój głos?

Petrycy zmarszczył się, usiłując zrozumieć, o co mu chodzi. Dopiero po chwili przypomniał sobie, że Drabel przepycha w radzie jakąś zmianę w uchwale o targowiskach, która ma być głosowana na najbliższej sesji.

– Nie wiem, nie widziałem jeszcze projektu – odpowiedział wymijająco, a gdy kolega zaczął rozwijać temat, przerwał mu krótko: – Włodek, nie mam teraz czasu. Jedno pilne pytanie! Powiedz, skąd wiedziałeś, kim jest Lucjan Pawlicki.

– Lucjan Pawlicki? – powtórzył Drabel, z trudem odrywając myśli od tematu, który niepodzielnie zaprzątał jego uwagę. – Pierwszy raz słyszę, nie znam gościa.

– Ejże! – Przerwał mu Petrycy. – Przecież to ty mi podałeś informacje, gdzie go szukać! Że to pozytywnie zweryfikowany esbek, obecnie policjant w komendzie wojewódzkiej.

– A! Coś kojarzę, jak przez mgłę.

– Rozmawialiśmy o nim w styczniu, byłeś wtedy po jakiejś balandze w Feniksie – podpowiedział mu doktor.

– W Feniksie! Tak, rzeczywiście! – przypomniał sobie radny. – Spotkałem przypadkiem kolegę, który akurat przyjmował gości z Włoch. Miał problem, bo to była niedziela wieczór, a oni chcieli się dobrze zabawić. Pomogłem mu znaleźć lokal.

Rozległo się pukanie, do gabinetu weszła pielęgniarka i bez słowa położyła na biurku stos szarych kopert opatrzonych nazwiskami pacjentów. Petrycy skinął jej głową, starając się jednocześnie nie utracić nic z tego, o czym mówił Drabel. Kolega radny złapał tymczasem falę wspomnień i teraz surfował po niej ze swobodą wytrawnego gawędziarza.

– Musiało to mieć jakiś poziom, rozumiesz, sam Saletri był na tej kolacji. W grę wchodził tylko Feniks albo Forum.

Doktor skrzywił się, jakby mu podano gorzką pigułkę.

– Saletri? Znowu w Krakowie?

– Bawił przejazdem – rzucił Drabel od niechcenia. – Z tego, co wiem, zastanawiał się, czy nie wejść tu u nas w jakiś biznes. Szukał partnerów, robił rozeznanie.

– Dalej myśli o supermarketach?

– Nie sądzę. Może sprzedaż samochodów? Czort go wie! Zresztą na tym spotkaniu o czym innym była mowa.

Petrycy słuchał z napięciem. Marco Saletri był szefem polsko-włoskiego konsorcjum, które dwa lata wcześniej planowało wybudować pierwszą w Krakowie sieć supermarketów. Jeden z nich miał powstać w narożniku Błoń, pomiędzy stadionem Cracovii a ulicą Oleandry. To wtedy doktor wraz z grupą radnych zaangażował się w akcję ochrony najwartościowszych kulturowo miejsc w Krakowie, wkładając wiele wysiłku w nagłośnienie sprawy i udaremnienie tego zamiaru.

Po otrzymaniu od miasta odmownej decyzji w kwestii Błoń spółka wycofała się ze swych biznesowych planów, pomimo że zaproponowano jej wiele innych lokalizacji.

– To była większa grupa, Polacy i Włosi, ktoś zaprosił także panienki – ciągnął tymczasem Drabel. – Sam rozumiesz, że nie o interesach się w takich okolicznościach gada, ale o dupach, krótko mówiąc.

– No dobra. I skąd wam się nagle, wśród tych dup, wziął Pawlicki? – Doktor zerknął na zegarek i stwierdził, że ma minutę do rozpoczęcia dyżuru.

– A bo ja wiem? Daj spokój! To było w końcu już kilka miesięcy temu, a poza tym… szampan lał się wiadrami. Tak się tam nawaliłem, że ledwie trafiłem do domu.

– Naprawdę nic nie pamiętasz?!

– Musiało paść twoje nazwisko. Sam rozumiesz, wtedy Kraków aż się trząsł po wywiadzie tego profesora. I pewnie mi się jakoś skojarzyło w związku z tym, że szukasz tego typka, Pawlickiego. Musiałem to powiedzieć na głos.

– Kto ci na niego wskazał?!

W słuchawce na dłuższą chwilę zapadła cisza.

– To był Polak! – oświadczył wreszcie Drabel. – Wiem na pewno, bo z Włochami nie gadałem.

– Tylko tyle?!

– Słuchaj, stary, tam było multum luda. Nie wszystkich nawet znałem. I tak dobrze, że w tym stanie potrafiłem donieść tę informację do domu i wykręcić twój numer.

– Rzeczywiście, bardzo ci jestem za to wdzięczny – poddał się wreszcie Maksymilian. – Ale daj mi cynk, gdybyś sobie cokolwiek jeszcze przypomniał z tamtego wieczoru.

– Jasne, zawsze możesz na mnie liczyć! – zapewnił go kolega radny. – A w ogóle przydała ci się na coś ta wiadomość?

– Nawet nie wiesz jak! – mruknął doktor.

Przez głowę przemknął mu długi ciąg zdarzeń, jakie nastąpiły od chwili, gdy po raz pierwszy spotkał się z Pawlickim. Choć nie przyniosły one niczego dobrego, nawet za cenę przywrócenia spokoju ducha doktor nie oddałby w tej chwili wiedzy, którą posiadł. Teraz miał tylko jedno pragnienie – wyjaśnić wszystko do końca. Za dużo było w ostatnich latach zbiegów okoliczności, za dużo powtarzających się incydentów – publikacja pamiętnika Jadwigi, pomówienie Benedykta o współpracę z SB. Ostatni z nich – wypadek Pawlickiego – wydawał się najbardziej złowróżbny. Również dlatego, że przecinał jedyny trop, który mógłby posłużyć doktorowi do dalszego śledztwa.

„Pomyśl, kto cię może aż tak bardzo nienawidzić?" – to pytanie przez ostatnie tygodnie tłukło mu się po głowie w każdym wolnym od zajęć momencie. Ale choć doktor wielokrotnie robił przegląd swych znajomości, nie potrafił znaleźć osoby, która miałaby podstawy do aż takiej wrogości.

– To jak będzie z tą poprawką? – zapytał go jeszcze Drabel. – Projekt uchwały masz w skrzynce.

W tej chwili rozległo się pukanie. Widać ktoś po drugiej stronie drzwi już się zaczynał niecierpliwić.

– Zerknę – obiecał Maksymilian, a potem szybko się pożegnał.

Sięgnął po kartę z samej góry stosu i wstał od biurka, by wpuścić pierwszego pacjenta.

Ania siedziała w pokoju Gabrysi, na kolanach miała rozłożony podręcznik, w uszach zatyczki, które znalazła w domowej apteczce, a na głowie wilgotny kompres. Próbowała się uczyć i nie zwracać uwagi na głuche rąbanie dochodzące z dołu. W otoczeniu swoich starych mebelków, na znajomo skrzypiącym tapczanie, chciała znowu poczuć się jak dawniej, gdy o dorosłości tylko śniła i wyobrażała ją sobie jako pasmo niczym nieograniczonej zabawy, sukcesów oraz podbojów. Ile by teraz dała, żeby tu wrócić i mieć znowu szesnaście lat! Żeby te wszystkie rzeczy – nagła miłość, ciąża, szybki ślub – w ogóle się nie wydarzyły!

Ale od teraźniejszości nie było ucieczki, a rosnący brzuch nie pozwalał ani na chwilę o niej zapomnieć. Czuła ruchy dziecka i wiedziała, że niczego już się nie da cofnąć. Zdążyła pokochać tego malucha, jeszcze zanim zaczął w jej wnętrzu fikać koziołki. Jak więc to możliwe, że teraz – gdy moment rozwiązania zbliżał się nieubłaganie – wszystkie jej ciepłe uczucia i optymizm wyparowały gdzieś bez śladu, a pozostał tylko blady strach?

Na korytarzu zaterkotał dzwonek, ale – zajęta własnymi myślami, z uszami zalepionymi woskiem – nie miała szans nic usłyszeć. Dopiero gdy w drzwiach pojawił się Staszek Mróz, podniosła głowę znad podręcznika psychologii klinicznej i wróciła do rzeczywistości.

– Aniu? Jacyś goście do was, już drugi raz przychodzą!

Wstała niechętnie i wyszła do przedpokoju, zderzając się z panią Moniką, która właśnie wypadła z kuchni.

– Panie majster! – wołała, ujmując się wojowniczo pod boki. – Nie ma wody!

– Ano nie ma – odpowiedział Staszek, ściągając z głowy swój papierowy kapelusz. – Nie ma, bo wyłączyłem. I upraszam gorąco, żeby nie korzystać z toalety. Wymieniamy pion.

– No co pan! – uniosła się pani Monika. – Jak tak można, bez zapowiedzi?!

– Ale ja zapowiadałem! – zdziwił się Staszek. – Mówiłem rano Maksiowi, że będzie chwila przerwy, dzieci też słyszały.

– Ja nic nie słyszałam! – oświadczyła Ania.

Zeszła kilka stopni niżej, starając się nie dotykać poręczy i stawiać stopy w najmniej zakurzonych miejscach. Pani Monika burczała coś o zatrzymanej pralce, czerniejących ziemniakach, które właśnie obrała, i o tym, że nikt jej nie uprzedził. Staszek bronił się zaciekle. Ania – zirytowana dodatkowo panującym wokół rozgardiaszem – już otwierała usta, by się wtrącić, gdy nagle zauważyła, że ściska w garści zatyczki do uszu. No tak, założyła je zaraz po wstaniu z łóżka, mogła rzeczywiście czegoś nie dosłyszeć. Szybko schowała kulki wosku do kieszeni i pozostawiając tamtych dwoje samym sobie, skierowała uwagę na trzech jegomościów stojących przy wejściu i z zainteresowaniem śledzących scenę powyżej.

– Dzień dobry – ukłonili się jej grzecznie.

Mówili z wyraźnie obcym, wschodnim akcentem i sprawiali osobliwe wrażenie. Ania przyglądała się im bez odrobiny sympatii. Na krótką chwilę jej uwagę przyciągnął najmłodszy i najprzystojniejszy z przybyszów, ale gdy spojrzała w jego ciemne, nieruchome oczy, jej irytacja jeszcze wzrosła. Nie

potrafiła odczytać ich wyrazu, wydawały się jej kompletnie obojętne. Pewnie jacyś interesanci do ojca, nie wiedzieć
czemu szukają go tutaj, zamiast w Urzędzie Miasta!

– Słucham! – rzuciła nieuprzejmie.

– Chcieliśmy zobaczyć panią Marię – powiedział najstarszy, a choć zdanie było proste, zabrzmiało w jego ustach jakoś
dziwnie, archaicznie niemal.

– Mamy nie ma w domu – powiedziała Ania i zrobiła
obrót o sto osiemdziesiąt stopni, uważając rozmowę za
skończoną.

– A kiedy będzie? – Zatrzymał ją gość. – Bo bardzo nam
zależy na tym spotkaniu.

Ania już od dłuższego czasu obwiniała matkę o wszystkie
swoje kłopoty. Gdyby nie była taką egoistką, gdyby ich nie
opuściła, życie rodziny na pewno wyglądałoby teraz inaczej!
Poczuła, jak złość i pretensje zalewają jej serce.

– Nie ma jej i nie będzie! – zgrzytnęła zębami. – Niech
pan gada z moim ojcem! Do widzenia!

Tupiąc głośno, ruszyła schodami na górę, pozostawiając
osłupiałych przybyszów i Gabrysię, która właśnie stanęła
za ich plecami. Dziewczynka wróciła ze szkoły i stała się
przypadkowym świadkiem tej wymiany zdań. Minę miała
zakłopotaną, na twarzy rumieniec wstydu. Także pani Monika i Staszek Mróz przerwali kłótnię, spoglądając na siebie
okrągłymi ze zdumienia oczami. Ania minęła ich bez słowa,
na nowo upychając wosk w uchu.

Usiadła na łóżku i sięgnęła po podręcznik. Za kilka dni
miała egzamin i nie opuszczało jej przeczucie, że tym razem obleje. Cóż mogła jednak poradzić na to, że sama teraz

bardziej potrzebowała porady psychologa, niż mogła dzielić się wiedzą na ten temat?

Ledwie przeczytała kilka pierwszych zdań, w drzwiach pokoju stanęła młodsza siostra.

– Dlaczego to zrobiłaś?

– Co znowu?! – zdenerwowała się Ania, wyjmując z uszu zatyczki. W jej mózg wdarły się od razu głuche uderzenia młota. Staszek z pomocnikiem wrócili do roboty i powiększali otwór przed wprowadzeniem nowego pionu.

– Dlaczego tak ich potraktowałaś?! – Broda Gabrysi zaczęła się trząść.

– Bo mam za dużo własnych problemów, żeby się jeszcze przejmować jakimiś... – W ostatniej chwili Ania ugryzła się w język.

Zauważyła, że oczy dziewczynki robią się szkliste i błyszczące. Zdawała sobie sprawę, że postąpiła zbyt szorstko, zarówno wobec niespodziewanych gości, jak i młodszej siostry, zawsze tak dobrze nastawionej do świata. Nie zamierzała jednak z niczego się tłumaczyć ani nikogo przepraszać. W jej wnętrzu szalała burza, a każde łupnięcie dochodzące z dołu wzmagało jej niszczycielską siłę o kilka stopni. Ania poczuła, że musi natychmiast wyjść, bo inaczej gotowa jest kogoś skrzywdzić. Wstała z łóżka, złapała swoją torbę i wybiegła z pokoju. Gabrysia w ostatniej chwili zdążyła uskoczyć jej z drogi.

~

Przez Grodzką, jak zwykle późnym popołudniem, przewijały się tłumy. Petrycy wyszedł z magistratu i zamyślony ruszył w stronę Rynku. Dopiero przy kościele Świętego Wojciecha otrzeźwiał, podniósł głowę i rozejrzał się czujnie. Coś było nie tak. Lekki wiosenny wietrzyk przygnał do niego oddalony pomruk wzburzonych głosów, ulotny zapach gniewu, strzępy emocji, które znał, gdyż sam je przeżywał – tu, w Rynku Głównym, w podobne majowe dni. Atmosfera buntu była tak wyraźna, że doktor aż pociągnął nosem w obawie, że zaraz poczuje gryzący zapach gazu. Ale nie, powietrze było czyste.

„Czyżbym miał *déjà vu?*" – pomyślał, rozglądając się wokół.

To nie było jednak złudzenie, znowu coś się tu działo, choć wokół nie widać było kordonów ZOMO i milicji. Petrycy bez problemu namierzył właściwe miejsce – przed jedną z księgarni zgromadził się kilkusetosobowy tłum. To stamtąd niosły się podniesione głosy i okrzyki. Z pewnego oddalenia zajściu przyglądało się kilku policjantów, przy chodniku stały dwie granatowe nyski. Drzwi księgarni pilnowało natomiast kilku rosłych facetów w garniturach.

Doktor ruszył w tę stronę jak pociągnięty magnesem. Minął romskiego skrzypka, który – usadowiony kilkanaście metrów dalej na obitym skajem krzesełku – wycinał smyczkiem czardasza. Zwykle Petrycy zatrzymywał się, żeby go posłuchać, ale nie tym razem. Podszedł za to bliżej zbiegowiska i dopiero wtedy zauważył, że nie jest to jednolita grupa. Część stanowili ludzie stojący w ogonku do wejścia, drugą – zebrani luźno gapie. W tej właśnie ciżbie rozlegał się wrogi pomruk i padały komentarze. Od czasu do czasu ktoś ze środka tłumu wznosił okrzyk: „Hańba!". Roiło się tu też od dziennikarzy.

– Co się dzieje? – zapytał jakiś tęgi jegomość, który nadszedł w tym samym czasie co Maksymilian.

– Generał podpisuje swoją książkę – objaśnił ktoś z przekąsem. – Tłumaczy, dlaczego był zmuszony, zupełnie wbrew sobie, wprowadzić stan wojenny.

– To chyba jasne, co tu jest do tłumaczenia? Władzy raz zdobytej nie oddamy nigdy. – Wzruszył ramionami mężczyzna, a potem machnął ręką i poszedł swoją drogą. – Szkoda na to czasu!

Petrycy już otwierał usta, gdy nagle zobaczył wydostającą się z wnętrza księgarni Joannę Lipską. Była zgrzana, potargana, ale tryumfująca. Też go dostrzegła.

– Nigdy by mnie nie wpuścili, gdyby wiedzieli, że jestem dziennikarką, ale kolejkowałam grzecznie trzy godziny i… – Klepnęła torbę, w której był schowany magnetofon oraz egzemplarz wspomnień generała. – Mam go! Dwa zdania specjalnie dla naszych słuchaczy.

– Trzy godziny? – oniemiał doktor.

– A co pan myśli? Oni tak długo tu czekają. – Wskazała podbródkiem kolejkę, a potem wyjęła mikrofon. – Najtrudniejsze już za mną, teraz muszę dograć głos ludu. – Puściła do doktora perskie oko i ruszyła do pracy.

Szedł za nią, przysłuchując się odpowiedziom udzielanym przez „lud".

– Od początku mu współczułam, to bohater, postać tragiczna. Nikt go nie rozumiał!

– Jego miejsce jest na ławie oskarżonych, a nie w księgarniach. To jest dopiero czelność, to jest buta! – Włączył się ktoś z boku.

– Przeszedłem z nim cały szlak Pierwszej Dywizji. Boli mnie, jak niesprawiedliwie jesteśmy dziś oceniani. Bo o tym, czy się trafiło do Andersa, czy do Berlinga, decydował często przypadek. A jedni i drudzy walczyli przecież o tę samą Polskę.

– Tę samą Polskę? Coś pan, z księżyca się urwał?! – Nie ustępował człowiek spoza kolejki.

– Tę samą! Wolną!

– Tak, tak, o to wtedy nam chodziło. Aby tylko przepędzić Niemców!

– Jaką wolną Polskę, panie, jak mogła być wolna, jak tu wleźli czerwoni? Do dziś stoją, nawet więcej ich niż wcześniej, bo zjeżdżają do nas jeszcze z Niemiec!

Joanna przesunęła się kawałek dalej.

– Generał jest porządny człowiek, wychowanek jezuitów. To się czuje, tę jego godność, ten spokój.

– Święta prawda. Jak się dziś popatrzy na tych błaznów, co się dorwali do władzy i nie potrafią się ze sobą dogadać, to człowiek żałuje, że w ogóle jakieś zmiany były.

Maksymilian Petrycy już po kilku minutach miał dosyć. Odszedł na bok, gdyż niewiele brakowało, a i jego poniosłyby emocje. Wmieszał się w tłum protestujących i poczekał, aż dziennikarka skończy przepytywać osoby kolejkujące po autograf.

– Po co ich nagrywać? – zapytał, gdy podeszła do niego.

– Bo są – odpowiedziała krótko. – I trzeba się zacząć przyzwyczajać do tego, że żyjemy pod jednym dachem.

– Nie muszę się przyzwyczajać, wiedziałem to od zawsze – żachnął się Petrycy.

– Ale być może nie zrozumiał pan jeszcze, że w kraju pluralistycznym, a takim przecież chcemy być, oni też mają prawo wypowiadać swoje poglądy na głos.

– I popierać człowieka, który… – Doktorowi na chwilę zabrakło słów – który próbuje teraz zafałszować prawdziwy obraz historii! – zdecydował się na najłagodniejszą wersję.

– Wie pan przecież, że nie ma czegoś takiego jak prawdziwy obraz. Każdy widzi rzeczywistość przez pryzmat swoich własnych doświadczeń. I to się tyczy także tej wielkiej historii.

– Ale on się kreuje na ofiarę.

– Nie on pierwszy i nie ostatni, panie Maksymilianie – przerwała mu. – Niech pan da spokój, szkoda nerwów. Za pół wieku może ktoś to bezstronnie oceni.

Petrycy kilka razy odetchnął głęboko, bo coś go zaczynało dławić. Jeszcze raz omiótł spojrzeniem dwie grupy – kolejkowiczów i protestujących – wśród których były osoby w każdym wieku, nawet dzieci.

– Nie wiem, czy bezstronnie – pokręcił głową z powątpiewaniem. – Mam wrażenie, że ten podział wlec się będzie za nami przez pokolenia. Będziemy pisać dwie kompletnie różne wersje dziejów.

Joanna już się nie odezwała. Ze współczuciem popatrzyła na człowieka, który jeszcze do niedawna tak bardzo ją fascynował. W ciągu półtora roku zaszły w nim zmiany, które sprawiły, że z atrakcyjnego, rzutkiego czterdziestoparolatka o skandynawskim typie urody zamienił się w przygarbionego, wysuszonego gastryka z wiecznie zasępionym spojrzeniem. To prawda, że życie go nie oszczędzało. Ale czy nie brał go aby zbyt poważnie? Nie czuła już do niego absolutnie żadnego pociągu fizycznego, za to mogła teraz powiedzieć, że szczerze doktora lubi. Właśnie za to, że tak bardzo przejmował się sprawami, które inni ludzie mieli głęboko gdzieś.

Maksymilian wrócił do tematu, który chwilę wcześniej zajmował go bez reszty.

– Dobrze, żeśmy się spotkali – powiedział, odsuwając się od oklejonych plakatami reklamowymi i obstawionych przez ochroniarzy drzwi księgarni. – Dowiedziałem się dzisiaj czegoś nowego w związku z… – Nieufnie rozejrzał się wokół i obniżył głos. – Chodzi o wiadomą sprawę. Może to panią zainteresuje.

– Chodźmy stąd. Mam już wszystko, czego chciałam.

Ruszyli w stronę ulicy Świętej Anny. Skrzypek Kororo[4] został tymczasem przeniesiony na plecach przez jednego ze swych współbraci w spokojniejsze miejsce i siedział teraz przy wielkiej witrynie domu towarowego na rogu z Wiślną. Trzymał instrument gryfem przy uchu i długimi palcami dokonywał na nim cudów zręczności, a tony, jakie wydobywał, były idealne. Jak zawsze, miał przymknięte oczy i wyraz błogości na twarzy. W grupie przysłuchujących się doktor rozpoznał tego samego grubego faceta, któremu pół godziny wcześniej szkoda było czasu na rozmowę o książce generała.

Przeszli obok, nie zatrzymując się, minęli dostojne gmachy uniwersyteckie i znaleźli się na Plantach. Petrycy opowiedział jej o swojej rozmowie z Drabelem i o pojawieniu się na horyzoncie zdarzeń osoby Marca Saletriego.

– To bardzo ciekawe – mruknęła Joanna w zamyśleniu. – Tylko co może łączyć włoskiego biznesmena i byłego pracownika SB?

---

[4] Biogramy osób oznaczonych gwiazdką znajdują się na końcu książki.

– Włosi planują podobno jakąś nową inwestycję. – Od rana doktor zdążył już sobie stworzyć pewną teorię. – Może szukają haków na każdego, kto mógłby im namieszać?

– No dobrze, tylko dlaczego zamiast po cichu zbierać te haki na pana, mieliby je zaraz ogłaszać publicznie?

– Może z zemsty? Saletri na pewno jeszcze mi pamięta tamtą kampanię sprzed dwóch lat.

Joanna sceptycznie pokręciła głową.

– A może dla przykładu? – Nie poddawał się doktor. – Chce pokazać innym, co ich spotka, jeśli spróbują mieć swoje zdanie i prowadzić własną politykę?

Przeszli na drugą stronę ulicy i zatrzymali się na rogu Pił-sudskiego, przed przebudowywanym budynkiem PWST. Od tego miejsca każde z nich miało pójść swoją drogą, a jednak się nie rozchodzili.

– Trzeba by się dowiedzieć, jakie on ma plany w Krako-wie! – nalegał Petrycy. – Na pewno nie pojawił się tutaj przy-padkiem! Tylko jak to sprawdzić? Pytałem dziś w magistracie, ale urzędnicy albo nic nie wiedzą, albo nabrali wody w usta. Trzeba nieoficjalnie, innymi kanałami. Może ktoś z pani znajomych?

– Rozglądnę się, zasięgnę języka. Ale nie obiecuję szybkich postępów.

Spojrzał na nią błagalnie, mocno rozczarowany.

– Dziś jestem ostatni raz w pracy – wyjaśniła. – W sobotę wielki dzień, a potem urlop.

– No przecież! – Przypomniał sobie, że jeszcze w styczniu mówiła mu o ślubie. – Oczywiście, pani ma teraz ważniejsze sprawy na głowie!

– Tak czy owak, sami tego nie ugryziemy – zakończyła Joanna. – Wydaje mi się, że trzeba będzie poprosić o pomoc pańskiego zaprzyjaźnionego agenta.

Petrycy stęknął. Samo wspomnienie o Jakubie Kapuścińskim i urzędzie, który reprezentował ten młody człowiek, było bolesne.

– Tak pani sądzi?

– Nie widzę innego rozwiązania.

– A ryzyko?

– Bez ryzyka nie ma zabawy. – Uśmiechnęła się krzywo.

– To nie jest zabawa! – Petrycy, zgorszony, pokręcił głową. – Sama pani wie najlepiej, cośmy narobili tym wywiadem! Gdyby to było radio publiczne, już by pani była bezrobotna.

– Ale pracuję w radiu prywatnym. Nie przeczę, że były naciski, jednak zostałam na swoim stanowisku. I jeśli uda mi się znowu zrobić dobry materiał, szefowie go puszczą – ucięła. – Dlatego uważam, że jeśli tylko pana przyjaciel jest nam gotów pomóc, trzeba to wykorzystać.

– No dobra. Spróbuję – odrzekł Petrycy, choć bez wielkiego przekonania.

Na myśl o ostatnim spotkaniu z bratankiem pierwszego męża Janki Rosy jeszcze dzisiaj przeszywał go niemiły dreszcz.

Kraków, niedziela, 22 marca 1992

Nie od razu zrozumiał, co się dzieje. Dźwięk dzwonka, ostry, powtarzany w kilkunastosekundowych odstępach, wdzierał się w świadomość Maksymiliana powoli, jak wiertło borujące w twardym betonie. Wreszcie doktor otworzył oczy. W sypialni było ciemno, słabe promienie zaspanego jeszcze słońca ledwo przenikały przez grube zasłony. Marysia wsparła się na łokciu, oszołomiona, tocząc wokół nieprzytomnym spojrzeniem.

– Kto to? O tej porze? – zapytała. Były to pierwsze słowa, jakie do niego skierowała od wczorajszego wieczoru, gdy wrócił z radia.

– Może coś się stało u sąsiadów! – Maksymilian poderwał się z łóżka. – Nie mam pojęcia, może pożar.

Wybiegł na korytarz i nakładając po drodze gruby frotowy szlafrok, zbiegł po schodach. W przedpokoju na dole wpadł na Tomka, który – w samych bokserkach, ziewając rozgłośnie – wychynął z mieszkania babci Isi.

– A! – mruknął na widok teścia i zrobił w tył zwrot. – To pewnie do was.

Doktor otworzył drzwi i wystawił głowę na zewnątrz. Na chodniku parkował policyjny polonez i dwa nowiutkie cywilne volkswageny golfy, za nimi widać było mleczny kożuch mgły nad żółto-brunatną trawą Błoń. Przed furtką stała grupa mężczyzn.

– Maksymilian Petrycy? Proszę otworzyć! Urząd Ochrony Państwa.

Zdania były krótkie i przypominały wojskowe komendy. Doktor wyprostował się mimowolnie i rozejrzał wokół – na szczęście w polu widzenia nie było żadnych sąsiadów. Szybko wcisnął guzik domofonu.

– To chyba jakieś nieporozumienie – zaczął, gdy podeszli bliżej.

– Maksymilian Petrycy? – upewnił się najstarszy wiekiem i zapewne rangą gość, mierząc doktora uważnym spojrzeniem. – Mamy nakaz przeszukania domu. – Machnął mu przed oczami legitymacją i urzędowym pismem.

Doktor w osłupieniu cofnął się, robiąc przybyszom miejsce w drzwiach. Dopiero teraz dotarło do niego w pełni, co się dzieje. Mężczyźni, choć ubrani po cywilnemu, byli uzbrojeni. Poruszali się i odzywali jak wojskowi. Kilku policjantów pozostało na ulicy i w ogrodzie, pozostali weszli do przedpokoju.

– Nie rozumiem, o co chodzi – powiedział Petrycy, czując, jak drżą mu kolana. – Może zechcieliby panowie wytłumaczyć…

– Chodzi o dokumenty niebędące pańską własnością, w których posiadanie wszedł pan nielegalnie.

– O teczki mojego ojca?

– Również. O wszystkie papiery związane z tą sprawą.

– Mam je na górze, w gabinecie – wyszeptał Petrycy, coraz bardziej poruszony. – Proszę za mną.

Trzech cywilów ruszyło po drewnianych schodach, reszta pozostała na dole.

– Co się dzieje? Kim są ci panowie? – Marysia stała w drzwiach sypialni. Owinęła się kocem, ale ciążowy brzuch rysował się pod nim wyraźnie.

– Urząd Ochrony Państwa. Przepraszam za najście, ale nie mogliśmy tego uniknąć. Mamy nakaz przeszukania domu. – Dowodzący mężczyzna ukłonił się i znowu okazał dokumenty. Żona Petrycego nie poprzestała na powierzchownym rzuceniu okiem, wyciągnęła po nie dłoń, a następnie przestudiowała treść.

– Dlaczego? – zapytała krótko, zwracając pismo.

– Otrzymaliśmy informację, że pani mąż znajduje się w posiadaniu tajnych materiałów. Wczoraj zaś... – zawahał się, ale po chwili dokończył – ...wczoraj dopuścił się ujawnienia tajemnicy państwowej.

– Wiedziałam!

– Chwileczkę, kochanie! – Doktor podniósł ręce obronnym gestem. Zrozumiał wreszcie, że chodzi o wywiad, którego wieczorem udzielił Joannie. – Najpierw oddam panom te teczki, potem porozmawiamy.

Nie odbyło się to jednak tak szybko, jak zamierzał. Funkcjonariusze UOP owszem, przejęli teczki, ale nie powstrzymało ich to przed przeszukaniem całego gabinetu. Maksymilian czuł, jak drętwieją mu szczęki, gdy siedząc w fotelu, musiał się wszystkiemu bezczynnie przyglądać. Już po kilku minutach trafili na dyktafon przekazany doktorowi przez Jakuba Kapuścińskiego.

– Skąd pan to ma?

Kłamstwo nie miało sensu, przedmiot miał wypisaną na obudowie maleńką sygnaturę.

– Dostałem – wymruczał niewyraźnie. – Dostałem od znajomego.

To znalezisko wyraźnie ożywiło smutnych panów. Zaczęli kopać ze zdwojoną energią i wtedy właśnie na podłogę posypały się książki, czasopisma, segregatory z materiałami do pracy doktorskiej i wycinki zgromadzone do habilitacji. Doktor siedział z twarzą w dłoniach, dzień się rozjaśniał, mgła rozwiewała. Marysia, już całkiem ubrana, zajrzała do gabinetu. Omiotła jednym spojrzeniem cały bałagan i wargi jej zadrżały. Szybko się jednak opanowała.

– Zrobić panom kawy?

– Dziękuję, już kończymy. – Dowodzący uśmiechnął się przepraszająco. – Niestety będziemy musieli zabrać ze sobą pani męża.

Na jej twarzy pojawiło się przerażenie, oparła się o futrynę.

– Nie ma powodów do obaw, pan doktor złoży nam tylko wyjaśnienia i wróci do domu – uspokoił ją funkcjonariusz UOP. – Zajmie nam to kilka godzin, najwyżej.

I tym sposobem Maksymilian Petrycy został na oczach wychodzących do kościoła sąsiadów zapakowany do policyjnego wozu, bez kajdanek wprawdzie, ale z umundurowanymi funkcjonariuszami po obu swoich stronach. Wylądował następnie na dziesiątym piętrze wielkiego gmaszyska przy Mogilskiej, gdzie bez większych trudności wydobyto z niego informacje o dotychczasowych kontaktach z Kapuścińskim. Na końcu wręczono mu protokół do podpisania i pouczono, że za rozmowę z kimkolwiek o zawartości teczek i całej tej sprawie grozi mu postępowanie karne.

Późnym wieczorem, gdy wyszedł na spacer z psem – byle dalej od domu, w którym po porannym zajściu panowała atmosfera nie do zniesienia, byle dalej od milczącej żony, dalej od nękających go myśli i wspomnień – na wysokości klubu sportowego Juvenia zrównał się z nim człowiek w dresie i sportowych butach.

– Niech pan już do mnie nie dzwoni.

Odwrócił się – twarz Jakuba zasłaniał kaptur. Przez ostatnie godziny Maksymilian bezskutecznie próbował się z nim skontaktować, wybierając po tysiąckroć jego numer.

– Miał pan nieprzyjemności? – zapytał cicho.

– Ba!

– Przepraszam – wyszeptał Petrycy, zmieszany.

Nie miał czystego sumienia. Wciągnął młodego człowieka w swoje sprawy i być może zniszczył mu karierę. Nie ukrywał jednak w czasie przesłuchania, że postanowił pójść podsuniętym przez Pawlickiego tropem sam, a Kapuściński nic nie wiedział o jego wyjeździe do Paryża.

– Nie sądziłem... Skąd miałem przypuszczać, że tak się to skończy...

– Gdyby się pan wcześniej podzielił ze mną tym, co pan ogłosił całemu światu przez radio, to może by się inaczej skończyło – warknął Kapuściński. Drobił u boku Petrycego, nie przerywając joggingu, a Flip obskakiwał radośnie nowego towarzysza spaceru. – A tak, to obaj mamy przesrane.

– Bardzo mi przykro – powiedział doktor zupełnie szczerze. Odpędził psa, który pobiegł zaraz obsikać murek odgradzający koryto Rudawy. – Co panu grozi?

– W najlepszym razie nagana. – Wydawało się, że poczucie humoru, którym zwykle tryskał, teraz zupełnie opuściło młodego człowieka. – W najgorszym... wydalenie ze służby.

Petrycy tylko spuścił głowę.

– Mój telefon nie jest bezpieczny – powiedział Kapuściński. – Za pański też bym nie ręczył. Więc lepiej niech już pan do mnie nie dzwoni.

– Więc jak się mamy kontaktować? – zapytał doktor. Nie żeby planował dalsze spotkania z Jakubem, ale na wszelki wypadek.

– Przez ciocię.

Chwilę posuwali się naprzód w milczeniu, słychać było tylko dwa przyspieszone oddechy. Na samą myśl, że jego rozmowy mogą być podsłuchiwane, Petrycemu zaczęło brakować tchu.

– W każdym razie... – Kapuściński wykręcił kółeczko i biegł teraz tyłem, patrząc mu w twarz. – Radzę panu nie zajmować się już tą sprawą. Dla własnego dobra.

– Co pan chce przez to powiedzieć?!

– To samo, co powiedzieli panu oni. Za ujawnienie informacji pochodzących z działalności operacyjno-rozpoznawczej grozi panu kara pozbawienia wolności od sześciu miesięcy do pięciu lat.

Petrycy zatrzymał się. Kiedy na antenie radiowej rozmawiał z Joanną, do głowy mu nie przyszło, w co się ładuje. Widział wprawdzie nadruki na teczkach, ale nie przypuszczał, że te stare szpargały wyprodukowane przez nieistniejącą już Służbę Bezpieczeństwa mogą być nadal objęte tajemnicą państwową! Mówił o nich publicznie Stefan Ulat i nikt wówczas nie wysuwał tego zarzutu!

– Trudno, co się stało, już się nie odstanie – mruknął, wzruszając ramionami i podejmując przerwany marsz. – Przynajmniej zajmą się tym teraz kompetentne służby.

Młody człowiek przez chwilę przyglądał mu się z dziwnym wyrazem twarzy.

– Niech pan zapamięta moje słowa – powiedział wreszcie. – Nie warto już tego drążyć!

Podniósł rękę na pożegnanie, odwrócił się i potruchtał w ciemność.

Kraków, wtorek, 26 maja 1992

Ania siedziała za stołem w kuchni państwa Podróżników i przyglądała się, jak mama Tomka zagniata ciasto. Atmosfera rodzinnego domu męża miała w sobie coś kojącego. Co to było? Nie potrafiła odpowiedzieć, a jednak wchodząc tu, nie po raz pierwszy doświadczała uczucia, że wreszcie może być sobą, że nie musi się starać sprostać oczekiwaniom, by zostać zaakceptowaną. Już sam fakt, że teściowa na jej powitanie postanowiła upiec placek, był jak dotknięcie ciepłej dłoni na zdrętwiałym od mrozu policzku.

Zza ściany dochodził basowy pomruk męskich głosów i Ania gotowa się była założyć, że jej teść w towarzystwie jakiegoś znajomka znowu prowadzi niekończącą się dyskusję o potrzebie urządzenia świata na nowo. Mieczysław Podróżnik zdołał się już podźwignąć z depresji i całkiem dobrze funkcjonował w roli właściciela sklepu i komisu z elektroniką. Po przejściach pozostał mu jednak wysoce krytyczny stosunek do kierunku, w którym rozwijała się jego dawna firma, miasto oraz cały kraj. Teraz podniósł głos, wykrzykując coś o „sprawiedliwości społecznej" i „drapieżnym kapitalizmie".

– Antonówki, najlepsze na placek. – Teściowa otworzyła słoik, wieczko ustąpiło z cichym pyknięciem. – Jak jest dobry rok, to zbieramy z działki nawet i sto kilo. Wyobraź sobie, jak ta kuchnia wygląda, kiedy to wszystko przerabiam!

Wyraźnie nie lubiła ciszy. Chwile przerwy w rozmowie bardzo ją krępowały, a że Ania nie była tego dnia w specjalnie gadatliwym nastroju, pani Podróżnikowa za wszelką cenę próbowała sama wypełnić pustkę. I wreszcie stało się.

– A co słychać u rodziców? – Padło pytanie, którego dziewczyna obawiała się od samego początku.

– Normalnie. Tata bardzo zapracowany. – Nie patrząc teściowej w oczy, wstała z miejsca, odkręciła wodę i umyła po sobie szklankę. – Dziękuję za herbatę, będę musiała już lecieć do domu.

– Nie zostaniesz na szarlotkę? – zmartwiła się mama Tomka. – Za chwilę będzie gotowa!

– Bardzo dziękuję. – Ania uśmiechnęła się z przymusem, bo na samą myśl o pachnącym cynamonem placku do ust ciekła jej ślinka. Kiedy ostatnio w domu Petrycych było takie ciasto! – Ograniczam słodycze, bo i tak lekarz mi mówi, że za dużo przytyłam.

– E tam, głupie gadanie! Musisz teraz przecież jeść za dwoje, właśnie pod koniec ciąży maluszek rośnie jak na drożdżach i nabiera tłuszczyku – pocieszyła ją matka pięciorga dzieci. – Zobaczysz już niedługo, jakie śliczne są te wałeczki na maleńkich rączkach i nóżkach, jakie słodkie te fałdeczki!

Żołądek Ani zwinął się w kulę. To było jeszcze gorsze niż pytanie o rodziców. Gdyby nawet w tej chwili gorąca szarlotka wjechała na stół, dziewczyna nie byłaby w stanie przełknąć nawet kęsa.

– Przepraszam, naprawdę muszę już iść.

Weszła do przedpokoju właśnie w momencie, gdy otworzyły się drzwi dużego pokoju i – niesiony falą papierosowego dymu – wychynął z nich Mistrz. Augustyn Rayski, artysta malarz i jeden z czołowych przedstawicieli krakowskiej bohemy lat osiemdziesiątych, przedzierzgnął się teraz w biznesmena pełną gębą. Od kilku miesięcy robił interesy, najpierw z Tomkiem, a potem z jego ojcem, sprowadzając do kraju nową i używaną elektronikę z Niemiec.

– Na pewno znajdziemy odpowiedni model, zostaw mi to, Mieciu. Ania! Witaj, dziewczyno, kopę lat! – Ucieszył się na jej widok świeżo upieczony kapitalista, a potem gwizdnął przez zęby. – O! Widzę, żeście nie marnowali czasu. Kiedy rozwiązanie?

– Początek sierpnia – oznajmiła mama Podróżnikowa z nieukrywaną dumą, zanim się Ania zdążyła odezwać.

– Gratulacje, świetnie wyglądasz! – Mistrz objął młodą kobietę ostrożnie, lecz z wielką serdecznością. Darzył ją sentymentem, od kiedy pomogła mu namalować obraz reklamowy dla firmy produkującej wsady kominowe. – To kogo będziemy najpierw mieli, babcię czy dziadka? – zwrócił się do gospodarzy.

Ania, której dym papierosowy bardzo już przeszkadzał, podobnie jak rozmowa o ciąży i porodzie, wyszła na korytarz, a Mistrz pospieszył za nią.

– Jeszcze nie wiemy, ale na moje oko to dziewczynka! – odpowiedziała z przedpokoju mama Podróżnikowa.

– Najlepszy będzie opel! – zawołał w tej samej chwili pan Mieczysław. – Nie wiem czemu, ale mam słabość do opli.

Augustyn Rayski już ich jednak nie słuchał.

– Podwiozę cię – zaproponował, przytrzymując przed Anią drzwi windy. – Obarczona tak szlachetnym brzemieniem nie powinnaś tłuc się autobusem w godzinie szczytu.

– Dziękuję, ale ja chciałam się jeszcze przejść – zaprotestowała.

Wprawdzie antypatia, jaką darzyła Mistrza na początku ich znajomości, z biegiem czasu zniknęła, jednak Ania nie miała ochoty na dalszą rozmowę i ciągnięcie tematu, przy którym zbierało się jej na płacz.

Mistrza jednak nie sposób się było pozbyć.

– No to się przejdziemy – oznajmił pogodnie. – Umówiłem się z Olgą pod Arką Pana. Miała tam jakieś spotkanie w sprawie pomnika, a ja skorzystałem z okazji i wpadłem do Miecia. Wiesz, mam mu sprowadzić jakiś używany samochodzik z Niemiec.

Ruszyli przez Planty Bieńczyckie w stronę kościoła drogą, którą Ania niejednokrotnie pokonywała w objęciach Tomka. Tęsknota za mężem sprawiła, że nisko zwiesiła głowę i wlokła się noga za nogą, nie zwracając uwagi nie tylko na piękno otaczającego ją świata – wiosenną eksplozję ptasich treli w świeżej zieleni – ale także na towarzyszącego jej człowieka. Augustyn Rayski z początku próbował do niej zagadywać, rozwijając kolejno trzy różne narracje, ale wobec całkowitego braku odzewu w końcu zamilkł i szedł bez słowa, z ukosa obserwując dziewczynę.

Olga już na niego czekała na parkingu przed blokiem, którego okna wychodziły na kościół po przeciwnej stronie ulicy. Stała oparta plecami o maskę granatowego forda transita, wystawiając do słońca piegowatą twarz. Była wysoką, pięknie zbudowaną kobietą o włosach, które kiedyś były zapewne naturalnie rude. Mistrz związał się z nią po śmierci swej żony, już w Niemczech. Miała piękny głos i na życie zarabiała śpiewem. Mimo dojrzałego wieku zachowała wyzywającą urodę, umiejętnie podkreślaną strojem oraz makijażem. Rayski nazywał ją swoją Muzą.

Przywitały się z Anią konwencjonalnym cmoknięciem w policzek. Widziały się zaledwie dwa razy w życiu, ale Muza zwracała się do niej po imieniu i najwyraźniej oczekiwała tego samego, gdyż na słowo „pani" fuknęła jak rozłoszczona kotka.

„Gdzie ona znalazła tusz do rzęs i szminkę w takim odcieniu?" – zastanowiła się dziewczyna, zapominając na chwilę o swoich kłopotach. Wrażenie zrobiły na niej także wypielęgnowane paznokcie artystki, w identycznym kolorze jak usta.

– Wybrali lokalizację – powiedziała Muza do Mistrza, wskazując na środek parkingu. – Dokładnie tu, w miejscu, gdzie został postrzelony.

Potem otworzyła przed Anią drzwi auta, gestem zapraszając ją do środka.

– Siódmy miesiąc?

Dziewczyna odmruknęła coś niewyraźnie, a śpiewaczka, sadowiąc się za kierownicą, trąciła Mistrza w ramię.

– No popatrz, jak ci szczęście sprzyja! Dopiero co mówiłeś, że chciałbyś namalować brzemienną Madonnę.

– Ciii… – przerwał jej artysta, wykazując się w tej chwili wyjątkową empatią. – Naszej młodej przyjaciółce ten temat nie leży.

– Naprawdę? – Olga przez ramię rzuciła Ani zdziwione spojrzenie. – Nie chciałabyś mu pozować do świętego obrazu?

Dziewczyna przypomniała sobie puszyste, roznegliżowane anioły z ostatniego płótna Mistrza i z przerażeniem pokręciła głową.

– Specjalnie ci się nie dziwię – parsknęła śmiechem Muza, uruchamiając silnik. – Jak ja mu pozowałam do cyklu *Wspomnienie*, rozpoznałam się tylko po piegach.

Wyjechali na ulicę Obrońców Krzyża, a potem na Andersa, gdzie od razu utknęli w korku.

– A co tam u twojego chłopaka? – pytała Olga tonem swobodnej konwersacji. – Słyszałam, że wyjechał do Stanów i robi karierę. Kiedy zamierzasz do niego dołączyć?

– Nie wiem – wyszeptała Ania, czując, że znowu zbiera się jej na płacz. Jeszcze słowo, a dojdzie do katastrofy.

– Chyba nie ma co zwlekać. – Muza uśmiechała się do niej w lusterku. Mogła sobie na to pozwolić, ruch bowiem na dobre zamarł. – Człowiek tylko raz w życiu jest młody. Potem kiedyś będzie ci żal każdego straconego dnia.

Knot w gardle dławiący ją od chwili, gdy mama Tomka zapytała o rodziców, zgęstniał i stał się nie do wytrzymania. Ania nawet nie wiedziała, kiedy po jej twarzy zaczęły ciurkać łzy.

– Hej, co się dzieje? – przestraszyła się śpiewaczka. – Chyba nie zerwaliście ze sobą?

– Y-y – wydusiła Ania w odpowiedzi, rozklejając się już na dobre. Mistrz z przedniego siedzenia podał jej szybko paczkę chusteczek higienicznych.

– Boisz się? Jest jakiś problem? – indagowała Olga, zapewne w dobrej wierze. Była tak przejęta zachowaniem dziewczyny, że zupełnie nie zwracała uwagi na mrugnięcia i szturchańce dyskretnie serwowane jej przez malarza.

Ania szybko popatrzyła na ulicę. Nadal stali w korku i gdyby chciała, mogłaby spokojnie wysiąść z forda i pójść swoją drogą. Ale nie chciała. Dość już miała samotności, unikania trudnych pytań i krycia przed ludźmi cierpienia, które po prostu rozsadzało ją od środka. A ci dwoje... cóż, dziś są w kraju, a jutro już będą w Berlinie. Tak powierzchowna znajomość nie stwarzała żadnego zagrożenia. Komu mogą wygadać jej sekrety?

Płakała jeszcze chwilę, z twarzą ukrytą w chusteczce, obserwowana przez dwie pary oczu – odwróconego ku niej malarza i zapatrzoną w lusterko Muzę. Na ich twarzach widać było autentyczny niepokój, a w głosach dźwięczała troska. Ania zrozumiała, że musi zrzucić ten ciężar z serca, wygadać się, wyżalić. Komukolwiek! Więc kiedy wreszcie udało się jej opanować szloch i czkawkę, opowiedziała im wszystko.

~

Maksymilian Petrycy po rozstaniu z Joanną nie czekał na tramwaj. Postanowił przejść całą długość ulicy Piłsudskiego, a potem pomaszerować wzdłuż Błoń. Po drodze układał sobie w głowie plan gry. Joanna miała rację, należało zadzwonić do Kapuścińskiego. Janka wspominała jakiś czas temu, że sprawa dyscyplinarna rozeszła się po kościach. Tuż przed Wielkanocą wprawdzie wysłano Jakuba na trwające miesiąc ćwiczenia wojskowe na poligonie MSW, po powrocie jednak nadal pracował w krakowskiej delegaturze UOP. Od wieczornego spaceru w drugim dniu wiosny już się więcej z doktorem nie widzieli.

Słońce nachyliło się w stronę Sowińca, ale do zachodu było jeszcze daleko. Na Błoniach i alejkach wokół nich spacerowali ludzie. U kilku osób Maksymilian dostrzegł w rękach kwiaty i wtedy przypomniał sobie, że przecież jest Dzień Matki.

„Ciekawe, czy dzieci pamiętały" – pomyślał, przecinając aleję Focha i podchodząc do furtki.

Pamiętały. Gdy już wyplątał się z folii, wytarł dokładnie buty o rozłożoną u szczytu schodów wilgotną szmatę i odłożył aktówkę, zauważył całą trójkę, skupioną wokół telefonu. Rozmawiała Ania, a Franek z Gabrysią kleili się do niej z obu stron, chłonąc każde słowo wypowiedziane przez mamę. Maksymilian, niewiele myśląc, dołączył do nich.

– Przecież słyszę po twoim głosie, że coś się dzieje – mówiła właśnie Marysia. – Płakałaś?

– Nie... Tak... A nawet jeśli, to jakie to ma w tej chwili znaczenie?

– Kochanie, masz być dobrej myśli i niczym się nie przejmować! – Głos jego żony brzmiał jak zazwyczaj, może był nieco słabszy, ale wreszcie, po raz pierwszy od bardzo dawna, doktor usłyszał w nim dawną energię. – Może powinnyśmy się spotkać i porozmawiać?

– Może! – Broda Ani zadrżała, ale oczy błysnęły gniewnie. Dziewczyna nie potrafiła pohamować emocji. – Może powinnaś tu dzisiaj być?!

Długa chwila milczenia po drugiej stronie.

– W każdym razie ściskam cię świątecznie. Pamiętaj, że o tobie myślimy. – Ania opanowała wzburzenie, a potem oddała słuchawkę Gabrysi. – Bo powinna! – wyszeptała do ojca, w odpowiedzi na jego pełne wyrzutu spojrzenie. – Myśli tylko o sobie, rozczula się, wyjeżdża i nawet jej do głowy nie przyjdzie, że ktoś jej może potrzebować!

– Ja tu jestem! – odezwał się Petrycy przyciszonym głosem, choć przez radosny szczebiot Gabrysi i tak nic by się zapewne nie przebiło. – Jeśli potrzebujesz rady czy pomocy, możesz na mnie liczyć. Wiesz, że matka jest chora, widziałaś sama, jak źle zniosła diagnozę.

– Jasne! Tak źle, że nawet jej nie interesuje, jak ja to znoszę!

– Jesteś niesprawiedliwa. – Petrycy pokręcił głową. – Wałkowaliśmy to tysiąc razy, myślałem, że moje argumenty do ciebie dotarły.

– Błagam, tylko nie zaczynaj od początku! – Tupnęła i poszła do kuchni.

Doktor nagle zapragnął porozmawiać ze swoją żoną. Nie wystarczały mu biuletyny przekazywane przez Jankę, nie satysfakcjonowało podsłuchiwanie rozmów z dziećmi. Owszem, ostatnimi czasy nie działo się między nimi najlepiej i wiedział od Janki, że wspomnienie o nim Marysię rozdrażnia. Ze względu na jej chorobę należało przez jakiś czas unikać kontaktu. Ale przecież, na Boga, nie mogą milczeć już zawsze! Tyle było dziś w jej głosie ożywienia! Może sytuacja już dojrzała, by się do siebie odezwali?

– Dajcie mi mamę! – szepnął do dzieci. W tej samej chwili przyszedł mu do głowy świetny pretekst.

– Dobry wieczór… witaj – powiedział, gdy wreszcie skończyli się żegnać i zapewniać o miłości. – Jak się dziś czujesz?

Nie od razu mu odpowiedziała.

– Dobrze. – Usłyszał jakieś zawahanie, ledwie wyczuwalne drgnięcie głosu. Ale przede wszystkim – dystans. Obcość, której nigdy wcześniej nie było.

– Kiedy wrócisz? – zapytał impulsywnie, choć wcale tego nie planował. Jak dziecko!

– Maks… – westchnęła. Oczami wyobraźni już widział jej zniecierpliwioną minę, tak dobrze znaną z dawnych, lepszych czasów. – Nie wiem. Będziemy musieli o tym porozmawiać. Kiedyś… Teraz nie mam siły.

Czuł, że za chwilę się rozłączy. Jej ożywienie uleciało bez śladu, głos był znowu płaski i matowy.

– Daj mi Jankę, proszę. Chciałem ją o coś zapytać – powiedział szybko. Miał nadzieję, że nie zgasił tego ognia, że jeszcze gdzieś się tli i rozpali na nowo, gdy już rozmowa się skończy.

Oddała słuchawkę bez słowa pożegnania. Maksymilian aż podskoczył, gdy uderzył go w ucho tubalny głos przyjaciółki rodziny.

– Halo?!

– Cześć, Janka. Masz jeszcze jakiś kontakt z bratankiem? – przeszedł od razu do rzeczy.

– Z bratankiem? Przecież ja nie mam żadnego…

– Chodzi mi o krewnego twojego męża! – Miał nadzieję, że Janka się połapie i nie palnie czegoś niepotrzebnie do słuchawki. Ciągle miał w pamięci sugestię Jakuba, że ich rozmowy mogą być podsłuchiwane. – To nie jest temat na telefon – wycedził z naciskiem.

Chyba się domyśliła. Wiedziała o rewizji, przesłuchaniu i o tym, co Kapuściński poradził doktorowi na Błoniach.

– Mam was znowu umówić? – zapytała dużo ciszej.

– Będę wdzięczny. W tym samym miejscu, co kiedyś. – Musiała wiedzieć, że chodzi o kawiarnię Alvorada, bo to ona przecież pośredniczyła w ich pierwszym spotkaniu.

– Zrobione – powiedziała krótko.

Skończył rozmowę i stanął przy oknie. Nie chciał, żeby dzieci widziały teraz jego twarz. Myślał tylko o jednym – czy to możliwe, żeby Marysia już zupełnie nic do niego nie czuła? Czy to, co się zdarzyło, mogło tak po prostu zniszczyć ich miłość?

„Ale dlaczego?!" – pytał sam siebie.

Nie znajdował wytłumaczenia. A jednak czuł się tak samo podle jak wtedy, niespełna dwa miesiące po narodzinach Ani, gdy po raz pierwszy postanowiła od niego odejść.

Kraków, wtorek, 3 lutego 1970

Mroźne powietrze kłuło w policzki i orzeźwiało, ale nie do-dawało energii zmęczonym członkom. Wracający po całodobowym dyżurze Maksymilian wlókł się noga za nogą wzdłuż alei Puszkina, starając się nie myśleć o zdrętwiałej szyi i karku, o bólu promieniującym na tył głowy, o kołomyi przeżywanej na okrągło w pracy i w domu. Był już na wysokości ulicy Prusa, gdy wokół nagle zapanowała ciemność. Tylko reflektory przejeżdżających od czasu do czasu samochodów rozjaśniały czerń zimowej nocy. Zgasło wszystko – światła w oknach, neon nad wejściem do hotelu za jego plecami, latarnie uliczne.

Brnął jednak dalej, siłą woli utrzymując w górze opadające powieki. Marzył tylko o tym, żeby się położyć i spać – chociaż przez osiem godzin, chociaż przez sześć, byle bez przerwy! Od kiedy urodziła się Ania, nikt z rodziny Petrycych – zwłaszcza w nocy – nie przespał więcej niż trzy godziny. A i to bardzo rzadko. Trzy kwadranse po każdym karmieniu niemowlę wybuchało potężnym, świdrującym, przepełnionym bólem wrzaskiem. Drobna twarzyczka wykrzywiała się, zaciśnięte piąstki drżały. Nie pomagało pojenie naparami z kopru i rumianku, masowanie brzuszka, przykładanie termoforu, noszenie na rękach. Zasugerowana przez Jadwigę próba wcześniejszego zastąpienia piersi sztucznym mlekiem przyniosła jeszcze gorsze rezultaty. Ania cierpiała na wyjątkowo silne kolki, a wraz z nią cierpieli wszyscy. No, może z wyjątkiem osiemnastomiesięcznego Jaśka, który był wyjątkowo odporny na popisy wokalne swojej młodszej siostrzyczki. Przesypiał jak anioł całe noce, dając za to przykład niezrównanej aktywności w dzień.

Petrycy ominął wysoką zaspę usypaną przy narożniku domu sąsiada. Wyciągnął z kieszeni klucze, bo dzwonek przy furtce nie działał, i pomógł sobie palcami trafić kluczem do dziurki. W przedpokoju natknął się na matkę wychodzącą z salonu z zapaloną gromnicą w dłoni. Po wczorajszej uroczystości kościelnej świeca przydała się teraz jak znalazł.

– Znowu nie ma prądu! – powiedziała Jadwiga, gdy cmoknął ją w policzek na powitanie. – No, ileż można? Tylko w zeszłym tygodniu trzy razy wyłączali!

– To coś poważniejszego. W całej dzielnicy ciemno, że oko wykol – odrzekł Maksymilian, ściągając palto.

Na schodach pojawił się Benedykt w towarzystwie jakiegoś mężczyzny. Schodzili powoli w świetle latarki, trzymając się poręczy.

– To kiedy będzie pan mógł zacząć? – pytał spokojnie ojciec, ale w tonie jego głosu Maksymilian wyczuwał emocje. – Nie ukrywam, że bardzo nam zależy na pośpiechu.

– Postaram się jak najszybciej, szefuńciu, ale to nie takie proste. Trzeba najpierw skombinować materiały. Jakaś zaliczka by się przydała.

Benedykt wysupłał z portfela zwitek banknotów. Nieznajomy w tym czasie zdjął z wieszaka swoje okrycie, naciągnął czapkę uszankę i zawiązał szalik. Jadwiga i Maksymilian przyglądali się bez słowa, jak panowie przeliczają pieniądze, potem Benedykt żegna i wyprowadza gościa do ogrodu. Na zewnątrz zaczęło prószyć.

„Boże, znowu trzeba będzie odśnieżać" – pomyślał ze zgrozą Maksymilian. Obfite opady spowodowały, że w ostatnich dniach nałożono na właścicieli nieruchomości obowiązek uprzątania śniegu także z połowy przebiegającej koło posesji jezdni.

– Kto to? – zapytał, gdy furtka z metalicznym brzękiem zamknęła się za nieznajomym.

– Ktoś z sąsiadów naraił ojcu wreszcie człowieka do remontu. Dość chętny i nie taki drogi. Wygląda na to, że się dogadali.

– Nareszcie! – mruknął Maksymilian, choć z umiarkowanym entuzjazmem. Jego matka tylko westchnęła w odpowiedzi.

Wizja remontu nie pociągała nikogo. Była to jednak konieczność. O przebudowaniu starej willi rozmawiali jeszcze przed jego ślubem z Marysią, gdy okazało się, że za kilka miesięcy na świecie pojawi się Jasiek. Z jakichś względów nie udało się jednak przez prawie dwa lata zrealizować tego projektu. Teraz – po narodzinach drugiego dziecka – wspólne zamieszkiwanie młodych i starych w sąsiadujących przez ścianę pokojach stało się już tak uciążliwe, że w trybie przyspieszonym powrócono do dawnych planów.

Jadwiga znów westchnęła, patrząc na syna ponad płomieniem świecy. Ciepły blask otulał jej twarz i kładł miodowe cienie na starym drewnie boazerii. Osoba nieznająca starszej pani mogłaby podejrzewać, że konieczność ograniczenia swojej przestrzeni życiowej do parteru jest dla niej ogromnym wyrzeczeniem. Maksymilian wiedział jednak, że to nieprawda. Przecież ona pierwsza zaproponowała podział domu na dwa mieszkania.

– Coś się stało? – zapytał, tknięty niedobrym przeczuciem.

– Marysia się wyprowadziła – odpowiedziała matka cicho, odwracając się i wstępując na schody. – Dziś rano przyjechał Heniek i zabrał ją z dziećmi do siebie.

Maksymilian zatrzymał się jak wmurowany.

– Dlaczego? Jak to? – Nie wiedział, o co najpierw pytać. – Czy coś ci powiedziała?

– Nie. – Pokręciła głową i westchnęła znowu tak potężnie, że płomień zachybotał się i na moment przygasł. – Próbowałam z nią rozmawiać, przekonywać. Ale przecież nie mogłam zatrzymać jej siłą!

Maksymilian przypomniał sobie awanturę, która wybuchła dzień wcześniej, tuż przed jego wyjściem na dyżur. Jadwidze przedłużyła się w szkole rada pedagogiczna, Benedykt był na spotkaniu Towarzystwa Hematologicznego. Marysia, jak co tydzień, miała gimnastykę poporodową, organizowaną przez Miejski Ośrodek Matki i Dziecka przy alei Pokoju. Próbowała się skontaktować ze swoimi rodzicami, wydzwaniając na numer jedynych sąsiadów z klatki, którzy posiadali telefon, ale nikt u nich nie odbierał. Za którymś razem, wzburzona, trzasnęła słuchawką.

– Mam dość! – krzyknęła przez łzy. – Co to za życie?!

Oparła czoło na łokciu, włosy jak aureola rozsypały się wokół bakelitowego aparatu. Jasiek, bawiący się drewnianymi klockami na środku dywanu, podniósł się na tłustych nóżkach i podszedł do niej rozkołysanym krokiem marynarza.

– Mami? – zapytał, ładując się jej na kolana. – Mami?

Otoczyła go ramieniem i podsadziła, nie podnosząc głowy. Wtedy nagle z sypialni na górze rozległ się znajomy, mrożący krew w żyłach wrzask. Maksymilian aż się wzdrygnął, a Marysia zerwała się na równe nogi z dzieckiem na biodrze.

– Nie mogę już, nie mogę, nie mogę! – krzyknęła z taką gwałtownością, że przestraszony synek najpierw spojrzał na nią szeroko rozwartymi oczami, a potem skrzywił się i wybuchnął płaczem.

Maksymilian doskoczył do nich jak rozjuszony tygrys.

– Co ty robisz! – wysyczał, celowo obniżając głos. Wyrwał jej dziecko i przytulił do siebie. – Przestraszyłaś go! Jak mogłaś! Co z ciebie za matka!

Zapamiętał spojrzenie, które mu wtedy rzuciła. W jednej chwili jej plecy wyprostowały się, źrenice zwęziły, podbródek cofnął. Nic nie powiedziała, zmierzyła go tylko wzrokiem, a potem odwróciła się i poszła na górę do krzyczącej Ani.

Przez chwilę stał z Jaśkiem na ręku, głaszcząc go po plecach i zastanawiając się, co dalej. Wreszcie ruszył za nią. Próbował coś tłumaczyć, rozładować napięcie. Jej lodowate milczenie nie zachęcało do przeprosin. Była śmiertelnie obrażona, a jego następne słowa jeszcze pogorszyły sytuację.

– Ja też ledwo ciągnę! Wiesz, co przeżywam każdego dnia, na co muszę patrzeć!

Nie odpowiedziała, pochylona nad niemowlęciem, które łapczywie sięgało ku jej piersi. Jasiek wyrwał się ojcu, wdrapał na łóżko i teraz wsuwał głowę z drugiej strony pod jej bluzkę, wyraźnie zazdrosny o względy okazywane siostrzyczce.

– Nie możesz zrozumieć, że pracuję dla nas wszystkich? Chciałbym móc choć w domu trochę odpocząć, zapomnieć o stresie, o tamtym zdarzeniu!

Maksymilian uderzył w żałosne tony, ale ona nawet nie drgnęła. Więc wyszedł do pracy, gdzie przez kolejną dobę nie miał czasu ani okazji, by zastanawiać się nad słusznością tego, co powiedział. Odbywał staż w pogotowiu ratunkowym i był to ciąg krańcowych doświadczeń, wystawiających na próbę wszystkie jego nabyte i wrodzone przymioty lekarza. Niedawno dowiedział się, że ktoś złożył na niego skargę w związku z wykonywaniem obowiązków służbowych i że czeka go postępowanie wyjaśniające. Rzecz dotyczyła wypadku drogowego w grudniu. Ponieważ kilku lekarzy rozłożyła grypa, Maksymilian był zmuszony pracować wiele godzin z rzędu. Wziął udział w kilkudziesięciu wyjazdach, ale ten zapamiętał najlepiej, wtedy bowiem niemal na jego rękach zmarła kobieta w zaawansowanej ciąży. Do dziś nie potrafił sobie z tym poradzić. Praca nagle stała się koszmarem, każde wezwanie – przeżyciem przyprawiającym o łomotanie serca, konieczność podejmowania działań decydujących o czyimś życiu lub śmierci – brzemieniem ponad siły.

– To naturalne, zawsze tak jest na początku – uspokajał go Benedykt.

Ale Maksymilian wiedział już, że to nie jest jego droga. Postanowił odejść z pogotowia i szukać zupełnie innej specjalizacji. Nie dało się tego jednak zrobić z dnia na dzień. Tak samo jak nie można było z dnia na dzień rozwiązać problemów w domu.

– Czy coś między wami zaszło? – zapytała Jadwiga. – Wyglądała na załamaną.

– Nie wiem, mamo, nie pamiętam – wyszeptał, przeciągając dłonią po powiekach, nieludzko zmęczony.

Ale pamiętał doskonale. Wiedział, że zostawił Marysię samą z dwójką maluchów, bez słowa wsparcia, bez czułego gestu, uśmiechu. Więcej, zrzucił jej na plecy jeszcze własny ciężar, gdyż przeżywała jego problemy w pracy jak swoje własne.

„Ale żeby od razu pakować manatki i uciekać?" – pomyślał z pretensją, dotknięty do żywego jej postępkiem.

Wszedł do pokoju, pustego jak nigdy, bez rozrzuconych wszędzie zabawek, rozwieszonych pieluch oraz części dziecięcej garderoby. Usiadł na łóżku, ciężko jak stuletni starzec, poluzował krawat i cisnął w kąt marynarkę. Czuł, jak poduszka przyciąga go z siłą najpotężniejszego magnesu.

– Co zrobisz? – Matka stała w drzwiach ze swoją gromnicą.

– Nie wiem – wymamrotał, zasypiając na siedząco. – Muszę się zastanowić, odpocząć.

– Nawet nie próbuj udawać, że nic się nie stało! – powiedziała surowo. – Zrobię ci kawy, weźmiesz taksówkę i pojedziesz po nią. Teraz, zaraz. Albo będziesz tego żałował do końca życia!

Kwadrans później znalazł się znowu na dworze, w tumanie gnanych wiatrem płatków śniegu. Stał na postoju taksówek przed hotelem Cracovia, wtulając szyję w kołnierz płaszcza, a twarz w wełniany szalik. Szukał słów, którymi miał udobruchać Marysię. Szło mu jak po grudzie, myśli wirowały jak śnieżynki wokół, błądziły, ginęły w czerni.

Tymczasem na postój podjechał duży fiat, zatrzymał się, nie gasząc silnika, a ze środka wysiadł szczupły mężczyzna w dzwonach, golfie i kusej kurteczce. Nie nosił czapki, długie rzadkie włosy opadały mu strąkami na ramiona. Podszedł do kolejki oczekujących na taksówkę i skinął na kogoś z samego przodu.

– I co?

– Będziemy mieli tę robotę – odpowiedział bez wahania facet w uszance.

– Wsiadajcie! – Młody wykonał zapraszający gest w stronę auta. – Gdzie was podwieźć?

– Niedaleko, na Dębniki – ucieszył się wyciągnięty z kolejki szczęśliwiec.

– Zasugerujcie im instalację drugiego telefonu. Tak żebyśmy mogli wprowadzić tam ekipę z drutami bez wzbudzania niepotrzebnych podejrzeń – doleciało jeszcze do uszu osób stojących najbliżej, zanim obaj mężczyźni wsiedli i rozległ się podwójny trzask drzwi.

Nawet gdyby młody lekarz, stojący na szarym końcu ogonka do taksówki, był w tej chwili bardziej wyspany i mniej zatroskany, pewnie i tak nie zwróciłby na tych mężczyzn żadnej uwagi. Nie zapamiętał bowiem rysów człowieka, którego miał okazję oglądać tylko przez moment, w dodatku w blasku świecy. Drugiego zaś nigdy wcześniej nie widział. Osobiście miał go spotkać dopiero dwadzieścia dwa lata później, na korytarzu policyjnego gmachu przy ulicy Mogilskiej.

~ III ~

Jechali dzień jeden, drugi, trzydziesty… W końcu przestali liczyć czas, zapamiętywali jeno nazwy stacji, na których się eszelon zatrzymywał: Kijów, Charków, Kursk, Woroneż, Kujbyszew, Czelabińsk, Pietropawłowsk… Raz na dzień podawano im wiadro węgla i drugie wiadro, z wrzątkiem, który się nazywał *kipiatok*. Znacznie rzadziej dostawali cienką zupę lub rozgotowaną na papkę kaszę jaglaną bez żadnej omasty, której ledwo starczało dla czterdziestu siedmiu gąb. Ani razu nie mogli skorzystać z kąpieli, po wszystkich łaziły tłuste wszy. Za toaletę służyła dziura, wyrąbana wprost w podłodze wagonu. Kobiety osłoniły ją kocami, ale i tak ludzie krępowali się bardzo, gdy im przyszło korzystać z takiego sanitariatu. Wokół otworu zgromadziła się warstwa na wpół zamarzniętych nieczystości, w powietrzu – i tak już dusznym z powodu braku wentylacji – unosił się smród. Nocami było tak zimno, że gdyby nie zabrane z domu kożuchy, derki i pierzyny, ludzie pewnie zaczęliby zamarzać. Zdarzało się na co niektórej stacji, że z sąsiednich wagonów wynoszono zmarłych.

Jak długo można wytrzymać w tyle osób na tak małej powierzchni? Ludzie kłócili się i warczeli na siebie, jedni płakali, drudzy popadali w odrętwienie, niektórzy zaczynali bluźnić, inni szeptali modlitwy. Tylko Księżniczka zachowywała spokój i pogodę ducha, potrafiła godzinami opowiadać piękne historie z przeszłości, których wszyscy – nie tylko dzieci – słuchali z rozwartymi ustami. Ich myśli odrywały się od strasznej rzeczywistości i szybowały w czasy dawno minione, pełne heroicznych czynów i wybitnych postaci. Nie zawsze gawędy te kończyły się szczęśliwie, a wybory bohaterów nigdy nie były łatwe, jednak – prędzej czy później – dobro zwyciężało nad złem, a przeżyte trudy i nieszczęścia tylko umacniały ich ducha i przysparzały im chwały.

Wielokrotnie zdarzało się, że żar w piecyku wygasł i aby móc w nim znowu napalić, trzeba było rąbać szczapki z Głuptaskowych drzwi. Chłopiec jednak już się tym nie przejmował, zajęty teraz tylko swoim nowym zadaniem, którym było służenie Księżniczce. Z czasem ludzie pozamieniali się miejscami i Księżniczce udało się przenieść na pryczę obok, a nieopodal, ku wielkiej irytacji chłopca, ułożył się i Baciar. Bracia Głuptaska bardzo go lubili, opowiadał im bowiem o swych awanturniczych przygodach sprzed wojny i wyrastał w ich oczach na prawdziwego chojraka, który kulom się nie kłaniał, zawsze stawał w obronie słabszych i skrzywdzonych, a z każdej opresji potrafił wyjść cało. Leśniczy, uprzedzony z powodu plotek, które rozpowszechniał gruby Nadzorca, słuchał tego i parskał tylko czasem ze złością. Ale i jego udało się Baciarowi do siebie przekonać, gdy na jednym z postojów wyżebrał u strażników woreczek mleka w proszku dla Rozalki. Tylko Głuptasek i Nadzorca nadal patrzyli nań krzywo, a Księżniczka w ogóle unikała spoglądania w jego stronę, gdy zaś ich oczy czasem się spotykały, rumieniła się i odwracała wzrok.

Wreszcie, po sześciu tygodniach podróży, dojechali do Omska nad Irtyszem – i tu im kazano wysiadać. Podzielono ich na trzy grupy i załadowano wraz z bagażami na ciężarówki. Głuptasek póty krzyczał i płakał, aż obok niego na pace znalazła się Księżniczka. Za nią zaś, dosłownie w ostatniej chwili, wskoczył ze swym tobołkiem także Baciar. I tak rodzina leśniczego, wraz z całą kompanią, dała się powieźć w nieznane.

~

Wije się i kręci rzeka, mija lasy prastare, gęste i dzikie, niezmierzone ludzkim okiem, nieprzebyte ludzką stopą. Mija łąki i pastwiska, latem szmaragdowe, w środku zimy białe, poprzecinane tylko tropami zwierząt poszukujących pod śniegiem resztek trawy. Coraz bliżej już do wiosny, ale nadal jeszcze słońce zatrzymuje się nisko nad horyzontem, ciągle trzyma siarczysty mróz, a na gałęziach jodeł leżą grube śnieżne poduchy. Lecz – choć nie widać tego gołym okiem, bo powierzchnię Irtyszu skuwa lód – głęboko pod spodem trwa nieustanny ruch, słychać perlisty szum i bulgotanie. Woda przemieszcza się niezauważalnie, a oni wraz z nią, wciąż na północ – przerażeni, głodni, ogłuszeni wyciem zamieci i potwornym rykiem silników. Wieziono ich przez mroźną krainę w ciężarówkach przykrytych tylko lekkimi, płóciennymi plandekami. Ciasno im było i zimno, smród spalin dokuczał podobnie jak zaduch w pociągu, a miejsca na pace było tak mało, że niektórzy musieli stać. Potem przesadzono ich na sanie. Tylko dla kobiet i dzieci znalazło się na nich miejsce, mężczyźni musieli iść po kolana w śniegu, piechotą. Aż wreszcie, po wielu dniach takiej podróży, doszli na polanę wyrąbaną w środku lasu, na której stały dwa wielkie drewniane baraki, do połowy przysypane śniegiem. Tu mieli zamieszkać.

Niełatwo było poczuć się tu jak w domu, oj, niełatwo! Człowiek tyle miał tylko miejsca dla siebie, ile go zajmował na pryczy. Pod ścianami baraków piętrzyły się w dwóch rzędach zbite z desek, twarde nary, na których zmieścić się musiało dwieście osób. Jeden był tylko wielki piec, zwany *pieczką*, a na nim jeden wielki wspólny kocioł, w którym mieli gotować strawę. Zaraz po przyjeździe okazało się, że nikt już po tej długiej podróży nie ma zapałek. I bardzo źle by z nimi było, gdyby nie kamienie, które Głuptasek w ostatniej chwili zabrał z domu, spod pieca. Starszy brat, brnąc w głębokim śniegu, odarł trochę kory z rosnącej na skraju lasu brzozy, nałamał suchych gałązek i zebrał nieco mchu z sąsiednich pni. Nakrzesali iskier na tak przygotowaną rozpałkę i już wkrótce mogli się cieszyć odrobiną wrzątku, do którego ktoś z współtowarzyszy niedoli wrzucił garść herbaty i suszonych owoców z ostatnich swoich zapasów. Pokrzepieni, zaczęli się rozpakowywać. Na ścianach powiesili święte obrazki, z tobołków wyjęli Biblie i książki do nabożeństwa. Księżniczka w swym bagażu miała nawet *Trylogię*.

Zaraz następnego dnia wszyscy, którzy mogli utrzymać się na nogach, zostali zapędzeni do wyrębu lasu. Odtąd szli do pracy już każdego dnia, a po powrocie odbierali niewielką rację chleba. Musieli się nim dzielić z niepracującymi, którym ten *pajok* nie przysługiwał. Wieczorami modlili się w małych grupach, chrześcijanie po swojemu, a Żydzi po swojemu. Niektórzy, jak Baciar, nie mieli żadnego Boga, którego mogliby prosić o ocalenie i powrót z zesłania, ale i oni przysłuchiwali się słowom pacierza szeptanym po kątach i nabożnym pieśniom, nuconym przez matki kołyszące dzieci do snu.

Tak było przez kilka dni, aż razu pewnego do baraku wtargnęli żołnierze. Pozrywali obrazki, pozabierali książki, wybebeszyli nawet barłogi w poszukiwaniu różańców.

– Boga *niet*! – oznajmił dowódca. – Tu nie wolno się modlić! Nie wolno tego czytać!

Zabrali wszystkie te rzeczy do małego domu, w którym mieszkali strażnicy, i tam je spalili. Ale to nie powstrzymało ludzi od oddawania chwały Bogu i zasypywania Go prośbami o rychły koniec wojny i powrót do ojczyzny. Choć bez książek, bez świętych wizerunków, gromadzili się dalej. Strażnicy przyglądający się temu na początku krzyczeli i zakazywali, potem kpili, wreszcie zamilkli i tylko ze zmarszczonymi brwiami coś tam sobie na boku myśleli.

Czas płynął, uciekały godziny i dni. Słońce zaczęło się wspinać coraz wyżej i wyżej, a w końcu przyświeciło z góry z taką siłą, że cały śnieg nagle stopniał, odsłaniając połacie soczystej zieleni. Uwolniony z lodów Irtysz ruszył wartko, pieniąc się i wzbierając niebezpiecznie od nadmiaru wody. Powoli, powoli zesłańcy oswajali się z nowym miejscem i uczyli się, jak tu przetrwać. Starsi synowie leśniczego dobrze umieli wiązać pętle i nastawiać wnyki na drobną zwierzynę, nauczyli się też łowić ryby. Głuptasek zaś, który się do żadnej ciężkiej roboty nie nadawał i nawet strażnicy nigdzie go nie gonili, każdego dnia wraz z młodszymi dziećmi przemierzał leśne ostępy, zbierając zioła, młode pędy jadalnych roślin, grzyby i jagody.

Razu pewnego zdarzyło się, że zaszli całą grupą w okolicę, gdzie nigdy jeszcze nie byli. Las był tu jakby gęstszy i ciemniejszy, zdawało się też, że więcej w nim wszystkiego. Napełniały się ich koszyki i blaszane kanki i mieli już wracać, gdy nagle znaleźli się na niewielkiej polance. Jedna z dziewczynek zauważyła kłębiący się wokół drzewa rój dzikich pszczół.

– Popatrzcie! – zawołała, pokazując palcem na dziuplę, położoną całkiem niewysoko. – Tam musi być miód!

Głuptasek, który był z nich największy, pierwszy wsadził palec do dziupli i spróbował czegoś, co wyglądało jak żywica. Oblizał się z błogą miną, a wtedy dzieci wydały z siebie radosny wrzask. Niestraszne im były teraz pszczoły, chciały tylko dostać się do skarbca słodkości!

– Podsadź mnie, podsadź! – zażądała dziewczynka, która pierwsza wypatrzyła barć.

Głuptasek złożył ręce i pochylił się, gdy wtem gdzieś za nimi zaszeleściły krzaki i rozległ się ostrzegawczy, złowrogi ryk. Dzieci zmartwiały, a potem rzuciły się wszystkie do ucieczki, zapominając w jednej chwili o miodzie i gubiąc swoje zbiory. Tylko Głuptasek potrzebował więcej czasu, by się wyprostować, rozejrzeć i zebrać w sobie, i tylko on zobaczył, jak z krzaków wypada na polankę wielki brunatny niedźwiedź. Ale gdy zwierz stanął na dwóch łapach i ponownie zaryczał, chłopiec nie zastanawiał się dłużej, tylko ruszył w ślad za swoimi towarzyszami.

Co ocaliło im życie? Czy jagody, które wysypały się z kanek i na chwilę zatrzymały futrzanego łasucha? Czy pachnące, świeżo zebrane borowiki, które wytrzepał z koszyka jednym uderzeniem potężnej łapy i schrupał kilkoma kłapnięciami szczęki? Niedźwiedź znał ludzi i wiedział, że niczego dobrego się po nich nie można spodziewać. Do dziś nosił blizny od kuli, jaką posłali w jego stronę drwale pracujący przy wyrębie. Czuł przed nimi respekt, jeszcze dobrze pamiętał tamten ból, ale musiał też bronić swojego terenu. Gdy więc pożarł już to, co znalazł pod drzewem, natychmiast ruszył w pościg. Rozwrzeszczane, ruchliwe stadko gdzieś się już rozpierzchło, ale między drzewami migały jeszcze pięty jednego z intruzów.

Oj, jak niezgrabnie biegł ten człowiek! Oj, jak śmiesznie poruszał rękami i rzucał głową na boki! Kroki robił małe, a dyszał tak ciężko, że płoszył ptaki w gniazdach i zwierzęta w swoich norach. Już, już miał go niedźwiedź dogonić i obalić, gdy nagle uciekający sam się potknął o jakiś korzeń, wywinął koziołka i padł na wznak, uderzając głową w ziemię.

Zatrzymał się niedźwiedź, zdziwiony takim niedołęstwem. Spojrzał na leżące na ziemi ciało.

„Chociaż to człowiek, ale zupełnie niegroźny" – pomyślał.

Głuptaskowi po upadku aż dech zaparło, głowa go bolała, a świat wirował mu przed oczami. Nagle tuż nad sobą zobaczył wielki kudłaty łeb. Z paszczy, pełnej żółtych zębów, spływały nitki śliny, wargi unosiły się z charkotem, odsłaniając ciemne dziąsła. Chłopiec zmartwiał z przerażenia, a gdy niedźwiedź pochylił się niżej i dmuchnął na niego swym gorącym, smrodliwym oddechem, Głuptasek wywrócił oczami i zemdlał.

Niedźwiedź trącił chłopca nosem, ale ten nawet się nie poruszył. Spróbował go szturchnąć łapą. Z trzaskiem rozdarło się ubranie na piersi leżącego, a ten dalej nic! Usiadł więc niedźwiedź na potężnym zadzie i stęknął przejmująco. Z coraz

większej oddali dochodziły ciągle denerwujące hałasy i wrza-
ski, więc zdecydował się wreszcie pogonić za uciekającymi.
Ale ci, na swoje własne szczęście, byli już za daleko. Niedźwiedź zatrzymał się, wspiął na tylne łapy i znowu zaryczał.

„Ja tu jestem panem!" – mówił ten ryk.

Kucnął i oddał mocz. Następnie podszedł do najbliższego
drzewa i zaczął się o nie ocierać całym grzbietem, potem
gryźć i drapać twardą korę, pozostawiając w niej głębokie ślady, jakby to była delikatna skórka owocu. Wreszcie parsknął
i niespiesznie oddalił się w gąszcz.

Niedługo potem ocknął się Głuptasek. Pozbierał się z ziemi, rozejrzał, zasunął rozerwaną niedźwiedzim pazurem ka-
potę i powoli, zataczając się, ruszył przed siebie. Nie pamiętał
za dobrze, co się stało i gdzie się podziały inne dzieci. Nie
wiedział, czy dobrze idzie i całkiem możliwe, że pobłądził-
by w tajdze, gdyby mu nie wyszli naprzeciw zaalarmowani
mężczyźni z baraku. Nie spodziewali się już zastać go żywego! Wielka była radość, gdy się okazało, że ucierpiało tylko
odzienie Głuptaska, a on sam z całej przygody wyszedł nawet
nie draśnięty. Przy okazji leśniczyna, zaszywając rozdarte
odzienie, odkryła ukryty za pazuchą stary, wymiętoszony
obrazek z Matką Boską.

– To ona uratowała ci życie! – oświadczyła z mocą, a potem przypięła obrazek do drewnianej belki, otaczając go wia-
nuszkiem z polnych kwiatów.

Był to jedyny, ostatni święty obrazek, jaki się uchował
i od tego czasu właśnie tu, przed pryczą Głuptaska, zaczęli
się gromadzić na modlitwę mieszkańcy baraku. A strażnicy,
choć dobrze o tym wiedzieli, już się więcej nie wtrącali.

Tego wieczoru był jeszcze inny powód do radości. Gdy mężczyźni poszli głębiej w las, by poszukać porzuconych przez dzieci pustych kanek i koszyków, odnaleźli też dziuplę z miodem. Rozpalili ognisko, okadzili dymem pszczoły i skradli im kilka plastrów. Choć więc nie było jagód, grzybów ani zieleniny, bo te pożarł niedźwiedź, po cienkiej zupce znalazło się na stole coś dużo lepszego. Słodyczy starczyło dla wszystkich i humory w baraku zrobiły się wyborne, jak jeszcze nigdy dotąd. Skrzypeczki Żyda Szmula, łkające dotąd zawsze z żalu i tęsknoty, przygrywały tym razem tak skocznie, że Baciar porwał do tańca Księżniczkę i nie zważając na protesty, zaczął z nią wywijać na kawałku wolnej podłogi. A wszyscy wokół nich – zamiast zastanawiać się, jak to możliwe, i kręcić głowami ze zgorszeniem – klaskali w ręce i śmiali się serdecznie.

~

Dzieliło ich wszystko. Urodzili się w dwóch różnych światach i każdy, kto na nich spoglądał, wiedział od razu, że nic z tego nie będzie. Tylko ponury kaprys Historii sprawił, że się w ogóle spotkali i mieli okazję pokochać. Ale nie była to taka miłość, o której śpiewano by pieśni. Może gdyby żyli oboje długo i szczęśliwie, doczekali późnej starości, dorobili się dzieci i wnucząt, ktoś by o nich kiedyś bajał przy kominku lub opisywał ich losy w rodowej kronice. Tak się jednak nie stało.

Twierdziła, że jest nauczycielką i ten zawód miała wpisany w papiery. Prowadziła w baraku lekcje pisania i rachunków dla najmłodszych dzieci, a te starsze, gdy wróciły po dniu ciężkiej pracy, uczyła wieczorami historii, biologii i geografii. Nie było wprawdzie książek i zeszytów, ale od czego jest pomysłowość? Do pisania służył im kawałek węgla i płaty kory zdarte z powalonych drzew, mapy i wykresy rysowali patykiem wprost na mokrej ziemi. Recytowała im wiersze i śpiewała piosenki, których znała niemało, a wspierali ją w tym i inni zesłańcy. Byli tacy, co umieli na pamięć całego *Pana Tadeusza*! Nie próżnowali więc w długie wieczory, a Księżniczka przekazywała swą wiedzę z wielką pasją i talentem. Słuchali jej też dorośli i darzyli wielkim szacunkiem. Każdy wiedział, że nie jest to zwykła nauczycielka. Nawet Głuptasek nie miał żadnych wątpliwości – Księżniczka była prawdziwą księżniczką.

Świadczyły o tym jej ubrania, haftowana bielizna i srebra, które głęboko schowane w tobołkach przywiozła ze sobą na tułaczkę, a które wymieniała co jakiś czas w pobliskim *posiołku*[5] na jedzenie, lekarstwa czy gazety. Świadczyły o tym jej maniery, to, jak mówiła i ile znała języków, a nawet sposób, w jaki trzymała podbródek. A także fakt, że nikomu – no, prawie nikomu – nie przyszło do głowy, żeby się w niej tak po prostu zakochać.

On zaś był rymarzem. Miał smykałkę w rękach, potrafił robić z niewielkich kawałków skóry istne cudeńka, niejedną parę przetartych butów zdołał też naprawić, ale cóż z tego? Nawet w tej dziczy, w samym środku tajgi, nie powinien zapominać, gdzie jego miejsce. Ludzie cmokali, dziwiąc się, że tak wysoko mierzy. On się jednak nie zniechęcał. Wierzył,

---

[5] Osiedle, osada (ros.).

że nigdzie indziej, tylko właśnie tu, w Sowietach, ta miłość może znaleźć spełnienie.

Bywały dni, że Baciar, choć ręce miał zdarte do krwi i pokryte bąblami od ciężkiej całodziennej pracy przy wyrębie, podśpiewywał sobie radośnie, sprawdzając z synami leśniczego, czy się we wnyki nie złapał jakiś szarak, głuszec lub jarząbek. A kiedy indziej znowu klął pod nosem swój los i niesprawiedliwe urządzenie świata.

– Mówcie, co chcecie, że Sowiety takie są i owakie, ale tu przynajmniej ludzie mają równe szanse! Bo co to?! Czym się jeden od drugiego różni, jak na świat przychodzi? W czym jest lepszy albo gorszy, gdy mu umierać przyjdzie? Nikomu się jeszcze nie udało zabrać tam, na drugą stronę, tych swoich tytułów, złota i folwarków!

Chłopcy kiwali poważnie głowami, choć nic nie rozumieli. Skąd mieli wiedzieć, że dobry lub zły humor Baciara zależał od tego, czy się do niego Księżniczka uśmiechnęła, czy zamieniła z nim łaskawe słowo, czy znajdując z rana na swej pryczy fioletowy bukiecik wierzbówki kiprzycy lub naręcze rumianków obdarzyła ofiarodawcę wdzięcznym spojrzeniem.

Nie dziękowała mu nigdy wprost. Nie rozmawiała z nim przy ludziach. Tylko w lesie, z daleka od przepełnionego baraku, można było spotkać ich razem. Wymykali się z rzadka, bo dnie od rana do późnego wieczora wypełnione były ciężką pracą. Siadali wtedy na jakimś zwalonym pniu porośniętym grubym kobiercem mchu, trzymali się za ręce i patrzyli w dal. Czasem też rozmawiali, nie wiedząc, że przyczajony kilka metrów za nimi kryje się w gąszczu zazdrosny Głuptasek.

– Chciałbym żyć w takim świecie, w którym mogłabyś mnie pokochać – mówił w takich chwilach Baciar. – I tu właśnie jest taki świat!

– Ale to jest świat bez Boga! – odpowiadała wstrząśnięta Księżniczka.

– O, bardzo się mylisz. Jeśli Bóg w ogóle istnieje, to jest właśnie między nami. Jest wszędzie tam, gdzie panuje miłość.

Potem ona nie mówiła już nic, tylko głaskała go po włosach, po ręce albo po policzku. Głuptaskowi, gdy to widział ze swego ukrycia, robiło się wówczas ogromnie przykro. Łamiąc gałązki i tupiąc głośno, wracał do baraku, a łzy kapały mu z nosa. Oni zaś oglądali się niespokojnie.

– Co to za zwierzę? – pytała ona.

– Chyba wiem. Niegroźne – odpowiadał on.

I siedzieli jeszcze długo, patrząc w gwiazdy rozsiane na przepastnym, granatowym niebie w obramieniu z gęstych świerkowych gałęzi.

Tak, w takie noce wydawało się, że wszystko jest możliwe. Ale tym dwojgu syberyjskie gwiazdy nie sprzyjały, nie było im przyjazne to sowieckie niebo.

Gdy minęło krótkie, gorące i bujne lato, a nadeszła jesień, przyjechał jakiś komisarz, żeby zabrać dzieci na zbiór żurawiny w górnym biegu rzeki. Popłynęli barkasami w miejsce, gdzie bagna rozlewały się szeroko i tylko lekkie dziecięce stopy mogły je bezpiecznie przemierzyć. Księżniczka wraz z kilkoma kobietami zabrała się z nimi, do opieki. I nigdy już nie wróciła.

Leśniczy z żoną nie wiedzieli, jak to wytłumaczyć Głuptaskowi. Mówili mu, że uratowała trzy dziewczynki. Że bagna są głębokie i zdradliwe. Że ludzie nawet nie mogli pochować jej ciała, więc nie ma też miejsca, w które by można pójść, zapalić pod krzyżem światełko i pomodlić się za jej duszę. Głuptasek tego nie rozumiał. Choć mijały dni i miesiące, nigdy nie przestał wyglądać jej powrotu.

Baciar wpadł w rozpacz. Do pracy chodził jak lunatyk, zapominał o jedzeniu i tylko troskliwa opieka rodziny leśniczego sprawiła, że jakoś przeżył kolejną zimę. Smutek straszliwy padł zresztą na wszystkich, bo kochali Księżniczkę, nawet sami o tym nie wiedząc. Jeszcze ciężej się im zrobiło na duszy po jej śmierci, jakby cała nadzieja z nich uleciała. Ale byli i tacy, którzy rzucili się do jej bagaży, zostawionych przed wyjazdem pod opieką leśniczyny. Zaczęli wydobywać i dzielić między siebie srebrne łyżeczki, haftowane pościele, serwetki i obrusy, bieliznę i odzież. Nie dało się ich powstrzymać, no bo jakie właściwie prawo miała rodzina leśniczego, czy Baciar, do schedy po Księżniczce?

Czas tymczasem płynął nieubłaganie, jak woda w wielkiej rzece. Wielu zesłańców przestało już liczyć na to, że zdołają kiedyś wrócić do swych domów. Zdawało im się, że są tu zdani już tylko na siebie, że wszyscy o nich zapomnieli. Bo skąd też mieli wiedzieć, co się tam dzieje w świecie dalekim? Nie dochodziły do nich żadne listy ni gazety, a strażnicy mówili tylko to, co chcieli.

A działo się tam, za górami, za lasami i za morzem, oj, działo! Gdy minęło drugie lato w miejscu wysiedlenia i ludzie zaczęli już ze strachem myśleć o ponurych, głodnych, zimowych miesiącach, nagle nadeszły zadziwiające wieści. Jako pierwsi przynieśli je wieśniacy z pobliskiego *posiołka*. Zesłańcy nie wiedzieli, czy im wierzyć, czy nie wierzyć, bali się, że obudzona w sercach nadzieja okaże się płonna. Aż tu nagle pewnego dnia usłyszeli od strażników, że są wolni i mogą iść, dokąd chcą.

Sztokholm, sobota, 30 maja 1992

Balkon wychodził na południowy wschód, na stronę Lisebergparken. Słońce dopiero wstało, było jeszcze rześko, ale zapowiadała się piękna pogoda. Bogna postawiła na stoliku kubek z kawą i usiadła w małym wyplatanym fotelu. Zamknęła oczy. Pozwoliła, by promienie wnikały głęboko w skórę jej twarzy, wydobywając na wierzch piegi i żłobiąc coraz bardziej widoczne zmarszczki. Była szczęśliwa. Czuła gorzki zapach pelargonii, które w ciągu zaledwie kilku dni rozwinęły swoje drobne pączki, tworząc wielkie, czerwone kule. Pachniało jak u matki w Jaworznie. Właśnie dlatego każdej wiosny uparcie szukała ich w sklepach ogrodniczych, żeby czuć się tu trochę jak w domu. Tylko że tam, w tych zamierzchłych czasach, nigdy nie było jej stać na to, żeby rankiem tak po prostu usiąść i cieszyć się życiem.

– Wychodzę! – Usłyszała za plecami. Trzasnęły drzwi, a po kilku minutach w dole rozległo się znajome szczekanie.

Wstała i wychyliła się za ukwieconą poręcz balkonu. Dostrzegła tylko szary puszysty ogon na końcu ścieżki prowadzącej w zieleń. Freja, dwuletnia suka jämthunda, tryskała taką energią, że trzeba było z nią wychodzić kilka razy dziennie, i to na długo. Całe szczęście, że tuż obok rozciągał się ten wspaniały park.

Linda nadbiegła zaraz potem, niosąc smycz. Jakby wyczuła jej spojrzenie, stanęła na jednym z głazów, które wieńczyły szczyt wzgórza, odwróciła się i pomachała ręką. Potem zeskoczyła i ruszyła w ślad za psem, znikając w cieniu rzucanym przez korony drzew. Bogna wiedziała, że ma teraz pół godziny tylko dla siebie.

Z tylnej kieszeni dżinsów wyciągnęła pomiętą, złożoną na osiem części kartkę. Jeszcze raz przebiegła oczami rzędy liter, zatrzymała na chwilę wzrok na brzydkiej czarnej plamie, pod którą kryło się coś, co Maksymilian już, już miał jej powiedzieć, ale potem zdecydował się zachować to tylko dla siebie. Unosząc papier pod słońce, próbowała odczytać, co było napisane pod grubą warstwą tuszu, ale znowu musiała się poddać. Rzuciła list na okrągły stolik, a sama wyciągnęła nogi w górę, opierając bose stopy o jedną ze skrzynek. Mięsiste liście pelargonii łaskotały jej place.

Niepokoiło ją coś, co miało związek z życiem porzuconym już prawie dziesięć lat temu. Nie chciała do tego wracać, ale czuła, że musi.

Drugą osobą, do której dotarłem, choć z przygodami, był niejaki Fabiańczyk. Zapamiętałem go jako osiłka, który pomagał nosić paczki z lekami z darów.

Te słowa wywołały pewne wspomnienie, delikatne z początku i trudne do uchwycenia, z każdą godziną rosnące jednak w siłę obrazu i przekazu, coraz bardziej nachalne. Zwłaszcza gdy skonfrontowała je z obecną rzeczywistością, jej zupełnie nieznaną, ale opisaną przez Maksymiliana.

Okazało się jednak, że on akurat radzi sobie znakomicie... Po-
traktował mnie z mieszaniną ciekawości i nieufności, przy czym
w miarę jak rozwijałem swoją opowieść, ta ostatnia rosła... Jego
mina i przekaz pozawerbalny były jednoznaczne – nie życzy
sobie żadnych więcej kontaktów ze mną i z przeszłością...

Bogna westchnęła. Dopiła kawę i wstała z miejsca, chowa-
jąc list z powrotem do kieszeni. Musiała napisać odpowiedź,
najlepiej teraz, gdy dom był pusty i nikt jej nie rozpraszał.
Miała już nawet początek:

Nie jestem pewna, czy to ten sam, ale kojarzę człowieka, któ-
ry pomagał w pracach fizycznych przy rozdawnictwie leków
i wyglądał na osiłka. Przypomniało mi się zdarzenie z nim
związane.

Wiedziała, że ta historia na pewno Maksymiliana nie
ucieszy. Ale skoro tak mu zależało na dotarciu do prawdy,
nie mogła ukrywać przed nim incydentu, który jeszcze jakiś
czas temu wydawał się jej zupełnie nieistotny, a teraz nagle
nabrał treści. Musiała mu o tym opowiedzieć, a on niech już
sam zadecyduje, co z tą wiedzą dalej począć.

Kraków, sobota, 30 maja 1992

Była co najmniej dziesiąta, bo słońce stało już bardzo wysoko, gdy śpiąca w dużym pokoju Ania obudziła się na dźwięk
telefonu. Otworzyła oczy i przez chwilę nie wiedziała, gdzie

jest i co się dzieje. Powoli, na zasadzie skojarzeń, wracała do rzeczywistości: ciężar rozpychający jej brzuch – zrujnowane życie – zrujnowana ściana. Wreszcie zrozumiała, skąd się bierze ten uporczywy terkot. Uniosła się z trudem na wersalce i sięgnęła do stolika stojącego tuż obok, drugą ręką wygrzebując z ucha zatyczkę. Przez uchylone drzwi zajrzał do pokoju ojciec, udała jednak, że go nie dostrzega.

– Halo! – wychrypiała do słuchawki. – Słucham!

– Ania? To ty? – rozległ się po drugiej stronie mocny mezzosopran. Przez chwilę znowu zbierała myśli, szukała w pamięci. W końcu znalazła: rudowłosa Olga!

– Tak – wyszeptała, czując, że się czerwieni. Kilka dni temu za dużo powiedziała jej o sobie, za bardzo się odsłoniła, aby ją teraz z radością powitać. – To ja.

– Dzwoniłam do Berlina, zasięgnęłam języka. – Muza niezwłocznie przeszła do rzeczy. – Mój lekarz twierdzi, że na tym etapie ciąży już się właściwie badań prenatalnych nie robi. Ale w sytuacjach wyjątkowych… – zawiesiła głos, a Ania wstrzymała oddech. – Mogą ci tu zrobić badanie krwi pępowinowej.

Ania usiadła prosto i zerknęła na drzwi. Maksymilian wycofał się, stwierdziwszy że to telefon nie do niego.

– To jest badanie inwazyjne, podobnie jak amniopunkcja. Ale u dobrego specjalisty ryzyko jest minimalne. A ja ci załatwię naprawdę dobrego specjalistę! Halo, jesteś tam? – upewniła się Muza.

– Jestem – wyszeptała Ania. Była tak zaskoczona, że nie wiedziała, co powiedzieć. – Ile to będzie kosztowało? – zapytała w końcu.

– Jeśli będziesz miała skierowanie od lekarza, to bezpłatnie.

– Z tym będzie trudno – mruknęła, czując znowu ogarniający ją płomień gniewu. – Lekarz twierdzi, że w moim wieku nie ma potrzeby robienia badań prenatalnych. Upiera się przy tym, jakby zupełnie nie rozumiał, jakbym mu nie mówiła, że mama... – Aż się zachłysnęła z emocji.

– Tak, wiem. Już dobrze.

– To samo powtarza mój ojciec! Oni są chyba kompletnie pozbawieni uczuć! – dokończyła Ania z pasją, a potem przyciszyła głos, zerkając na uchylone drzwi, przez które dochodziło pogwizdywanie doktora. – Nie wiem, czy uda mi się znaleźć lekarza, który wystawi takie skierowanie.

– Jeśli ci się nie uda, poszukamy takiego w Berlinie – przerwała jej śpiewaczka. – Uważam, że utrzymywanie cię w takiej niepewności jest okrutne. A w ostateczności jestem gotowa sama sfinansować to badanie! Musisz tylko pojechać ze mną do Niemiec.

Ani z wrażenia zaparło dech w piersiach.

– Poważnie to pani mówi?

– Czy ja wyglądam na osobę, która lubi takie żarty? – zapytała rudowłosa tonem tak drapieżnym, że dziewczyna wstała, na palcach podeszła do drzwi i cicho zamknęła je na klamkę.

– Kiedy? – zapytała, osłaniając dłonią słuchawkę.

– Będziemy z Gustkiem wracać za kilka dni. Możemy cię zabrać ze sobą.

– To... to bardzo szlachetne z pani strony – wyszeptała Ania, która już podjęła decyzję. – Nie wiem, jak mam dziękować.

– Nie dziękuj, tylko się pakuj – odrzekła krótko artyst-
ka. – Każdy dzień życia w takim stresie wpływa na zdrowie
twoje i dziecka. Trzeba to po prostu wykluczyć. Musisz mieć
pewność, że wszystko jest w porządku!

Ania odłożyła słuchawkę i podeszła do okna. Sylwetki
ludzi, ptaków i psów wśród majowej zieleni rozmazywały
się jak za zasłoną z matowego szkła. Nie mogła powstrzymać łez. Dziecko zaczęło się wiercić i Ania poczuła wyraźnie, jak pod jej skórą przesuwa się niewielka wypukłość.
Mała pięta wędrowała po ścianie macicy, rozpychając ją
z niespodziewaną siłą i energią. Jednocześnie wzmógł się
napór w odwrotnym kierunku. Maluch właśnie się prze-
ciągał! – z jednej strony miała jego wypiętą pupę, z drugiej
wyprostowane nogi. Od schowanego głęboko i bezpiecznie
ciałka, stale rosnącego, promieniowała potężna wola życia.
Delikatnie, z wahaniem, Ania położyła ręce na rozciągniętym
brzuchu.

Jeszcze wczoraj każdy ruch maleństwa budził w niej tylko bunt i przerażenie. Już od wielu tygodni bała się nawet
myśleć o istocie, która była częścią jej samej, a jednocześnie osobnym bytem. Jednak nie dało się o niej zapomnieć.
Im bardziej się starała, tym gorliwiej dziecko się wierci-
ło. Wysyłało wyraźne sygnały – jestem tu, nie rezygnuj ze
mnie! Czy wiedziało, jak bardzo jej zagraża? Czy odbiera-
ło wszystkie jej negatywne emocje? Czy mogło już teraz
czuć się niechciane i odrzucone? Kiedyś dostało czkaw-
ki – przez długie minuty Ania czuła delikatne drgnię-
cia w regularnych odstępach czasu. Przepłakała wówczas
pół nocy.

– Wszystko jest w najlepszym porządku – wyszeptała. W odpowiedzi otrzymała kopniaka. – Na pewno, na pewno… Już niebawem będziemy to wiedzieć!

Dopiero teraz, po długotrwałej udręce, znowu pomyślała o swoim dziecku z nadzieją i nieśmiałą radością. I znowu była w stanie użyć wobec niego formy „my".

– Aniu? – W drzwiach za jej plecami stanął ojciec, ubrany w nowy dres i stare buty do tenisa. – Idę na Błonia. Będę brał udział w biegu przełajowym radnych. Przyjdziesz mi pokibicować? – Uśmiechał się jakby nigdy nic.

Bieg przełajowy! To były sprawy, które go zajmowały!

– Nie wiem. Może. – Za firanką starała się ukryć przed nim ślady łez na twarzy. – Powodzenia! – rzuciła przez ramię, gdy się już wycofał do przedpokoju.

Nie zamierzała mówić mu o wyjeździe. Od początku był przeciwny wszelkim badaniom, popierał w pełni zdanie lekarza prowadzącego ciążę i kazał Ani cierpliwie czekać na rozwiązanie. Nie obchodził go stan jej ducha i dręczące ją niepokoje. Myślał tylko o mamie i nie zauważał, że córka opada powoli w otchłań swoich koszmarów.

Ale to, na szczęście, była już przeszłość. Niespodziewanie – dzięki bezinteresownej pomocy obcej kobiety – odnowiła się jej więź z maleństwem naderwana w chwili, gdy Ania dowiedziała się, że mama urodzi syna z zespołem Downa.

Kraków, niedziela, 19 kwietnia 1992
(Wielkanoc)

Owszem, zajmowała się tylko sobą. Trudno, żeby było inaczej – już w poniedziałek Tomek wylatywał do Stanów. Wypakowany po brzegi plecak od dwóch dni stał wciśnięty między sofę i stary fotel. Odbijał się czerwonym ortalionem od poszarzałego pluszu jak wielki, kolorowy wykrzyknik. Ile razy przechodziła przez salon, kłuł ją w oczy i przypominał, że czas im się kończy. A był to piękny czas i Ania, gdyby tylko mogła, zatrzymałaby wszystkie zegary.

Nie zwróciła uwagi, że dzieje się coś złego. Nawet kiedy w sobotę ojciec zszedł na dół i nie wiadomo czemu przyciszonym głosem poprosił, żeby pomogła w kuchni, bo mama źle się czuje.

– A ja to co? – zapytała kłótliwie, wskazując swój brzuszek, niewielki i zgrabny w porównaniu z tym balonem, który nosiła przed sobą Marysia. – Ja też mam prawo źle się czuć!

Spojrzał tylko i od razu pożałowała, że nie połknęła tych słów, zanim je wypowiedziała. Był zasępiony, na jego policzku od czasu do czasu pojawiał się nerwowy tik. Wyglądał fatalnie i chyba nie najlepiej się czuł. Od kiedy wrócił z Francji, udzielił tego nieszczęsnego wywiadu, a zaraz potem w ich domu pojawił się UOP, ojciec stał się wycofany i nieswój do tego stopnia, że nawet przestał się wtrącać w jej sprawy. Ania była z tego całkiem zadowolona, zwłaszcza że miała teraz ważną decyzję do podjęcia. Ciągle jeszcze wahała się, czy po porodzie przerwać naukę i dołączyć do Tomka w Teksasie, czy też zdecydować się na cały rok rozstania i – wielkim nakładem sił, przy maleńkim dziecku – powalczyć jednak o absolutorium oraz dyplom. Tego ranka postanowiła, że chce ukończyć studia.

Tomek przyjął to oświadczenie ze stoickim spokojem.

– Będziesz za mną tęsknił? – pytała, tuląc się do niego.

– Uhm… – wymamrotał i ziewnął rozdzierająco. – Która godzina? Musimy już wstawać?

Wieczorem nastawili budzik, żeby czasem nie zaspać. Jak zawsze przy okazji świąt i większych uroczystości rodzinnych spotykano się w salonie babci Isi. Zadaniem młodych było wyprasowanie obrusa, rozłożenie potężnego eklektycznego stołu oraz nakrycie go odziedziczoną po babci zastawą. Dania zwykle przynoszono z góry. Nad ich głowami już teraz rozlegało się charakterystyczne skrzypienie i postukiwanie. Ktoś krzątał się nerwowo w małej kuchence na piętrze – zapewne rodzice wrócili z rezurekcji i czynili przygotowania do świątecznego śniadania. Nie było czasu na wylegiwanie się. Za chwilę, z radosnym „Alleluja" na ustach, miała się im zwalić na głowę cała rodzina.

Na samą myśl o tym Tomek wyskoczył z łóżka jak na sprężynie. Chcąc nie chcąc, wstała i Ania. Wyjęła z szafy odświętną sukienkę i zaścieliła łóżko, przyglądając się ukradkiem, jak jej mąż – już gładko ogolony, piękny, jasnowłosy – niedbale wciąga na długie nogi spodnie od ślubnego garnituru.

– Biała koszula? – zapytał, a ona szybko potaknęła.

– I krawat!

Chłopak skrzywił się, ale posłusznie wykonał polecenie. Kwestia ubioru nigdy nie była dla nich ważna. Oboje jednak chcieli, żeby rodzice Ani zachowali z tego ostatniego wspólnego dnia jak najlepsze wspomnienia. Wiedzieli, że Marysia i Maksymilian przywiązują wagę do takich szczegółów jak pastowanie butów na wysoki połysk czy prasowanie chustek do nosa. Skoro już, mimo wyraźnych aluzji doktora, nie wstali rano na rezurekcję, postanowili przynajmniej uczcić Wielkanoc odpowiednim strojem. Od dnia ślubu wszyscy czynili wysiłki, by życie pod jednym dachem układało się jak najlepiej. Dlatego młody Podróżnik zrezygnował z noszenia kolczyka, a stary Petrycy – choć nadal uważał się w tym domu za samca alfę – zgodził się uznać parter za swoiste kondominium, przy czym, by uniknąć scysji, starał się w mieszkaniu babci jak najmniej bywać. W święta jednak, jak nakazywała wieloletnia tradycja, salon należał do rodziny.

Pierwsza pojawiła się Gabrysia – z koszyczkiem święconego i wielkim bukietem żonkili.

– Pomóc wam? – zapytała, dostrzegając od razu pewną nerwowość w ruchach nakrywającej do stołu pary.

– Poukładaj serwetki! – poleciła jej Ania krótko, ale zaraz zreflektowała się i okrasiła to zdanie uśmiechem.

Czas był już najwyższy, zegar wybił ósmą. Właśnie w drzwiach stanął Franek z kolejnym transportem – niósł na tacy salaterki z sałatką warzywną oraz tartym chrzanem, a także półmisek z jajkami ugotowanymi na twardo i pokrojonymi na połówki. Wszystko to zostało hojnie przybrane rzeżuchą.

– Gotowe? Bo umieram z głodu – mruknął, podbierając jajko i przesuwając pozostałe tak, by ubytek w kompozycji nie rzucał się w oczy.

We wpadających przez okno promieniach słońca blizna na jego lewym policzku – pozostałość po wypadku z petardą – wydawała się jeszcze bardziej błyszcząca niż zwykle.

– Smarowałeś się dzisiaj? – zapytała Ania.

Od kiedy jej brat zaczął stosować specyfiki produkowane przez apiterapeutę z Bochni, proces leczenia wyraźnie przyspieszył. Franek jednak zapominał o regularnym nakładaniu maści. Dzieciaki w szkole z czasem przyzwyczaiły się do jego wyglądu i przestały mu dokuczać. Można było nawet odnieść wrażenie, że chłopak obnosi swoje blizny z pewnym odcieniem dumy.

– Weź się zajmij swoim kochasiem, co? – odburknął z pełnymi ustami, zanurzając kolejne jajko w chrzanie.

Ania pstryknęła go w ucho, mamrocząc pod nosem uwagę o bezczelnych gówniarzach, chłopiec nastroszył się, gotowy do bitki, ale w tej chwili drzwi otworzyły się znowu i do mieszkania weszli rodzice. Nie było już czasu na wymianę złośliwości czy ciosów.

– Chrystus zmartwychwstał, Alleluja! – powiedział ojciec od progu.

– Prawdziwie zmartwychwstał! – odrzekła Ania tradycyjną formułę, a Tomek stanął na baczność z dzbankiem świeżo zaparzonej herbaty w dłoni.

Marysia nie odezwała się ani słowem. Czy już wtedy Ania powinna zauważyć, że coś jest nie w porządku? Jeśli nawet, to złożyła milczenie mamy na karb jej tęsknoty za Jaśkiem, który – po raz pierwszy – nie pojawił się w domu rodzinnym na święta. Ale przecież o tym, że nie uda mu się przyjechać z Paryża, wszyscy wiedzieli już od wielu dni i nawet mama miała dość czasu, by się z tym oswoić. Ania zaś przeżywała właśnie swoje ostatnie godziny z mężem, a poza tym w brzuchu jej burczało, na stół zaś wjeżdżał tradycyjny żur z białą kiełbasą. Za przykładem innych zajęła się jedzeniem.

Dopiero gdy pierwszy głód został zaspokojony, odezwał się ojciec:

– Mamy wam coś ważnego do powiedzenia – oświadczył uroczyście, prostując plecy i kładąc obie dłonie na białym obrusie. – Otrzymaliśmy wyniki badania, które mama zrobiła w marcu. Będziecie mieli brata.

Ania rzuciła spojrzenie na twarz Marysi. I aż się przelękła, bo ujrzała maskę. Nawet jeden mięsień w niej nie drgnął, oczy patrzyły w przestrzeń bez żadnych emocji. A może nie? Ten spokój był mylący. W nieruchomym spojrzeniu coś się jednak kryło.

– Chcielibyśmy, żeby miał na imię Beniamin – ciągnął ojciec. Teraz dopiero dziewczyna zauważyła, że jest nieswój, a słowa wypowiada z wysiłkiem, jakby każde z nich kosztowało go mnóstwo energii. – Będziecie musieli okazać mu wiele uczucia i wyrozumiałości. Bo będzie… – Głos mu zadrżał. – No cóż, będzie trochę inny niż my wszyscy. Może się wolniej rozwijać, mieć problemy z mówieniem.

Odłożyli sztućce i siedzieli teraz bez ruchu, wpatrując się w niego w napięciu. Tylko Marysia nie zmieniła pozycji ani wyrazu. Słowa męża jakby nie docierały do jej świadomości. Ania nie mogła oderwać od niej wzroku. Już wiedziała, co widzi w jej oczach – bezbrzeżny smutek.

– W niczym jednak Beniamin nie będzie mniej wartościowy niż inne zdrowe dzieci – dokończył Petrycy. – Będzie tylko potrzebował więcej starania i naszej uwagi.

Odchrząknął, przy stole na chwilę zapadła cisza.

– Nie rozumiem, tato, co ty gadasz! – wykrzyknął wreszcie Franek. – Czy to znaczy, że on będzie upośledzony?!

Dopiero na te słowa nagły skurcz przeszył twarz Marysi. Spuściła powieki, spod których wytoczyły się dwie ogromne łzy. Ania czuła, że jej serce bije jak oszalałe. Miała ochotę podbiec do matki i przytulić się do niej z całych sił, ale coś ją przed tym powstrzymało. Siedziała jak sparaliżowana, chłonąc całą scenę.

– To nie jest właściwe słowo! – obruszył się ojciec, rzucając szybkie spojrzenie na żonę. – Ale owszem. Wasz brat ma zespół Downa. To pewna aberracja chromosomu dwudziestego pierwszego, zdarza się raz na…

– Wiem, co to jest zespół Downa! – przerwał mu Franek. – Nie musisz mi wyjaśniać, uczyłem się na biologii!

Był cały czerwony, plama na skroni odbijała się teraz od zdrowej skóry purpurowo. Przez chwilę patrzył na rodziców rozpalonym spojrzeniem, potem wargi mu zadrżały.

– Trzeba było mówić od razu, że Beniamin będzie nienormalny, a nie chrzanić o uczuciach! – wymamrotał, opuszczając głowę.

– To nie jest właściwe słowo! – krzyknął Maksymilian ze wzburzeniem i uniósł wskazujący palec. Jeśli jednak zamierzał palnąć przemowę, nie dane mu było nawet jej zacząć. W tej samej chwili Marysia odsunęła krzesło i gwałtownie wstała z miejsca.

– Dziękuję – powiedziała, odłożyła serwetkę, a potem wyszła z pokoju. Dopiero teraz Ania zdała sobie sprawę, że były to pierwsze słowa wypowiedziane przez matkę tego dnia.

A może pierwsze już od wielu dni? Nie potrafiła sobie przypomnieć, kiedy ostatnio z nią rozmawiała.

– No i widzisz, co żeś narobił?! – zdenerwował się doktor. Franek jednak nie czekał na reprymendę. Poderwał się i też wybiegł na korytarz. Przez niedomknięte drzwi dało się słyszeć na schodach jego głośne tupanie.

– Ja tak nie myślę, tatusiu – odezwała się Gabrysia, blada jak ściana. – Ja się będę bardzo starała. Ja już go kocham.

Ania odwróciła głowę i napotkała spojrzenie Tomka. Siedział sztywno w swojej najlepszej koszuli i krawacie, zupełnie nie wiedząc, jak się ma zachować. Ona też nie wiedziała. Dopiero teraz zaczął do niej docierać sens tego, co usłyszała. Czuła, jak w jej mózgu rodzi się pytanie, jak rośnie niczym nowotwór i wypełnia wszystkie szare komórki, by rozpanoszyć się tam na dobre.

„A co z moim dzieckiem?! Czy ono jest zdrowe?!"

Nie sądziła, że upłyną długie tygodnie, nim ktoś wreszcie zechce – lub będzie potrafił – udzielić jej odpowiedzi.

Kraków, sobota, 30 maja 1992

Pogoda była w sam raz – nie za zimno i nie za gorąco. Doktor Petrycy przybył na miejsce startu swobodnym truchtem. Drabel już tam był, podobnie jak kilku innych radnych, którzy zadeklarowali udział w biegu. Niektórych po raz pierwszy widział w sportowych strojach – starał się nie przyglądać zbyt natarczywie ich sylwetkom, ale szybko zyskał przekonanie, że ma szanse zająć jedno z lepszych miejsc. Wprawdzie już jakiś czas temu porzucił regularne treningi tenisa, ale nie zdążył jeszcze wyhodować tego, co dźwigała przed sobą większość jego kolegów.

– Uszanowanie! – powiedział radośnie, podskakując w miejscu, jakby się już szykował do biegu. Odrobina ruchu, której zakosztował, w połączeniu ze słońcem, sprawiły, że doktor był w wyśmienitym nastroju. – Co słychać? Już po rozgrzewce?

Nawet go nie dosłyszeli, bez reszty pogrążeni w dyskusji. Doktor zatrzymał się i wsłuchał – rozmowa dotyczyła oczywiście lustracji. Dzień wcześniej Sejm podjął uchwałę nakładającą na ministra spraw wewnętrznych obowiązek przedstawienia listy „agentów" na najwyższych stanowiskach w państwie.

– A ty co o tym sądzisz? – Ktoś go wreszcie dostrzegł.

Petrycy nie spodziewał się tego tematu tutaj, przy okazji czysto sportowej, mającej łączyć ponad podziałami. Ale niby dlaczego nie? Sprawa lustracji rozbudzała emocje, od kiedy skończył się w Polsce komunizm. Jakiś czas temu wpadł Petrycemu w ręce tak zwany raport Rokity[6] i doktor nabrał

---

6 Był to wynik prac komisji nadzwyczajnej, powołanej przez sejm kontraktowy, której celem było zbadanie ponad stu dwudziestu przypadków zgonów mających związek z poczynaniami milicji i SB w latach 1981–1989. Komisja, działająca pod przewodnictwem posła Jana M. Rokity, wykazała, że resort MSW stanowił *de facto* strukturę nadrzędną wobec całego państwowego wymiaru sprawiedliwości: prokuratury, sędziów, a nawet biegłych. Skutkiem tego był faktyczny brak odpowiedzialności funkcjonariuszy za popełnione przestępstwa. W konkretnych przypadkach wykazano ewidentne błędy przy prowadzeniu postępowań, od zaniechania gromadzenia dowodów winy poczynając, a na ich fałszowaniu kończąc, stosowanie złej kwalifikacji czynów, gdy pociągnięcie sprawców do odpowiedzialności było nie do uniknięcia,

głębokiego przekonania, że jak najszybciej należy dokonać rozrachunku z upadłym systemem. Fakty z życia przybranego ojca, o których dowiedział się ostatnio, jeszcze to przeświadczenie wzmogły. Dał temu wyraz w swoim radiowym wystąpieniu. Wiedział jednak, że to, co wtedy powiedział, wzbudziło bardzo różne reakcje. Nawet zasłużeni opozycjoniści, którzy wiele wycierpieli w zetknięciu z siłami represyjnymi PRL-u, mieli mu teraz za złe, że wystawił na światło dzienne agenturalną przeszłość Benedykta. Doktor nie potrafił tego zrozumieć. Uważał, że tylko ujawnienie prawdy – nawet bardzo bolesnej – może doprowadzić do oczyszczenia, a potem odrodzenia, zarówno jednostki, jak i zbiorowości. A jego zdaniem Polska po pięćdziesięciu latach zniewolenia w szponach dwóch totalitaryzmów bardzo teraz potrzebowała odnowy, także w sensie duchowym.

Przesunął wzrokiem po otaczających go twarzach. Miał tu reprezentację wszystkich opcji politycznych. Wiedział, że cokolwiek powie, i tak wzbudzi emocje. A nie chciał psuć

---

oraz podejmowanie działań mających na celu uniemożliwienie odbycia kary przez prawomocnie skazanych. Komisja ujawniła po raz pierwszy, że w ramach IV Departamentu MSW, zajmującego się walką z Kościołem, działała ściśle tajna komórka „D", będąca w rzeczywistości związkiem przestępczym odpowiedzialnym za pobicia, uprowadzenia, szantaż i szkalowanie, a nawet zabójstwa księży. Działania te były nie tylko tolerowane, ale wręcz inspirowane w strukturach MSW. Bezpośrednim skutkiem działania komisji były wnioski o ustalenie zakresu odpowiedzialności karnej wobec blisko stu funkcjonariuszy MSW oraz siedemdziesięciu prokuratorów, a także o wznowienie wielu umorzonych lub zakończonych postępowań. Już jednak w trakcie jej pracy okazało się, że wobec obstrukcji ze strony prokuratury i niedostatków obowiązującego prawa realizacja tych zaleceń będzie trudna lub wręcz niemożliwa. *Raport Rokity* krążył najpierw w odpisach, a drukiem ukazał się w 2005 r. nakładem Wydawnictwa Arcana.

atmosfery, nie teraz, gdy czekały ich zmagania na zupełnie innej płaszczyźnie.

– Od czegoś trzeba zacząć – mruknął więc wymijająco, wzruszając ramionami. – Lepszy taki początek niż żaden.

Oczywiście, komentarze strzeliły pod majowe niebo jak fajerwerki. Włączyli się do nich także gapie, coraz liczniej gromadzący się w oczekiwaniu na rozpoczęcie biegu. Petrycy aż się skulił, zasypany gradem przeciwstawnych opinii.

– Słuchaj, stary – Drabel stuknął go w ramię i dyskretnie wyprowadził z oka cyklonu. Było to możliwe, gdyż po krótkiej chwili każdy już kłócił się z każdym i nikt nie zwracał na Maksymiliana większej uwagi. – Pamiętasz jeszcze, o co mnie ostatnio pytałeś?

Doktor zmarszczył brwi.

– Saletri – przypomniał mu kolega.

– A!

– Chce tu robić mieszkaniówkę – uświadomił go Włodek z powagą. – Wiem to z całą pewnością.

Doktor tylko przygryzł wargę i pokiwał głową. Ktoś ze znajomych w Urzędzie Miasta już wcześniej dał mu cynk, że podobno Włoch był zainteresowany budową bloków. Teraz Włodek to potwierdzał. Jeśli tak, biznesmen trafił ze swą propozycją w dziesiątkę. Mieszkań od zawsze było w Krakowie za mało, a ich ceny stale rosły.

Okazało się, że to jeszcze nie wszystko. Drabel krył w rękawie prawdziwego asa.

– Przypomniałem sobie też, kto mi wtedy wspomniał o Pawlickim.

– A! – Doktor wpił się w kolegę wzrokiem jak głodny wampir. – I kto to był?!

– Kobieta.

– No?! – popędził go Petrycy, gdyż organizatorzy biegu właśnie wyciszyli awanturę, zaczęli liczyć uczestników, rozdawać numery i czynić przygotowania do startu.

– Dziewczyna do towarzystwa – Drabel obniżył głos. – Z takiej luksusowej agencji na Kazimierzu. Żebyś wiedział, bracie, jakie tam mają panienki…

– Nieważne! – przerwał mu doktor. – Ale jak do niej dotrzeć? O kogo pytać?

– Musielibyśmy się tam razem przejść. Pewnie ją rozpoznam.

Patrycy tylko skinął głową. Poczuł, że krew mu żywiej krąży w żyłach.

„Może nawet wygram ten bieg!" – pomyślał, tocząc wokół zwycięskim spojrzeniem.

Włodek też się rozejrzał i nagle przygarbił ramiona. Z tłumu gapiów wyłoniła się pani w wieku dojrzałym, ubrana w jasny kostium i doskonale dobrany kapelusik. Na ramieniu miała zawieszoną elegancką torebkę, a na dłoniach – tak! – koronkowe rękawiczki. Z wyrazem twarzy znamionującym wielką determinację ruszyła wprost na doktora.

– Dzień dobry! Co za niespodzianka! – powiedziała głosem dystyngowanym, świadczącym jednak o tym, że nie jest ani trochę zaskoczona i świetnie wiedziała, że go tu spotka. – Panie radny, nie zdążyliśmy ostatnio dokończyć naszej rozmowy!

Maksymilian Petrycy wytrzeszczył na nią oczy. Nie pamiętał spotkania z tą damą, jakby wykrojoną z dawnego żurnala.

Skłonił się jednak nisko i już miał złożyć na jej ręce pocałunek, gdy nagle z tyłu rozległ się zakłopotany głos:

– Ale pani Mario, to nie jest czas ani miejsce! Błagam,
proszę przyjść do urzędu.

Doktor obejrzał się zdziwiony i dostrzegł kolegę, który
najwyraźniej jeszcze chwilę temu próbował szukać kryjówki
za jego plecami.

– Drogi panie Włodku, ostatnio jak przyszłam na pana
dyżur, najzwyczajniej w świecie mi pan uciekł. – Spojrzenie
starszej pani, żywe i świdrujące, wyrażało dezaprobatę. Ani
na chwilę nie porzuciła jednak uprzejmego tonu. – Tylko
straciłam przez pana kilka godzin!

– Coś musiało mi wypaść, coś bardzo pilnego! – tłumaczył
się Drabel, czerwony aż po uszy. – Ale to się nie powtórzy,
daję pani słowo.

W tej chwili na szczęście dla Włodka zapowiedziano przez me-
gafon, że uczestnicy biegu mają ustawić się na linii startu. Petrycy
skłonił się i poszedł na swoje miejsce, za nim pospieszył kolega.

– Matko jedyna, ta kobieta to istna Margaret Thatcher.
Iron lady! – wyszeptał, ocierając pot z czoła. – To co z tą
agencją? Kiedy idziemy szukać naszej dziewczyny?

Doktor gorączkowo przerzucił w myślach grafik na najbliższe dni.

– W poniedziałek, po pogrzebie Dąbrowskich – zdecydował szybko, gdyż koledzy obok niego już zaczęli przyjmować
pozycje na linii startu, a sędzia zamarł z ręką nad głową.

Drabel skrzywił się, ale nie było już czasu na dyskusje.

– Może być – mruknął.

W tej chwili dano sygnał.

Tengel, mimo ciążącej na nim klątwy, był przecież dobrym człowiekiem! A jednak zamierzał zrobić coś okropnego – dosypać do jedzenia żony proszku, po którym miała poronić. I to teraz, gdy przybyli do nowego domu i wszystko zaczęło się tak dobrze układać!

Gabrysia drżała z emocji. Wczoraj zasnęła przy zapalonej lampce z policzkiem wtulonym w zadrukowane strony drugiego tomu *Sagi o Ludziach Lodu*. Dziś, ledwie się ocknęła, wróciła do lektury. Pożyczone od koleżanki *Polowanie na czarownice* wciągnęło ją bez reszty. Silje na pewno pomyśli, że poroniła z powodu podróży. Do głowy jej nie przyjdzie, że to jemu zabrakło odwagi, by przyjąć to dziecko.

„Przytłaczał go ogrom odpowiedzialności – czytała, skulona pod kołdrą, gryząc z napięcia paznokieć kciuka. – Jeśli nie wkroczy teraz, ukochana Silje prawdopodobnie umrze, a on będzie zmuszony wychowywać potwora, którego życie będzie równie nieszczęśliwe jak jego los przez te wszystkie samotne lata. A może nawet jeszcze gorsze, gdyż jemu udało się, przynajmniej częściowo, pokonać złe dziedzictwo"[7].

Nie mogła się oderwać i dopiero gdy przeczytała, jak Sol udało się powstrzymać Tengela w jego zamiarach, wstała z łóżka i pomknęła do łazienki. Wracała, gdy zza drzwi dużego pokoju dobiegł ją nagły huk, a potem jakieś westchnienie,

---

[7] M. Sandemo, *Polowanie na czarownice*, tłum. I. Zimnicka, Otwock 1992.

jakby tłumiony szloch. Przystanęła i nacisnęła klamkę. Mimo że spieszyło się jej z powrotem do książki, nie mogła przejść obojętnie obok czyjegoś cierpienia.

– Hej! Co się stało?

Ania podnosiła właśnie z ziemi aparat telefoniczny, który zawsze stał na stoliku przy wersalce. Twarz miała mokrą, ale jej zacięty wyraz wskazywał na to, że płakała raczej ze złości niż z bólu. Już otwierała usta, żeby coś odburknąć, gdy nagle zmieniła zdanie. Usiadła na rozścielonym łóżku i zwiesiła głowę.

– Za kilka dni wyjeżdżam do Berlina na badania – wyszeptała. – Tylko nic nie mów tacie. Nie chcę, żeby wiedział.

– Nie powiem! – zapewniła ją Gabrysia, siadając obok i odruchowo obejmując ramieniem wygięte w pałąk plecy starszej siostry. – A Tomek wie?

Ania podskoczyła, jakby ją kto nagle ukłuł szpilką.

– Wie! – wrzasnęła. – Właśnie mu powiedziałam!

– I co on na to? – zapytała Gabrysia, cofając szybko rękę. Zawsze czuła respekt przed starszą siostrą, a w chwilach takich jak ta, nawet odrobinę strachu.

– Co on na to? Nic! – Łzy znowu trysnęły Ani z oczu. – On się zajmuje tylko swoimi sprawami! Nowa praca, nowe życie, Ameryka! Każe mi słuchać lekarza i czekać! Jak, cholera jasna, drugi ojciec!

Opanowała się największym wysiłkiem woli i starła rękawem wilgoć z policzków. Kilka razy odetchnęła głęboko.

– Przed chwilą do niego dzwoniłam – podjęła temat, ale na samo wspomnienie reakcji męża głos się jej znowu załamał. – Wiesz, co mi powiedział? Że świruję!

Gabrysia zmarszczyła brwi. Szybko dokonała w myślach rachunku i wyszło jej, że jeśli rzeczywiście siostra dzwoniła „przed chwilą", to w Teksasie musiało być właśnie wpół do czwartej rano. Oczywiście, nawet wyrwany ze snu o tak barbarzyńskiej porze Tomek nie powinien się zachowywać w ten sposób. Znowu przysunęła się do Ani i uścisnęła jej rękę. Choć nie do końca rozumiała, o co właściwie siostrze chodzi, w tym wypadku była całkowicie po jej stronie.

~

Z początku wydawało się, że doktor ma szanse nawet na wygraną. Biegł lekko, bez wysiłku. Przed sobą miał tylko Włodka Drabela, który chyba chciał się znaleźć jak najdalej od starszej pani w kapeluszu i jej surowego spojrzenia, więc ruszył z kopyta i aż do końca pierwszego okrążenia nie pozwolił się dogonić. A jednak i to się wreszcie udało – Petrycy minął kolegę, który już ciężko oddychał i łapał się za bok, jakby dostał kolki.

– Czuj duch! – pozdrowił go w biegu, podnosząc rękę. I na tym skończyły się jego tryumfy.

Przebiegł jeszcze może pięćdziesiąt metrów, gdy nagle, nie wiadomo skąd, przyszedł ból. Znajomy ucisk za mostkiem, najpierw nieznaczny, potem coraz silniejszy, promieniujący do ramienia. Doktor zwolnił, pozwolił się wyprzedzić kilku innym radnym, a nawet Włodkowi. Poruszał się jeszcze naprzód, ale dużo wolniej. Oddychanie sprawiało mu coraz większą trudność.

Zatrzymał się wreszcie, pochylił, opierając ręce na kolanach. Napięcie w piersiach nie ustępowało, brakowało mu powietrza. Wiedział już, że nie dokończy zmagań. Zawrócił.

– Coś się stało? – Radna z innego klubu, dotąd wlokąca się w ogonie, zatrzymała się teraz, zaniepokojona.

– Źle się czuję, muszę przerwać – powiedział, starając się, by wypadło to w miarę naturalnie. Ale nie potrafił zapanować nad grymasem twarzy.

– Maksymilian? – Chwyciła go za ramię. – Potrzebujesz lekarza?

– Dzięki, sam jestem lekarzem – uśmiechnął się mimo bólu. – Idę do domu, to blisko. Daj im znać na mecie, że zrezygnowałem.

Upewniła się jeszcze, a potem odbiegła, imponująco przyspieszając. Patrzył chwilę za nią – w dresie wyglądała zupełnie inaczej niż w garsonce. Zgrabna, długie nogi…

„Ma sporo seksapilu"– ocenił w myślach doktor, dziwiąc się, że wcześniej nigdy nie zwrócił na to uwagi. Usiadł na ławce z ręką na sercu i patrzył, jak koleżanka dogania ostatnich z peletonu, a potem wszyscy znikają za zabudowaniami klubu sportowego. Wtedy ostrożnie wstał z ławeczki.

„Muszę coś z tym zrobić! Jak na zwykłą nerwicę za często się to powtarza".

Nie oglądając się już za siebie, ruszył w stronę domu. Furtka była uchylona. Na schodkach przed drzwiami stali trzej obcy mężczyźni, a w środku Gabrysia, ciągle jeszcze w piżamie.

– O! Jest mój tata! – Wyraźnie ucieszyła się na jego widok. – Tato, ci panowie chcieli się spotkać z mamusią.

Doktor czuł się tak, jakby niósł w piersi szamoczącego się, rannego ptaka. Pragnął jak najszybciej znaleźć się w swoim gabinecie i zażyć lekarstwo. Nieuważnym spojrzeniem przesunął po twarzach nieznajomych i nagle się zatrzymał. Były to twarze szczególne, o rzadko spotykanych, kałmuckich rysach. Zrobiło mu się nieprzyjemnie.

– Przykro mi, żony nie ma. – Wyminął ich na ścieżce. – I trudno mi powiedzieć, kiedy wróci.

Najstarszy, wyglądający na tłumacza, wykonał gest, jakby chciał go zatrzymać.

– To dla nas bardzo ważne – zaczął cicho, ostrożnie. – Przyjechaliśmy z zagranicy, mamy niewiele czasu.

Maksymilian wszedł na schodki. Gabrysia ani myślała się przesunąć, by go wpuścić. Oczy miała podkrążone, włosy rozczochrane, ale ujęła się pod boki i również spoglądała wyczekująco. Musiał im udzielić odpowiedzi.

– Tak, widzę – powiedział, wzruszając ramionami. To, że przyjechali z zagranicy, najbardziej rzucało się w oczy. – Ale co ja mogę zrobić? Żona jest chora i nieprędko wróci. Przepraszam, ale sam bardzo źle się czuję.

Przecisnął się obok córki i wszedł do przedpokoju. Po twarzy dziewczynki przemknął cień rozczarowania, ale on tego już nie widział. W duchu obiecywał sobie, że będzie musiał poważnie z nią porozmawiać na temat przestrzegania godzin nocnego spoczynku i porannego wstawania. Przecież niedługo będzie południe!

– Powiem mamusi, że panowie tu byli – odezwała się z przepraszającą miną, gdy ojciec zniknął za warstwą folii nad schodami. – Czy mam coś przekazać?

Starszy pan sięgnął w zanadrze, wyciągnął mały notesik i długopis, coś napisał.

– Tu mieszkamy – powiedział, podając jej karteczkę. – Proszę przekazać pani Marii, że chodzi o sprawę rodzinną.

Uśmiechnął się, a na jego ogorzałej twarzy pojawiła się sieć drobniutkich zmarszczek.

– Bardzo jesteś miła. Mam nadzieję, że kiedyś będziemy się mogli lepiej poznać.

Pomachali jej wszyscy trzej, a potem wyszli z ogrodu, starannie domykając furtkę.

Maksymilian w tym czasie był już na górze. Przełknął dawkę kropli nasercowych i – nadal w dresie i adidasach – usiadł ciężko w fotelu, przymykając oczy. W dużym pokoju zadzwonił telefon, ale doktor nie miał sił się podnieść. Do aparatu podbiegła Ania – już po drugim sygnale rozległ się jej dźwięczny, trochę zdyszany głos. Ale to nie była ta osoba, na którą jego córka czekała.

– Do ciebie. Brzuchaczewski – rzuciła ponuro, zaglądając do gabinetu. Wyglądała na bardzo rozczarowaną.

– A! – stęknął doktor, wstając z miejsca. – Dziękuję!

Przeczuwał, o czym będzie mowa. Na pewno nie przez przypadek Brzuchacz zadzwonił do niego właśnie teraz, dwa dni po podjęciu przez Sejm uchwały lustracyjnej.

~

Wbrew swemu nazwisku mecenas Edmund Brzuchaczewski był człowiekiem chudym, wręcz na granicy wysuszenia. Po raz pierwszy spotkali się z Petrycym w sierpniu osiemdziesiątego roku w Arce Pana, gdzie kilku działaczy organizacji opozycyjnej o katolickim rodowodzie prowadziło głodówkę będącą wyrazem solidarności ze strajkującymi robotnikami z Wybrzeża[8]. Już wtedy doktor poczuł sympatię do tego poważnego, promieniującego niezwykłą siłą ducha mężczyzny. W następnych latach Brzuchacz miał się stać postacią znaną w całym kraju. Wielokrotnie podejmował się obrony więzionych i zasłynął z ostrych wypowiedzi w procesach politycznych.

Wkrótce po udzieleniu przez doktora wywiadu na temat teczek Benedykta mecenas poprosił go o spotkanie. Ich rozmowa była krótka.

– Najbliższy współpracownik prezydenta przechwala się, że ma listę dwustu polityków uwikłanych w jakiś sposób w kontakty z bezpieką. Wiem to z wiarygodnego źródła – oświadczył. – Czy pan sobie wyobraża, ile można osiągnąć, manipulując takim zastępem ludzi? Bo przecież możemy być pewni, że kopie wszystkich kwitów na nich są już od dawna w Moskwie.

Pytanie było retoryczne, więc Maksymilian nie czuł się zobowiązany, by na nie odpowiedzieć.

– Tu nie chodzi o ich ukaranie – ciągnął pan Edmund. – Tu stawką jest bezpieczeństwo państwa!

– Do czego pan zmierza? – zapytał doktor. Nie wątpił, że mecenas ma jakiś plan.

---

[8] Byli to działacze Chrześcijańskiej Wspólnoty Ludzi Pracy: Adam Macedoński, Stanisław Tor, Mieczysław Majdzik, Jan Leszek Franczyk oraz Zygmunt Łenyk z KPN.

– Trzeba narobić szumu, wywołać jak najszerszy rezonans w społeczeństwie. Pańska historia doskonale się do tego celu nadaje – oświadczył spokojnie Brzuchaczewski, a doktorowi w tej chwili żołądek podszedł do serca. – Uważam, że powinniśmy powtórzyć nasz ruch sprzed czterech lat!

Petrycy doskonale wiedział, ile mecenasowi zawdzięcza. Ten „ruch", który w osiemdziesiątym ósmym roku wymyślił Brzuchacz, niedługo później umożliwił Maksymilianowi zdobycie mandatu radnego i wejście do polityki. Związany był jednak z wydarzeniem, na którego wspomnienie doktor nadal dostawał gęsiej skórki. Gdyby mógł cofnąć czas, raz jeszcze znaleźć się w tłumie demonstrantów na ulicy Grodzkiej i wpłynąć tym samym na dalszy bieg swojego życia – zawróciłby stamtąd czym prędzej i uciekł.

Kraków, wtorek, 3 maja 1988

Tramwaje nie jeździły przez plac Wiosny Ludów[9]. Zakaz musiał zostać wprowadzony dosłownie przed chwilą, gdyż motorniczy nie poinformował wcześniej wsiadających o zmianie kierunku. „Jedynka" skręciła z Bohaterów Stalingradu[10] w Waryńskiego[11] i pojechała wzdłuż Plant, zatrzymując się dopiero pod Wawelem. Maksymilian, wracający z pracy z nosem utkwionym w gazecie, uniósł głowę, gdy doszedł go niezrozumiały komunikat, a potem zaniepokojony

---

[9] Wcześniej i później plac Wszystkich Świętych.
[10] Wcześniej i później Starowiślna.
[11] Wcześniej i później św. Gertrudy.

pomruk pasażerów. Zerknął przez okno i zorientował się, że jedzie nie w tę stronę. W ostatniej chwili poderwał się z miejsca, przepchnął przez tłum ludzi, którzy z jakiegoś powodu zatrzymali się przy drzwiach i wyskoczył na przystanku przed hotelem Royal. Wtedy dopiero dostrzegł, że okolica jest obstawiona przez milicję i ZOMO. Było już jednak za późno, by zawrócić. Tramwaj, dzwoniąc ostrzegawczo, skręcał właśnie w Stradomską, uwożąc w bezpieczne miejsce tych, którzy zdecydowali się nie wysiadać.

Petrycy nie był zaskoczony. Data była znamienna i zapowiadała znamienne zdarzenia. Tyle że on ledwie żył ze zmęczenia po dyżurze, chciał jak najszybciej znaleźć się w domu i nie zamierzał w tym wszystkim uczestniczyć. Rozejrzał się wokół, oceniając sytuację. Przejście obok kościoła św. Idziego ciągle jeszcze było otwarte. Mógł Podzamczem przemknąć na bulwary i złapać przy moście Dębnickim jakiś autobus. Nie przeczuwając jeszcze, czym się to wszystko zakończy, ruszył więc przed siebie, starając się nie patrzeć na szaroniebieską ścianę mundurów widoczną u wylotu Plant oraz w głębi ulicy Bernardyńskiej. Szedł szybko, ze spuszczoną głową, by jak najmniej rzucać się w oczy i prędko opuścić niebezpieczny rejon. Nagle stanął jak wryty.

Grupka młodzieży wyszła z Kanoniczej, przecięła ulicę w odległości kilkunastu metrów od niego i w pośpiechu, niemal biegnąc, ruszyła pod górę drogą prowadzącą na zamkowe wzgórze. Czy mu się zdawało, czy wśród kudłatych głów dostrzegł szczupłą twarz najstarszego syna? Też przeszedł na drugą stronę, starając się nie spuszczać z oczu wysokiego chłopaka niosącego kawał zwiniętego materiału – zapewne jakiś transparent.

– Jasiek! – zawołał, ale chłopak nie zareagował. Zdawało mu się nawet, że przyspieszył kroku. Maksymilian stał niezdecydowany u stóp wzgórza, nie wiedząc, co dalej robić. Sapał ze zmęczenia oraz irytacji, wciągając w płuca wiosenne powietrze. A czuć już w nim było coś nieokreślonego, jakiś niepokój, drżenie. Nadchodzące trzęsienie ziemi?

– Niech to szlag! – zaklął, żeby pozbyć się tego napięcia.

Kilka tygodni temu znalazł w pokoju Ani ulotki Federacji Młodzieży Walczącej. Przyparta do muru powiedziała, że ma je od starszego brata, który akurat na kilka dni przyjechał z Katowic. Tymczasem w Krakowie wrzało. W ostatnich dniach, gdy niespodziewanie rozpoczął się strajk w Hucie Lenina, studenci już otwarcie wyszli na ulice z hasłami poparcia. Doktor miał więc podstawy do obaw. Zamierzał odbyć z synem „poważną rozmowę”, ale jakoś nigdy nie mógł go zastać w domu. Uważał, że są inne sposoby wyrażania protestu i skłaniania rządu do ustępstw niż zadymy, i to właśnie chciał mu uświadomić. Wielu opozycjonistów przestało się już kryć, działali na wpół legalnie, w petycjach i pismach drugiego obiegu podawali do publicznej wiadomości swoje nazwiska oraz adresy. Pracownicy Akademii Medycznej oficjalnie złożyli w sądzie wniosek o rejestrację związku zawodowego „S”, pod którym podpisał się i Petrycy. Komuniści znaleźli się w ślepym zaułku, wszystko wokół się sypało, ze Wschodu „wiała wiosna” i jak się zdawało, była szansa na najzupełniej pokojowe reformy. Ci młodzi zaś, coraz bardziej widoczni, niepokorni, dążyli do konfrontacji! Ich celem była walka!

Doktor zerknął za siebie i dostrzegł, jak milicyjny kordon zbliża się i zaciska. Zaklął raz jeszcze, tym razem dużo soczyściej. Przeczuwał, czym się skończy dzisiejsza rocznicowa msza święta. Mimo to zdecydowanym krokiem wstąpił na drogę prowadzącą do katedry. Chciał dogonić tamtą grupkę, odnaleźć Jaśka i przemówić mu do rozumu. Może uda się im przyczaić gdzieś na wzgórzu, przeczekać najgorsze i zejść drugą stroną?

W tej chwili zorientował się, że już jest za późno. Pod Bramą Herbową ukazało się czoło pochodu. Petrycy rozpoznał działacza KPN-u, którego znał z Akademii Medycznej. Przez chwilę rozważał, czy nie podejść do niego i nie ostrzec przed tym, co czeka na dole, ale zrezygnował. Nie chciał wyjść na prowokatora. Milicyjne nysy były już zresztą doskonale widoczne, poza tym i organizatorzy, i uczestnicy manifestacji doskonale wiedzieli, że teren zostanie „zabezpieczony", jak zawsze przy podobnych okazjach.

Maksymilian zaczął się przepychać pod prąd, wypatrując syna. Opór ludzkiej masy był znaczny, więc stanął wreszcie z boku, skanując tylko wzrokiem mijające go twarze. W większości były młode, ale zdarzały się też osoby w jego wieku. Wokół wrzało. „Studenci z robotnikami!" – wołali ludzie. Wylewali się z placu przed katedrą i spływali w dół jak rzeka. Było ich bardzo wielu, może nawet kilka tysięcy[12]. Jeśli gdzieś w tym tłumie był Jasiek, doktor i tak miał marne szanse, by go teraz znaleźć.

---

[12] Według prasy podziemnej 7 tysięcy. Podaję za: R. Kasprzycki, *Opozycja polityczna w Krakowie w latach 1988–1989*, Kraków 2003.

Dał się zepchnąć z krawężnika i porwać. Nie krzyczał z innymi, ale i nie próbował się oddzielić. Wokół nie czuło się agresji, tylko jakąś spokojną, potężną determinację. Powoli, wbrew sobie, Petrycy poddał się tej atmosferze, podniosłej, choć też pełnej napięcia. Coś dziwnego się z nim działo, ogarnęło go uczucie, o którym już niemal zapomniał. Wiedział, że ryzykuje, ale teraz nie miał już najmniejszej ochoty, by się z tej awantury wyplątać. Szedł ulicą Grodzką i czuł się cząstką większej całości, czegoś, co przekraczało jego granice postrzegania i jednostkowe interesy. Owszem miał pracę i – w porównaniu z większością współobywateli – powodziło mu się niezgorzej. Ale chciał iść z nimi i zamanifestować swój sprzeciw. Wobec ostatnich podwyżek, wobec tego, co się działo, w czym tkwili już od tak wielu lat. Wobec zakłamania, braku perspektyw dla młodzieży, izolacji od reszty świata, postępującej ruiny gospodarki oraz środowiska naturalnego. Wobec braku wolności, który objawiał się choćby tym, że wszędzie wokół czekali uzbrojeni stróże „prawa", zagrażający zdrowiu i życiu każdego ze zgromadzonych tu dziś, pokojowo nastawionych ludzi.

Napadli na nich na wysokości ulicy Senackiej. Kocioł się zamknął i doktor nagle znalazł się w pułapce. Pod gradem uderzeń manifestanci zaczęli krzyczeć i uciekać, próbując się przebić w stronę Rynku. Wyciągano ich z tłumu i wleczono do samochodów, a zewsząd sypały się ciosy. W ogólnym zamieszaniu doktor dostrzegł nagle dziewczynę uciekającą w jego stronę przed grupą zomowców. Kulała, z nosa ciekła jej krew. W pewnym momencie pchnięta z boku, przewróciła się i upadła, uderzając głową o krawężnik. Petrycy zmartwiał, natychmiast zapominając o tym, co go otacza. Ruszył w jej stronę, otwierając w biegu swoją aktówkę. Od czasów stanu wojennego nosił w niej, na wszelki wypadek, środki opatrunkowe i zestaw leków. Teraz zamierzał po raz pierwszy zrobić z nich użytek.

Nie zdążył. Gdy klęczał już, usiłując tak ułożyć jęczącą dziewczynę, by opatrzyć jej ranę, poczuł nagle ostry, przeszywający ból w tyle głowy, a przed oczami zrobiło mu się ciemno. Pochylił się, zasłaniając leżącą, a na jego plecy spadały w tym czasie dalsze ciosy. Nie przeżył czegoś takiego od pamiętnego pałowania dwadzieścia lat wcześniej. Gdy bicie ustało i odzyskał wzrok, z wysiłkiem podniósł głowę, by spojrzeć na stojącego przed nim człowieka. Zomowiec, zgrzany i zmęczony, odsunął przyłbicę białego hełmu i ścierał pot spływający z czoła. Doktor dostrzegł jego zmrużone oczy o przekrwionych białkach i nienaturalnie rozszerzonych źrenicach. Zdążył pomyśleć, że chyba rzeczywiście czymś ich tam faszerują przed tego typu akcjami, a potem nagle padł ostatni cios – prosto w jego uniesioną ku oprawcy twarz.

Musiał stracić na chwilę przytomność, gdyż ocknął się dopiero wleczony za ręce po chodniku. Widział tylko na jedno oko, ale rozpoznał mur otaczający budynek Muzeum Archeologicznego. Nie wiedział, co się stało z ranną studentką oraz teczką, w której miał opatrunki i służbowe papiery. Po chwili został wepchnięty do milicyjnej suki, już prawie pełnej, przewieziony do aresztu i zamknięty wraz z innymi na czterdzieści osiem godzin.

Na grzbiecie czuł razy pałki, skroń, kość policzkowa i nos pulsowały z bólu, powieka była opuchnięta. Ale nie to

doskwierało mu najbardziej. Wspomnienie o młodych ludziach: Bogdanie Włosiku*, Grzegorzu Przemyku*, a także
o dziewczynie, której nie zdołał pomóc u wylotu Senackiej,
po prostu rozdzierało mu serce. Gdy zaś pomyślał o Jaśku,
truchlał ze strachu. Był niemal pewny, że i w tym pogromie
były śmiertelne ofiary[13].

Kraków, sobota, 30 maja 1992

Nikt inny, tylko właśnie Edmund Brzuchaczewski wyciągnął
go wtedy z więzienia, a potem bronił przed Kolegium ds. Wy-
kroczeń przed zarzutem chuligańskich wybryków. On także,
gdy już wywalczył uniewinnienie, dowodząc, że Petrycy znalazł się na miejscu zdarzenia przypadkiem, namówił doktora
do napisania listu otwartego do Sejmu. List ten, ze skargą
na bezprawne i niezwykle brutalne działania ZOMO, odbił
się szerokim echem w prasie podziemnej, także studenckiej.
W obliczu postępujących coraz szybciej zmian w układzie
politycznym i podjęcia przez siły rządowe rozmów z opozycją
Petrycy przez chwilę miał nadzieję, że jednak doczeka się odpowiedzi na swoje pismo i że konsekwencje wobec winnych
zostaną wyciągnięte. To wprawdzie nie nastąpiło, zupełnie
niespodziewanie doktor zyskał jednak co innego. Wyrósł
nagle na jednego z lepiej rozpoznawalnych przedstawicieli
„Solidarności", a potem Komitetu Obywatelskiego w Krakowie. Co więcej, zaczęto mu przypisywać pewien radykalizm

---

[13] Tego dnia rannych zostało ok. 150 osób, ofiar śmiertelnych nie było.

i bezkompromisowość, których w rzeczywistości nigdy nie odczuwał.

Gdy się spotkali wkrótce po wywiadzie radiowym, Petrycy odniósł wrażenie, że i teraz Brzuchacz oczekuje od niego czegoś więcej, niż doktor mógł mu dać.

– Czy pan chce, czy nie chce, nic jest pan już anonimowym obywatelem, szarym człowiekiem, którego władza może zastraszyć – powiedział mecenas, patrząc Maksymilianowi prosto w oczy. Okulary z grubymi szkłami jeszcze potęgowały moc tego spojrzenia. – Jest pan politykiem, a to zobowiązuje!

– Więc co mam zrobić? Jechać do Sejmu i rozedrzeć szaty jak Rejtan, domagając się lustracji?

– Bez żartów, panie doktorze. – Brzuchacz skrzywił się i odwrócił wzrok. – Owszem, uważam, że powinien pan znowu zabrać głos publicznie. Zwrócić się... może jak wtedy, do Sejmu. A może wprost do prezydenta? Opowiedzieć swoją historię.

Doktor westchnął i pokręcił głową. Na chwilę zapadło milczenie.

– Przecież sam pan widzi, co się dzieje. Zamiast tworzyć prężne i suwerenne państwo, pogrążamy się w chaosie. A komu to jest na rękę?

Mecenas zaczął mówić o odsłoniętej granicy wschodniej, o tym, że ewakuację wojsk radzieckich z Niemiec rozpoczęto przez Polskę, nawet nie pytając polskich władz o pozwolenie na tranzyt, i że dopiero w sytuacji kryzysu, który to posunięcie wywołało, strona rosyjska dla uspokojenia nastrojów podała – jednostronnie ustalony i bardzo daleki – termin wyprowadzenia tychże wojsk z terytorium Rzeczpospolitej.

– Ale przynajmniej w końcu się wyniosą – zauważył Petrycy.

– No, nie wiem – pan Edmund z powątpiewaniem pokręcił głową. – Nie tak dawno rzecznik rządu do spraw wycofywania się dawnej Północnej Grupy Wojsk byłej Armii Radzieckiej informował, że pomimo postępującego procesu stan liczebny garnizonów w Polsce od dwóch lat nie uległ zmianie. To są twarde dane liczbowe. Ubywa wprawdzie żołnierzy, ale przybywa cywilów. A te osoby nie podlegają polskim przepisom meldunkowym. Nie obciążają wprawdzie naszego budżetu, ale nie mamy też nad nimi żadnej kontroli. – Na chwilę zawiesił głos. – Wie pan, do czego służą obecnie wojskowe bazy radzieckie?

Doktor nawet nie próbował zgadywać.

– Do prowadzenia bezcłowego, całkowicie wyjętego spod kontroli państwa handlu paliwami! Szacuje się, że tracimy na akcyzie nawet sześćdziesiąt procent wpływów! To dlatego od maja będą obowiązywać koncesje na sprzedaż paliw.

– Czyli jednak jesteśmy na dobrej drodze?

– Nie jesteśmy. Dopiero na nią wchodzimy. Rząd przygotowuje też ustawę o banderolowaniu alkoholu i papierosów, gdyż i tutaj skala nielegalnego importu jest ogromna.

Petrycy tylko skinął głową. Jako radny bywał ostatnio dość często na targowiskach, które usiłowano ująć w bardziej zorganizowane ramy, i wiedział, że od handlarzy aż się tam roi. Jak słyszał, tani alkohol niewiadomego pochodzenia sprzedawano nawet w restauracji sejmowej! Ostatnio czytał o aresztowaniu kilku radzieckich wojskowych, biznesmenów, a także funkcjonariusza polskiej Straży Granicznej, którzy organizowali przemyt na „radzieckim" przejściu wojskowym w Garzu koło Świnoujścia. W ostatnim transporcie, który wpadł w ręce śledczych, jechało dziewiętnaście tysięcy butelek napoleona, a zapewne był to tylko wierzchołek góry lodowej.

– Wie pan, ile kosztuje markowy koniak, whisky albo spirytus na czarnym rynku? – drążył tymczasem Brzuchacz. – Żadna uczciwa firma nie sprosta takiej konkurencji!

– To prawda – przyznał Petrycy.

– W efekcie nie można dopiąć budżetu! – dobił go pan Edmund. – Okazuje się, że nie ma kto w Polsce płacić podatków! Średnia rentowność prywatnego przedsiębiorstwa wynosi cztery dziesiąte procenta. Pytanie, skąd się biorą w takim razie te wszystkie luksusowe samochody, te wille, rozbuchana konsumpcja? Odpowiedź brzmi: z pieniędzy, których nie dostaje służba zdrowia, szkolnictwo, policja.

Z problemem niedofinansowania wszystkich wymienionych dziedzin doktor stykał się bezpośrednio jako samorządowiec oraz pracownik państwowego szpitala. I choć od dawna łamał sobie nad tym głowę, nie widział sposobu na wyjście z dramatycznej sytuacji, w jakiej znalazła się cała sfera budżetowa.

– Ale czy lustracja może tu cokolwiek zmienić?! – zapytał. Zabrzmiało to rozpaczliwie.

– Jestem o tym przekonany – zapewnił go mecenas. – Choćby dlatego, że wreszcie zaczniemy się rządzić sami. Zostanie ustanowione jasne i klarowne prawo, stwarzające warunki uczciwej konkurencji, a likwidujące szarą strefę, na której korzystają obecnie tylko nieliczni. Ci, którzy są

doskonale zorientowani w lukach prawnych i w możliwo-
ściach ich wykorzystania, albo wręcz sami te luki tworzą.

– Zróbmy to zatem!

– Właśnie z tym do pana przychodzę. – Brzuchacz nachylił się ku swemu rozmówcy. – Rzecz w tym, że do idei
lustracji trzeba społeczeństwo przygotować i przekonać! Ten
rząd robi wielki błąd, lekceważąc politykę informacyjną.

– No dobrze, ale co ja mogę?

– Więcej, niż się panu wydaje! To radiowe wystąpienie
było bezcenne. Niestety, jeśli nie liczyć krótkiej notatki
w „Nowym Świecie”[14], do opinii publicznej nie trafiło dużo
z tego, co pan wtedy powiedział.

– To już nie moja wina.

– Wiem, że kontaktowali się z panem dziennikarze
„Tysolu”[15] i odmówił im pan. Dlaczego?

– Bo mnie nie wolno mówić na ten temat – odpowiedział
zmęczonym głosem Petrycy. – Nie zamierzam wylądować
w więzieniu.

– Panie doktorze…

– I nie chcę też narażać innych! Dziennikarka, która prze-
prowadziła ten wywiad, o mało nie straciła pracy!

– Bo zaczął pan ze złej strony. Trzeba się było odwołać do
samego szczytu władzy, do ludzi, którzy stanowią prawo!

– Być może. Zapewne ma pan rację. Ale proszę mi dać
trochę czasu do namysłu.

---

[14] Istniejący w latach 1991–1993 dziennik o zdecydowanie prawicowym
i antyprezydenckim charakterze.

[15] Popularne określenie „Tygodnika Solidarność”.

Od czasu tamtej rozmowy doktor nie podjął jednak żadnej decyzji. Wkrótce zaczęły się jego rodzinne problemy i temat całkowicie wywietrzał mu z głowy. Mecenas, trzeba przyznać, nie nalegał. Milczał aż do dziś.

– Dzień dobry. Mam nadzieję, że nie przeszkadzam? – zaczął teraz.

Petrycy kurtuazyjnie zaprzeczył. Spojrzał na aparat i zmarszczył brwi – na bakelitowej obudowie widoczna była spora rysa. Dałby sobie głowę uciąć, że tego pęknięcia wcześniej tam nie było.

– I co pan powie o tym, co się teraz dzieje?

Przekonany, że chodzi znowu o lustrację, Maksymilian już zamierzał powtórzyć tekst, którego użył dziś rano na Błoniach, gdy Brzuchacz dokończył sam:

– Premier uratował nas przed katastrofą! Wie pan, co by było, gdyby w polsko-rosyjskim układzie przeszedł ten zapis o tworzeniu spółek na terenie dawnych baz wojskowych?!

– Kłopoty – mruknął Petrycy.

Tak był ostatnio pochłonięty własnymi problemami, że wyjazdowi prezydenta do Moskwy i awanturze przy podpisywaniu traktatów regulujących stosunki z potężnym sąsiadem nie poświęcił zbyt wiele uwagi.

– Kłopoty to jest mało powiedziane! Mielibyśmy tutaj państwo w państwie! – dobitnie oświadczył Brzuchaczewski. – Na szczęście udało się to odkręcić dosłownie w ostatniej chwili!

– Tak, tak, z całą pewnością. – Czując, że się zanosi na dłuższą rozmowę, doktor opuścił wzrok na wersalkę, z której Ania nie sprzątnęła nawet swojej pościeli. Westchnął, odwinął prześcieradło i usiadł na jej brzeżku.

– I co się dzieje? – żołądkował się tymczasem pan Edmund, wcale go nie słuchając. – Prezydent, zamiast być wdzięczny, więcej, zamiast świętować z całym rządem ten wielki sukces, cofa mu swoje poparcie! Słyszał pan coś podobnego?

Doktor czuł się dziwnie senny, ale spróbował zebrać myśli.

– Konflikt między premierem a prezydentem, panie mecenasie, trwa właściwie od początku istnienia tego rządu. Myślę, że awantura z szyfrogramem tylko przyspieszyła rozstrzygnięcie, które prędzej czy później musiało nastąpić.

– Ale czy pan nie rozumie, że tu się liczy dobro państwa?! Nie widzimisię premiera albo prezydenta i nie chęć postawienia na swoim, tylko interes nadrzędny!

– Traktat z Rosją też był interesem nadrzędnym – odparował Petrycy, przytomniejąc. – Jak pan uważa, co było nam bardziej potrzebne, podpisanie wreszcie z Moskwą układu, który by sankcjonował wymarsz z Polski pozostałości Armii Czerwonej, nawet za cenę tych spółek, czy też odwołanie w ostatniej chwili wizyty prezydenta i skandal dyplomatyczny?

– Uważam, że zapis o spółkach w ogóle nie powinien się w tych dokumentach znaleźć! – wykrzyknął z pasją Brzuchacz. – A jednak jakimś cudem przykleił się tam i trwał, mimo wszystkich zastrzeżeń zgłaszanych przez rząd! Więcej, został parafowany w naszym MSZ-ecie! Dlaczego, jakim cudem tak się stało?!

– Może dlatego, że nie było już szans na dalsze negocjacje z Rosjanami? – rzucił doktor. Ton tej rozmowy zaczął go coraz bardziej denerwować. – Może nie dało się już nic uzyskać, a uregulowanie zasad wycofania ich wojsk było nam bardzo potrzebne?

O dziwo, mecenas nie zareagował na jego słowa kolejnym wybuchem. Przycichł nieco i jakby oklapł.

– Tak właśnie mówią – przyznał niechętnie. – Ponoć prezydent postawił wszystko na jedną kartę. W ciągu godziny w osobistej rozmowie z Jelcynem na Kremlu wynegocjował skreślenie obu spornych punktów. Trudno nic podziwiać tego człowieka, choć z prawdziwą dyplomacją, a nawet praworządnością, miało to niewiele wspólnego.

– A co dostali w zamian Rosjanie?

– Wie pan, i to jest najdziwniejsze, że chyba nic. – W głosie pana Edmunda przez chwilę zadźwięczało zdumienie i nutka satysfakcji. – Mówi się, że ich minister obrony kilka razy wstawał od stołu, jakby nie był w stanie podpisać tych dokumentów, a sam zmieniony protokół, zapewne dzięki jego staraniom, zawieruszył się w decydującym momencie i przyjęto go dopiero wieczorem. Ale zdanie Jelcyna przeważyło. Wygląda na to, że Rosjanie ustąpili nam, ot tak, na słowo Wałęsy!

Maksymilian w pełni podzielał to oszczędnie wyrażone, ale szczere uznanie.

– Można tylko podziwiać taką skuteczność prezydenta. Choć włos mi się jeży na myśl, co by było, gdyby jego plan się nie powiódł – ciągnął Brzuchacz.

– Najważniejsze, że się udało – stwierdził doktor, zmierzając powoli do końca rozmowy. Rozgrzebane łóżko Ani miało jakąś dziwną siłę przyciągania. Poczuł nieprzepartą ochotę, by zaszyć się we własnej sypialni i uciąć sobie krótką przedobiednią drzemkę. Dodatkowe poczucie komfortu dawała mu myśl, że pani Monika zostawiła w lodówce gar pożywnej zupy i drugie danie na cały weekend. Niczym zatem nie musiał się martwić. – Miłego dnia, panie mecenasie.

– Aha, zapomniałbym o najważniejszym! – Zatrzymał go pan Edmund. – Co z tym naszym listem otwartym, panie doktorze? Nie chciałby pan zrobić jednak użytku ze swojej historii?

Petrycy westchnął. A więc nie ominęło go to pytanie. Czy naprawdę powinien w tej sprawie zabrać teraz głos?

– Nie czuję się na siłach – odpowiedział z nagłą determinacją. – To wszystko już dawno mnie przerosło.

Kraków, poniedziałek, 1 czerwca 1992 (Dzień Dziecka)

Doktor nigdy nie zaliczał się do zwolenników spędzania poranków nad gazetą przy kawiarnianym stoliku. Porządne śniadanie zwykle jadał w domu, do teczki wkładał zapakowane w papier kanapki, kawę zaś najbardziej lubił pić przy kuchennym stole w towarzystwie żony. Ostatnio sporo się w jego życiu zmieniło, ale to nie brak Marysi ani fakt, że od samego rana Staszek Mróz wziął się do skuwania tynków na parterze i czynił w całym domu niemiłosierny hałas, tylko telefon od Janki zadecydowały o tym, że w poniedziałek o siódmej rano znalazł się w Alvoradzie na rogu Rynku i Szewskiej.

Jakub Kapuściński zjawił się spóźniony, gdy Petrycy już miał zapłacić rachunek i wyjść.

– Przepraszam, ale na Dietla wykoleił się tramwaj i musiałem lecieć piechotą – oświadczył młody człowiek zdyszanym głosem. – Chciał się pan ze mną widzieć.

– Mam nowy trop – krótko odpowiedział doktor. – Marco Saletri.

Jakub zmarszczył czoło, jakby wydobywając z trudem z pamięci informacje związane z tym nazwiskiem.

– Ten biznesmen, co chciał zrobić supermarket na Błoniach? – zapytał wreszcie.

Doktor skinął.

– Co z nim?

– Znowu się pojawił w Krakowie. Tym razem chce inwestować w budownictwo. Tanie mieszkania w blokach.

Kapuścińskiemu błysnęło oko.

– Idea jest przednia – wyszczerzył zęby w uśmiechu. – Sam szukam taniego mieszkania.

– Daj pan spokój! – Machnął ręką doktor. Dowcipy Jakuba średnio go bawiły, a poza tym już się spieszył do pracy. – Chyba pan nie sądzi, że to czysty interes?

– A dlaczego mam podejrzewać inaczej?

– To tylko plotki, ale może w nich tkwić ziarno prawdy – zastrzegł szybko doktor. – Słyszałem, że ten biznesmen interesował się gminnymi działkami na peryferiach. Tereny w większości rolne, wartość rynkowa niewielka.

– Tak, ale pewnie za chwilę zostaną przekwalifikowane – pokiwał głową młody człowiek. – Kupi za grosze i zrobi dobry interes.

– Zrobi więcej niż dobry interes. – Doktor zawiesił głos. – Jak pan myśli, jakie będzie przebicie, jeśli zostanie tam pociągnięta linia tramwajowa?

– A ma zostać?

– W tej chwili się o tym oficjalnie nie mówi. Ale przecież miasto musi się rozwijać. To pewne, że komunikacja miejska będzie rozbudowywana.

Kapuściński gwizdnął przez zęby.

– U! To trzeba by się rozejrzeć za jakąś parcelą w tym rejonie.

Petrycy aż podskoczył ze złości.

– Ja panu nie po to o tym mówię, żeby się pan rozglądał za parcelą! – warknął, ledwo panując nad głosem. – Po co wy w końcu jesteście w tym UOP-ie?!

– Dobra, przecież żartowałem – uciszył go Jakub. – I tak nie mam kasy. Ale inwestycje mieszkaniowe są potrzebne i dobrze, że ktoś się tym zaczął interesować.

– Niech się pan zastanowi – powiedział powoli Petrycy. – Nie ma nic złego w inwestycjach mieszkaniowych i wysprzedawaniu gminnych działek na ten cel, ale pod warunkiem że się to odbywa we właściwej kolejności. Najpierw miasto uzbraja teren i ciągnie tam linię tramwajową, a dopiero potem wystawia na sprzedaż działki, i to po stosownych cenach. Nie na odwrót!

– Ma pan dowody, że się taki przekręt gotuje?

– Nie, tylko podejrzenia – przyznał Petrycy niechętnie. – Ale nie zaszkodzi mieć ptaszka na oku.

– A co to w ogóle ma wspólnego z panem? Gdzie tu jest jakiś nowy trop?

– Chodzi o to, że właśnie ktoś z otoczenia tego Włocha dał mi namiar na Pawlickiego – powiedział doktor z naciskiem, zaglądając Kapuścińskiemu w oczy, jakby chciał sprawdzić, czy znaczenie tego, co mówi, do niego dociera. – To była dziewczyna z agencji. Dzisiaj będę próbował się z nią spotkać i wypytać o wszystko, ale…

– Panie Maksymilianie – przerwał mu niespodziewanie stanowczo młody człowiek. – Mówiłem już panu, że nasz udział w tej sprawie jest zakończony. Radziłem panu szczerze, żeby się już tym nie interesować.

– Chyba pan zwariował – żachnął się doktor. – Mam to tak zostawić?

– Najlepiej by było.

– Nikt tego za mnie nie zrobi – powiedział Petrycy, wstając od stolika. – Nikt do tej pory nawet się nie skontaktował z Michaliną de Merteuil. Wiem, bo dzwoniłem do niej jakiś czas temu. Czy tak się prowadzi dochodzenie?

– Zapewne nie wie pan wszystkiego.

– Wiem jedno. Ktoś chce tę sprawę zamieść pod dywan. A ja na to nie pozwolę!

– Panie Maksymilianie…

– Drogi Jakubie! – Nerwy poniosły Petrycego i pozwolił sobie na małą impertynencję, przechodząc na ty. Ale w końcu ten funkcjonariusz był w wieku jego najstarszego syna, a jako powinowaty Janki Rosy należał do kręgu bliskiego rodzinie. – Jeśli chce mi pan pomóc, niech pan dyskretnie prześwietli tego Włocha. A jeśli się pan boi… Cóż, nie będę miał żalu.

Ukłonił się, wsunął gazetę do teczki i ruszył do wyjścia. Młody człowiek pozostał przy stoliku, marszcząc brwi i nerwowo stukając palcami w marmurowy blat.

Doktor przyjmował pacjentów tylko przez cztery godziny, gdyż później jako reprezentant rady miasta miał wziąć udział w wyjątkowym wydarzeniu – poczwórnym pogrzebie na cmentarzu Rakowickim. W ostatnią drogę wyruszała Jadwiga Paschalska, córka Mariana Dąbrowskiego, legendarnego barona prasowego okresu II RP. Dąbrowski zmarł przed laty w Miami, a koniec życia upłynął mu w bardzo trudnych warunkach materialnych. Wracając z emigracji, córka przywiozła do Polski trzy urny: z prochami swoich rodziców oraz męża Henryka, w czasie wojny oficera lotnictwa i adiutanta prezydenta RP na uchodźstwie. Gdy w pogodne popołudnie pierwszego dnia czerwca, odprowadzani przez przedstawicieli władz miasta, dziennikarzy i licznych krakowian, wszyscy razem spoczęli w rodzinnym grobowcu, Petrycy poczuł, że historia zatoczyła koło i dopiero teraz, wiele lat po śmierci państwa Dąbrowskich, znalazła właściwe zakończenie.

– Zmarł dokładnie w dzień swoich osiemdziesiątych urodzin – powiedział Drabel, gdy wieńce zostały złożone, a uczestnicy uroczystości zaczęli się rozchodzić. – I jego córka, wyobraź sobie, też! W same urodziny. Niesamowite, co?

– Uhm – mruknął doktor, którego te zbiegi okoliczności w datach zajmowały mniej niż dziwne koleje ludzkich losów.

Człowiek, który ciężką pracą i wytrwałością doszedł do wielkiej fortuny, a dzięki swemu imperium przez lata kształtował polską opinię publiczną, właśnie w Stanach Zjednoczonych, kraju tak zawsze pielęgnującym mit *self-made mana*, zaznał na starość prawdziwej nędzy i upokorzeń. W Polsce zaś po wojnie zarzucano mu, że uprawiając mocarstwową propagandę, zafałszował prawdziwy obraz sytuacji, który objawiła dopiero klęska wrześniowa.

„Może jednak wierzył w to, co pisał? – zastanawiał się doktor Petrycy. – Skoro kilka dni przed wybuchem wojny znalazł się we Francji bez żadnych pieniędzy, a jego żona pozostawiła w kraju całą biżuterię, to może rzeczywiście nie kłamał świadomie?"

W pamięci miał też to, co o Dąbrowskim opowiadała ciotka Pelagia: że był wymagającym szefem, ale za dobrą pracę płacił uczciwie. To dlatego dziennikarze Ikaca zazwyczaj nie brali udziału w strajkach, które w latach trzydziestych paraliżowały kraj.

– Bierzemy taksówkę? – zapytał Włodek, a Maksymilian wrócił do współczesności. Dotąd starał się za dużo nie myśleć o tym, co go dziś czeka. Teraz jednak musiał się przygotować duchowo na pierwszą w życiu wizytę w agencji towarzyskiej.

Wysiedli na placu Wolnica, przez odrapane drzwi weszli do mrocznej, śmierdzącej kotami sieni, a stamtąd na piętro. Doktor w popłochu zastanawiał się, czy i kiedy informacja o tym, że odwiedza takie miejsca, dotrze do opinii publicznej lub do uszu Marysi.

– My do Karmen – rzucił Drabel w stronę pilnującego wejścia goryla.

Mężczyzna nic nie odpowiedział, tylko ruchem głowy wskazał im czerwoną kotarę. Jednocześnie ręką zdobną w tatuaże wcisnął ukryty obok framugi dzwonek. Petrycy, wycierając ukradkiem spocone dłonie w połę marynarki, podążył za kolegą. Kotara zasunęła się za nimi bezszelestnie, oni zaś stanęli w dużym i jasnym przedpokoju, z którego drzwi prowadziły do co najmniej sześciu pomieszczeń. Dużo tu było bieli i złota, nieznacznie podkreślonych purpurą.

– Słucham?

Z bocznego korytarza wyłoniła się kobieta w starszym wieku, o ciemnych włosach mocno już przetykanych siwizną. Ubrana była w sposób nierzucający się w oczy, ale makijaż miała wyzywający.

– Szukamy pewnej dziewczyny – powiedział Drabel, nie bawiąc się w uprzejmości. – Nie wiem niestety, jak ma na imię, ale pracuje dla pani.

Karmen zmrużyła oczy i klasnęła dwa razy w upierścienione dłonie. Chwilę później z tego samego korytarza wyszły trzy młode kobiety w skąpej bieliźnie i półprzezroczystych szlafroczkach. Stanęły za jej plecami, a Drabel wyciągnął szyję, by się im lepiej przyjrzeć.

– Czy to wszystkie?

Wzruszyła ramionami.

– Są świetne – powiedziała krótko. – Żadna wam nie odpowiada?

– Nie o to chodzi – spróbował się wtrącić Petrycy, ale Włodek szturchnął go dyskretnie.

– Żadna.

Dziewczyny przestały się prężyć, jedna wyjęła z kieszonki paczkę marlboro i długim czerwonym paznokciem wyłuskała papierosa.

– Mam jeszcze kilka kobiet… Na specjalne zamówienie. Nie dla byle kogo.

Właścicielka agencji zmierzyła swoich gości spojrzeniem z góry na dół, jakby szacowała ich siłę nabywczą. Ocena musiała wypaść nieźle, bo podeszła do zabytkowej komody stojącej pod potężnym lustrem w złoconej ramie i wyjęła z niej niewielki album. Wręczyła go Drabelowi, a ten bez słowa zaczął przeglądać zdjęcia. Petrycy spojrzał mu przez ramię. Czuł rosnące podniecenie. Zerknął na kumpla i stwierdził, że ten ma czerwone uszy.

– To ta! – szepnął Włodek, stukając palcem w jedną z fotek. Widniała na niej młoda brunetka. Jej nagość przykryta była tylko siecią o dużych oczkach, a ujęcie zrobiono na plaży. – Jestem pewny na dziewięćdziesiąt procent, że to ta. A w każdym razie ona była tam na pewno.

Doktor poluzował nieco węzeł krawatu, który zaczął go dławić. Odchrząknął, by nadać głosowi stosowną głębię i powagę.

– Jak mógłbym się skontaktować z tą panią? – zapytał, jak mu się zdało, rzeczowo. Jego ton miał świadczyć o tym, że sprawa jest czysto służbowa. Było mu jednak gorąco i czuł się żałośnie pod ostrzałem uważnych spojrzeń burdelmamy i jej dziewcząt.

– Skontaktować?! – Karmen wytrzeszczyła na niego oczy i uniosła wyskubane, podkreślone kredką brwi.

Włodek syknął tylko przez zaciśnięte zęby. To i jakaś złowróżbna nuta w głosie szefowej przybytku podpowiedziały doktorowi, że zaraz zostanie stąd wyrzucony na zbity pysk. A to byłaby katastrofa! Straciłby możliwość spotkania z tą dziewczyną.

Poruszył się niespokojnie i znów szarpnął za krawat. Bardzo chciał zagrać faceta, który zjawił się tu tylko w jednym celu, ale nie potrafił zrzucić z siebie gorsetu wychowania, przyzwyczajeń i zasad, który nosił od zawsze. Jednocześnie czuł, że dzieje się z nim to, co zwykle spotyka mężczyznę, gdy na wyciągnięcie ręki ma zachęcające, na wpół nagie damskie ciało. A co dopiero trzy, do wyboru!

– Proszę się nie dziwić. Kolega jest tu pierwszy raz – pospieszył z wyjaśnieniem Drabel.

– Widzę! – prychnęła pogardliwie Karmen.

Dziewczyna z papierosem zachichotała, a szefowa agencji przyjrzała się im uważnie.

– Właściwie to mnie nie obchodzi, co pan chce z nią robić – powiedziała wreszcie. – Mogę was… – parsknęła lekko – …skontaktować w tradycyjny sposób.

– Bardzo proszę.

– Dziś o dwudziestej pierwszej – powiedziała, a potem rzuciła kwotę, od której Petrycemu zakręciło się w głowie. Zauważyła to, kącik jej ust uniósł się w szyderczym uśmiechu. – To co, rezerwować?

– Tak… proszę.

– Płatne z góry! – oświadczyła, wyciągając rękę wymownym gestem.

Petrycy w panice zaczął szukać portfela i wyjmować banknoty.

– Nie mam tyle przy sobie – stwierdził z mieszaniną ulgi i wstydu, starając się nie widzieć grymasu Karmen, który oznaczał: „I z czym ty w ogóle do mnie przychodzisz?".

– Czekaj, pożyczę ci – włączył się znowu Drabel.

Do tej chwili doktor Petrycy miał świadomość, że do wieczora zostało sporo czasu i w każdej chwili może się wycofać.

Teraz jednak poczuł, że przekracza rubikon. Sam nie mógł w to uwierzyć. Płacił za prostytutkę!

~

Przed domem stał zaparkowany znajomy stary polonez. Okna mieszkania na parterze były otwarte, ze środka dochodziły odgłosy energicznego kucia. Po zawaleniu ściany Staszek postanowił sprawdzić solidność całej reszty i okazało się, że tynki się sypią. Trzeba je było położyć na nowo.

„Dłużej już tego nie wytrzymam!" – pomyślał doktor, zdjęty nagłą rozpaczą.

Wszystko znosił i ze wszystkiego usiłował się wywiązać, ale ten ciągły hałas, pył i brud we własnym domu – to było już ponad jego siły! Odłożył na stopień paczkę ciastek, którą kupił z okazji Dnia Dziecka, i jak burza wpadł do salonu.

– Dosyć! – wrzasnął.

Staszek stał na drabinie, jego pomocnik przy przeciwległej ścianie ostukiwał jej niższe partie. Już kończyli, spod zbitego tynku prześwitywały gołe cegły. Na widok doktora majster przerwał robotę i uniósł rękę w geście powitania. Ściągnął z uszu czerwone, wyłożone grubą gąbką ochraniacze i opuścił wilgotną chustkę, którą przewiązał nos i usta. Minę miał zaaferowaną.

– Słuchaj, Maksiu, nie uwierzysz, co się stało! – powiedział, złażąc z drabiny. – Coś znaleźliśmy.

Doktor, który po wykrzyczeniu swej frustracji od razu stracił rozpęd, a poza tym nałykał się pyłu, odkaszlnął i znużonym gestem przetarł powieki.

„Szczęście, że nie dosłyszeli" – pomyślał z ulgą.

– No?

Mróz podszedł do okna, pochylił się i wyciągnął spomiędzy gruzu, zalegającego grubą warstwą podłogę, zwój płaskiego kabla.

– To! – oświadczył przyciszonym głosem, podchodząc bliżej. – To szło przez ścianę i sufit, Maksiu, a kończyło się w lampie. Ja nie chcę nic mówić, ale mnie to wygląda na… – urwał.

Niewiele brakowało, a doktor usiadłby na podłodze. W ostatniej chwili zatrzymał się i tylko ukucnął, obracając w palcach znalezisko.

– Wiem, na co to wygląda – powiedział słabo.

– I co z tym zrobisz? – zapytał Staszek. Klęknął obok i z chrzęstem podrapał się w nieogolony policzek.

– Nie mam pojęcia – wyszeptał Maksymilian.

Drugi koniec kabla ginął w ścianie, w miejscu, w którym znajdowała się rura doprowadzająca gorącą wodę do kaloryfera.

– Mamy kuć dalej? – indagował majster, wyraźnie poruszony całą sytuacją. – Chcesz wiedzieć, dokąd to leci?

– Nie! Na razie już nic nie kujcie! – poprosił doktor, przerażony, że zaraz znowu się zacznie. Wstał i otrzepał dłonie. – Muszę się kogoś poradzić.

Na górze Janka i dzieci pogryzali słone paluszki.

– Zrobiliście cioci kawy? – zapytał Petrycy. Położył na stole paczkę z ciastkami i zdobył się na uśmiech. – To ja też poproszę!

– Zobacz, tato, co dostałam od mamy! – zawołała Gabrysia, a oczy się jej śmiały. Stała przed nią kolekcja dezodorantów marki, która niedawno pojawiła się w Polsce. Franek nic nie mówił, ale doktor widział, że syn ma na nadgarstku nowy elektroniczny zegarek i bawi się, ustawiając na wyświetlaczu na zmianę raz godzinę, a raz datę. Nagle wstyd mu się zrobiło za te ciastka i za to, że sam nie zdobył się na żaden osobisty podarunek dla dzieci. Ale z drugiej strony poczuł niemiłe zdziwienie – przecież także Marysia nigdy dotąd nie kupowała im na Dzień Dziecka tak drogich prezentów!

„Pewnie chce im w ten sposób wynagrodzić swoją nieobecność – pomyślał, marszcząc brwi. – I nawet się jej udało".

W sercu czuł gorycz.

– Ciociu, a znasz kawał o fafkulcach? – Gdy nie doczekała się reakcji ojca, dziewczynka znowu zwróciła się do Janki. – Codziennie do drogerii przychodzi jakiś facet i pyta, czy są fafkulce. Za każdym razem sprzedawczyni odpowiada, że nie ma. Aż wreszcie zniecierpliwiony gość mówi: To poproszę „Fa" w spreju.

Ania bez słowa wstała od stołu, wyjęła z regału talerzyki i wyłożyła ciastka na paterę, po czym wyszła do kuchni. Po chwili rozległo się w całym domu wysokie zawodzenie młynka. Doktor, odrywając się na chwilę od własnych problemów, skonstatował ze zdumieniem, że najstarsza córka właśnie robi mu kawę. Była to uprzejmość przekraczająca jego wszelkie oczekiwania. Coś się zmieniło, jakby dokonał się w niej jakiś przełom.

„Jakby się wreszcie pogodziła z losem" – uświadomił sobie Petrycy, zanim znowu odpłynął z nurtem własnych myśli.

Nie mógł wiedzieć, bo i skąd, że ten przełom spowodowała rozmowa z Olgą i zaproszenie do Berlina. Dopiero teraz, gdy ktoś ją zrozumiał i pomógł jej wydostać się z ciemności, Ania znalazła w sobie tyle siły, by zdobyć się na wielkoduszność, przebaczyć rodzicom i całej reszcie ich obojętność oraz brak empatii.

„Oni nic nie rozumieją – myślała, włączając ekspres. – Każdy żyje w swoim świecie, zajęty tylko swoimi sprawami! Im też pewnie nie jest łatwo."

Z dużego pokoju dochodziły wybuchy głośnego śmiechu. Do biesiadników dołączył jeszcze przebrany w czyste ciuchy Staszek Mróz. Choć zajmowali jej tymczasowy pokój i zapowiadało się, że dłużej w nim posiedzą, Ania nie miała pretensji. A prezenty, które jej Janka przekazała od mamy na Dzień Dziecka – śliczne zamszowe buciki na maleńkie stópki oraz flakonik perfum – wzruszyły ją niemal do łez.

„Szkoda, że nie przyjechała – pomyślała teraz wspaniałomyślnie. – Siedzi tam sama, tylko z psem i kotem, a tu… tak bardzo jej brakuje!"

Nagle zamiast jeszcze niedawnej złości poczuła potężną tęsknotę. Tak by chciała przytulić się do mamy, nawet nic nie mówiąc, czuć tylko ten znajomy zapach i ciepło jej ramion. Nie wiedziała, kiedy będą się mogły zobaczyć. Termin badania miała wyznaczony na sobotę, a Muza już zapowiedziała, że wyjeżdżają we czwartek.

A jednak choć tak wiele się zmieniło, na dnie Aninej duszy nadal czaił się cień. I nie był to wyłącznie lęk o wynik badania i zdrowie jej dziecka. Od pamiętnej rozmowy w sobotę, gdy w przypływie furii omal nie rozbiła telefonu, nie mogła się skontaktować z mężem, choć wydzwaniała do niego o różnych porach dnia i nocy. Rosła w niej złość, ale i niepokój – specjalnie nie odbierał czy coś mu się stało?!

Kinderbal tymczasem trwał. Kawa została wypita, a ciastka zjedzone, potem zaś sięgnięto do lodówki po gołąbki, które pani Monika zrobiła na jutrzejszy obiad. Majster pożegnał się i wyszedł, ale Janka, ciągle zagadywana przez dzieci, bawiła się w najlepsze. Opowiadała o demonstracji rowerowej planowanej na piątek przez ekologów. Miał być to protest przeciw tragicznej sytuacji komunikacyjnej i zanieczyszczeniu miasta, wezwanie rządzących do wprowadzenia radykalnych zmian.

– A oni, wyobraźcie sobie, chcą nam zabronić przejazdu przez Aleje! – Głos ciotki wibrował z oburzenia, wprawiając w drżenie kryształowe kieliszki w barku. – Że niby zatrzymamy ruch w godzinie szczytu! Co za absurd! Aleje to symbol zanieczyszczenia miasta, czy można ominąć symbol?!

– Słyszałem, że anarchiści też coś planują na ten dzień – powiedział Franek. – Podobno Kurzyniec*...

Ojciec poderwał głowę jak koń tknięty ostrogą.

– Żebyś mi się tylko nie ważył zadawać z anarchistami! – przerwał mu ostro. Zbyt dobrze jeszcze pamiętał, co wyczyniał Jasiek w swoich licealnych czasach. – Jak chcesz protestować, to wsiadaj na rower i pedałuj z ciocią!

– Zapraszam, zapraszam! Towarzystwo będzie przednie, sam Bińczycki* obiecał, że pojedzie na czele peletonu.

Maksymilian ocknął się dopiero, gdy zegar wybił ósmą. Nie wiadomo, kiedy zleciało tyle czasu, a on miał przecież dziś wieczorem spotkanie w agencji towarzyskiej. A jeszcze chciał pokazać Jance znalezisko Staszka.

– Muszę z tobą porozmawiać – szepnął, korzystając z chwili zamieszania między dziećmi. – Zejdziesz ze mną na dół?

– Jasne – mruknęła, a potem odsunęła krzesło i klepnęła się głośno w oba kolana. – Oj, muszę się już zbierać! Trzymajcie się, dzieciaki! Niech was jeszcze raz ucałuję, od mamy – cmoknęła Franka w policzek – i od siebie! – dodała, już dużo ostrożniej składając buziaka na drugim, tym poparzonym.

– Trzymaj się, ciociu! – Gabrysia rzuciła się jej na szyję. – I nie zapomnij powiedzieć mamie o tych Chińczykach!

Maksymilian uniósł brwi, ale się nie odezwał. Osobiście uważał, że niepokojenie teraz Marysi informacją o dziwnych gościach jest niewskazane.

– Jak ona się czuje? – zapytał Jankę już na schodach.

– Lepiej. Zdecydowanie lepiej – oznajmiła pewnym głosem. – Właśnie chciałam o tym z tobą pogadać, tylko na osobności.

Zeszli i zatrzymali się za foliowymi osłonami, oddzielającymi remontowaną część domu od mieszkalnej.

– Uważam, że powinniście się spotkać!

Petrycy żachnął się w duchu na ten arbitralny ton, ale musiał przyznać, że teraz to Janka zna najlepiej stan Marysi i wie, co może jej posłużyć, a co zaszkodzić. Czy się mu to podobało, czy nie, musiał jej zaufać.

– Mam przyjechać? – spytał krótko.

– Zgarnęłabym cię po tej naszej piątkowej demonstracji, co ty na to?

– Nie mogę, w piątek jest sesja rady i nie wiem, o której się skończy.

– Więc kiedy ci pasuje?

– W czwartek – zadecydował szybko. – Mam wolne całe popołudnie, przyjadę autobusem.

– Dobra. Przygotuję ją – powiedziała Janka, a doktor znowu poczuł w sercu ukłucie. Co to niby miało znaczyć?! Czy przyjazd męża wymagał specjalnych przygotowań?!

Zdusił w sobie jednak te uczucia i pchnął drzwi do mieszkania babci Isi.

– A ja chciałbym ci coś pokazać – powiedział, kierując się od razu do okna. – Staszek dzisiaj znalazł w ścianie te przewody. Prowadziły do lampy.

Janka tylko rzuciła okiem na kabel i szpulę, którą był zakończony. Gwizdnęła przez zęby.

– O, mój drogi! – szepnęła, biorąc do ręki instalację. – Głowy ci oczywiście nie dam, ale mnie to wygląda paskudnie i kojarzy się dość jednoznacznie.

– Mnie też.

– Poczekaj chwilę, znam kogoś, kto będzie mógł to potwierdzić. Jeśli teraz jest na służbie…

Podeszła do owiniętego w folię telefonu, który stał na podłodze. Zanim doktor zdążył zaprotestować, wyłuskała go z ochronnych warstw i wykręciła numer.

– Przyślesz tu kogoś? Kiedy? Dziesięć minut? No dobra, czekamy.

Maksymilian zerknął na zegarek i syknął. Za pół godziny powinien być na placu Wolnica.

– Słuchaj, Janko, mam jeszcze dziś spotkanie – mruknął, przestępując z nogi na nogę. – Muszę wyjść.

Rzuciła mu z kąta pokoju spojrzenie, jak mu się zdawało, badawcze. W panice zaczął się zastanawiać, co jej odpowiedzieć na pytanie, które zaraz zapewne padnie.

– Albo zresztą dobra! – poddał się, zanim jeszcze otworzyła usta. – Może kolega mnie zastąpi!

– Ale to nie potrwa długo – powiedziała zdziwiona, Maksymilian jednak już wyjął jej telefon z ręki.

– Włodek? – ryknął do słuchawki, szczęśliwy, że Drabel w ogóle odebrał. – Słuchaj, nie mogę tam dzisiaj być!

– Gdzie? – zdziwił się kolega radny, ale zaraz sobie przypomniał. – Ach, u Karmen!

Doktor odsunął się od Janki, która, jak mu się znów zdawało, strzygła uchem w stronę słuchawki.

– No właśnie. Możesz mnie zastąpić? Bardzo cię proszę, przeprowadź za mnie tę rozmowę i dowiedz się wszystkiego.

– Rozmowę? No, czekaj, stary, ale właściwie czego się mam dowiedzieć?

– Kto podał tę informację! Wtedy, na przyjęciu, po którym do mnie zadzwoniłeś. – Maksymilian zatoczył oczami koło na suficie, wstrząśnięty tępotą kolegi. Czy ten Drabel nie czuje, że nie może z nim teraz otwarcie rozmawiać? – Wiesz co, najlepiej weź od... weź po prostu numer telefonu, prywatny, żebym mógł się sam skontaktować.

– Chodzi ci o informację o Pawlickim? – upewnił się Włodek.

– Tak!

– Dobra, stary, spróbuję. – Po tonie głosu Maksymilian rozpoznał, że Drabelowi idea ponownej wyprawy do Karmen zaczyna się podobać. – Ale na twój koszt.

– Jasne. Dziękuję – odsapnął doktor i dyskretnie otarł pot z czoła.

Właściwie był zadowolony z takiego obrotu spraw i czuł ulgę, że jego moralne zasady nie zostaną dziś po raz drugi wystawione na ciężką próbę.

~

– Ot i po sprawie! – mruknął jeden z policjantów, ucinając obcążkami drut przy samej ścianie. Następnie cały zwój kabla wrzucił do reklamówki, a tę schował do torby z narzędziami. Doktor i Janka przyglądali się temu ze zmarszczonymi brwiami.

– I tyle?!

– A co możemy zrobić więcej? To już od dawna martwe łącze – wzruszył ramionami. – Starzyzna, wczesne lata siedemdziesiąte.

– Ale ktoś zadał sobie dużo trudu, żeby go zainstalować – dorzucił drugi, ubrany po cywilnemu. – To była większa operacja i nie zakładano takich zabawek byle komu.

– W jaki sposób się to tutaj znalazło?

– Nie robiliście czasem jakiegoś remontu? Malowania? A może zdarzyła się awaria gazu i na kilka godzin was ewakuowano? – zapytał policjant. – Pewne jest, że aby to założyć i zamaskować ślady, ekipa pionu technicznego musiała mieć wolną rękę przynajmniej przez kilka godzin.

Maksymilian i Janka wymienili spojrzenia.

– Na pewno zdarzały się takie sytuacje – wybąkał doktor.

Ostatni remont przeprowadzali w roku siedemdziesiątym, wtedy właśnie, gdy podzielono dom na dwa oddzielne mieszkania. Przez jakiś czas znaleziony przez Benedykta fachowiec miał zupełną swobodę działania, gdyż starzy i młodzi Petrycowie wyjechali na kilka tygodni na wieś.

Policjanci ruszyli do drzwi.

– Zaraz, a co z resztą tego? – zatrzymał ich doktor. – Dokąd ten drut w ogóle prowadzi?

– Do najbliższej studzienki kablowej w chodniku. A stamtąd do jakiegoś lokalu operacyjnego, gdzie był zainstalowany nasłuch. Tam nagrywano rozmowy na taśmy i oddawano je prowadzącemu śledztwo – wyjaśnił policjant. – Proszę się nie obawiać, tak jak mówiłem, to już martwe łącze. Został tylko kawałek kabla gdzieś pod waszym trawnikiem.

– A ten lokal operacyjny?

– Na ten temat nic już panu nie potrafię powiedzieć. Ale proszę sobie nie łamać głowy. Te czasy na szczęście minęły.

Odprowadzili policjantów do wyjścia, w rozświergotaną ptasim trelem noc. Patrzyli, jak wsiadają do radiowozu i odjeżdżają. Janka wyjęła kluczyki od własnego poloneza i na pożegnanie mocno klepnęła Petrycego w ramię.

– To czekamy na ciebie w Mszanie – powiedziała, otwierając drzwi. – Do czwartku!

– Proszę, nie mów Marysi nic o tym podsłuchu. – Zatrzymał ją jeszcze.

Gdy tylne światła jej auta zniknęły w głębi ulicy, wrócił do ogrodu. Podniósł wzrok i spojrzał prosto w przepastne, granatowe niebo. Przesycone słodką wonią bzu powietrze działało jak narkotyk, od nadmiaru wrażeń kręciło mu się w głowie. Miał też lekkie uczucie *déjà vu*. Czuł się jak wtedy, przed miesiącem, gdy w podobny do tego, pachnący i pogodny wieczór, żegnał Jankę na chodniku przed domem. Tylko że wtedy razem z Janką odjeżdżała i Marysia.

Kraków, czwartek, 30 kwietnia 1992

Przestała się odzywać w dniu, w którym jej pokazał wynik. Zaszyła się w sypialni, tak jak wówczas, gdy dowiedziała się o niespodziewanej ciąży. Z największym trudem namówił ją, by zeszła na śniadanie wielkanocne. Po scenie z dziećmi wróciła na górę i w ogóle przestała wstawać z łóżka. Za każdym razem, kiedy do niej podchodził, trafiał na mur milczenia. Przeniósł się więc na wersalkę w dużym pokoju, gdyż w jednym łóżku z nią nie potrafił zmrużyć oka.

Czasami słyszał przez ścianę rozdzierający płacz. Podchodził wtedy, głaskał, próbował pocieszać, choć sam dla siebie nie znajdował pocieszenia. Wreszcie, odtrącony po raz kolejny, odsunął się.

„W porządku – myślał. – Musi to sama przeboleć, oswoić się, pogodzić z losem. Za kilka dni jej przejdzie".

Ale tak się nie stało. Nie miała już siły płakać, więc siedziała tylko zawinięta w koc, zapatrzona przed siebie niewidzącym spojrzeniem, kiwając się w tył i w przód, jakby miała chorobę sierocą. Nie odbierała telefonów, nawet z pracy, od Haliny. Wreszcie jej wspólniczka przyjęła do wiadomości, że Marysia jest chwilowo niedysponowana, a ponieważ w sprawie prywatyzacji od dawna nic się nie działo, w końcu przestała dzwonić. Nie dało się jednak tak łatwo zniechęcić dzieci. Franek i Gabrysia wychodzili z jej pokoju z przerażeniem w oczach.

Maksymilian nie wiedział, co ma robić, jak im to tłumaczyć i jak rozmawiać z żoną. Bo ona rozmawiać nie chciała.

Niepokoił się o nią, ale stopniowo nad lękiem górę brała złość, ciągle narastająca. Ile można rozpaczać?! Czy nie powinna wreszcie wziąć się w garść?! Chwilami miał ochotę złapać ją za ramiona, potrząsnąć mocno i wykrzyczeć jej w twarz wszystkie swoje pretensje.

„Niepełnosprawne dziecko to jeszcze nie tragedia! Przestań myśleć tylko o jednym, jest w końcu jeszcze dookoła cały świat! Masz rodzinę, masz nas!"

Nie jadła. Donosił jej do sypialni rano i wieczorem talerze wypełnione kanapkami, ale wracały do kuchni nietknięte. Czuł, że jeśli spróbuje ją nakarmić, a ona mu odmówi, może dojść do rękoczynów. Powstrzymywał się więc, choć wiedział, że głodząc się, może zaszkodzić też dziecku. Dobrze, że przynajmniej piła – duże butelki z wodą mineralną, które zostawiał przy jej łóżku, następnego dnia były puste.

Próbował skłonić Anię, by porozmawiała z matką i namówiła ją na zjedzenie gorącego posiłku. Dziewczyna jednak sama była jak w amoku, latała po lekarzach, próbując znaleźć potwierdzenie, że jej dziecko rozwija się prawidłowo. Umierała ze strachu, czy nie spotkało jej to samo. Na próżno Maksymilian usiłował z nią rozmawiać i przekonywać, że są z Tomkiem tak młodzi, że prawdopodobieństwo wystąpienia u ich dziecka trisomii jest minimalne. Nie chciała wierzyć ani jemu, ani żadnemu z lekarzy. Wobec Marysi zaś miała jeszcze mniej wyrozumiałości niż on.

– Myśli tylko o sobie! Nie obchodzi jej, co ja teraz przeżywam, jak się czuję! Nawet mnie o to nie zapytała!

– Kochanie, nie możesz jej tak surowo oceniać. Zrozum, spotkało nas… To bardzo trudna sytuacja. Mama wpadła w depresję.

– Tak! – warknęła, łyskając złowrogo białkami oczu. – Tak jest najłatwiej, wpaść w depresję. Uciec od życia, schować się w łóżku. Największym aktem odwagi jest po prostu żyć!

Ukrył twarz w dłoniach, gdyż to, co właśnie powiedziała, dotknęło go głęboko. On właśnie starał się po prostu dalej żyć! Czy tego nie dostrzegała? Czy była aż tak nieczuła, by odmówić mu pomocy w chwili, gdy już sobie nie potrafił sam poradzić?

Nawet nie wiedział, że przez palce cieknąmu łzy. Ocknął się dopiero, gdy poczuł rękę Ani na swoim ramieniu.

– Chcesz, to do niej pójdę – powiedziała już dużo ciszej i łagodniej. – Ale nie mogę ręczyć, że mi się coś nie wyrwie. Zrozum, tato, ona doprowadza mnie do szału!

Poderwał się jak ukąszony, pospiesznie wytarł oczy.

– Nie! To już lepiej tam nie idź, jeśli masz z mamą właśnie w ten sposób rozmawiać.

Szybko cofnęła rękę i wzruszyła ramionami, znowu daleka i obrażona.

– Jak sobie chcesz – mruknęła i wyszła z pokoju.

Doktor został sam ze swoim problemem. Wreszcie w poczuciu zupełnej bezradności zadzwonił do kolegi z roku, wziętego krakowskiego psychiatry. Szymczyk przyjechał jeszcze tego samego dnia.

– Ostra depresja. Mamy związane ręce, jeśli chodzi o farmakologię, w jej stanie większość leków odpada. Ale powinna od razu dostać kroplówkę z glukozą. Najlepiej byłoby ją hospitalizować. – Spojrzał pytająco, a Maksymilianowi serce podeszło do gardła.

– Nie moglibyśmy podpiąć jej do tej kroplówki tu, w domu?

– Możemy, ale co to zmieni? To tylko działanie doraźne. – Wzruszył ramionami kolega. – W szpitalu będziemy mogli się lepiej zorientować i rozważyć inne formy terapii. Przemyśl to! Jutro mógłbym ją przyjąć, potem zaczyna się długi weekend i będzie tylko ostry dyżur. Nie zagwarantuję ci, na jaki oddział trafi.

Na samą myśl o tym, by zamknąć żonę w szpitalu w Kobierzynie, doktorowi robiło się słabo. Ale co miał począć? Coraz bardziej obawiał się o nią i o dziecko. Nie mógł wziąć urlopu i zostać w domu, by jej doglądać. A nawet gdyby mu się to udało, ona wyraźnie sobie tego nie życzyła. Czasem jeszcze, choć z trudem, odzywała się do dzieci, ale z nim – od ostatniej rozmowy w Wielki Piątek – nie zamieniła ani słowa.

Potrzebował całej doby, by podjąć tę decyzję. Ale w poniedziałek po długim majowym weekendzie Staszek Mróz miał rozpocząć remont domu. Na myśl, że będzie ją musiał pozostawić w tym całym rozgardiaszu, Petrycemu cierpła skóra. Zaplanowali wymianę pionów i instalacji, zakup nowego pieca do ogrzewania, malowanie ścian i stolarki. Majster już zaczął zwozić materiały, najął pomocnika i o odwołaniu całego przedsięwzięcia nie było mowy. Marysia miała to wszystko zorganizować i pokierować rodzinnym życiem. Tak się na to cieszyła!

Gdy w czwartek po południu Maksymilian wrócił do domu z pracy, żona leżała w łóżku, tak jak ją zostawił, okręcona kocem, ze wzrokiem wbitym w zasłonę.

– Kochanie, tak nie może dłużej być – wyszeptał, siadając obok. – Musisz się leczyć.

Drgnęła, spojrzała na niego spod ciężkich powiek, a potem powoli, z wysiłkiem, odwróciła się na drugi bok.

– Ten lekarz, który tu był... Mój kolega ze studiów, świetny psychiatra, on się tobą zajmie. – Z napięciem patrzył w tył jej głowy i plecy.

Zero reakcji, zupełna obojętność. Nawet nie drgnęła.

– Marysiu, ja naprawdę muszę to zrobić!

Wyszedł z sypialni tak roztrzęsiony, że wypił lampkę koniaku, by uspokoić drżenie rąk i wykręcić numer do szpitala. Miał głębokie przeświadczenie, że postępuje słusznie. Musiał ratować rodzinę, musiał ratować swoją żonę, zanim będzie za późno!

I wtedy nagle zjawiła się Janka. Dawno już jej nie było, Wielkanoc spędziła w swoim domku na obrzeżach Mszany i tam też wyjeżdżała w każdy wolny wiosenny weekend. Jej niespodziewane pojawienie się w środku tygodnia przy alei Focha nie mogło być dziełem przypadku.

Z początku zastanawiał się, czy ją w ogóle wpuścić. Jeszcze tego mu brakowało, jej dobrych rad i kapralskich komend! Przyjaciółka rodziny nie wyglądała jednak na osobę, która by się dała teraz spławić. Zauważyła go w oknie za firanką i aż podskoczyła przy furtce, niecierpliwymi gestami ponaglając, by jej wreszcie otworzył. Cóż było robić, z rezygnacją odłożył słuchawkę, zszedł na dół i wcisnął guzik domofonu.

Dobiegła do niego, zanim bramka za nią zdążyła się zatrzasnąć.

– Rozmawiałam dzisiaj z Anią! – wysapała, jak burza wpadając na schodki. Jej krągłości falowały z wysiłku i wzburzenia, oddech był urywany. – Wszystko mi powiedziała! Gdzie ona jest?

– W sypialni – odrzekł i odruchowo się cofnął w obawie przed zderzeniem. Minęła go bez słowa i pognała na górę, aż zadudniły drewniane schody.

Czekał w pokoju obok. Kilkakrotnie sięgał po butelkę i kieliszek, i znowu je odkładał. Podnosił słuchawkę telefonu, ale nie był w stanie wykręcić numeru. Wychodził na korytarz, nasłuchując. Zza zamkniętych drzwi sypialni dochodził niewyraźny pomruk. Nie mógł się zorientować, czy to tylko Janka mówi, czy też od czasu do czasu słychać głos jego żony?

Wreszcie po godzinie, która jemu wydawała się wiecznością, Janka stanęła w progu. Z jej podniecenia nie pozostało ani śladu, wyglądała, jakby uszło z niej całe powietrze.

– Masz coś gorącego, jakiś obiad, zupę? – zapytała nieswoim głosem.

Poderwał się z sofy. Wszystko by dał, żeby się dowiedzieć, co się tam działo przez tę godzinę.

– I co? Rozmawiałaś z nią?!

– Próbowałam. Zgodziła się coś zjeść, masz tę zupę?

Zupa była, pomidorowa, ugotowana wczoraj przez Gabrysię z kostki rosołowej i domowego przecieru ze słoika. Podgrzali ją w półlitrowym garnuszku, a on w tym czasie, bez żadnych oporów, opowiedział Jance swoją wersję historii i zakończył diagnozą, postawioną przez psychiatrę.

– Muszę zadzwonić do szpitala, póki Jurek jest na dyżurze. Mogą ją przyjąć jeszcze dziś, będzie miała najlepszą opiekę.

Janka patrzyła na niego oczami okrągłymi ze zgrozy.

– Nie rób tego jeszcze – wyszeptała. – Daj mi z nią pogadać, poczekaj!

Przelała zupę na talerz, wyjęła z szuflady łyżkę oraz serwetkę.

„Porusza się po tej kuchni, jakby była u siebie!" – skonstatował Petrycy, ale był tak zmęczony, że nie czuł nawet cienia dawnej irytacji.

O dziwo, obecność Janki działała na niego krzepiąco. Jakby znalazł się nagle ktoś gotowy przejąć część odpowiedzialności, odciążyć go, po prostu pomóc iść dalej po tej najtrudniejszej z dróg. Od chwili, gdy w Wielki Piątek odebrał wynik badania wód płodowych, doktor czuł się tak, jakby wstąpił na swoją własną drogę krzyżową. A teraz nie miał już sił na postawienie następnego kroku.

„Jak Szymon Cyrenejczyk" – pomyślał o Jance, opadając na taboret.

Zupa pachniała smakowicie i dopiero teraz zorientował się, jaki jest głodny. Nie miał jednak sił, by wstać. Może koniak wypity na pusty żołądek, a może nagłe odprężenie po wielkim stresie sprawiły, że powieki same mu opadły. Zasnął, wciśnięty bokiem między ścianę a stół, z głową opartą o lodówkę.

Obudziła go Janka, szarpiąc za ramię.

– Słuchaj, stał się cud! – wyszeptała, podsuwając sobie z szurgotem drugi taboret. – Zgodziła się pojechać ze mną na weekend do Mszany!

Doktor popatrzył na nią nieprzytomnym wzrokiem.

– Marysia? – upewnił się.

Przyjaciółka rodziny zdjęła szklankę z suszarki, nalała do niej zimnej wody z kranu i podała mu, kiwając energicznie głową.

Znowu sprawiała wrażenie wulkanu energii, ze wszystkich sił starała się jednak powściągnąć emocje.

– Daj nam szansę – powiedziała, pochylając się nad nim. – Jeśli się jej nie poprawi przez tych kilka dni, trzeba będzie pomyśleć o szpitalu. Ale jest lepiej, stary, naprawdę, ona wstała!

Petrycy wypił duszkiem wodę i też się podniósł z miejsca. Na stole zauważył pusty talerz po zupie. Wskazał nań palcem, a Janka tylko z euforią pokiwała głową. Ruszył do sypialni i zatrzymał się w progu – okna były otwarte, łóżko – puste. Z łazienki dobiegał szum wody.

– Bierze prysznic – wyszeptała Janka, która posuwała się za nim krok w krok. – Chce ze mną pojechać. Zrozum... może ona musi na chwilę oderwać się od tego wszystkiego? – Zatoczyła ręką krąg, cały czas spoglądając mu błagalnie w oczy. – Proszę, Maks, nie rób problemów. Zgódź się, a ja już dopilnuję, żeby jadła i wracała do formy.

– Ona potrzebuje leczenia – powiedział cicho. W głębi duszy wiedział jednak, że przyjaciółka Marysi wygrała. W ciągu dwóch godzin udało się jej osiągnąć to, czego ani on sam, ani nikt z rodziny nie wskórał przez dwa tygodnie. Zadziałała jak najlepsze lekarstwo i trzeba było jej pozwolić działać dalej.

– W Mszanie jest psychiatra. Pójdziemy do niego zaraz w poniedziałek, obiecuję. – Urwała, gdyż szum wody ustał.

Drzwi łazienki otworzyły się i stanęła w nich Marysia, w płaszczu kąpielowym i ręczniku na mokrych włosach. Omiotła spojrzeniem ich oboje, w konspiratorskich pozach skulonych pod ścianą.

– Wyjeżdżam – powiedziała do Maksymiliana głośno i wyraźnie, a potem odwróciła się, weszła do sypialni i otworzyła szafę.

Patrzył w ślad za nią, pod powiekami wzbierały mu łzy. Mur między nimi istniał dalej, ale przynajmniej teraz wiedział, że po drugiej stronie jest jakieś życie.

– Zgoda. – Odwrócił się do Janki. Usilnie się starał zapanować nad drżeniem głosu.

Chwilę później znaleźli się wszyscy na chodniku przed domem, koło zaparkowanego byle jak poloneza. Widać było, że właścicielka auta nie miała czasu na manewry, samochód blokował spory kawałek pasa ruchu.

Ledwo odemknęła drzwi, by wrzucić do środka torbę z rzeczami Marysi, gdy Flip jednym skokiem znalazł się na tylnym siedzeniu. Psisko uwielbiało podróże, szczególnie samochodem, co nie zdarzało się mu często.

– Jedziesz z nami? – uśmiechnęła się Janka.

Marysia w tym czasie zajęła z przodu miejsce pasażera. Nawet się nie pożegnała, nie rzuciła na swego męża i dom jednego spojrzenia.

– To co, możemy go zabrać? – Maksymilian poczuł mocnego szturchańca, którym przyjaciółka rodziny przywołała go do rzeczywistości.

– A pewnie!

Szybko wrócił do domu po obrożę i smycz. W drodze przyszła mu do głowy jeszcze jedna myśl.

– A nie wzięłabyś też kota? – zawołał do niej z ogródka. – Bo wiesz, za chwilę zaczynamy remont.

Gdy wrócił z Flapem zamkniętym w kocim koszyku, Janka siedziała już za kierownicą, a silnik pracował. Opuściła szybę, ze środka doleciał dźwięk gitar i głos Andrzeja Sikorowskiego: „Przeczekamy każdy losu kaprys zły, żeby potem żyć, normalnie żyć"[16].

– Odezwę się na początku przyszłego tygodnia – powiedziała, wychylając głowę z okna. Flip szczeknął głośno w stronę swojego pana i pomerdał ogonem, Marysia nawet nie drgnęła.

Ruszyły z miejsca, a on został na chodniku, z uszami i głową pełnymi piosenki: „Zamieszkajcie pod wspólnym dachem, przed obcymi zamknijcie drzwi".

Nie wiedział, czy dobrze się stało, że pozwolił żonie odjechać. Ale miał do wyboru tylko to albo szpital. Nie było wyjścia. Naprawdę nie było wyjścia.

---

[16] Andrzej Sikorowski, Pod Budą, *Blues o starych sąsiadach*, 1992.

~ IV ~

Myśli leśniczy, czoło marszczy, szarpie wąsa, szepcze z żoną po kątach, ale nic uradzić nie mogą. Dumają i inni, dzieci z izby pędzą, żeby im nie przeszkadzały. Zostać tu, gdzie są, w ciasnym, zapluskwionym, lecz ciepłym baraku, i dalej pracować przy wyrębie lasu za marny kawałek chleba, czy skorzystać z tej nagle odzyskanej wolności i pójść w nieznane? Ale dokąd pójść? Którą drogą? I jak przeżyć w tym świecie obcym, surowym?

Łamali sobie głowy, a czasu było coraz mniej. W tajdze już pojawiły się łosie, uciekające przed mroźnym arktycznym powietrzem, niebo zrobiło się szare, słońce zatrzymywało się coraz niżej nad horyzontem, a żerujące niedźwiedzie coraz bliżej podchodziły do ludzkich siedzib. Wreszcie Baciar zniknął gdzieś na trzy dni, a kiedy wrócił, wziął leśniczego na stronę i coś mu tam długo klarował. Wkrótce potem leśniczyna zwinęła pierzyny, które przywieźli ze sobą z domu, spakowała w tobół cały ich niewielki dobytek, zdjęła ze ściany obrazek z Matką Boską – i ruszyli w drogę.

Musieli dojść do *posiołka*, gdzie wynajęli podwody, by się dostać do Tary, najbliższego miasteczka. Tam Baciar poszeptał z flisakiem i nocą zostali wpuszczeni na barkas, którym holowano z tajgi drzewo w górę rzeki, aż do Omska. Tam było już wielu takich jak oni, nagle zwolnionych z łagrów i miejsc pracy przymusowej. Baciar jednak uznał, że trzeba im jechać dalej, w bardziej przyjazne strony, jak najdalej na południe, jak najdalej od strasznej syberyjskiej zimy. Poszedł na stację kolejową, a kiedy wrócił po kilku godzinach, oznajmił, że jeszcze tego samego dnia odjeżdża pociąg do Semipałatyńska w kazachstańskiej *obłasti* i że w tym pociągu będą dla nich miejsca w „twardym" wagonie.

Leśniczy ociągał się i zwlekał, mówił, że nie ma pieniędzy. Wtedy jednak Baciar otworzył przed nim swój podróżny worek i pokazał mu coś, co chował w jego przepastnej głębi. Zamilkł Józef i tylko się za usta złapał, a potem szybko kazał rodzinie zbierać się do drogi.

Dziwna była to kraina ten Kazachstan. Jej gospodarze – ludzie o zamkniętych, niewzruszonych twarzach, ciemnych oczach i wystających kościach policzkowych – nie słynęli z gościnności. Wiele wody upłynęło w Irtyszu od czasu, gdy obcy przejęli rządy w ich kraju i zaczęli tu zsyłać na nędzę i poniewierkę coraz to nowe podbite narody. Zesłańcy musieli pracować w kopalniach, budować linie kolejowe i fabryki, a potem także zakładać wielkie gospodarstwa – sowchozy i kołchozy. Coraz mniej było dla miejscowych ludzi ziemi na pastwiska, coraz trudniej było wszystkich wyżywić. Wydziedziczeni Kazachowie nie patrzyli przychylnie na osiedleńców, odwracali od nich swe na pozór obojętne twarze i tylko na osobności, w lepiankach lub jurtach, mruczeli coś w niezrozumiałym języku.

Rodzina leśniczego zamieszkała z Baciarem w opuszczonej maleńkiej ziemiance na obrzeżach miasta. Niewielu tu mieli sąsiadów, wokół przycupnęło ledwie kilka innych wkopanych w ziemię chałupek, za którymi rozciągał się step.

Rzadko widywało się kogoś na drodze, a i obejścia pozostawały zamknięte, jak gdyby wymarłe. Razu pewnego leśniczy z żoną zobaczyli ruch za płotem i podeszli szybko, by się przedstawić i przywitać. Mieszkała tam kazachska rodzina z dorastającym synem, który niedawno został powołany do armii. Leśniczyna widziała go w nowym mundurze, z plecakiem przewieszonym przez ramię, jak wychodził któregoś ranka z domu, sam, przez nikogo nie żegnany.

– Jak to możliwe? – zastanawiała się później. – Gdyby któryś z moich synów szedł na wojnę, wypłakałabym za nim oczy, poszła na sam dworzec, machała do niego, póki by mi z oczu nie zniknął!

Ale sąsiedzi mieli inne obyczaje. Nie pokazali się nawet w oknie, gdy ich syn odchodził, i nie odpowiedzieli też leśniczemu i jego żonie, gdy chcieli się z nimi zapoznać. Patrzyli chwilę nieruchomym wzrokiem, a potem odwrócili się powoli i zniknęli w swoim domu bez jednego nawet słowa czy uśmiechu.

Tymczasem zima stała już u drzwi. Rodzina leśniczego zdążyła jeszcze w samą porę załatać dziury w dachu, wprawić szyby w dwa malutkie okienka i ulepić z gliny palenisko, gdy spadł pierwszy śnieg, a zaraz po nim przyszły mrozy. I wtedy nagle zatęsknili za tajgą. Tam przynajmniej wokół były drzewa i nie brakowało nigdy opału, a tu prócz trawy nie rosło prawie nic. W piecach ludzie palili *kiziakiem* – wysuszonym nawozem zmieszanym ze słomą, który gromadzili już od wczesnej wiosny. Na szczęście leśniczy i dwaj starsi bracia znaleźli zatrudnienie przy rozładunku wagonów na stacji kolejowej. Udawało im się stamtąd od czasu do czasu przynieść w kieszeniach trochę ukradzionych bryłek węgla przeznaczonego tylko dla fabryk. Dzięki tej pracy nie groziło im zamarznięcie i mieli *pajok*, czyli przydział kartkowego chleba. Ale i o tym trudno było wyżyć, a jedzenia w całym kraju było tak mało, że wokół ludzie wręcz marli z głodu. Leśniczyna, sama słaba i wychudzona, zaczęła robić koronki i ciepłe swetry na sprzedaż, by zdobyć choć trochę mleka dla Rozalki i pożywniejszej strawy dla ciężko pracujących synów i męża. Nici i wełnę przynosił jej Baciar, który sobie tylko wiadomym sposobem zdobywał je z fabryki położonej na wyspie pośrodku Irtyszu. Rzeka była tu węższa niż w swym dolnym biegu w tajdze, ale wartka i niebezpieczna. Łatwo było się utopić.

To, co leśniczyna udziergała, sprzedawał Baciar na *barachołce*, czyli miejscowym targowisku. Tam można było dostać wszystko – jedzenie, lekarstwa, ciepłą odzież i *pimy* – grube buty z podbitego skórą wojłoku, chroniące przed odmrożeniami, gdy temperatura spadała do minus pięćdziesięciu stopni. Te buty to była pierwsza rzecz, jaką Baciar kupił dla siebie i rodziny leśniczego, sięgając do swego podróżnego worka. Józef z początku nie chciał ich przyjąć, poczerwieniał, mruczał pod nosem coś o uczciwości, ale kiedy spojrzał na sine nogi swoich chłopaków – a wszyscy trzej już dawno wyrośli ze starych butów, w których ich zabrano z domu i mieli teraz stopy pookręcane szmatami na drewnianych podeszwach – odwrócił wzrok, poddał się i nawet podziękował.

– Ona by tego chciała. Na pewno sama by tak zrobiła! – powiedział Baciar poważny jak nigdy, ale ani leśniczy, ani leśniczyna nic mu na to nie odrzekli. Wydawało się, że czegoś bardzo się wstydzą, a kiedy w ostatnim dniu roku okazało się, że do Semipałatyńska przyjechał ksiądz, Józef wraz z żoną szybko pobiegli na ulicę Gorkiego i stanęli w długiej kolejce do spowiedzi.

Ludzie, przez lata pozbawieni duchowego wsparcia, garnęli się tłumnie do kapłana, o którym krążyły słuchy, że dobrowolnie dołączył do transportu wysiedlonych ze Lwowa, że pracował przy wyrębie lasu gdzieś nad Wołgą, a teraz przyjechał z posługą religijną do rodaków w Kazachstanie. Ale nie tylko Polacy przychodzili do niego z prośbą o spowiedź, komunię, chrzest dla dzieci czy pobłogosławienie małżeństwa. Wieść o jego przybyciu rozeszła się lotem ptaka także wśród Rosjan, Ukraińców i Niemców. Wszyscy oni stali teraz u drzwi księdza, czekając na swą kolej, połączeni tą samą wielką duchową potrzebą, jakby nigdy nie dzieliły ich żadne różnice. I nawet jeśli znaleźli się wśród nich ludzie gotowi rzucić drugiemu wrogie słowo czy spojrzenie, już chwilę potem musieli z pokorą za to przeprosić, jak im nakazywały słowa modlitwy: „I odpuść nam nasze winy, jako i my odpuszczamy…".

Kilka dni później ksiądz pojechał ze swą posługą dalej – do położonej ponad trzysta kilometrów na południe Gieorgiewki. I nikt nie wiedział, kiedy znowu – i czy w ogóle – do nich powróci.

~

Tak minął jeden miesiąc i drugi. Wydawało się już, że jakoś sobie poradzą. Aż znowu zły los przypomniał sobie o rodzinie leśniczego.

Razu pewnego wybrali się Baciar z Głuptaskiem na *barachołkę*. Było to miejsce ciekawe, ale i niebezpieczne, bo za nielegalny handel trafiało się do więzienia.

Stoi Głuptasek i rozgląda się wokół. Tu mała i chuda dziewczynka z jasnymi warkoczykami wystającymi spod wełnianej chustki handluje swetrami zawieszonymi zmyślnie na rusztowaniu z patyków. Tu wyrostek z workiem u szyi i metalowym kubkiem w ręku sprzedaje ludziom ziarna słonecznika, a sam co chwila wsadza do buzi pełną garść i zjada tak szybko, że ledwie nadąży wypluwać łupiny. Tam znowu grube Kazaszki rozłożyły na gazetach kule baraniego łoju – tłustego przysmaku, o którym wygłodzeni przesiedleńcy tylko mogą pomarzyć.

Nagle Baciar nie wiadomo skąd znalazł się przy Głuptasku.

– Pilnuj tego! – krzyknął mu prosto w ucho, wpychając jednocześnie w dłonie chłopca niewielki skórzany woreczek, coś jakby sakiewkę, ale nie pieniędzmi wypełnioną. – I uciekaj, szybko, do domu!

Wypchnął go na ulicę, a sam, kryjąc pod kapotą niesprzedany towar, pobiegł w inną stronę. Głuptasek ruszył przed siebie, tak jak mu kazano. Za jego plecami już wszczął się ruch i krzyki – to milicjanci otoczyli plac.

Idzie chłopiec, ściska powierzony mu woreczek, a wiatr sypie mu w oczy drobiny śniegu. Słyszy za sobą kroki i sapanie, groźne jakieś, złowróżbne. Przyspieszył, ale i człowiek za nim też przyspieszył. Czyżby go gonił?

Przestraszył się Głuptasek nie na żarty, zaczął biec, a tamten ciągle depcze mu po piętach. Woreczek ciąży chłopcu coraz bardziej, obijają się w nim z grzechotem jakieś metalowe przedmioty.

Sięgnął więc Głuptasek do środka, wyjął niewielką łyżeczkę z ozdobnym trzonkiem, z wygrawerowanym jakimś
znakiem. Nie przyglądał się jej za długo, tylko rzucił za siebie
i ucieka dalej. Kroki ucichły, ten ktoś za jego plecami zatrzymał się widać i schylił. Ale zaraz znów się dał słyszeć tupot
butów i ciężki oddech. Nie zastanawiał się Głuptasek, tylko
rzucił za siebie kolejną łyżeczkę.

Wiatr się wzmógł, drobny śnieg, podobny do kaszy, zaczął
sypać coraz mocniej. A pościg trwał dalej. Ucieka chłopiec
i – żeby powstrzymać napastnika – co trochę rzuca za siebie jakiś przedmiot z woreczka. Gdy dobiegł do lepianki,
woreczek był pusty.

Był to straszny wieczór i jeszcze straszniejsza noc. Wkrótce potem nadszedł Baciar i gdy zobaczył, że Głuptasek utracił
jego skarb, chciał się rzucić na chłopca z pięściami. Zatrzymał
się w ostatniej chwili i ją okładać kułakami własną głowę,
klepisko i ściany, kląć i płakać jak dziecko. Bracia zrugali
najmłodszego brata, matka też mu powiedziała wiele złych
słów. A potem zapadła cisza, w której siedzieli wszyscy przerażeni, tuląc się do siebie i wyglądając powrotu leśniczego.

Józef bowiem po skończonej pracy wysłał synów z ukra-
dzionymi bryłkami węgla do domu, a sam ruszył na step, by
nazbierać suchych traw na rozpałkę. Tymczasem na zewnątrz
rozszalał się *buran* – potężna zamieć, przychodząca zawsze
bardzo szybko i bez ostrzeżenia. Mogła trwać nawet kilka
dni. Zasypywała drogi, a czasem całe domy, z których potem
nie dało się wyjść bez pomocy sąsiadów. Ludzie i zwierzęta,
zaskoczeni taką śnieżycą, tracili orientację w wirującej bieli
i często pozostawali w niej na zawsze.

Tej nocy wydawało się, że *buran* nigdy się nie skończy. Wreszcie wiatr przestał wyć, a przez zasypane do połowy okienka zaczęła wpadać odrobina słonecznego światła – wstawał poranek. Jeśli zdążył się gdzieś ukryć i przeczekać, Józef powinien niebawem pojawić się w domu. Starsi synowie wyszli do pracy, bo za jej opuszczenie bez usprawiedliwienia groziły kary więzienia lub zesłanie do *trudarmii*[17]. Baciar udał się na poszukiwania, ale po wielu godzinach wrócił z niczym. Dopiero wieczorem do struchlałych serc rodziny leśniczego zaczęła docierać straszna prawda, że ojca już nie zobaczą.

Od tego czasu zaczęły się jednak dziać dziwne rzeczy. Oto niemal codziennie coś pojawiało się na progu lepianki. A to chleb zawinięty w płócienną szmatkę, a to worek s*iemieczek*, czyli prażonego słonecznika, miejscowego przysmaku, a to *lepioszki* – podpłomyki, a to garnuszek *ajranu* – pożywnego jogurtu, a to małe zawiniątko z *remczykiem* – kremowym serkiem, po którym Rozalce znowu zaokrągliły się policzki, wreszcie smażone w baranim tłuszczu kulki z pszennej mąki, kazachski specjał – *baursaki*. Mijały miesiące, a głód nigdy nie zajrzał w oczy leśniczynie i jej dzieciom. Ale choć nasłuchiwali czujnie obcych kroków, nie dowiedzieli się nigdy, kto też był ich dobroczyńcą.

---

[17] Bataliony pracy (ros.).

Kraków, czwartek, 4 czerwca 1992

Doktor obudził się nagle, czując, że serce trzepocze mu jak oszalałe. Wytężając wzrok, odszukał w ciemności pokoju fosforyzujące wskazówki budzika. Wpół do czwartej. No tak. Najgorsza pora dla sercowców.

Leżał przez chwilę na wznak, usiłując się uspokoić. Powoli, bardzo powoli mu się to udało, sen jednak uleciał. Patrzył na żyrandol majaczący w ciemności na suficie. Świadomość, że mógł być przez lata podsłuchiwany – ba, nawet podglądany we własnym łóżku! – wywołała w nim nową falę wściekłości. Ponoć nie miało to miejsca – Staszek sprowadził jakiegoś kolegę elektryka i wspólnie opukali ściany na piętrze, autorytatywnie orzekając na koniec, że reszta mieszkania jest „czysta". Doktor nie mógł się jednak otrząsnąć z szoku. Nawet kilka miesięcy temu, gdy zapytał Pawlickiego wprost, czy mieli w domu podsłuch, nie spodziewał się, żeby odpowiedź mogła być twierdząca. A jednak była.

Myślał o tych wszystkich godzinach spędzanych przez rodziców pod lampą naszpikowaną mikrofonami, o spotkaniach towarzyskich, imieninach, wieczorkach i herbatkach, na których zjawiali się przyjaciele i rodzina, a niekiedy i ledwie znane osoby. Otwarcie rozmawiano wówczas na wszystkie tematy, komentując kolejne kryzysy i podwyżki cen, płacząc z radości po wyborze Wojtyły na tron Piotrowy, a z żalu po śmierci prymasa Wyszyńskiego, przekazując sobie szeptem nazwiska aresztowanych w Grudniu, gryząc z lęku palce po zaginięciu księdza Popiełuszki i nie przebierając w słowach, gdy odnaleziono jego zmasakrowane ciało – mówiąc po prostu wszystko to, co zwykło się mówić w gronie najbliższych, do których ma się pełne zaufanie. Owszem, były kwestie, dla których przedyskutowania wychodzono na zewnątrz, jak choćby wtedy, po ogłoszeniu stanu wojennego, gdy do ich piwnicy przywieziono powielacz. Ale to były sytuacje wyjątkowe. W tym domu rozmawiało się bez osłonek o własnych problemach, lękach i nadziejach, o sprawach znajomych, a czasem, sporadycznie, o zasłyszanych gdzieś plotkach.

Petrycy znowu zerknął na budzik. Wskazówki przesunęły się tylko nieznacznie. Dziwne, jak szybko leciał mu czas w ciągu dnia, gdy z niczym nie mógł zdążyć i wiecznie był zabiegany, a jak bardzo wlókł się teraz, gdy najchętniej doktor już wstałby z łóżka i zajrzał do skrzynki pocztowej. A przecież dopiero minęła czwarta. Listonosza na pewno jeszcze nie było.

Dlaczego właśnie teraz pomyślał o listonoszu? Odbieranie poczty od czasu wywiadu radiowego było dla niego udręką. Skąd ci wszyscy autorzy napastliwych anonimów brali jego adres? Zapewne z książki telefonicznej. Aż dziw, że nikt nie zdecydował się po prostu zadzwonić. Może łatwiej jest wylać swą nienawiść i frustrację na papier, nie podając adresu zwrotnego i nie narażając się na odpowiedź? Bo a nuż okazałoby się, że druga strona ma jednak trochę racji? A przede wszystkim – że też jest człowiekiem, ma swoją godność, swoje doświadczenia i swoje spojrzenie na rzeczywistość, ma do tego wszystkiego prawo i nie należy jej aż tak brutalnie atakować?

Mimo wszystko ostatnio doktor otwierał skrzynkę bez lęku i niecierpliwie przerzucał jej zawartość w poszukiwaniu koperty ze szwedzkim znaczkiem. Nie mógł się doczekać listu od Bogny. Był przeświadczony, że nadejdzie. I choć ich korespondencyjna rozmowa nie była łatwa, doktor czuł, że dzieje się coś ważnego zarówno dla niej, jak i dla niego. Następowało swego rodzaju odczarowywanie przeszłości. Ujawnianie skrywanych sekretów, wymiatanie brudów, leczenie ran. Szczerość była jedynym sposobem na to, by pozbyć się strachu, wstydu i nienawiści. Był z nią szczery i wiedział, że ona odpłaci mu tym samym.

Patrzył na żyrandol, coraz lepiej widoczny wraz z nadchodzącym świtem, ale już teraz nie zastanawiał się, co mógł skrywać jeden z kloszy. Myślał o Bognie i o tym, jak przypadkowo poznał jej tajemnicę. Od dwóch dni prześladowało go to wspomnienie, nie rozumiał jednak dlaczego. Sprawdzał tylko skrzynkę i liczył, że niebawem znajdzie odpowiedź.

Kraków, piątek, 25 listopada 1983

Ciężkie jak ołów niebo wisiało nisko nad rzędami mrówkowców otaczających pętlę autobusową na osiedlu Tysiąclecia. Wśród tej karnej jednorodności wyróżniała się bryła kościoła, widoczna pomiędzy blokami. Łamany betonowy dach sterczał zadziornie w niebo, zwieńczony jeszcze bardziej wyzywającym konturem krzyża. Ten znak, od samego początku jej istnienia, był w Nowej Hucie niepożądany. I od samego początku właśnie wokół niego – a nie wokół narzuconej odgórnie idei budowy „miasta bez Boga" – jednoczyli się mieszkańcy.

Kilka miesięcy temu świątynia została uroczyście konsekrowana przez Jana Pawła II. Czy to papież, który jeszcze jako arcybiskup krakowski wbił łopatę w miejsce pod budowę, czy też charyzmatyczny ksiądz Kurzeja* „z zielonej budki"[18], nieżyjący już pierwszy proboszcz, czy może po prostu Boży zamysł sprawił, że powstała tu prawdziwa przystań dla ludzi udręczonych codziennością stanu wojennego. Nie tylko dla wierzących i praktykujących, gromadzących się co czwartek na patriotycznych nabożeństwach, ale dla wszystkich. Miejsce to stało się symbolem wolności ducha i trwało, nie poddając się naciskom władz, kreując własną, promieniującą na całą dzielnicę, na cały Kraków rzeczywistość. Właśnie w tę stronę skierował się Petrycy, otwierając parasol, by uchronić się przed drobnym, zimnym kapuśniaczkiem, najbardziej dokuczliwym towarzyszem jesieni. Chłód przenikał przez jego cienkie palto i doktor dzwonił zębami tym głośniej, że od rana nie zdążył nic zjeść, a było już późne popołudnie. Został tu jednak wezwany nagłym telefonem – właśnie przybył duży transport darów ze Szwecji i potrzebna była każda pomoc przy sortowaniu lekarstw. Wiedział, że czeka go kilka godzin wytężonej pracy za darmo – i już się na nią cieszył.

Na placu przed kościołem stały dwa tiry i autokar, wokół roiło się od ludzi, wśród których wyróżniała się potężna

---

[18] Początkowa działalność duszpasterska w Mistrzejowicach odbywała się po kryjomu w drewnianej altanie, pomalowanej na zielono po to, by nie rzucała się w oczy wśród drzew. MO i SB bardzo szybko zainteresowały się jednak budynkiem, jego twórcą i tym, co się tam odbywa. Obecnie w miejscu „zielonej budki" na osiedlu Oświecenia stoi kapliczka Matki Bożej Łaskawej.

postać Bacy[19]. Z transportem przyjechała grupa Szwedów – mimo że wymęczeni podróżą i wielogodzinnym czekaniem na granicy, uśmiechali się szeroko, prezentując nieskazitelnie białe uzębienie i prawdziwą radość ze spotkania. Okazało się, że goście nie będą nocować w hotelu, ale w domach parafian. Ktoś odczytywał listę i obcy sobie ludzie, często niemający wspólnego języka, szybko znajdowali drogę porozumienia. Doktor obserwował to i zdumiewał się, jak ta idea pomocy – prócz bardzo realnych korzyści dla chorych, ustawiających się w długie kolejki w poszukiwaniu lekarstw niedostępnych w aptekach – przyczynia się do zadzierzgnięcia więzi i generuje potężne promieniowanie. Czego? Pierwiastków, których emanacji nie sposób stłamsić i wygasić: dobra, miłości, współczucia.

W pogodzie nic się nie zmieniło, w brzuchu nadal mu burczało, a jednak Maksymilian nagle poczuł rozgrzewające ciepło.

„Może kiedyś Bóg pozwoli, że będziemy się mogli odwdzięczyć za tę pomoc, którą teraz otrzymujemy!" – myślał, idąc do budynku.

---

[19] Tak nazywano księdza Kazimierza Jancarza* ze względu na jego posturę oraz pochodzenie (z Makowa Podhalańskiego). Był wikarym w parafii Maksymiliana Kolbego, a jednocześnie duchowym przywódcą środowiska opozycjonistów. Dzięki niezłomnej postawie proboszcza, ks. Mikołaja Kuczkowskiego* mimo starań i nacisków władz nie udało się go usunąć z Mistrzejowic, gdzie prowadził m.in. Duszpasterstwo Ludzi Pracy i Chrześcijański Uniwersytet Robotniczy. Przez lata w Mistrzejowicach istniała też apteka darów, głównie z Francji, przywożonych przez organizację Amitié Pologne. Dokumentuje to m.in. film Jerzego Ridana *Francuzi dla Nowej Huty*, NKF nr 448 – II 2016.

Część paczek z tirów już tu przeniesiono, uwijali się wśród nich znajomi lekarze i farmaceuci, a także kilkoro Szwedów z najściślejszego kierownictwa transportu. Byli właśnie przy oddzielaniu odżywek bezglutenowych od zwykłych – rzecz niezmiernie istotna dla rodzin dotkniętych celiakią, gdyż w Polsce rynek żywności bezglutenowej praktycznie nie istniał – gdy nagle usłyszał nieopodal znajomy głos. Odwrócił się i zobaczył Bognę.

Już chyba z dziesięć lat temu przeniosła się z Państwowego Szpitala Klinicznego do nowo utworzonego oddziału chorób wewnętrznych w Szpitalu Żeromskiego i kontakt im się urwał. Po Grudniu widywał ją czasem w punkcie rozdawnictwa leków Akademii Medycznej, ale nigdy nie miał okazji, żeby z nią porozmawiać. Zdziwił się trochę jej obecnością tutaj, gdyż podawała się zawsze za osobę obojętną religijnie. Kiedy jednak odłożyła pod ścianę swoją kwiecistą torbę i ruszyła witać się z szefami transportu – Lindą i Björnem, sprawa się wyjaśniła. Byli to jej znajomi i Bogna przyszła tu po szwedzką lekarkę. Linda, mówiąc coś szybko po angielsku, wyciągnęła z kąta niewielką walizeczkę i zaczęła wkładać czerwoną kurtkę z błyszczącego ortalionu. Petrycy podszedł bliżej.

– Kopę lat! – powiedziała Bogna, uśmiechając się, ale gdy pochylił się nad jej dłonią, stawiła opór. No tak, zawsze demonstrowała niezależność, nie znosiła komplementów i wyróżnień należnych jej płci. Zamiast tego po męsku uścisnęła mu rękę. – Co u was? Jak się czuje profesor?

Nadal miała świetną figurę i burzę blond włosów, związanych tuż nad karkiem. Dopiero z bliska doktor zauważył delikatne linie na jej czole i w kącikach oczu. Wcześniej ich tam nie było.

Gdy pomyślał o Benedykcie, serce mu się ścisnęło.

– Nie najlepiej – odpowiedział ostrożnie na jej pytanie. – Emerytura mu wyraźnie nie służy. Chyba się załamał po tym, jak mnie... zamknęli – zająknął się, rozglądając wokół. Ciągle jeszcze nie wiedział, jak ma mówić o swoim aresztowaniu. Ale ona była widać o wszystkim dobrze poinformowana.

– Najważniejsze, że jesteś w domu i możesz się o niego zatroszczyć – powiedziała, obejmując go. – A może i profesorowi uda się z tego w końcu otrząsnąć. Takie rzeczy wymagają czasu.

Spojrzeli sobie w oczy i oboje dostrzegli w nich to samo – świadomość, że to tylko puste słowa, daremne pocieszenia. W żadnej z tych wszystkich paczek piętrzących się pod ścianą nie było skutecznego medykamentu na starość. Nie dało się go też sprowadzić, bo nikt na świecie jeszcze czegoś takiego nie wynalazł. Można było pewne procesy spowolnić, ale gdy człowiek odchodził – a Maksymilian czuł, że jego ojciec obrał już zdecydowanie ten kierunek – żaden lekarz nie był w stanie go zatrzymać.

Linda stanęła przy nich na baczność, gotowa do drogi. W kolorowej włóczkowej czapce na postrzępionych jasnych włosach, z psotnym uśmiechem, przypominała elfa z nordyckich sag. Dopiero z bliska było widać, że nie jest już dzierlatką. To zgrabna sylwetka, a zwłaszcza energia, która cechowała jej ruchy, dawały wrażenie młodości i świeżości.

– Dobrze. – Bogna wypuściła Maksymiliana z objęć i szybko schowała ręce do kieszeni płaszcza. – My już musimy iść, doktor Eriksson jest chyba bardzo zmęczona.

Spojrzeli na nią oboje i omal nie wybuchnęli śmiechem, bo tego, co się skrzyło na twarzy tej kobiety, w żaden sposób nie można było nazwać zmęczeniem.

– Przekaż ojcu ode mnie najserdeczniejsze pozdrowienia. Może wpadnę kiedyś go odwiedzić.

– O tak, bardzo cię proszę – powiedział Maksymilian. – Chyba mu brakuje takich spotkań i rozmów o dawnych czasach!

– Do zobaczenia zatem! – Odwróciła się i poszła w ślad za Lindą Eriksson, która już była na schodach.

Petrycy wrócił do swej pracy, naciął kolejne trzy kartony i – po przejrzeniu zawartości – opisał je z wierzchu grubym czarnym flamastrem. Potem ustawił jeden na drugim i przeniósł w wyznaczone miejsce. Wracając, zauważył nagle kwiecisty wzór na podłodze przy wejściu. Siatka Bogny! W kilku krokach znalazł się obok drzwi, podniósł ją i mimochodem skonstatował, że prócz innych artykułów jadalnych zawiera trzy spore kubańskie grejpfruty. Kiszki znów mu się skręciły z głodu, ale doktor nie zwrócił na to uwagi. Z siatką w dłoni wybiegł na zewnątrz. Przeniknął go wilgotny chłód, było już zupełnie ciemno. Jeszcze kilka osób kręciło się obok samochodów.

– Linda Eriksson? Widzieliście, w którą stronę poszła? Dwie kobiety z walizką? – zapytał łamaną angielszczyzną i wreszcie ktoś machnął ręką w stronę ścieżki prowadzącej na tyły budynku i dalej, do parku.

Wzdrygnął się na wietrze, bo nawet mu do głowy nie przyszło w tym pośpiechu, żeby założyć płaszcz. Torba jednak miała tak cenną zawartość, że nie zastanawiając się dłużej, ciężkim kłusem ruszył przed siebie. Gdzie ona dostała grejp-fruty?! Kilka dni temu czytał, że na święta nie będzie cytryn, migdałów, rodzynek oraz śliwek suszonych z importu. Miał się za to pojawić z początkiem grudnia cynamon, a także spora ilość wina ze Związku Radzieckiego, Bułgarii i Węgier. Handlowcy zapowiadali, że może zabraknąć herbaty, tłumaczyli też, dlaczego nagle zniknęły ze sklepowych półek proszki, mydła i szampony do włosów. Miało to wszystko związek z zupełnie niepotrzebną zapobiegliwością obywateli wykupujących w nadmiarze towary po wprowadzeniu ostatnio kartek na masło.

Biegł przez skwerek, a ładunek, który niósł, wydawał mu się coraz cenniejszy. Przecież Bogna miała gościa! I nagle je zobaczył kilkanaście metrów dalej, stojące w ciemnym zakątku pod osłoną drzew. Uniósł rękę, ale okrzyk zawisł mu na wargach. Zatrzymał się jak rażony piorunem, a potem cicho wycofał wraz z torbą poza zasięg latarni i ich wzroku. To, czego stał się mimowolnym świadkiem, było tak jednoznaczne, że doktor nie zdobył się już na odwagę, by je uprzedzić głośnym kaszlem czy tupaniem, a potem wyjść z ukrycia. Przez chwilę stał tylko w miejscu, czując, jak jego wełniany sweter nasiąka wodą, a w mózgu dochodzi do kilku średniej mocy wstrząsów. Potem odwrócił się i jeszcze spieszniej niż tu przybył, odbiegł w stronę kościoła. Choć spędził w nim kolejnych pięć godzin, nie zapamiętał z tego czasu zupełnie nic.

Wrócił do domu taksówką i ze zdumieniem skonstatował, że w oknie rodziców nadal pali się światło. Było już dobrze po północy, mimo to zapukał w drewniane, przeszklone drzwi i wszedł do salonu. Ojciec, zgarbiony, siedział przy pustym stole z czołem wspartym na dłoniach. Z radia za jego plecami, na tle szumów i trzasków, dobiegały niewyraźne słowa z monachijskiej rozgłośni. Słysząc ruch, uniósł głowę.

– Dobrze, że jesteś. Martwiłem się.

– Niepotrzebnie. – Maksymilian odsunął krzesło i usiadł po przeciwnej stronie blatu. Pomiędzy nimi leżała tylko niciana serwetka udziergana na szydełku jeszcze przez babcię Felę. Młodszy z Petrycych zapatrzył się w wymyślny wzór. W głowie nadal mu szumiało po doznanym szoku i nim zdążył się nad tym zastanowić, wypalił:

– Widziałem dzisiaj Bognę Grocholską. Czy ty wiedziałeś, że ona jest lesbijką?

Przez chwilę pytanie to zawisło w powietrzu przesiąkniętym mieszaniną różnych woni – starego drewna, perfum Jadwigi, kurzu pokrywającego stare obrazy olejne i jakichś lekarstw. Był to charakterystyczny zapach tego domu, kojarzący się z dzieciństwem i poczuciem bezpieczeństwa. Zawsze działał na niego kojąco i teraz też Maksymilian miał wrażenie, że powoli wraca do równowagi. Już nie chciało mu się krzyczeć na głos: „Przecież ja się w niej kochałem!". Odzyskał spokój, burza w mózgu ustała. Ojciec tymczasem wyprostował się na krześle i zdjął łokcie ze stołu. Dłonie położył płasko na blacie, tak jakby szykował się, by wstać. Maksymilian widział wyraźnie ślady po kilku przebytych operacjach na jego pokrzywionych, długich palcach. Ręce te drżały – coraz częściej się to ostatnio zdarzało, nawet bez przyczyny. Starość wzięła profesora w swoje władanie, przejmując stopniowo kontrolę nad jego ciałem i umysłem.

„Czego ja od niego chcę?!" – Maksymilian nagle zaczął ża
łować, że zadał to pytanie. Zrzucił na barki ojca wiadomość,
z którą sam nie potrafił sobie poradzić! Przecież Benedykt
był wystarczająco przygnębiony tym, co się działo wokół,
przeżywał codzienne kłopoty rodziny, przyjaciół i kraju. Po
co mu jeszcze dokładać? Maksymilian zebrał się w sobie.
Zamierzał się wycofać, odwołać to, co powiedział, lub jakoś to zbagatelizować. Podniósł wzrok i zobaczył wpatrzone
w siebie uważne, jasne oczy.

– Czy ciebie to gorszy? – zapytał Benedykt.

Jego postawa była dziwnie uroczysta, a w spojrzeniu było
tyle głębi i mądrości, tyle z dawnego ojca, że Maksymilian
w jednej chwili zapomniał o tym, że jeszcze przed chwilą
uznał go za nieporadnego staruszka.

– Nie wiem – wyznał. – Trudno mi określić to, co teraz
czuję.

– Ona jest przede wszystkim człowiekiem, synu – powiedział Benedykt, nie spuszczając wzroku z jego twarzy. –
Świetnym lekarzem i dobrym człowiekiem. Tylko to się liczy.

Maksymilian bez słowa skinął głową. Więcej już do tego
tematu nie wracali.

Kraków, czwartek, 4 czerwca 1992

Doktor leżał wpatrzony w sufit i zastanawiał się, dlaczego
właśnie teraz mu się to wszystko przypomniało. Oswojenie
się z prawdą o orientacji Bogny zajęło sporo czasu, ale ta
krótka wymiana zdań z Benedyktem oraz pewność, z jaką tej

nocy wypowiedział się jego ojciec, bardzo mu pomogły. Zresztą tyle się działo wokół, że nie było co się rozczulać nad utraconą niewinnością.

Z początkiem grudnia doszła go wiadomość, że powracający do Szwecji konwój ciężarówek został zatrzymany i przeszukany na granicy. Znaleziono ulotki i kasety z dokumentacją walk ulicznych w Nowej Hucie, nagrane przez ekipę kamerzystów z Mistrzejowic. Zatrzymano Lindę i Björna. Zapewne tylko dlatego, że w tym czasie oczy całego demokratycznego świata były skierowane na Polskę oraz Szwecję, gdzie Danuta Wałęsowa odbierała przyznaną mężowi Nagrodę Nobla, udało się adwokatom wynegocjować ich zwolnienie za kaucją. Proces odbył się zaocznie i zakończył kilka miesięcy później zasądzeniem wysokiej grzywny, a także wydaniem zakazu wjazdu dla skazanych w granice PRL. W tym czasie Bogna była ciągana na Mogilską i wielokrotnie przesłuchiwana. Nieprzyjemności mieli również członkowie mistrzejowickich konfraterni oraz księża. Gdy sprawa wreszcie ucichła, gruchnęła wieść, że Bogna wyjeżdża do Szwecji. Na zawsze.

Aż do chwili, gdy zobaczył zawartość teczek Benedykta, Maksymilian nie wiedział, jakiej formy nacisku wobec niej użyto. Ale z dokumentów spisanych ręką oficera Lucjana Pawlickiego „ze słów" TW „Letnika" wynikało jasno, że Służba Bezpieczeństwa miała informacje o orientacji seksualnej lekarki. Pisząc do niej swój list z przeprosinami, doktor nie sprecyzował, jakie dokładnie informacje przekazał esbekom jego ojciec. Uznał, że jeśli będzie chciała otwarcie o tym mówić, pierwsza poruszy ten temat. Czekał na jej kolejny list z jakąś dziwną nadzieją, że właśnie teraz padną te słowa, że już nie będzie między nimi niedopowiedzeń. Sam nie chciał się do tego przed sobą przyznać, ale gdy w osiemdziesiątym czwartym roku z grupą innych pracowników służby zdrowia żegnał ją na dworcu, nie był jeszcze gotów, by jej spojrzeć w oczy. Dopiero po kolejnych ośmiu latach mógł – a nawet bardzo pragnął – powiedzieć jej, że wszystko jest dobrze. Że już dojrzał, przemyślał to i zaakceptował.

Coś stuknęło w pokoju obok i wyrwało Maksymiliana z jego wspomnień. Uniósł się na łokciu, nasłuchując, a potem jeszcze raz z niedowierzaniem zerknął na wskazówki budzika. Dochodziła piąta. Co, na miłość boską, mogło skłonić Anię do tak wczesnej pobudki? Nagle zaparło mu dech w piersiach. Czyżby to już?!

Kroki córki rozległy się teraz w przedpokoju, zaraz potem zaszumiała w rurach puszczona na cały regulator woda. Doktor wyskoczył z pościeli i naciągając szlafrok, stanął przy drzwiach łazienki. Żaden z dobiegających stamtąd odgłosów nie świadczył ani o pośpiechu, ani o panice, jaką z całą pewnością u młodej dziewczyny muszą wywołać przedwczesne porodowe skurcze. Poczłapał więc spokojnie do kuchni i nastawił wodę na herbatę.

Ucieszył się nawet, że będzie miał sposobność porozmawiać z Anią bez świadków. Ostatnio wraz z całą resztą kopert wygarnął ze skrzynki także rachunek telefoniczny i omal nie zemdlał na widok tych wszystkich zer. Oczywiście od razu zadzwonił z reklamacją pod podany numer i tam się dowiedział, że naliczona kwota nie jest wynikiem błędu czy przypadku, ale właśnie tyle kosztowało kilkanaście długich połączeń z jednym i tym samym numerem zza oceanu.

– Jak pan chce, możemy przysłać billing. Ale to jest dodatkowo płatne – poinformowała go telefonistka.

Petrycy nie chciał. Sprawa stała się jasna, co bynajmniej nie uśmierzyło jego bólu, gdy musiał na poczcie wyłuskać żądaną kwotę i uiścić rachunek. Postanowił w stosownej chwili porozmawiać z córką i uprzytomnić jej, że z prozaicznych przyczyn finansowych nie będzie mogła zaspokajać swoich potrzeb emocjonalnych przez telefon. Teraz okazja do rozmowy nasuwała się sama.

Ania stanęła w progu kuchni kompletnie ubrana. Nie okazała zaskoczenia, widząc go na nogach o tak wczesnej porze.

– Wyjeżdżam – oświadczyła bez żadnych wstępów. – Do Berlina.

A doktor w jednej chwili zapomniał, co jej miał powiedzieć.

~

Spakowana torba leżała koło drzwi w dużym pokoju, paszport i kupione wczoraj w kantorze marki miała w torebce. Pozostało jeszcze przygotowanie kanapek i herbaty do termosu. Dopiero teraz Ania uświadomiła sobie, że nie zrobiła wczoraj zakupów i jeśli pani Monika nie zostawiła w lodówce żadnych zapasów, to z prowiantem na podróż może być kiepsko.

„Najwyżej kupi się jakieś drożdżówki po drodze. Przecież jedziemy autem i będziemy się mogli zatrzymać w każdej chwili! – pomyślała, wkraczając do kuchni. – Olga też nie wygląda na osobę, która by się kłopotała robieniem kanapek".

Ojciec stał przy kuchence z parującym czajnikiem w dłoni i wlewał wrzątek do dwóch kubków. Nie zamierzała go budzić ani uprzedzać o swoim wyjeździe, ale skoro już wstał, nie widziała też powodu, by cokolwiek przed nim ukrywać.

– Za godzinę przyjedzie po mnie Mistrz – dorzuciła z satysfakcją, widząc, jakie wrażenie zrobiło na nim jej oświadczenie. – Samochodem!

Ręka mu drgnęła, trochę wrzątku chlapnęło na blat.

– Coś ty znowu wymyśliła?! – odwrócił się do niej gwałtownie. – Jaki Berlin?! W twoim stanie?!

– Nie denerwuj się, tato – mruknęła, moszcząc się na taborecie. Żeby jej było wygodnie, musiała oprzeć się o ścianę i wypiąć brzuch, gdyż ostatnio miała coraz większe trudności z oddychaniem. – Dla mnie ta herbata? Dzięki, kochany jesteś.

Odstawił czajnik i przeniósł oba kubki na stół. Wyjął z lodówki butelkę mleka i postawił przed nią razem z cukiernicą.

– Co to za wycieczka? – zapytał już spokojniej, siadając naprzeciw.

– To nie wycieczka. Jadę na badanie.

– Nie!

– Tak, tato. Załatwiła mi to partnerka Mistrza. U najlepszego specjalisty.

– Ale po co, Aniu, po co?! Na miłość boską, przecież tyle razy ci mówiłem.

– Tato, czy ty nic kompletnie nie rozumiesz?! Twoje zapewnienia mi nie wystarczą! Ja chcę wiedzieć! Muszę to wykluczyć!

– Ale nie ma czego wykluczać! Przecież wiesz, że u matki były wskazania! Nie chodziło tylko o jej wiek. Lekarka zrobiła też badanie krwi na stężenie alfafetoprotein i na podstawie wyniku…

– Chcesz mi wmówić, że zespół Downa nie jest dziedziczny? – powiedziała cicho, groźnie, a oczy zwęziły się jej w szparki. – Że to nie ma nic wspólnego z genami?

– Bo tak właśnie jest! – oświadczył doktor z mocą. Ale potem spojrzał jej w te zmrużone oczy, zmieszał się i szybko spuścił wzrok. – No dobrze, jest coś takiego jak translokacja, ale naprawdę, statystycznie patrząc…

– Ja nie patrzę statystycznie. Spodziewam się dziecka – odparowała, a w jej głosie był teraz lód całej Antarktydy. – Sam widzisz, że mam podstawy do obaw!

– Nie większe, niż każda inna kobieta w twoim wieku! – zaczął znowu, ale mu przerwała.

– Oj, daj już sobie spokój! Pojadę tam i zrobię to badanie, czy to się tobie podoba, czy nie!

Doktor jedną ręką złapał się za czoło, a drugą uniósł w pojednawczym geście.

– Dobrze już, dobrze. Porozmawiajmy bez nerwów.

– Nie ma o czym rozmawiać. – Ania ze złością chlupnęła zimnego mleka do gorącej herbaty. Nauczyła się pić bawarkę w czasie niedawnej wizyty ciotki Pelagii, mieszkającej na stałe w Londynie. Najpierw brzydził ją ten bury napój, a potem niespodziewanie go polubiła. – Jest już dosłownie ostatni moment, zmarnowaliśmy tyle czasu!

– Ostatni moment? – zdębiał doktor. – Ale na co?! Co ty zamierzasz zrobić?

Popatrzyła mu prosto w oczy. Widziała rozszerzone strachem źrenice i kropelki potu, które ukazały się między jasnymi brwiami ojca.

– Zbadać kariotyp – oświadczyła. – A ty myślisz, że co?

– Nie wiem, sam już nie wiem – wymamrotał, przeciągając ręką po czole. – Boję się, żebyś nie strzeliła jakiegoś głupstwa.

– Oj, tato, tato. Za grosz nie masz do mnie zaufania, co?

Doktor przez chwilę wpatrywał się w okleinę kuchennego blatu. Przypomniały mu się słowa Joanny Lipskiej wypowiedziane kiedyś w dworcowym bufecie, gdy ucięli sobie pogawędkę na temat Ani. Też była tam mowa o zaufaniu. „Niech się pan o nią nie martwi – powiedziała wtedy dziennikarka. – Jeśli jest zdrowa, dobrze ukształtowania psychicznie i wychowana w wartościach, które pan wyznaje, to znajdzie drogę".

– Aniu, kochanie – zaczął, nachylając się przez stół w stronę córki. Wyciągnął rękę i przykrył palcami jej dłoń. – To nie jest tylko twoja sprawa, co teraz zrobisz. Nosisz pod sercem małego człowieka. To jest dziecko, już prawie gotowe, by przyjść na świat. I to jest moja pierwsza wnuczka lub wnuk.

– I co z tego?! – Znowu się zdenerwowała i wyrwała dłoń z jego uścisku. – Urodzisz za mnie to dziecko? Wychowasz je? Nawet mi tego nie obiecuj! – Uciszyła gestem jego protesty. – To ja je noszę od tylu miesięcy! To ja już nauczyłam się je kochać! I to ja będę skazana na to, żeby się nim opiekować do końca życia, jeśli będzie chore! Nie wmawiaj mi, że ktokolwiek mnie wyręczy. Nawet Tomek… – Tu głos jej drgnął i nabrał niepokojącej głębi. – Nawet Tomek nie odbiera ode mnie telefonu. Nic go nie obchodzi, co się z nami dzieje, ze mną i z jego dzieckiem.

Urwała, walcząc ze łzami, a Petrycemu serce zacisnęło się jak zwinięta do uderzenia pięść. W skroniach poczuł pulsowanie krwi, mięśnie się sprężyły.

– Nie odbiera? – wyszeptał ochryple, a w jego głosie czaiła się groźba. – Nie interesuje go to?

Tylko pokręciła głową, zagryzając wargi i starając się opanować. Po chwili jej się to udało.

– Tak że, tato, bardzo proszę, nie udzielaj mi rad. To moje dziecko, mój problem i moje sumienie.

– Ale pamiętaj, że zawsze jestem gotów ci pomóc! – Wściekłość na Tomka sprawiła, że nie wypadło to może tak przekonująco, jak doktor chciał. Gorączkowo szukał wyjścia. Nie mógł pozwolić, by jego córka borykała się z tym sama, by ten lekkomyślny młokos wykazywał tak daleko posuniętą obojętność! Zastanawiał się, czy wypada mu zwrócić się w tej sprawie do państwa Podróżników.

– Dziękuję. Tylko że jakoś nie zaproponowałeś pomocy, gdy chciałam zrobić to badanie w Polsce!

Drgnął, brutalnie wyrwany ze swych myśli. Westchnął, ale nic nie odpowiedział. Jak jej miał tłumaczyć, że jego deklaracja pomocy dotyczy życia, a nie śmierci? Nie załatwił jej tych badań, gdyż nie był pewien, jaką decyzję by podjęła, gdyby się okazało, że i jej dziecko jest chore. Nie był gotów, by się zmierzyć z jej sumieniem, wolał odczekać i pozostawić sprawy własnemu biegowi. A teraz przekonywał się, że i tak dopięła swego! Było to bolesne, był to szok, ale nie mógł już nic zrobić w tej sprawie. Mógł jedynie zadzwonić do tego jej męża motylka i w krótkich słowach, po męsku, uświadomić mu, co jest jego obowiązkiem.

Marszcząc brwi i zagryzając wargę, doktor zaczął bębnić palcami w blat stołu. Gnało go do czynu, ale było jeszcze za wcześnie na jakiekolwiek działania.

– Rayski cię tam zawiezie? – zapytał po dłuższej chwili. – I u niego będziesz mieszkać?

Ania tylko kiwnęła głową. W przedpokoju tymczasem wszczął się ruch, Gabrysia i Franek jednocześnie zerwali się z łóżek i zaczęli się przepychać u drzwi łazienki. Tym razem wygrał Franek, choć jeszcze do niedawna starsza o rok siostra górowała nad nim wzrostem i siłą.

– Co za cham! – oświadczyła Gabrysia z oburzeniem, wpadając do kuchni. – Tato, jak ty go wychowałeś?!

Zamarła, widząc za stołem Anię, która o tej porze zazwyczaj jeszcze smacznie spała.

– Wyjeżdżasz? – zapytała dużo ciszej, przejęta.

Doktor z przykrością skonstatował, że dziewczynka – w przeciwieństwie do niego – musiała już wcześniej wiedzieć o planach Ani. Czyżby to on był jedynym niewtajemniczonym?

Ania skinęła głową z dziwnym wyrazem twarzy, a Gabrysia od razu zamilkła. Otworzyła lodówkę, wyjęła z niej masło i ser, a potem bochenek chleba z szafki.

– Tato, dasz mi na fryzjera? – zapytała obojętnie, gdy znów się do niego odwróciła.

Doktor wyczuwał jakieś bezsłowne porozumienie między swoimi córkami. Irytowało go ono, ale też zadawał sobie pytanie, dlaczego coś przed nim ukrywają. Spojrzał na długie włosy Gabrysi i zdusił uwagę, która mu się cisnęła na usta. Z rezygnacją sięgnął po portfel. Gdy wręczał jej pieniądze, u drzwi wejściowych zabrzmiał dzwonek. Natarczywie, wielokrotnie.

„Listonosz?!" – przemknęło doktorowi przez myśl, ale zaraz się zreflektował, że godzina jest zbyt wczesna. Staszek Mróz miał klucze, pani Monika również. Popatrzył na siostry. Obie z całkowitą obojętnością szykowały sobie śniadanie. Żadnej nawet do głowy nie przyszło, by wstać i otworzyć.

„No tak, ma się tego odźwiernego!" – zrzędził w myślach odgarniając zwoje folii. Już się wprawdzie nie kurzyło, remont parteru wszedł w końcową fazę malowania ścian, ale nie zrezygnowali jeszcze z zabezpieczeń, a u podnóża i u szczytu schodów nadal kładli wilgotne szmaty.

Na ostatnim stopniu Maksymilian drgnął, gdyż sygnał alarmu powtórzył się, jeszcze bardziej uparcie, jakby ktoś przytknął palec do guzika domofonu i nie miał siły lub chęci go zdjąć. Zdenerwowany doktor uchylił drzwi i wyjrzał na zewnątrz, z trudem powstrzymując gniewny okrzyk. I zdębiał. Przy furtce, z palcem wskazującym wycelowanym prosto w przycisk dzwonka, zgarbiony, zarośnięty i wyraźnie wykończony, stał Tomek Podróżnik.

– Sorry, zapomniałem kluczy – powiedział jak gdyby nigdy nic.

~

Do rozpoczęcia przyjęć miał jeszcze sporo czasu i Petrycy sam nie wiedział, kiedy nogi poniosły go na oddział intensywnej opieki medycznej, przed łóżko Pawlickiego. Odruchowo się ukłonił, mijając po drodze faceta z UOP-u. Tyle razy go spotkał, a także jego kolegę, że uważał ich już niemal za znajomych. Funkcjonariusz nie odpowiedział, przyspieszył kroku i odwrócił głowę.

„No tak, tajne służby – pomyślał doktor, gasząc uśmieszek, który nie wiedzieć czemu wypełzł mu na usta. – Nie powinni tak łatwo dać się rozpoznać".

Rozbawienie minęło mu od razu, gdy tylko spojrzał na twarz policjanta. Pawlicki był nieprzytomny już prawie od trzech miesięcy. Upośledzenie funkcji oddychania wskazywało na uszkodzenie pnia mózgu, a zatem tej części mózgowia, która odpowiada za podstawowe funkcje życiowe. Lekarze wielokrotnie podejmowali rozmowę na ten temat z rodziną, ale ani matka, ani była żona Pawlickiego nie zgadzały się na odłączenie go od aparatury. Pierwsza twierdziła, że w czasie jej wizyt syn sporadycznie reaguje na to, co do niego mówi, i zdarzyło się nawet, że uścisnął jej rękę. Druga nie zaobserwowała niczego takiego, ale również nie mogła pogodzić się z myślą, że eksmąż nigdy już nie odzyska przytomności. Jaka motywacja nią kierowała, o tym Petrycy wiedział doskonale, z nikim się tym jednak nie dzielił. Sam już dawno przestał mieć nadzieję, że coś się jeszcze zmieni. A jednak przychodził tu nadal.

„Po jaką cholerę? – zapytał się w myślach, spoglądając w zadumie na bezwładne, skurczone ciało. – Co mnie właściwie tu jeszcze ciągnie?"

Przecież nie chciał napawać się marnym końcem niegdysiejszego prześladowcy. Nie czerpał z tego żadnej satysfakcji. Cierpienie Pawlickiego – jeśli w ogóle coś czuł i rzeczywiście cierpiał – nie mogło już przecież wrócić Benedyktowi utraconej godności i szacunku ludzi. Nie mogło też wymazać wszystkich tych godzin niepewności, strachu i upokorzenia, jakie przeżywał Maksymilian w czasie swojego aresztowania i ostatnio, gdy w salonie rodziców odkrył instalację podsłuchową.

Na samo wspomnienie znowu zacisnął pięści. Niemal w tej samej chwili poczuł znajomy ucisk w klatce piersiowej, a czoło zrosił mu pot. Odetchnął głęboko i rozluźnił dłonie.

„Nie chcę przez to znów przechodzić" – odpędził natrętne myśli.

Ile razy tu był, Maksymilian starał się nie patrzeć w miejsce, w którym głowa Pawlickiego kończyła się nagle, jak odcięta nożem. Próbował sobie nie wyobrażać, co się dzieje w jego mózgu, osłoniętym tylko ochronną warstwą naprężonej skóry. Nie był jednak w stanie.

„Jesteś tam jeszcze?" – zapytał teraz w myślach, śledząc rysy twarzy chorego. Czy mu się wydawało, czy coś w nich nagle drgnęło?

– Słyszysz mnie? – spróbował doktor szeptem. Sam się sobie dziwił, że po tylu wizytach u Pawlickiego dopiero teraz wpadł na pomysł, by się do niego odezwać. Podszedł jeszcze o krok i nachylił się nad nieprzytomnym. – Czy możesz dać jakiś znak, jeśli mnie słyszysz?

Twarz policjanta pozostała nieruchoma.

– Biedak. Gdyby to ode mnie zależało, pozwoliłabym mu odejść.

Doktor aż się wzdrygnął. Za jego plecami stała pielęgniarka.

– Ale nic się nie da wbrew woli rodziny. Jeszcze z tymi tu nad głową! – Ruchem podbródka wskazała kierunek, gdzie chwilę temu zniknął funkcjonariusz UOP.

Petrycy, zmieszany, wycofał się. Jego próby rozmowy z pacjentem w stanie wegetatywnym mogły być przez siostrę odebrane jako brak profesjonalizmu.

– Ciągle jeszcze przychodzą, co? – zapytał szybko, żeby rozwiać to niemiłe wrażenie.

– Przychodzą – potwierdziła, sprawdzając coś na monitorze i wygładzając odruchowo prześcieradło, na którym spoczywał chory. – Coraz rzadziej, od kiedy doktor powiedział, że już nie ma żadnych szans. Ale przychodzą.

– Ciekawe – mruknął Maksymilian. Nie myślał jednak o funkcjonariuszach. Wiedział, że ich sprowadza tutaj czysto służbowe zainteresowanie.

„Ale czemu ja ciągle jeszcze tam wracam?" – próbował dociec, gdy już wyszedł z oddziału i przez ulicę Kopernika zmierzał w stronę swojej kliniki. Nie znajdował jednak żadnej odpowiedzi.

~

Pacjenci już czekali przed drzwiami. Dwa wysokie stosy kopert z dokumentacją leżały na biurku. Doktor włożył biały fartuch i wyszedł do dyżurki, żeby sobie zaparzyć kawy. Po wczesnej pobudce i porannych emocjach, był rozbity i senny.

– Dziś trzecia rocznica wyborów do Sejmu kontraktowego. – Wpadła mu w ucho informacja ze stojącego na parapecie radia.

– Proszę państwa, trzy lata temu skończył się w Polsce komunizm – powiedziała modulowanym głosem jedna z młodszych pielęgniarek i zachichotała.

Doktor łypnął na nią z przyganą, ale się nie odezwał. To nie był temat do żartów! Zalał wrzątkiem dwie łyżeczki zmielonej kawy i sypnął sporo cukru. Przykrył szklankę drugim spodeczkiem i już miał wychodzić, gdy nagle coś go zatrzymało.

– Minister spraw wewnętrznych, wywiązując się z nałożonego uchwałą Sejmu obowiązku, przedstawił dziś Wysokiej Izbie listę osób sprawujących najwyższe stanowiska państwowe, figurujących w kartotekach dawnej Służby Bezpieczeństwa. – Dobiegły z radia słowa spikera. – Materiały te są tajne. Na razie zapoznali się z nimi członkowie prezydium Sejmu oraz przewodniczący klubów parlamentarnych. Aktualnie ogłoszono przerwę w obradach Sejmu, trwa posiedzenie Konwentu Seniorów.

Na tym informacja w serwisie się kończyła. W dyżurce panowała cisza, siostry patrzyły na siebie w milczeniu i żadna nie skomentowała tej informacji. Doktor, podzwaniając szkłem, również bez słowa wyszedł na korytarz. Któryś z siedzących przed gabinetem pacjentów poderwał się, ale Petrycy powstrzymał go ruchem wolnej ręki.

– Jeszcze moment, będę prosił.

Pił kawę i próbował skupić rozpierzchnięte myśli. Nie przychodziło mu to łatwo. Wiedział, że będzie to długi i trudny dzień dla niego i rodziny, ale także – jak się właśnie okazało – dla kraju. Wieczorem miał się spotkać z żoną. Zamierzał przekonać ją do powrotu, gdyż uważał, że powinna teraz, pod koniec ciąży, być pod fachową opieką i jak najbliżej szpitala. Istniało duże prawdopodobieństwo, że dziecko zaraz po porodzie będzie potrzebowało interwencji medycznej, być może

nawet operacji – wrodzone wady serca lub układu trawienne-
go często towarzyszyły zespołowi Downa. Za kilka dni, gdy
mieszkanie babci Isi będzie już wymalowane i wywietrzone,
urządzi tam dla niej wygodne lokum, póki nie skończy się
remont na górze.

„Jakoś się przecież dogadają z Anią – myślał. – Zawsze
dotąd się dobrze rozumiały".

Córka też stanowiła przedmiot jego troski. Doktor miał
nadzieję, że Tomkowi udało się ją odwieść od głupiego i ry-
zykanckiego pomysłu robienia badań w Niemczech. Włos mu
się jeżył na myśl, że miałaby teraz tłuc się kilkaset kilometrów
po fatalnych, pamiętających jeszcze czasy Hitlera drogach na
badanie załatwione przez obcą kobietę, w szpitalu, którego
nie zdążyli sprawdzić.

„Dlaczego nic mi o tym pomyśle nie powiedziała?! – zastanawiał się z pretensją, wytrząsając fusy do doniczki z fiołkiem
afrykańskim, a potem płucząc szklankę w umywalce w rogu
pokoju. – Czy aż tak bardzo mi nie ufa?!"

Wytarł ręce do sucha i już miał otworzyć drzwi, by we-
zwać pierwszego pacjenta, gdy nagle na biurku rozdzwonił
się telefon.

– Pani Lipska, z radia – poinformowała ta sama siostra,
która chwilę wcześniej parodiowała Szczepkowską*.

– Proszę połączyć – mruknął, z trudem opanowując zdziwienie.

– Słyszał pan już?! – rzuciła Joanna w słuchawkę, bez
słowa przywitania.

– Ale o czym? – zapytał ostrożnie.

– O tym, co się dzieje w Sejmie, a o czym?!

– No tak, słyszałem w radiu.

– Właśnie jadę do Warszawy i mogę załatwić również dla pana akredytację prasową – powiedziała szybko. – W zamian za komentarz dla naszej stacji. Będziemy nadawać na żywo.

Petrycy milczał, bo go zatkało. Wstał od biurka i wyjrzał za okno.

– Halo?! – zniecierpliwiła się.

– Akredytację? – wybąkał. – Zaskoczyła mnie pani. Mam właśnie godziny przyjęć i pełną poczekalnię.

– A ja jestem w podróży poślubnej! – przerwała mu bez ceregieli. – Więc jak? Decyzja, panie doktorze! Prezydent wydał oświadczenie, mam je przed sobą. Chce pan posłuchać, co napisał?

– Tak – doktor poczuł, że pocą mu się dłonie. Delikatnie dotknął włochatego listka w stojącej na parapecie doniczce.

– „Po przegranym strajku w Stoczni w grudniu siedemdziesiątego roku przysiągłem Bogu i sobie, że będę walczył aż do zwycięstwa nad komunizmem – zaczęła gładko dziennikarka. – Byłem przywódcą strajku, próbowałem różnych możliwości i różnych sposobów walki. Aresztowano mnie wiele razy. Za pierwszym razem, w grudniu siedemdziesiątego roku, podpisałem trzy albo cztery dokumenty".

Petrycy zapomniał o fiołku. „Czy to możliwe?" – tłukło się mu po głowie.

– „Podpisałbym prawdopodobnie wtedy wszystko, oprócz zgody na zdradę Boga i Ojczyzny, by wyjść i móc walczyć. Nigdy mnie nie złamano i nigdy nie zdradziłem ideałów ani kolegów… – ciągnęła Joanna, a Maksymilian czuł, jak ciarki przebiegają mu po plecach. – Przysięgę swoją wypełniłem i doprowadziłem do naszego zwycięstwa. Pragnieniem moim jest, by wszystkie materiały, wszystkie przesłuchania, w tym słynna rozmowa z bratem[20], zostały opublikowane. Jestem pewien, że one dopiero wykażą brawurową walkę i sposoby, które doprowadziły do zwycięstwa nad komunizmem".

Jeśli tak rzeczywiście było, jeśli to wszystko była prawda, to stali w historycznym momencie. Nie dziwił się już, że dziennikarka przerwała swój urlop. Dziś właśnie miała się dokonać wielka rzecz, miały zostać pokonane demony przeszłości.

„Ja też chcę przy tym być! – uświadomił sobie. – Chcę uczestniczyć w tym posiedzeniu!"

– „Idąc drogą współpracy, nie doszedłbym do zwycięstwa, do pokonania SB i komuny" – zakończyła Joanna i zawiesiła głos. – Jest pan tam jeszcze?

– Jestem – wyszeptał. – Gdyby mi pani dała tak ze trzy godziny.

– Nie mam trzech godzin. W tej chwili wyjeżdżamy.

Drzwi gabinetu uchyliły się i zajrzała przez nie starsza pani, wyraźnie zniecierpliwiona długim oczekiwaniem na pierwsze wezwanie. Była jego pacjentką od dobrych sześciu lat, przy znacznej otyłości cierpiała na cukrzycę lekooporną. Mieszkała w jednej z podkrakowskich wsi i doktor wiedział, że każdorazowy przyjazd do kliniki kosztuje ją mnóstwo wysiłku i stresu. Mimo to powstrzymał ją ruchem dłoni.

– Chwileczkę!

---

[20] Oparty na prawdziwym nagraniu, ale sfałszowany dokument (film oraz stenogram), kolportowany przez SB w 1983 r. w celu skompromitowania Lecha Wałęsy. Na tydzień przed otrzymaniem przez szefa „Solidarności" Nagrody Nobla film *Pieniądze* wyemitowała Telewizja Polska.

Odłożył słuchawkę, domknął drzwi, przekręcił klucz w zamku. Czuł się podle i przeczuwał, że ta decyzja może go wiele kosztować. Ale w tej chwili nie potrafił już zrezygnować. Przez chwilę jeszcze bił się z myślami, wiedząc, że jest to walka przegrana. Potem wrócił do biurka.

– Jadę – powiedział przyciszonym głosem, podnosząc słuchawkę. – Potrzebuję jeszcze kwadransa na załatwienie spraw.

Następnego dnia miało się odbyć posiedzenie rady miasta, w związku z czym nie miał rozpisanego dyżuru. Doktor postanowił opuścić obrady i przyjąć w tym czasie wszystkich dzisiejszych pacjentów. Musiał tylko zlecić na recepcji, by poinformowano o tej zmianie chorych.

– Będziemy czekać przed szpitalem – odpowiedziała mu Joanna. – Auto łatwo pan pozna, jest podpisane.

~

Jechali w milczeniu starym fordem transitem w gęstniejącym ruchu na trasie Kraków – Katowice. Choć droga należała do najszybszych w Polsce, była w fatalnym stanie. Auto podskakiwało na wybojach i Ania długo musiała szukać wygodnej pozycji. Utrudniał jej to pas bezpieczeństwa, który – zgodnie z wprowadzonym przed rokiem przepisem – musieli zapinać także pasażerowie na tylnych siedzeniach. W końcu udało się jej umościć z nogami wyciągniętymi w stronę drzwi, a głową wspartą na ramieniu siedzącego obok męża. Mistrz i Muza, nieco zbici z pantałyku burzliwą sceną powitania, na którą trafili zaraz po przyjeździe na Focha, milczeli. Milczał także

Tomek i dopiero po dłuższej chwili Ania zorientowała się, że jej mąż twardo śpi z głową odchyloną na oparcie.

Fala czułości zalała ją na ten widok. Tomek był opalony, jego włosy odrosły po zimowych postrzyżynach i rozjaśniły się pod wpływem teksańskiego słońca. Opadały na czoło miękką falą, a kilkudniowy zarost pokrywający podbródek i policzki lśnił kolorem złota. W jego uchu znowu tkwiło małe srebrne kółeczko – widać, że z dala od teścia chłopak odzyskał swoją osobowość.

„Kochany!" – Ania uśmiechnęła się i nie zmieniając pozycji, wyciągnęła rękę. Opuszkami palców pogładziła delikatnie twarz męża. Najchętniej pocałowałaby go teraz mocno jak nigdy dotąd, ale nie chciała go budzić. Wiedziała, że od trzech dni był w drodze. Sam lot do Amsterdamu trwał tylko dobę, ale potem Tomek jechał do niej mieszanymi środkami komunikacji przez pół Europy. I zdążył! W ostatnim wprawdzie momencie, ale był tu teraz obok i – choć w głębokim uśpieniu – obejmował ją przecież ramieniem!

Jeszcze nie tak dawno z rozpaczy traciła zmysły. Po rozmowie z Olgą odzyskała spokój i nadzieję, zdobyła się nawet na wyrozumiałość dla rodziców. A jednak czegoś jej ciągle brakowało, jakby ktoś jej wyrwał kawał serca. Dopiero dziś rano odzyskała tę utraconą część siebie, bez której nie potrafiła już żyć. Teraz poczuła się wreszcie pełna, skończona i – prawie szczęśliwa.

„Żeby tylko dziecko było zdrowe! Żeby się okazało, że wszystko z nim w porządku!" – zaklinała rzeczywistość, zaciskając mocno powieki. Tylko tego, tej pewności, brakowało jej do poczucia pełnego szczęścia.

„A co, jeśli nie będzie?" – pojawiło się, jak zazwyczaj, złośliwe pytanie.

I nagle uświadomiła sobie, że już nie przeraża jej ono tak jak dawniej. Pomyślała, że bez względu na wynik badania razem z Tomkiem będzie w stanie znieść każdą przeciwność losu. Nie miała najmniejszej wątpliwości, że to on jest tym wybranym, jedynym mężczyzną na całe życie. Miała wreszcie dowód miłości, ten, na który czekała od wielu miesięcy. Otworzyła oczy i znowu spojrzała na niego tkliwie. Nie mogła uwierzyć, że to wszystko dzieje się naprawdę.

Dopiero po dłuższej chwili, kołysana w rytm jazdy, oparta skronią o pierś Tomka, słysząc tuż obok równe uderzenia jego serca, zapadła w sen.

Warszawa, czwartek, 4 czerwca 1992

Tego dnia w Sejmie odbywała się debata budżetowa. Mało kogo jednak obchodziła ta najważniejsza dla prawidłowego funkcjonowania kraju ustawa. Gdy Petrycy wraz z ekipą radiową dotarł tam około trzeciej po południu, przy niemal pustej sali właśnie wznowiono obrady.

– Polska potrzebuje stabilizacji politycznej i gospodarczej. Podstawą stabilizacji państwa jest budżet. Budżet stwarza ramy działania rządu, dostarcza konstrukcji, na której musi się wspierać jego polityka gospodarcza i społeczna – rozlegało się z mównicy. – Dotyczy to każdego rządu. Tego, który mamy dzisiaj, i tego, który może go zastąpić.

Prawie nikt nie słuchał. Większość posłów nie wróciła po przerwie na salę i teraz tłoczyła się w kuluarach i korytarzach, a powietrze aż trzaskało od nagromadzonych emocji. Joanna zaprowadziła Maksymiliana na galerię do loży prasowej, potem zaś wyjęła z torby mikrofon i rzuciła się w wir pracy. Podczas gdy ona zadawała pytania i łowiła komentarze, Petrycy w oszołomieniu rozglądał się – i nasłuchiwał.

Wokół niego, jak wyrojone z ula pszczoły, brzęczały plotki, przypuszczenia i spekulacje. Oczywiście głównie deliberowano nad tym, kto mianowicie jest na listach. Okazało się w międzyczasie, że listy są dwie. Na jednej miało być ponad sześćdziesiąt nazwisk, na drugiej – tylko dwa.

– Panie Marszałku! Wysoka Izbo! To jest kiepski budżet, tak jak kiepski jest stan naszego państwa i stan naszej gospodarki. Jest on kiepski także wskutek głębokiej dezintegracji rządu i jego politycznej bazy. Ten rząd, naszym zdaniem, nie jest w stanie choćby w przybliżeniu zapewnić wykonania opracowanego przez siebie budżetu. To jest jeden z powodów, dla których będziemy głosować za wotum nieufności dla rządu Jana Olszewskiego. Równocześnie, powodowany troską o państwo, o sytuację materialną milionów ludzi, których warunki życia zależą od uchwalenia budżetu, Klub Parlamentarny Unia Demokratyczna będzie głosował za przyjęciem budżetu – zakończył swą mowę kolega partyjny doktora i nagrodzony anemicznymi oklaskami zszedł z mównicy.

– Będzie rozłam w Unii. – Usłyszał Petrycy w chwili ciszy, jaka zapadła pomiędzy zapowiedzią kolejnego mówcy a jego pojawieniem się przy mikrofonie. Drgnął i nastawił ucha. Ponure proroctwo dobiegło zza jego pleców. – Podobno dzisiaj Hall wyszedł z siebie i powiedział Mazowieckiemu, że ich drogi się rozeszły!

– Nie gadaj! Poszło o lustrację?

– Tak. Będą chcieli to utrącić.

– I myślisz, że dadzą radę odwołać Olszewskiego?

– Raczej nie mam wątpliwości.

Doktor zerknął za siebie. W tylnym rzędzie, niedaleko stanowiska dla kamer, siedziało dwóch młodych mężczyzn, zapewne dziennikarzy.

– Los rządu jest przesądzony już od co najmniej trzech tygodni – powiedział ten lepiej zorientowany. – Od kiedy Unii Demokratycznej za cenę teki premiera dla Pawlaka udało się wyszarpać ludowców z koalicji rządowej.

Petrycy pierwszy raz usłyszał tę nowinę, ale przypominał sobie teraz, że lider ludowców już kilkakrotnie wspominał, że jego poparcie dla rządu obowiązuje do czasu, aż pojawi się „lepsza alternatywa". Mogła to zatem być prawda.

– Jeszcze KPN mogłaby ocalić gabinet Olszewskiego. Ale ludzie Moczulskiego twierdzą, że dwa dni temu próbowano ich szantażować teczkami i skłonić do uległości. Więc się wściekli i z miejsca zerwali rozmowy.

Doktor zdrętwiał. Szantażować?! Dwa dni temu?!

Młodzi ludzie rozmawiali tymczasem dalej.

– Myślisz, że coś na nich rzeczywiście mają?

– Można tak wnioskować.

– No to ładnie. Olszewskiemu udało się już zrazić do siebie chyba wszystkich! Nawet Kaczyńskiego, który go przecież rekomendował.

– Z KPN i tak by się mu nie udało nic zbudować. Mieli zupełnie inną koncepcję budżetu, no i za dużo by chcieli obsadzić resortów.

Petrycy siedział bokiem, udając, że słucha kolejnego mówcy, tym razem z klubu SLD. W rzeczywistości zezował za siebie z takim napięciem, aż mu oczy zaczęły łzawić.

Coś zaszeleściło.

– Czytałeś oświadczenie Wałęsy?

– Nie, pokaż.

Młodzieńcy pochylili się nad cienką kartką faksu.

– „Sfingowana rzeczywistość"? – rzucił jeden z nich, podnosząc głowę. Zauważył, że doktor ich obserwuje i ściszył głos. – Hm, mam coraz poważniejsze obawy, czyje nazwisko tam się znalazło.

– Mógłbym rzucić okiem? – zapytał Maksymilian, rezygnując wreszcie z konspiracji.

Znał już wprawdzie ten dokument, ale nie miał ochoty dłużej siedzieć sam jak kołek. Dwaj młodzi dziennikarze na pewno mieli lepsze rozeznanie w sytuacji niż on i mogli być cennym źródłem wiedzy. Zerknęli na przepustkę na froncie jego marynarki i po chwili wahania podali mu wydrukowaną depeszę PAP.

„Rozpoczęto w trybie nagłym tak zwaną akcję lustracyjną. Teczki ze zbiorów MSW uruchomiono wybiórczo. Podobny charakter ma ich zawartość. Znajdujące się w nich materiały zostały w dużej części sfabrykowane. Już dzisiaj one funkcjonują" – przeczytał doktor.

Ze zdziwieniem skonstatował, że nie jest to ta sama nota, którą rano zacytowała mu Joanna i która wywarła na nim tak potężne wrażenie.

– Zaraz, panowie. – Wstał z miejsca, obszedł rząd brązowych foteli i przysiadł się do nich. – Jesteście pewni, że to jest oświadczenie prezydenta?

– Przecież sam pan widzi! – Wskazali mu podpis pochodzący od agencji. – Wydane dzisiaj w południe.

– A co z tym wcześniejszym? – drążył Petrycy.

– Jakim wcześniejszym? – zdziwił się jeden z młodych ludzi. – Nic nie słyszałem.

– Było jakieś. – Skinął głową drugi. – Ale szybko je wycofali, zanim zostało podane do publicznej wiadomości.

Doktor tylko pokręcił głową z niedowierzaniem i czytał dalej:

„Materiały wymykają się spod kontroli. Sfingowane tworzą sfingowaną rzeczywistość. Można domniemywać, że część materiałów sfabrykowana została przez służby specjalne innych państw. Zastosowana procedura jest działaniem pozaprawnym. Umożliwia polityczny szantaż. Całkowicie destabilizuje struktury państwa i partii politycznych. Kwestie etyczne związane z całą tą operacją, mającą już w swym założeniu charakter manipulacji, pozostawiam bez komentarza".

Dobrnął do końca i zamarł, wpatrzony w rozciągającą się po przeciwnej stronie pustą lożę prezydencką, z zawieszonym na metalowych barierach maleńkim godłem. Nie rozumiał, co się tu dzieje, ale atmosfera wokół nagle wydała mu się dużo gęstsza. Z korytarza na zewnątrz dochodził nieustający szum zmieszanych głosów. Co chwila ktoś przechodził lub przebiegał za drzwiami. Marszałek Sejmu właśnie powstrzymał przed wejściem na mównicę przedstawiciela klubu KPN i poprosił posłów o wciśnięcie przycisków, by sprawdzić, czy na sali jest w ogóle kworum. Petrycy nie czekał już na potwierdzenie. Bez słowa oddał kartkę faksu, wstał z fotela i wyszedł.

W holu głównym spotkał Joannę. Na policzkach miała wypieki, oczy jej płonęły.

– Porozumienie Centrum zorganizowało przed chwilą spotkanie dla dziennikarzy – poinformowała go w biegu. – Podobno nikogo z ich posłów nie ma na liście. Najwięcej jest osób z SLD i PSL-u, z Unii podobno cztery.

– Skąd pani to wie? – zdziwił się Petrycy.

– Powiedzmy, że są przecieki – mruknęła Joanna. – Padają konkretne nazwiska.

Doktor spojrzał na nią pytająco.

– Chce pan wiedzieć?

Widząc nieme potwierdzenie w jego oczach, nachyliła się i wyszeptała mu do ucha trzy.

– Nie! – Aż się cofnął.

– Zobaczymy już wkrótce. Na osiemnastą KPN zapowiedziała konferencję prasową – mruknęła. – Zresztą to nie są listy tajnych współpracowników. Rzecznik MSW wydał oświadczenie, że przedstawiono jedynie nazwiska figurujące w zasobach archiwalnych ministerstwa, bez weryfikowania, kto rzeczywiście współpracował, a kto nie.

– A słyszała już pani, że prezydent zmienił stanowisko? – podzielił się Petrycy swoją informacją.

– Słyszałam – skinęła głową. – Wszyscy się spodziewają, że się tu jeszcze dziś pojawi. Czeka nas długi wieczór, doktorze.

Obok nich przebiegła ekipa telewizji. Młody gwiazdor przygładził grzywkę, ustawiając się do zdjęć z szefem jednego z pomniejszych, lecz prężnych ugrupowań. Joanna skoczyła w tamtą stronę, a Petrycy stanął nagle twarzą w twarz ze swoim kolegą z Krakowa. Za nim również ciągnął się sznur dziennikarzy, polityk najwyraźniej im umykał, a jednak zatrzymał się w biegu.

– O! Ty tutaj? – zdziwił się na widok doktora.

– Tak się złożyło – bąknął Maksymilian. Nie chciał się wdawać w wyjaśnienia i nawet nie musiał, gdyż w tej chwili z boku posypał się grad pytań.

– Panie pośle, jak pan skomentuje informację, że podobno płoną lasy wokół Warszawy?!

– Pierwsze słyszę. Nie mogę tego komentować! – Poseł aż podskoczył. Otarł kropelki potu z wysokiego czoła i ruszył w lewo, zapominając w jednej chwili o Petrycym.

– Podobno Nadwiślańskie Jednostki Wojskowe są zmobilizowane już od dwóch tygodni! – zawołał za nim ktoś z histerią w głosie. – Czy grozi nam zamach stanu?!

Pytany jeszcze przyspieszył i zniknął niebawem w Korytarzu Marszałkowskim. W nagłej ciszy, która zapadła, dał się słyszeć szept jednej z dziennikarek:

– Boże, jak daleko ci ludzie są gotowi się posunąć, by pozostać przy władzy?

W holu powiało grozą.

Petrycy poczuł znajomy ucisk w piersi. Odwrócił się i zaczął schodzić powoli z monumentalnych schodów, przytrzymując się złoconej balustrady. Była przyjemnie chłodna i miała nierówną fakturę przypominającą łuskowatą skórę węża. Pokonał ostatnie stopnie i nagle stwierdził, że w rzeczy samej, poręcz kończy się całkiem realistycznym ujęciem gadziej głowy. Cofnął rękę jak oparzony i spiesznie ruszył do wyjścia, by zaczerpnąć powietrza.

Pierwszą osobą, jaką zobaczył na parkingu przed Sejmem, był wysiadający z taksówki Brzuchaczewski.

– Moje uszanowanie, panie doktorze – przywitał się mecenas, nie okazując śladu zdziwienia na jego widok. – No to mamy otwartą puszkę Pandory, co?

– Dobre porównanie. Całe zło i nieszczęście z esbeckich archiwów wyciekło i lata sobie teraz luzem po Sejmie – wyszeptał Petrycy, rozcierając odruchowo okolice mostka. – Nie tak sobie to wszystko wyobrażałem, jeśli mam być szczery.

– Ja również – pospieszył z zapewnieniem Brzuchacz. – Ale skoro już się stało, nie pozostaje nam nic innego, jak walczyć do końca, czyż nie?

– Co pan ma na myśli?! – zdenerwował się jeszcze bardziej doktor, któremu znów zadźwięczały w uszach słowa o postawieniu w stan gotowości podległych MSW jednostek specjalnych oraz o zamachu stanu.

– Próbować uratować koalicję! – oświadczył leciwy adwokat, spozierając na niego zza grubych szkieł. – Właśnie po to tu jestem. Chcę się odwołać do sumień ludzi, z którymi przez lata mieliśmy jeden cel i patrzyliśmy w tym samym kierunku.

– Niektórzy z tych ludzi, drogi panie mecenasie, mogą czuć się dzisiaj zaszczuci i zdradzeni – zaczął doktor, ale Brzuchacz przerwał mu gwałtownie.

– Przecież te informacje będą zweryfikowane! Profesor Strzembosz już się zgodził powołać komisję do zbadania prawidłowości realizacji uchwały lustracyjnej oraz do rozpatrzenia spraw spornych.

– Sprawy sporne! Boże, co to się porobiło!

Doktor oczywiście życzył mecenasowi powodzenia, ale nie wierzył w rezultaty jego misji. Ludzie, którym tak wiele udało się osiągnąć, gdy działali razem, mijali się teraz w gmachu Sejmu bez słowa, odwracając z niechęcią wzrok lub mówiąc publicznie, niekiedy z wielką emocją, o „byłych przyjaciołach", „rozejściu się dróg" i osobach „chorych na sprawiedliwość". Ten wybuch wrogości był tysiąckroć gorszy od rozpętanej w dziewięćdziesiątym roku „wojny na górze".

– Niech mi pan tylko powie, jaki był sens podejmować tak nieprzemyślaną i nieprzygotowaną akcję?! – wyrwało mu się pytanie, na które daremnie szukał odpowiedzi.

– Skąd mam to wiedzieć?! – wzruszył ramionami Brzuchacz, jakby dotknięty podejrzeniem, że mógł w tym maczać palce. – Ale tłumaczę to sobie tak, że za długo z tym zwlekano i wreszcie ktoś spróbował. Bez uzgodnienia, wykorzystując sprzyjający moment, całkowicie po błazeńsku. Ech, szkoda gadać! – sapnął z irytacją. – A w konsekwencji grozi nam obalenie rządu. Pierwszego po wojnie niepodległościowego rządu, jaki miała Polska! Powiem panu w zaufaniu… – nachylił się w stronę doktora i przyciszył głos – że przeciwnicy Olszewskiego nie cofną się przed niczym. Nie wiem, jak się skończy dzisiejszy wieczór!

Petrycy tylko spojrzał na niego w zadumie. Chłodniejsze i wolne od papierosowego dymu powietrze na zewnątrz pomogło, duszności i ucisk w sercu zniknęły. Pozostało poczucie zagubienia i niepokój. Wokół działo się coś, czego nie mógł zrozumieć. Nie miał pojęcia, komu wierzyć.

– Do zobaczenia, panie doktorze! – Brzuchacz uścisnął mu rękę odrobinę dłużej i serdeczniej, niż nakazywała zwykła kurtuazja. – Ukłony dla małżonki.

Maksymilian zaś zamarł z otwartymi ustami i nawet mu nie odpowiedział. Dopiero teraz przypomniał sobie, że zgodnie z umową o tej porze powinien właśnie wysiadać z autobusu w Mszanie.

Mszana Dolna, czwartek, 4 czerwca 1992

Stare drewniane leżaki, obciągnięte płótnem w kolorowe pasy, były bardzo wygodne, ale miały jedną wadę – z trudem się z nich wstawało. Marysia i Janka zapadły w nie wczesnym popołudniem i aż do wieczora nie miały chęci się ruszyć. Wysoko nad nimi szumiały rozczapierzone gałęzie czereśni. Wiatr czesał liście, a promienie słońca, padające już teraz pod niższym kątem, odbijały się w połyskliwie gładkich, nabierających czerwieni owocach.

– Muszę poprosić sąsiada o drabinę – oświadczyła Janka. Zrobiła daszek z dłoni i zmrużonymi oczami śledziła szpaki, które zaczynały się dobierać do dojrzewającej słodkości. – Już się ptaszyska zwiedziały! Wiesz, że skubańce potrafią w jeden dzień załatwić całe drzewo? A szkoda by było! Takich dobrych czereśni nigdzie nie kupisz.

– Wiem – mruknęła Marysia sennie.

Od kiedy kilka lat temu Janka odziedziczyła domek w Mszanie po jakiejś dalekiej krewnej, co wiosnę przywoziła im koszyki wyładowane czereśniami, w których nie było robaków. Potem uszczęśliwiała ich papierówkami, a jesienią zwoziła stosy węgierek, które akurat w dużej części były robaczywe, jako że w sadzie już od lat nie robiono oprysków. Rodzina Petrycych – choć z radością – zawsze przyjmowała te dary jako oczywistość, rzecz najzupełniej w świecie naturalną. Tymczasem szczodrość Janki i jej gotowość do dzielenia się były godne najwyższego podziwu.

„Czy już jej kiedyś powiedziałam, jaka jest wyjątkowa?" – zastanowiła się Marysia.

Janka już od wielu lat stanowiła ważną część jej świata. Poznały się i zaprzyjaźniły, gdy po urodzeniu Ani Marysia wróciła na studia. Bardzo wtedy potrzebowała kogoś, od kogo można by pożyczyć skrypty i notatki, a w sytuacji awaryjnej zostawić z nim niemowlę. Od tego się zresztą zaczęło. Marysia krążyła niespokojnie z wózkiem wokół klombu przed Collegium Novum, gdy podeszła do niej wysoka i tęga dziewczyna i głosem jak dzwon oznajmiła, że ją pamięta z pierwszego wykładu. Marysi też utkwiła w pamięci postawna koleżanka, która jako jedyna nie bała się podejmować dyskusji z profesorem. Coś w twarzy i spojrzeniu tej dziewczyny mówiło młodej matce, że można jej zaufać. Zajęcia Marysi już się zaczynały, a Janka akurat miała „okienko". Poproszona, zgodziła się poczekać ze śpiącym dzieckiem na babcię, która nie zdążyła jeszcze dojechać z Huty. Od tamtej pory zawsze można było na nią liczyć, dla przyjaciółki gotowa była nawet odwołać własną randkę.

– Jak tego nie zrozumie, to niech się pocałuje – mawiała o aktualnym chłopaku. – Znajdzie się następny!

I rzeczywiście. Umawiała się nieustająco i z bardzo różnymi mężczyznami, kochała euforycznie, a rozstawała się burzliwie, przez wszystkie te lata zaś jej najbardziej trwałym związkiem pozostała przyjaźń z Marysią.

Niedawno, gdy Marysia znalazła się na samym dnie, Janka też się nie zawahała. Wzięła cały swój zaległy urlop – a były tego ze dwa miesiące – i poświęciła go na opiekę nad przyjaciółką. Tylko dzięki jej staraniom i niesamowitej aurze miejsca, w którym razem zamieszkały, Marysia zaczęła powoli otrząsać się ze smutku, odzyskiwać równowagę i godzić się z losem. Dopiero po tygodniu spędzonym w łóżku zdecydowała się pierwszy raz wyjść do sadu, lecz gdy się tam już znalazła – z towarzyszącym jej wiernie Flipem – miała ochotę nigdy stamtąd nie wychodzić. Obserwowała, jak rozkwitają pączki na drzewach owocowych, śledziła gorączkowy ruch pszczół w koronach, opadanie białych i różowych płatków, a potem zawiązywanie się owoców. Nikt niczego od niej nie chciał, o nic nie pytał, nie stawiał na swoim. Była sama z dzieckiem, które musiała się nauczyć na nowo kochać i akceptować. Janka stała z boku, gotowa w każdej chwili podać pomocną dłoń, ale się nie narzucała. I tylko dzięki temu udało się Marysi podnieść z gruzowiska, w którym tkwiła – przygnieciona resztkami swego dawnego życia, bezwolna, poraniona – od tamtego dnia, gdy się dowiedziała.

Zamknęła teraz oczy i odchyliła głowę na oparcie leżaka. Znów zanurzyła się w leniwym, czerwonawym półmroku. Uwielbiała tak siedzieć w cieniu drzew, ukryta za zasłoną powiek, i podsłuchiwać, jak sad tętni życiem. Czuła, że są oboje – ona i jej trzeci syn – częścią tej harmonijnej, dobrej całości. Nie zastanawiała się wtedy nad niczym, nie rozpamiętywała tego co było i nie martwiła się tym co będzie. Po prostu była. Na szczęście takie chwile zdarzały się coraz częściej. Wiedziała, jakie są ważne, jak bardzo wszystko się zmieni, gdy Beniamin przyjdzie na świat. Musiała zbierać siły na ten moment, a w sadzie udawało się jej to najlepiej. Gdyby przyjaciółka nie goniła jej do domu, mogłaby spędzać tu nawet noce.

Janka jednak myślała o wszystkim i dbała o wszystko.

– Jak tam młody? Fika? – zapytała cicho, ale jej głos bez trudu przebił się przez ćwierkanie szpaków, bzyczenie pszczół i jazgot zapuszczonej gdzieś daleko kosiarki.

– Uhm – mruknęła Marysia.

Fikał coraz mniej, ale na tym etapie ciąży było to zupełnie naturalne. Nie zamierzała mówić o tym Jance, która od razu zaczęłaby się martwić i sugerować jej powrót do Krakowa.

– Sama będę wiedziała, kiedy przyjdzie pora wracać. Poczuję to na pewno. Z tamtymi zawsze czułam – tłumaczyła przyjaciółce, ale to nie pomagało. Janka zachowywała się jak Maksymilian przed narodzinami Jaśka. Uspokajała się tylko na chwilę, a potem znów zaczynała wypytywać. Lepiej więc było nie wdawać się w szczegóły.

Tak naprawdę dopiero od dwóch tygodni zaczęły więcej ze sobą rozmawiać, a imię Maksymiliana padło między nimi dopiero kilka dni temu. Wczoraj Marysia dowiedziała się, że mąż ma do niej przyjechać. Nie wiedziała, jak zareagować na tę wiadomość, więc po namyśle postanowiła nie reagować wcale. Poddać się, pozwolić, by się rzeczy działy. Skoro już muszą się dziać.

– Słuchaj! – Leżak obok zaskrzypiał, widać przyjaciółka zmieniła pozycję. – On tu za chwilę będzie. Nie powinnyśmy wrócić do domu?

– Po co? – mruknęła Marysia, nie otwierając oczu. – Znajdzie nas, nic się nie martw. Tu jest tak dobrze.

Ale Janka nie odpuszczała.

– Nie zrozum mnie źle. Możesz tu zostać, jak długo będziesz chciała. Nawet i później, już z młodym. Uważam jednak… – Zawahała się i urwała.

Marysia wiedziała, że przyjaciółka czeka na jej przyzwolenie. Wbrew swemu szorstkiemu stylowi bycia i uprawianej od lat zasadzie rąbania prawdy w oczy była osobą empatyczną. Teraz nie chciała za nic wchodzić na grunt, na którym Marysia wolałaby pozostać sama.

– Co uważasz?

– Że trzeba wrócić do życia. Twoje miejsce jest w domu.

– Wiem. Ale nie potrafię jeszcze do niego wrócić. – Marysia ze zdumieniem odkryła, że nie ma nic przeciw temu, żeby o tym porozmawiać. Nigdy zresztą nie miała przed Janką tajemnic. Tyle razy już zwierzała się jej ze swych problemów i zawsze znajdowała zrozumienie.

– Obawiam się, że ten mały nie będzie czekał, aż dojrzejesz do powrotu – orzekła teraz trzeźwo przyjaciółka. – On się może kierować zupełnie innymi priorytetami.

– Nie martw się. On poczeka.

„Ale twoje dzieci tak bardzo tęsknią!" – cisnęło się Jance na usta. Powstrzymała się jednak. Już wtedy, w Dzień Matki, gdy przekazywała jej serduszko od Gabrysi, powiedziała za dużo. Wyrazu cierpienia, który pojawił się w tamtej chwili na twarzy najbliższej przyjaciółki, nie mogła zapomnieć do dziś.

Marysia jednak sama chciała o tym rozmawiać.

– Wiem, że dzieci bardzo mnie potrzebują – powiedziała cicho. – Ja też za nimi tęsknię. To do Maksymiliana nie potrafię wrócić. I nie wiem, czy kiedykolwiek jeszcze będę mogła.

– Ale czemu?! – Janka poruszyła się gwałtownie, naprężony materiał trzasnął ostrzegawczo na którymś szwie, więc ekspertka medycyny sądowej odruchowo ściszyła głos. – Czy on ciągle jeszcze… Czy on coś kręci… z nią?!

– Nie, to już dawno zamknięta sprawa. Chodzi o to, jak się wtedy zachował. O to, co mi powiedział…

Kraków, piątek, 17 kwietnia 1992 (Wielki Piątek)

– Kochanie, to będzie chłopiec.

Właśnie wróciła z placu Na Stawach i kończyła układać bukiet z bukszpanu i żonkili. Maksymilian stanął w drzwiach kuchni, tak jakby bał się wejść do środka. Twarz miał zmienioną, poszarzałą.

– Jest wynik?

Odłożyła na blat ostatnie kwiatki, stulone jeszcze tak ściśle, że ich kielichy wydawały się całkiem zielone. Usiadła na taborecie, nie spuszczając z męża czujnego spojrzenia. Odwrócił twarz. Po policzku przebiegł mu lekki skurcz. Zanim się odezwał, już wiedziała wszystko.

– Zdiagnozowali trisomię chromosomu dwudziestego pierwszego. Zespół Downa…

Dopiero teraz podszedł do niej, ukląkł obok, wziął za rękę i pocałował.

– Myślałem o tym trochę w drodze do domu. To będzie syn! Co byś powiedziała, gdybyśmy mu dali na imię Beniamin?

Mówił coś jeszcze, może chciał zagadać własny szok i przerażenie. A ona siedziała na tym taborecie i nie słyszała już nic. W tej chwili jej życie waliło się w gruzy. Nie miała pojęcia, ile to trwało. Gdy się ocknęła, był ciągle przy niej, a cisza aż dzwoniła w uszach.

– I co teraz? – wyszeptała bezradnie.

Puścił jej rękę i zerwał się na nogi.

– Jak to co? – rzucił, spoglądając gdzieś ponad jej głową. – Nic! Urodzisz.

Zrobił kilka długich kroków w wąskim przejściu między stołem a zlewem, zatrzymał się przy oknie, odwrócił.

– Jeśli trzeba będzie, wezmę jeszcze jedną pracę. Albo otworzę prywatny gabinet, nawet tu u nas, na dole. Ania i tak się zamierza wyprowadzić, a to jest bardzo dobra lokalizacja. Przydałoby się tylko osobne wejście dla pacjentów! Pogadam ze Staszkiem. Skoro już robimy remont, warto od razu o tym pomyśleć.

Mówił i mówił, ciągle o sobie, o swoich planach i projektach na przyszłość. Nie zamierzał się poddawać i załamywać. Jeśli to dziecko miało coś zmienić w jego życiu, to tylko na lepsze! Praca, gabinet, pieniądze, rehabilitacja, prywatne przedszkole, szkoła. Spacerował tam i z powrotem po kuchni, wyrzucając z siebie cały potok gładkich zdań. A w jej uszach dźwięczały tylko te pierwsze słowa. Bezwzględne, szorstkie, kategoryczne. Wołała o pomoc, uwięziona w ruinach swoich marzeń i aspiracji, a w odpowiedzi usłyszała wyrok.

„Jak to co? Nic! Urodzisz".

Nie miała siły słuchać uzasadnienia. Nie miała siły na nic. Powoli osunęła się w to gruzowisko.

Warszawa, czwartek, 4 czerwca 1992

Maksymilian wiedział, że na odwołanie przyjazdu jest już za późno. Czuł jednak, że się musi usprawiedliwić, i dlatego zaraz po pożegnaniu mecenasa Brzuchaczewskiego ruszył na poszukiwanie telefonu. O dziwo, ten nagły stres nie spowodował tym razem żadnych duszności, kołatania serca i ucisków w klatce piersiowej. Wręcz przeciwnie, Petrycy doznał niebywałej mobilizacji i przypływu energii. Uzyskawszy od strażnika informacje na temat najbliższych aparatów, odbył szybką rundę po pobliskich budynkach oraz otoczeniu Sejmu tylko po to, by się przekonać, że przy każdym stoi długa kolejka. W końcu ruszył w miasto – z podobnym rezultatem. Kiedy wreszcie niedaleko ulicy Gagarina udało mu się znaleźć budkę z czynnym telefonem, spędził ponad kwadrans, wykręcając numer i wsłuchując się w długi sygnał w słuchawce. Wreszcie wrócił do Sejmu, gdzie zastał sytuację niewiele zmienioną – debatę budżetową znowu kilkakrotnie przerwano, a wszyscy zamiast finansami państwa, zajmowali się tylko zawartością kopert.

Na zewnątrz zaczął zapadać zmrok, gdy Petrycemu udało się wreszcie oczarować panie na recepcji w Nowym Domu Poselskim i uzyskać dostęp do aparatu „spod lady". Cóż z tego, skoro Janka i Marysia nadal nie odbierały. Po jednej z kolejnych bezowocnych prób, w ustawionym w lobby telewizorze doktor ujrzał prezydenta podjeżdżającego pod Sejm i w błyskach fleszy wchodzącego po schodach.

– Dziękuję najmocniej! – Skłonił się nisko recepcjonistce. – Niestety żona nie podnosi. Czy będę mógł skorzystać jeszcze raz za chwilę?

– A korzystaj pan! – zezwoliła, nie wiedząc nawet, ile znaczy dla niego jej zgoda. – Ale nie trzeba się aż tak denerwować! Niejedno się już tu działo, i co? Ciągle stara bida. I niejedno jeszcze zobaczymy, możesz mi pan wierzyć.

– To nie tak! Ja... My... Żona jest w ciąży, już blisko do terminu.

– E tam, panie, od czegoś takiego to żadna kobieta nie zacznie rodzić! – uspokoiła go zacna osoba. – Ale zadzwonić trzeba, bez dwóch zdań!

Doktor odbiegł, gnąc się jeszcze w ukłonach, okazał przy wejściu swą akredytację i rzucił się zaraz na poszukiwanie Joanny. Była na galerii, a na jego widok zrobiła gniewną minę.

– Szukam pana od trzech godzin! – syknęła. – Nadawaliśmy na żywo, obiecał mi pan komentarz, i co?!

– Przepraszam, musiałem zadzwonić do żony – usprawiedliwił się Petrycy, ocierając pot i padając na fotel obok niej. – Nie mogłem znaleźć telefonu.

Do loży prezydenckiej wszedł właśnie Lech Wałęsa ze swoją świtą, witany burzliwymi oklaskami z obu stron sali.

– Nie wiem, co się dzieje – wyszeptała Joanna. – Z łącznością jest kiepsko. Słyszałam, że gabinet prezydencki jest w ogóle odcięty, a wojsko obsadza okolice Belwederu, telewizji i ambasad.

Doktor, który długo krążył w bliższym i dalszym otoczeniu Sejmu, jako żywo nie zauważył na ulicach żadnych ruchów wojsk. Dostrzegł natomiast, że w sąsiedztwie budynków sejmowych, a nawet w pewnym oddaleniu, na tyłach Łazienek, parkują samochody, których pasażerowie dłuższy czas pozostają w środku. Kto to mógł być – służby specjalne czy tylko dziennikarze? Czekali na coś konkretnego czy tylko prowadzili obserwację?

Nie zdążył już podzielić się z Joanną swymi spostrzeżeniami, jak również informacją o litrach alkoholu lejących się w restauracji sejmowej, gdzie również zajrzał, gdyż w tej chwili akcja na sali obrad wyraźnie przyspieszyła. Gdy marszałek zaproponował poszerzenie porządku o prezydencki wniosek o odwołanie premiera, ogłoszono awarię urządzenia do głosowania. Wśród wybuchów śmiechu w poselskich ławach powołani zostali sekretarze do liczenia głosów. Jednocześnie, mimo że była to pora jedynie na wnioski formalne, rozwinęła się dyskusja nad dwiema propozycjami – z jednej strony ujawnienia obu list „agentów", z drugiej zaś oczyszczenia galerii z dziennikarzy oraz gości i całkowitego utajnienia obrad. W jej trakcie na trybunę wyszedł Kazimierz Świtoń[*] i dobitnym głosem, acz zacinając się lekko, oświadczył, że jako stary opozycjonista odpowiedzialny za swoje słowa pragnie powiedzieć, że na drugiej liście jest pan prezydent jako agent Służby Bezpieczeństwa.

– Panie pośle, panie pośle! Proszę o zachowanie spokoju! Przerywam tę dyskusję! – krzyknął marszałek na tle protestów, buczenia, śmiechu i oklasków padających z sali.

Petrycy z osłupieniem wpatrywał się w położoną dokładnie naprzeciw prezydencką lożę. Wokół szumiało. Znany mu głos zaprotestował przeciw obstrukcji parlamentarnej, zaraz potem marszałek nakazał skreślenie ze stenogramu słów uwłaczających czci Prezydenta RP. Doktor nawet nie zauważył, że Joanna coś do niego mówi, zagłuszyły ją długo trwające oklaski. Wreszcie podziękowano sekretarzom, gdyż urządzenie do liczenia głosów zostało znowu uruchomione. Wysoka Izba odrzuciła propozycję utajnienia obrad i zgodziła się na wprowadzenie do porządku głosowania nad wnioskiem prezydenta. Następnie zarządzono kolejną przerwę.

Joanna Lipska próbowała uzyskać od niego jakiś komentarz, widząc jednak, że Petrycy nadal trwa w osłupieniu, opuściła lożę i poszła do stolika dziennikarskiego w poszukiwaniu bardziej pozbieranych i skłonnych do rozmowy respondentów. Doktor zaś siedział, wpatrując się w rząd sztucznych paprotek za stołem prezydialnym Sejmu, a po głowie tłukło się mu tysiąc pytań.

～

Wybiła dziesiąta wieczorem. Przerwa się skończyła, posłowie zaczęli powoli wracać na swoje miejsca, zapełniła się także loża dziennikarska i galeria dla gości. Petrycy wreszcie ocknął się i zerknął na zegarek. Aż syknął.

„No jeśli teraz nie odbiorą, to coś się musiało stać!" – pomyślał i zdenerwował się jeszcze bardziej. Przepychając się pod prąd, pobiegł do hotelu poselskiego. Recepcjonistka poznała go i bez najmniejszego problemu otrzymał dostęp do służbowego telefonu.

Tym razem słuchawkę podniesiono już po trzech pierwszych dzwonkach.

– A! To ty – mruknęła Janka. W tym krótkim stwierdzeniu, wypowiedzianym tonem jakże pełnym treści, mógł wyczytać całą długą opinię na swój temat. – Aż się boję pytać, skąd dzwonisz.

– Z Sejmu – oświadczył zwięźle. – Wypadł mi niespodziewany wyjazd, przepraszam.

– Uhm. I nie dało się wcześniej uprzedzić. Wiesz, dzisiaj naprawdę przestałam się dziwić Marysi.

Nie podobał się mu jej ton, oj, nawet bardzo. Jak również to, co powiedziała. Ale doktor miał poczucie winy, pohamował się więc i odrzekł niemal spokojnie:

– Wydzwaniam do was od kilku godzin! Myślisz, że łatwo tu się dopchać do telefonu?! Dlaczego nie odbierałyście?! – zapytał z pretensją.

Janka też się trochę zmitygowała.

– Siedziałyśmy w sadzie – bąknęła. – Nie słyszałam telefonu.

– Sama widzisz! – Petrycemu wróciła pewność siebie. – Czy wy w ogóle wiecie, co się tu dzieje?!

– Nie. Skąd? Nie mam przecież telewizora.

– To włącz radio! Jest relacja w RMF-ie.

– No dobra, radio mam – zgodziła się niechętnie, jakby wyświadczała mu jakąś uprzejmość, a sprawy wagi państwowej były jej kompletnie obojętne. Maksymilian, zirytowany, pokręcił głową.

– Daj mi z łaski swojej Marysię do telefonu! – zażądał.

– Okej – usłyszał w odpowiedzi, a potem kolejne, niewyraźne słowa, dochodzące jakby przez warstwę waty: – Proszę cię, pogadaj z nim!

W jednej chwili znowu się nastroszył. Nie miał jednak okazji, by dać temu wyraz. Usłyszał jakieś szelesty, a potem nagle rozległ się suchy trzask i w ślad za nim szybki sygnał, oznajmiający, że połączenie zostało przerwane. Odsunął słuchawkę od ucha, patrząc na nią w osłupieniu. Życzliwa recepcjonistka, odwrócona tyłem, udawała, że nie dostrzega jego zmieszania.

– Bardzo dziękuję – mruknął, tym razem dużo mniej wylewnie, i wrócił niemal biegiem na galerię sejmową.

Gdy się tam znalazł, zakończyło się właśnie uzasadnienie wniosku trzech klubów o odwołanie rządu. Jego sens Joanna streściła jednym zdaniem:

– Pański partyjny kolega powiedział, że przesiedliśmy się z roweru na samochód, ale jego kierowca chce nas rozbić na najbliższym drzewie.

Na trybunie sejmowej zaczęła się znów parada mówców. Ostatecznie, mimo próśb o poświęcenie dyskusji odpowiedniej ilości czasu, ustalono limit wypowiedzi na pięć minut. Widać było, że silnej większości zależy na tym, by zakończyć sprawę jeszcze dziś. Chwilę potem marszałek ogłosił kolejną przerwę, a ławy poselskie i galeria w mgnieniu oka opustoszały. Petrycy nie ruszył się z miejsca. W jego mózgu rozgrywała się istna burza z piorunami, której główną ofiarą – choć zaocznie – padła Janka.

Wreszcie stwierdził, że dłużej już nie wytrzyma. Zerwał się z fotela i pognał do telefonu. Lobby było pełne, ale recepcjonistka zauważyła go już z daleka. Zanim zdążył zapytać, sama wyjęła aparat i ustawiła go na ladzie. Petrycy podziękował z roztargnieniem, oparł się piersią o blat i trzęsącą się ręką wybrał numer.

– Halo! – Rozległ się od razu głos Janki. – To ty? Słuchaj...

– Możesz dać mi żonę?! – Bez żadnego wstępu, impetycznie wszedł jej w słowo.

Po drugiej stronie zapanowała cisza.

– Przykro mi, Maks – powiedziała wreszcie Janka. – Ona nie chce z tobą rozmawiać.

W tej chwili w telewizorze stojącym za jego plecami zapowiedziano przemówienie premiera Olszewskiego. Wszyscy podeszli do ekranu. Maksymilian obejrzał się niespokojnie, ale sprawy rodzinne były chwilowo dla niego ważniejsze.

– Janka, proszę – powiedział, a szczęki miał tak ściśnięte, że niewiele brakowało, a zacząłby zgrzytać zębami. – Nie możesz mi tego robić!

– Ale ja ci nic nie robię! – huknęła przyjaciółka Marysi potężnym głosem. – Sam słyszałeś! Trzasnęła słuchawką! Jak mam ją zmusić do rozmowy z tobą?!

Dopiero teraz sens tego, co się stało, w pełni do niego dotarł. Milczał dłuższą chwilę, podczas gdy ona obiecywała, już znacznie ciszej, że jeszcze spróbuje Marysię przekonać. Wreszcie doktor odłożył słuchawkę i dołączył do grupy, która przysłuchiwała się przemówieniu premiera. Nic jednak z niego nie zrozumiał i nie zapamiętał ani słowa. Wrócił na galerię krokiem lunatyka i trafił na moment, gdy klub poselski KPN prezentował swoje stanowisko wobec wniosku o odwołanie rządu. Jeden z czołowych działaczy Konfederacji zdążył już przejrzeć zgromadzoną przez MSW dokumentację dotyczącą szefa klubu. Stwierdził z mocą, iż nie ma tam niczego, co by dawało podstawę do twierdzenia, że był on współpracownikiem SB.

– Panowie z rządu, mieliście pełną świadomość tego faktu i jest rzeczą obrzydliwą moralnie, iż podejmowaliście przez ostatnich kilkadziesiąt godzin próby wyłączenia przewodniczącego KPN z życia politycznego, uzyskania głosów KPN poprzez zmianę władz statutowych, że robiliście rzeczy nie tylko politycznie obrzydliwe, ale moralnie niegodziwe!

– Hańba! – krzyknął ktoś z sali i dopiero ten okrzyk sprawił, że Petrycy otrzeźwiał.

To zaś, co chwilę później padło z ust młodego, lecz bardzo już doświadczonego działacza dawnej „przewodniej siły narodu”, spowodowało, że doktor skupił wreszcie całą uwagę na następujących szybko po sobie wypowiedziach i na długo zapomniał o prywatnych problemach.

– Miał być to rząd nadziei, był to rząd beznadziejny – oświadczył mianowicie przedstawiciel klubu SLD i został nagrodzony oklaskami z sali.

Jedyne, za co Maksymilian byłby w stanie bić mu brawo, to wyjątkowa zwięzłość jego wystąpienia w porównaniu z innymi. Nie zrobił tego jednak, ale rzucił w stronę Joanny tak zjadliwy i ordynarny komentarz, że dziennikarka poczerwieniała i spojrzała na Petrycego, jakby go widziała po raz pierwszy w życiu.

W tym czasie na mównicy był już członek PSL-u, który próbował wytłumaczyć, dlaczego jego klub dokonuje całkowitej wolty, pozostawia na lodzie dawnych sojuszników – w tym inne ugrupowania ludowców – i opowiada się za odwołaniem rządu.

– Trafiła się im gratka – skomentował ktoś za plecami doktora.

Wystąpienia ciągnęły się mimo czasowych ograniczeń, a doktor nadal zastanawiał się – wobec tego wszystkiego, co dziś tutaj zobaczył i usłyszał, wobec panującej wokół atmosfery zagrożenia wojskowym zamachem oraz wyraźnie wyczuwalnych działań mających na celu szybkie odwołanie gabinetu – kto tak naprawdę ma tu rację. Zgadzał się ze stwierdzeniem, które padło z mównicy, że to wieczorne posiedzenie nie jest zwykłą debatą nad takim czy innym rządem, ale debatą o Polsce. On również był tego pewien. Nie mógł się jedynie zorientować, kto z aktorów tej sceny gra Polską, a kto rzeczywiście broni jej interesu. Nie udało mu się to niemal do samego końca.

Wreszcie z miną demiurga wystąpił architekt całego zamieszania.

– Klub Poselski Unii Polityki Realnej zawsze i niezmiennie głosował przeciwko temu rządowi, przeciwko jego programowi – powiedział. – A gdy zobaczyliśmy skład tego rządu i jego program, to nawet użyłem z tej trybuny określenia, że jest to rząd nieudaczników. Tu pomyliłem się tylko o tyle, że rząd ten dokonał rzeczy niewiarygodnej, mianowicie przekonał KPN, że rządy PZPR były jednak lepsze.

Śmiech i oklaski na dłuższą chwilę przerwały mowę autora uchwały lustracyjnej, po czym na zakończenie raz jeszcze zabrał głos Kazimierz Świtoń. Mitygowany nieustannie przez marszałka, przy ciągłym szumie na sali, stary opozycjonista oskarżył ministra Wachowskiego z Kancelarii Prezydenta o działania mające na celu przywrócenie dawnego porządku oraz wezwał głowę państwa do odsunięcia od siebie ludzi, którzy szkodzą krajowi, posłów zaś do utworzenia ponadpartyjnego bloku naprawy RP.

– Pan wybaczy, ale nie powiem: dziękuję – pożegnał go marszałek Sejmu, po czym oddał głos premierowi.

I dopiero słowa Jana Olszewskiego – pochylonego, z twarzą nabrzmiałą ze zmęczenia, człowieka, który już wiedział, że przegrał, a mimo to się nie poddaje – wywarły na Petrycym porażające wrażenie. Premier mówił z żalem i mówił o sprawach, które od pewnego czasu wielkim ciężarem zalegały także na sercu doktora.

– Wiedziałem, że przyjdzie nam budować nowy system władzy demokratycznej w Polsce, nowy ustrój, nową, trzecią, naszą, polską Rzeczpospolitą w sytuacji, kiedy będziemy obciążeni potwornym spadkiem pozostawionym przez tę dziedzinę, ten sektor komunistycznego reżimu, który był jego istotą, a jego istotą był aparat przemocy, aparat policyjnej przemocy, aparat policji politycznej. I jak ten aparat pracował, i jakie były jego zasady działania, mało kto na tej sali wie tak dobrze jak ja. Latami mogłem na to patrzeć, występując w obronie ludzi przez ten aparat ściganych. Wielu z nich jest dziś na tej sali. Wiedziałem, jak tragiczne bywają przypadki, losy, fakty. Nikt nie wie tego lepiej ode mnie, ale też nikt lepiej ode mnie nie wie, jak straszliwy jest ten spadek, jak rozległy, jak wielki, jak straszne może pociągać skutki dla losów jednostek w to wplątanych.

– Czy pan wiedział, że Olszewski po raz pierwszy w życiu wyjechał za granicę dopiero jako premier? – zapytała szeptem Joanna. – Wcześniej, przez cały okres Peerelu, nie dostał paszportu.

Doktor nie zwrócił na tę informację należytej uwagi, całkowicie bowiem koncentrował się na wystąpieniu szefa rządu.

– W takich sprawach, w moim przekonaniu, spieszyć się nie należy. Ale byłem w błędzie, byłem w błędzie. Są sytuacje, kiedy trzeba się spieszyć!

„No nie! Można by parsknąć śmiechem" – pomyślał doktor. Olszewskiego przedstawiano przecież w *Polskim zoo* jako misia koalę! Ale Petrycemu w najmniejszym stopniu nie było wesoło. Tragizm tej postaci i powaga sytuacji sprawiały, że wokół panowała kompletna cisza. Niestety, już niedługo.

– To tu, na tej sali padł wniosek zobowiązujący resort spraw wewnętrznych do przedstawienia, jak ujmował ten wniosek, listy agentów. I to tutaj, na tej sali, on został uchwalony. I jego wykonaniem wola tego Sejmu obciążyła ministra spraw wewnętrznych. Mógłbym pozostać poza tym, mnie tam nie fatygowano. Uważałem jednak, że w tej trudnej, prawie beznadziejnej sytuacji nie mogę uchylić się od współodpowiedzialności. Prosiłem ministra Macierewicza o to, aby zostało dokonane nie zestawienie agentów, bo takiego przygotować nikt w resorcie spraw wewnętrznych nie jest władny, tylko zestawienie takich informacji...

– Może pomówień! – zakrzyknął głos z dołu.

– ...jakie w archiwach można znaleźć...

– Wybiórczo! – dopowiedział znów ktoś z posłów.

– Wszystko jest zawsze wybiórcze i wszystko może być pomówieniem. Ja o tym doskonale, proszę państwa, wiem, dlatego – dlatego, podkreślam – po pierwsze, uważałem, że dopóki sam Sejm nie zdecyduje się, co zrobić, nie można uchylić tajemnicy tych faktów. A po drugie…

Tu premierowi znowu przerwano.

– Ja rozumiem ten wesoły śmiech, bo są przecież ludzie, dla których fakt, że coś jest tajemnicą, jest w ogóle niezrozumiały, ale ja zakładam, zakładałem, miałem prawo zakładać, że w tej Izbie, która gromadzi najwyższe przedstawicielstwo narodowe, takich ludzi nie ma.

Dla odmiany rozległy się oklaski.

– Ponadto starałem się o stworzenie pewnych procedur kontrolnych, w imię czego zwróciłem się do pierwszego prezesa Sądu Najwyższego, profesora Adama Strzembosza, o podjęcie się funkcji osoby powołującej – tak się mogło wydawać – najbliższy tym sprawom organ, który mógłby dokonać choćby wstępnej pewnego rodzaju weryfikacji. Nic więcej, nic więcej – bez woli Sejmu – we własnym zakresie rząd ani premier zrobić nie mogli, tylko tyle.

Dalej mowa była o tym, jak porażającą lekturą, również dla szefa rządu, była lista przygotowana przez ministra.

– Jest Polska, była Polska przez czterdzieści parę lat, bo to jednak była Polska – ciągnął premier – była własnością pewnej grupy, własnością może z dzierżawy raczej przez kogoś nadaną. Potem myśmy w imię racji, ważnych racji politycznych zgodzili się na pewien stan przejściowy, na kompromis, na to, że ta Polska jeszcze przez jakiś czas będzie i nasza, i nie całkiem nasza. I zdawało się, że ten czas się skończył. Skończył się wtedy, powinien się skończyć, kiedy uzyskaliśmy władzę pochodzącą z demokratycznego, prawdziwie demokratycznego wyboru. A dzisiaj widzę, że nie wszystko się skończyło, że jednak wiele jeszcze trwa i że to, czyja będzie Polska, musi się dopiero rozstrzygnąć.

Właściwie więcej nie trzeba już było mówić, choć wystąpienie trwało jeszcze chwilę. Przed decydującą o losach rządu próbą sił ktoś zgłosił wniosek o głosowanie imienne. Kolega partyjny doktora był temu przeciwny, dopatrując się tu znowu prób obstrukcji.

– Ze swej strony chcę zapewnić wszystkich, panie i panów posłów, że wnioskodawcy odpowiedniego wniosku w tej sprawie będą tak długo trzymać ręce, żeby mogli być dokładnie zauważeni, policzeni i wymienieni z nazwiska w każdej, dowolnej publikacji! – dokończył krakowski poseł świdrującym głosem, a jego słowa zostały przyjęte oklaskami[21].

Z przyczyn technicznych pozostano przy tradycyjnym głosowaniu, połączonym z liczeniem głosów przez sekretarzy, i w ten sposób – w ciągu zaledwie kilku minut – rada ministrów wraz ze swym szefem została odwołana.

---

[21] Wszystkie cytaty z obrad Sejmu 4 czerwca 1992 r. podaję za stenogramem zamieszczonym na stronie: http://www.sejm.gov.pl/archiwum/prace/kadencja1/prace1.htm.

Słowa skreślone ze stenogramu za nagraniem z filmu *Nocna zmiana*. Pierwsze i drugie oświadczenie Lecha Wałęsy na podstawie książki Jana Olszewskiego, *Przerwana premiera*, Warszawa 1992, oraz publikacji prasowych z czerwca 1992 r.

Mszana Dolna, piątek, 5 czerwca 1992

Siedziały przy stole, z radia sączyła się muzyka, ale jej nie słuchały. W tę właśnie noc Marysia nadrabiała długie tygodnie milczenia, wypowiadała na głos wszystko, co dotąd dusiła w sobie. Janka prawie się nie odzywała, krępowało ją, że musi tego słuchać, ale wiedziała, że jest to ważny etap dochodzenia przyjaciółki do zdrowia, pokonywania depresji, dojrzewania do powrotu.

– Nie pozwolił mi podjąć decyzji, nawet się nad nią zastanowić! Nie, on już wszystko wiedział, miał ułożony w głowie cały plan, a ja miałam się tylko podporządkować. Czy on choć przez chwilę pomyślał, co urodzenie niepełnosprawnego dziecka oznacza dla mnie?! Co z tego, że załatwi najlepszych lekarzy? Przecież ktoś będzie musiał z dzieckiem po tych lekarzach jeździć! Ktoś będzie musiał je pielęgnować, rehabilitować, uczyć każdej pojedynczej czynności, która zdrowym dzieciom przychodzi sama. Czy on pomyślał, że mógłby w tym celu zrezygnować z pracy?!

– Nie sądzę – pozwoliła sobie Janka. – Ale też zauważ, że jest w stanie dużo zarobić na te wszystkie potrzeby. A ciebie, choćby chciał, w pewnych sprawach nie zastąpi. Nie urodzi, na przykład, nie będzie mógł karmić piersią.

– Janka, ty chyba nie rozumiesz, o czym ja mówię! – przerwała jej Marysia. – Chodzi o to, że on mi nie dał szansy nawet się odezwać! Sam wiedział lepiej, wszystko już obmyślił i nie pozostawił mi przestrzeni, żadnego wyboru! Nie mówię o wyborze, czy urodzić to dziecko, czy nie, bo aborcja przecież od początku nie wchodziła w grę, ale… Chodzi o prawo do rozpaczy! Do powiedzenia, że ja tego nie chcę, nie jestem gotowa, że to nie może być prawda!

Flip leżący na szmacianym dywaniku pod piecem uniósł pysk i spojrzał na swą panią z niemym wyrzutem. Nie pamiętał już, kiedy ostatni raz zdarzało się jej krzyczeć. A ona nie dość, że podniosła głos, to jeszcze łupnęła pięścią w stół.

– Uch! Coś mi się dzieje, kiedy sobie przypominam ten moment! Gdybym mogła, gdybym go tu miała! – Złowrogi błysk w oczach Marysi powiedział Jance, że z Maksymilianem byłoby wówczas krucho.

– Słuchaj, ja się nie znam, ale ty się raczej tak nie napinaj – odezwała się ostrożnie, wskazując palcem jej brzuch. – Bo nie wiem, czy to nie wywoła skurczów.

– Spokojna głowa – rzuciła Marysia, ale zaraz odetchnęła głęboko i usiadła wygodniej. Spojrzała tęsknie za okno, za którym nawet jedna latarnia nie rozświetlała ciemności nocy, a blady księżyc wędrował sobie powolutku pośród chmur, nabierając ciała. – Może jeszcze wyjdziemy do sadu? – zaproponowała.

Janka była już zmęczona, a następnego dnia czekała ją wyprawa do Krakowa na organizowany przez ekologów przejazd rowerowy. Czuła jednak, że dzieje się coś ważnego. Wzięła radio i dwa koce, a Flip poderwał się od razu, gotów im towarzyszyć.

Na zewnątrz szumiał wiatr i śmigały czarne sylwetki nietoperzy. Janka ze stęknięciem usiadła w leżaku, stawiając radio w zasięgu ręki. Przykręciła głośność, ale go nie wyłączyła. Była ciekawa, jak się zakończy nocne posiedzenie w Sejmie, a poza tym oczekiwała na jakieś informacje o rozpoczętym we wtorek Szczycie Ziemi w Rio. Nie traciła jednak ani słowa z tego, co mówiła jej przyjaciółka.

– Chciałabym się ukryć. Wejść pod ten koc, zagrzebać się i już tam zostać.

– Wiesz, że to niemożliwe. Ale możesz tu przyjeżdżać, ile razy będziesz potrzebowała azylu.

– Boję się ludzkich komentarzy i tego, jak będą na mnie patrzeć – ciągnęła Marysia, pomijając milczeniem jej zaproszenie. – Nie chcę współczucia! Nie chcę tych spojrzeń, ciekawskich i pełnych litości!

Flip buszował w nieodległym mroku. Nie wiadomo skąd pojawił się też Flap i bezgłośnie wskoczył na kolana Janki. Mrucząc, zaczął ugniatać łapkami wełnianą tkaninę, którą była okryta.

– Kochanie, obawiam się, że tego akurat nie zmienisz – szepnęła, jedną ręką głaszcząc futro kota, a drugą dotykając dłoni Marysi. – Musisz się przyzwyczaić, że ludzie będą się gapić. Pokazuj im, że jesteś szczęśliwa, że życie z dzieckiem niepełnosprawnym to nie tragedia!

– Nie wiem, czy dam radę. – W głosie przyjaciółki po raz pierwszy zabrzmiały łzy.

– Jak nie ty, to kto? – próbowała dalej Janka, ale i ona poczuła nadciągającą pod powieki falę wilgoci. – Na pewno dasz radę. My wszyscy ci pomożemy.

– Wszyscy? Jak mam w to uwierzyć? Gdzie był dzisiaj mój mąż? – zapytała Marysia z taką goryczą, że Janka nie znalazła już dla niej żadnych słów ukojenia.

Przez chwilę siedziały w milczeniu, słychać było tylko ich westchnienia, szmer muzyki w radiu i mruczenie kota.

– Ja zresztą jakoś to zniosę. Będę walczyć, na pewno się nie poddam – powiedziała Marysia po długiej chwili, ocierając oczy – ale skóra mi cierpnie na myśl, że moje dzieci będą się wstydzić. Że ktoś może ich traktować z góry albo żałować dlatego, że mają upośledzonego brata!

Jance aż dech zaparło. Wyjęła więc z kieszeni chusteczkę i wydmuchała nos z taką siłą, że Flap zerwał się z jej kolan zjeżony i jednym skokiem rzucił się w ciemność.

– Masz mądre, dobre i kochane dzieci! – Gdy się już odezwała, głos Janki był znowu mocny jak spiż. – One będą potrafiły powiedzieć takim ludziom, jak bardzo się mylą. One swoim przykładem unaocznią światu, że niepełnosprawność, czy może raczej innosprawność[22], jest tylko jedną z wielu form inności. A świat właśnie dzięki temu jest tak piękny i bogaty, że wszyscy się od siebie różnimy!

– One najpierw same będą się musiały tego nauczyć – wyszeptała Marysia, przypominając sobie reakcję Franka w wielkanocny poranek. Serce ścisnęło się jej boleśnie. – Mam nadzieję, że będzie właśnie tak, jak mówisz. Naprawdę mam nadzieję.

W odbiorniku nagle skończyła się muzyka i dał się słyszeć głos spikera z kopca Kościuszki. Janka ruszyła gałką i spomiędzy trawy dotarły do nich wyraźne słowa:

– ...z ostatniej chwili. Dziś o godzinie 0.40 stosunkiem głosów 273 za, 119 przeciw, przy 33 wstrzymujących się, Sejm RP odwołał rząd premiera Jana Olszewskiego.

---

[22] Termin autorstwa Agaty Komorowskiej, matki czwórki dzieci, w tym Krystiana z zespołem Downa, autorki wyjątkowego bloga poświęconego m.in. problemom niepełnosprawności; www.agatakomorowska.pl.

Nawet nie zauważyły, kiedy minęła północ!

– No cóż, pora spać – powiedziała Janka i już chciała wyłączyć odbiornik, gdy redaktor w studiu zapowiedział jeszcze:

– Specjalnie dla państwa łączymy się teraz z naszą korespondentką w Warszawie.

Warszawa, piątek, 5 czerwca 1992

Petrycy nie miał nawet czasu ochłonąć.

– Panie doktorze, teraz nie może mnie pan zawieść! Szybko!

Joanna, ciągnąc za rękaw, wyprowadziła go z budynków Sejmu. Znaleźli się na parkingu, gdzie czekało na nich auto z wyciągniętym już masztem.

– Wchodzimy za pięć minut! – rzuciła, rozwijając mikrofon i łącząc się przez radio ze studiem na kopcu Kościuszki. – Ma pan chwilę, żeby to sobie poukładać w głowie.

Poukładać! Z mętliku, który Maksymilian miał w głowie, wyłaniała się tylko jedna konkretna myśl, a raczej decyzja. Była ona jednak zbyt świeża, impulsywna, może błędna. Nie wiedział wprawdzie, czyja ręka zamieszała dziś w tym kotle, ale czuł, że stało się coś bardzo złego. Zamierzał zrezygnować z zajmowania się polityką i w geście protestu oficjalnie oddać swoją legitymację partyjną. Ale było za wcześnie, by mówić o tym na antenie radiowej.

– Czy mógłby pan dla nas skomentować to, co się dzisiaj wydarzyło? – zapytała Joanna, podsuwając mu mikrofon pod nos. – Panie doktorze?

– Skomentować? – Zastanowił się uczciwie. – Chyba nie mam dobrego komentarza. Mam natomiast mnóstwo pytań dotyczących tego, czego właśnie byliśmy świadkami. I dotyczących w ogóle sytuacji w naszym kraju.

Zawahał się, a ona ruchem ręki dała mu znak, żeby mówił dalej.

– Chcąc nie chcąc, słyszałem dziś w kuluarach konkretne nazwiska z listy. Jedno z nich, wypowiedziane na głos w Sejmie, słyszeli też wszyscy oglądający w telewizji relację na żywo. Nie wiem jak państwo, ale ja jestem wstrząśnięty. Przecież są to ludzie o wspaniałych życiorysach! Opozycjoniści, najbardziej nieubłagani przeciwnicy komuny. Wątpię w to, aby tacy ludzie dali się złamać. Jeśli więc w ich teczkach nie ma nic, są rzeczy błahe, lub nawet fałszywki, to skąd ta dzisiejsza reakcja? Dlaczego to wszystko się dzieje, dlaczego rząd został odwołany w tak gwałtownym trybie, czy oni nie wierzą, że w wolnym kraju zostanie im oddana sprawiedliwość?!

Zamilkł, czując, że ponoszą go emocje. Joanna zauważyła jego wzburzenie, choć próbował je ukryć.

– Nawiązując do tej sprawiedliwości – odezwała się. – Sądzi pan, że można teraz jeszcze dojść do prawdy? Że da się ją, często po wielu latach, zweryfikować? A czy ludzie, którzy by mieli o tym rozstrzygać, na pewno są wolni od własnych powiązań i uprzedzeń?

– Nie wiem – opanował się doktor. – Ale wierzę głęboko, że są w naszym kraju ludzie o czystych rękach. Wierzę, że każdy pomówiony może w uczciwym procesie oczyścić się z zarzutów. Nie zmarnujmy tej szansy na rozwianie wątpliwości! Trzeba poruszyć wstydliwe sprawy, trzeba powiedzieć prawdę – zawahał się. – A jeśli to będzie konieczne, także przyznać się do winy i poprosić o wybaczenie – dokończył.

– A mnie się wydaje, że teczki raz użyte do walki politycznej teraz już tylko w ten sposób będą funkcjonować – powiedziała twardo dziennikarka.

– Tym bardziej należy położyć temu kres! – wszedł jej w słowo Petrycy. – Zaczynając od samej góry, po to, by dać odwagę innym. Wielu mogło zostać złamanych i upodlonych przez system, bo on po prostu w ten sposób działał. Czas, by uwolnili się od tego brzemienia.

– A nie sądzi pan, że ceną tej wolności będzie ostracyzm społeczny? Będzie się od nich żądać ustąpienia ze stanowisk, rezygnacji z życia publicznego.

– Nie trzeba tego żądać. Po co? Zweryfikują to przecież mechanizmy demokracji!

Już w chwili, gdy to mówił, przed oczami stanęła mu skrzynka pełna obraźliwych anonimów. Taką cenę zapłacił on sam, gdy obwieścił światu informację o przeszłości Benedykta. Przypomniał sobie też odwołanie z fotela wiceprzewodniczącego rady miasta oraz przegraną w wyborach parlamentarnych, gdy po ujawnieniu swego pochodzenia zdecydował się dobrowolnie poddać tym mechanizmom. Gardło się mu ścisnęło z przykrości, a jednak dokończył:

– W każdym razie ja chciałbym wiedzieć, na kogo głosuję. Uważam, że mam prawo znać prawdę i samodzielnie podjąć decyzję.

– Ci, którzy brali udział w obalaniu komunizmu i przez to znaleźli się w kręgu zainteresowania bezpieki, byli najbardziej narażeni na naciski, inwigilację i manipulację. To na nich gromadzono kompromitujące materiały i z ich pomocą zmuszano do współpracy. Co, jeśli będą musieli odejść? – zapytała podstępnie Lipska. – Kto wtedy ich zastąpi?

„Ha! Dobre pytanie!" – zasępił się Petrycy.

– Zanim pojawią się nowi ludzie, nieobciążeni przeszłością, zanim zdobędą uznanie narodu, wytworzy się pustka – powiedział. – Można się obawiać, czy nie wedrą się w to miejsce stare kadry, zahartowane w bojach, pozbawione wszelkich skrupułów, dążące do odzyskania za wszelką cenę państwa, które przez cztery dekady uważały za swoją własność.

I nagle doznał olśnienia. Wydało mu się, że zaczyna wreszcie rozumieć.

„Odwieczna zasada: dziel i rządź! – przemknęło mu przez głowę. – Mogło się dziś wydarzyć coś naprawdę ważnego, mogliśmy zrobić olbrzymi krok naprzód, a skończyło się wybuchem ogólnej nienawiści, pretensji i pomówień. Ktoś tu prowadzi swoją własną rozgrywkę. I to naszymi rękami, napuszczając jednych na drugich".

– Jeśli stare kadry wedrą się w wyniku wolnych wyborów, to będziemy mieli tylko powód do radości – rozwinęła ten wątek Joanna, a w jej głosie zadźwięczała gorzka ironia. – Okaże się wtedy, że mechanizmy demokracji funkcjonują w naszym kraju wzorowo, a o to przecież od początku chodziło.

– Będzie to zatem sprawdzian na dojrzałość naszego społeczeństwa – odrzekł doktor. – Czy naród odrzuci ludzi, którzy zapisali sobie chwalebną kartę w historii, ale popełnili błąd i mają odwagę się do niego przyznać? Czy rzeczywiście w kolejnych wyborach da im votum nieufności? Czy może się zdarzyć, że wyborcy postawią na postkomunistów? Bo jeśli tak...

Tu wyobraźnia na chwilę go zawiodła. Nie mógł uwierzyć, że taki scenariusz w ogóle jest możliwy. A jednak... Przed oczami stanęła mu długa kolejka osób, które przed krakowską księgarnią czekały na autograf od generała.

– Jeśli tak, to co? – ponagliła go Lipska.

– To może przyjść kiedyś moment, że będziemy musieli zaczynać wszystko od nowa! – wypalił, zdjęty grozą.

Nagle zapragnął usłyszeć głos Marysi. To ona sprawiała, że jego świat, mimo tych wszystkich zawieruch, trwał na swoim miejscu, ona dawała mu poczucie bezpieczeństwa.

„Muszę do niej zadzwonić!" – pomyślał, a potem wróciła mu świadomość, na chwilę przytłumiona ostatnimi wydarzeniami, że żona nie życzy sobie z nim kontaktu. Przypomniał sobie rozmowę sprzed kilku godzin i obraźliwy, szybki sygnał przerwanego przez nią połączenia. Poczuł żal, potem złość, wreszcie przyszła refleksja.

Nie było w tym winy Janki! Zrobiła tak, jak się umawiali – zapowiedziała jego przyjazd i przygotowała grunt. Przez cały wieczór obie na niego czekały. Trudno się dziwić, że Marysia trzasnęła słuchawką. Przecież ją zawiódł, nie zjawił się na spotkanie. Polityka była dziś dla niego ważniejsza niż ona.

– Na tym kończymy naszą relację – mówiła tymczasem dziennikarka. – Na pewno jeszcze będziemy wracać do problemu, który nie został przecież rozwiązany, choć marszałek Kern na zakończenie nocnych obrad stwierdził, że zamknęliśmy kolejny rozdział naszej historii. Czy chciałby pan zamiast pożegnania powiedzieć coś jeszcze naszym słuchaczom?

Doktor drgnął, gwałtownie wyrwany z zamyślenia. Ujrzał znowu podetknięty mu pod usta mikrofon, ale nie miał pojęcia, o co go pytano. W ułamku sekundy natomiast pojął, że ma przed sobą jedyną w życiu szansę.

– Marysiu, jeśli mnie słyszysz... – Wydarło mu się z piersi udręczonej wyrzutami sumienia. – Wiem, że powinienem dzisiaj być z tobą! Już zrozumiałem, że nie ma dla mnie nic ważniejszego od ciebie! Czy możesz mi wybaczyć?

Urwał, nie wierząc, że to powiedział. Joanna wytrzeszczyła na niego oczy, ręka jej opadła, a w przeraźliwej ciszy dał się słyszeć odgłos zapalanego w sąsiedztwie silnika samochodu. Prowadzącemu w studiu na kopcu Kościuszki też chyba odjęło mowę, w każdym razie nie przyszło stamtąd żadne wybawienie.

– Tak. To był bardzo długi i ważny dla kraju dzień. Wszystkie inne sprawy poszły na chwilę w odstawkę, czas jakby się zatrzymał – odezwała się wreszcie dziennikarka dziarskim głosem, w którym tylko wprawne ucho mogłoby odkryć ton paniki. – Ja też dopiero zaczęłam miodowy miesiąc, ale dziś, w tym... historycznym momencie... zostawiłam poślubionego pięć dni temu męża i zjawiłam się na posterunku. Teraz czas wracać do domu. Kończę tę relację dla państwa sprzed budynków Sejmu, dziękuję bardzo i życzę spokojnej nocy.

Rozłączyła się i spojrzała na Maksymiliana spod przymkniętych powiek wzrokiem ciężkim jak ołów.

– Wyleją mnie za to! – oświadczyła. – Ale co tam. Koniec. Sprawa zamknięta i pogrzebana. Przykro mi.

– Mnie też jest przykro – odparł doktor, dochodząc już trochę do równowagi po szoku, który sam sobie zgotował. – Tylko że moim zdaniem to nie jest koniec. To zaledwie początek.

Jej ręka z mikrofonem drgnęła, jakby pod wpływem impulsu, który każdemu rasowemu reporterowi nakazuje łapać takie okazje, ale jednak się powstrzymała.

– Obawiam się, że ten koszmar będzie wracać i ciążyć nad nami, a o tym, co się dziś stało, będziemy kiedyś jeszcze układać pieśni – dokończył Petrycy ponuro. I nie miał bynajmniej na myśli swego wystąpienia sprzed kilku minut.

– Oj, bez przesady! – Joanna stłumiła ziewnięcie. – Ale film dałoby się zrobić, przyznaję – mruknęła, wsiadając do oliwkowej terenówki z wymalowanym smokiem i wielkim żółtym napisem RMF.

~V~

Smutek zawisł nad rodziną leśniczego i za nic nie chciał jej opuścić. Kiedy robiło się ciemno, tęsknota za ojcem stawała się wprost nie do zniesienia. Zdawało im się, że słyszą za oknem nawoływania i jęki, że ktoś kołacze w szybę i prosi ratunku. Ale wszystko to była ułuda – płakał wiatr, stukały niesione przezeń bryłki lodu i nigdy nikogo nie było na zewnątrz.

Baciar nie spał w izbie, ale w przedsionku zwanym *ambarem*, i czasem budził go w nocy cichy płacz, dobiegający zza plecionej z trawy zasłony. Zaraz potem rozlegały się szepty, szelesty i słowa modlitwy. Trwały długą chwilę, wreszcie cichły powoli, a rodzina pogrążała się we śnie. Baciar też zaciskał mocno powieki, odwracał się na drugi bok i udawał, że śpi.

Walczył ze sobą, nim wreszcie powiedział leśniczynie to, o czym nie raz i nie dwa razy gadali z Józefem, zanim ten wyruszył w step, by już nigdy z niego nie wrócić. „W Sowietach powstaje polskie wojsko” – taką wiadomość przywiózł ksiądz, który zimą na kilka dni zawitał do Semipałatyńska. Sam był w Buzułuku, na własne oczy widział żołnierskie namioty i rozmawiał z dowódcami. Dostał nawet od nich *bumagę*, czyli zaświadczenie, które pozwalało mu podróżować po całej siewiero-kazachstańskiej *obłasti* i odwiedzać rodziny polskich żołnierzy. A skoro było wojsko…

– Postanowiliśmy, że trzeba i nam się zaciągnąć – oświadczył Baciar.

Pech chciał, że usłyszeli te słowa synowie leśniczego i od tej chwili ich matka nie zaznała już ani odrobiny spokoju.

– Inni idą! Ojciec chciał pójść! I my pójdziemy! – krzyczeli starsi bracia jeden przez drugiego, a Głuptasek, gotowy do drogi, tylko kiwał głową i śmiał się.

– Bez zezwolenia?! Złapią was na pierwszej stacji! Wezmą do *trudarmii*! – protestowała z rozpaczą.

Tak długo ją przekonywali, tak długo prosili, aż musiała ustąpić. Spakowała najstarszemu węzełek z suszonym chlebem, uczyniła mu na czole znak krzyża i pozwoliła iść z Baciarem do wojska. Wbrew temu jednak, co wcześniej sobie mówiła i myślała, nie miała siły, by go odprowadzić. Serce jej pękało z bólu, a nogi wcale nie chciały jej nieść. Długo tylko stała w drzwiach i patrzyła w ślad za odchodzącymi. Gdy Baciar z Tadzikiem zniknęli za zakrętem drogi, pogroziła palcem średniemu synowi.

– Nawet o tym nie myśl! – ostrzegła.

Ale młodość rządzi się swoimi prawami. Jak najstarszego nie przekonały prośby, tak na średniego nie podziałała groźba. Jeszcze tamci nie doszli na dworzec, a już Kazik opłotkami, przez śniegi, pobiegł w ślad za bratem. Matka, zajęta swoją robotą, nawet nie zauważyła, co się dzieje. Nie zwróciła też uwagi, że Głuptasek posmutniał, pokręcił się po izbie, a potem napchał kieszenie *lepioszkami*, które leżały na piecu, wdział grube *pimy* i wyszedł. Liczyła właśnie oczka w robótce i nawet się, biedna, nie domyślała, że oto jednego dnia traci wszystkich trzech swoich synów.

Na dworcu, jak to na dworcu, ruch wielki, ludzi pełno, pociągi przyjeżdżają i odjeżdżają. Podróżni koczują na swoich tobołach, a nad ich głowami powiewa czerwone płótno i wiszą portrety dwóch wielkich wodzów. Baciar z Tadzikiem zeszli na bok, byle dalej od wszystkich tych krasnych dekoracji, w miejsce, gdzie się zatrzymywały do rozładowania pociągi towarowe. Wtem patrzą i oczom nie wierzą – na skróty, przez tory, w ich stronę zmierza średni brat!

Straszna wybuchła awantura! Już się synowie leśniczego brali za łby, już ich Baciar miał rozdzielać, gdy nagle dało się słyszeć znajome wołanie. Odwrócili się i ujrzeli, jak machając do nich radośnie, od bocznicy kolejowej nadchodzi też Głuptasek! Starsi bracia zamarli i od razu zapomnieli o swej kłótni. Chłopiec tymczasem, by się do nich dostać, wdrapał się na odkryty wagon, wypełniony po brzegi jakimiś workami. I jak się wdrapał, tak utknął. Zapadł się w miękkie podłoże i ani na krok nie może się ruszyć! Był to eszelon – pociąg z zaopatrzeniem dla wojska, który się zatrzymał, żeby uzupełnić zapas węgla do lokomotywy. Właśnie ukończono załadunek i ramię semafora uniosło się.

Trzeba było szybko ratować Głuptaska! Strażnicy kolejowi zagadali się między sobą i jeszcze nie zauważyli, co się dzieje. Tadzik z Kazikiem przebiegli więc przez szerokie tory i wdrapali się do wagonu, żeby go podsadzić, Baciar zaś stanął na buforze, żeby mu pomóc zejść. Ledwo się tam znaleźli, gdy pociąg drgnął.

– Szybko! Skaczcie! – zawołał Baciar, przywierając całym ciałem do szorstkich, nieheblowanych desek.

Z trudem się utrzymał, jeszcze chwila, a spadnie! Nad jego głową, w wagonie, wszyscy bracia poprzewracali się na siebie i głębiej zapadli w miękkie worki. A eszelon powoli zaczął się toczyć. Strażnicy dopiero teraz dojrzeli intruzów. Zaczęli biec w ich kierunku, jeden nawet strzelił w powietrze. Ale maszynista chyba nie słyszał strzału – kazał palaczowi doładować do pieca i pociąg przyspieszył.

Nie wiedział Baciar, co ma teraz począć. Skakać i samotnie ruszyć w drogę do polskiej armii, czy też zostać z chłopakami, za których czuł się odpowiedzialny? Uchwycił się mocno ożebrowania i krzyknął raz jeszcze, a wtedy najstarszy brat wychylił się przez krawędź i podał mu rękę. Nie minęła chwila, i oto we czterech siedzieli już w środku, a nad ich głowami świszczał mroźny wiatr. Choć był to marzec, zima jeszcze nawet nie myślała o odwrocie.

Strażnicy nie strzelali już więcej. Rozpoznali dwóch braci, którzy od wielu miesięcy pracowali na kolei przy rozładunku. Słyszeli o tragedii, która spotkała ich ojca, i może z tego powodu nie chcieli ich zabić. A może po prostu było im wszystko jedno, co się stanie z towarem przewożonym w wagonach. Jak było, tak było, w każdym razie zaniechali pościgu.

Pociąg tymczasem pomknął prosto na południe. Baciar od razu to pojął, gdy tylko zza warstwy chmur zaczęły przeświecać gwiazdy. Zmierzali w ciepłe i przyjazne człowiekowi strony, ale co z tego, skoro z każdym obrotem kół oddalali się od Buzułuku i polskiej armii! Na dworcu w Semipałatyńsku Baciar oglądał mapę kolejową i wiedział, że powinni jechać na północ i na zachód, przez Omsk i Pietropawłowsk w stronę Czelabińska, i dalej przez Ufę do Kujbyszewa. Tymczasem mknęli gdzieś do Ałma Aty, i Bóg jeden wiedział, jak się stamtąd wydostaną!

Zapłakał ten człowiek twardy i niewzruszony, przyzwyczajony od dziecka siłować się z życiem. Jedno miał marzenie – wydostać się stąd i przysłużyć ojczyźnie. Czy to Księżniczka i jej piękne opowieści wyzwoliły w nim takie pragnienie, tego on sam pewnie nie wiedział. Ale chciał zaciągnąć się do armii i dać choćby ostatnią kroplę krwi, żeby pokonać najeźdźcę, który spustoszył jego kraj i tylu ludziom zniszczył życie. Gdy Polska cieszyła się pokojem, widział tylko zło w niej panujące – niesprawiedliwość społeczną, nędzę ludu, butę rządzących i bigoterię bogaczy. Dopiero teraz, na nieludzkiej ziemi, otworzyły mu się oczy. I zrozumiał, że tę swoją niedoskonałą ojczyznę kocha do szaleństwa i że żaden, choćby nie wiadomo jak sprawiedliwy system, nie zastąpi jednego – wolności.

Za tę wolność chciał walczyć, o tym rozmawiał wiele razy z Józefem i ten cel chciał zrealizować z jego najstarszym synem. Tymczasem tkwił uwięziony w rozpędzonym wagonie, z którego – mimo że był otwarty – w żadnym razie nie mógł wyskoczyć. Towarzyszyło mu bowiem trzech niedorostków, z tego jeden przygłupi. I choć zaciskał powieki, choć walczył ze sobą i zagryzał wargi, zapłakał wreszcie ten hardy człowiek rzewnymi łzami i szlochał długo, nie zwracając uwagi na to, że chłopcy patrzą na niego szeroko otwartymi ze zdumienia oczami.

Jechali długie dni i noce, zatrzymywali się czasem w stepie, a czasem na stacjach, i niejedną mieli okazję, by się wydostać z wagonu. Ale dziwna niemoc ogarnęła Baciara. Wypłakał się, a potem zasnął wśród miękkich worków i tak drzemał w dzień, a w nocy w otępieniu gapił się w gwiazdy, i nawet mu do głowy nie przyszło, by sprawdzić, co to za miękkie towary są zaszyte w grubym płótnie. Synowie leśniczego, już pogodzeni, chrupali suchary, które matka spakowała Tadzikowi na drogę, żuli Głuptaskowe *lepioszki* i śmiali się z tej nowej przygody, jaka się przed nimi otwierała. Wokół coraz mniej było śniegu, step zaczął się robić szary, a powietrze złagodniało i czuć w nim było wreszcie tchnienie wiosny.

Chcecie, to wierzcie, a nie chcecie, to nie wierzcie, ale pierwszym człowiekiem, jakiego zobaczyli u celu, na stacji w dalekim Uzbekistanie, był polski żołnierz! Cały patrol czekał właśnie na ten eszelon, którym miało przyjechać aż z Archangielska brytyjskie zaopatrzenie dla polskiego wojska. Jak się bowiem okazało, już z początkiem stycznia armia polska rozpoczęła ewakuację na południe. Gdyby Głuptasek nie utknął w wagonie, gdyby Baciar z Tadzikiem pojechali tam, gdzie jechać zamierzali – nikogo by już w koszarach nie zastali!

~

Niedaleko, w małym miasteczku Szachriziabs, działała komenda uzupełnień, w której zaciągnęli się Baciar i Tadzik. Kazika przyjęto do junaków, nad Głuptaskiem zaś panowie oficerowie tylko pokiwali głowami i wysłali go do ochronki, bo choć już duży i silny, w żaden sposób nie nadawał się na żołnierza. Tak pod rozgrzanym, turkusowym niebem, wśród pól ryżowych, sadów z drzewami morwowymi i brzoskwiniowymi, wśród całych łanów kwitnących czerwono maków, które porastały nawet dachy uzbeckich domów – znaleźli wreszcie synowie leśniczego swoje miejsce, pomoc i opiekę.

Ale tak to się w życiu plecie, że dobry los ze złym losem na przemian się układa. Minęło kilka miesięcy, zbliżał się termin ostatecznej ewakuacji polskiego wojska z nieludzkiej ziemi. Wraz z armią mieli jechać członkowie rodzin, sieroty, a nawet całkiem obcy ludzie, rodacy, których zdjęci litością żołnierze podali za swych krewnych. I wtedy dla trzech braci – ale też i setek innych, młodych i starych nieszczęśników – znowu odwróciło się koło fortuny.

Nie wiedzieli ściągający ze wszystkich stron, wyniszczeni głodem i ciężką pracą ludzie, że owoce i woda w kanałach melioracyjnych i rzekach pełne są niebezpiecznych bakterii. Nie mieli pojęcia, że chmary komarów z pól ryżowych roznoszą groźną chorobę. Zapełniły się szpitale. Mimo starań nie udało się dowódcom i lekarzom wywieźć wszystkich. Z rodziny leśniczego pierwszy zachorował Kazik, drugi – Tadeusz. Głuptasek był już wraz z innymi dziećmi w drodze do Krasnowodska, gdy przewożąca ich lora[23] wywróciła się i chłopiec został odwieziony z powrotem do szpitala. I tak trzej bracia spotkali się znowu, ale już bez Baciara. Ten został wraz z wojskiem ewakuowany do krainy jak z baśni tysiąca i jednej nocy. Miał stamtąd dotrzeć aż do miejsca, w którym znów ujrzy płonące czerwienią pola maków.

Jeszcze w dzień przed wyjazdem odwiedził Tadzika w szpitalu i wsadził mu w rękę trzysta rubli z własnego żołdu, na bilet kolejowy.

---

23 Ciężarówka.

– Wracajcie do matki! – przykazał solennie.

Kazał mu dobrze ukryć *diengi*, życzył szczęścia i żegnał się ze łzami, jakby wiedział, że już się nigdy nie zobaczą. A potem, z ostatnim transportem, wyjechał na spotkanie z własnym przeznaczeniem.

Pieniądze, ukryte pod przepoconym prześcieradłem, zginęły jeszcze tej samej nocy. Gdy zaś bracia ozdrowieli i całkiem już pewnie stanęli na nogach, zjawili się w szpitalu umundurowani panowie w granatowych czapkach z czerwonym otokiem. Spojrzeli na Tadeusza, potem na siebie, i skinęli głowami. Kazali lekarzom zbadać go i zmierzyć, i wypisali mu powołanie do wojska.

– *Ty chotieł w sałdaty?* – powiedzieli. – *Nu, tak ty w sałdaty pajdiosz!*[24]

Kraków, piątek, 5 czerwca 1992

To była dla doktora Petrycego bardzo krótka noc. Ledwo się położył, a już został wyrwany ze snu. Ocknął się ze świadomością, że stało się coś nieodwracalnego. Przez dłuższą chwilę zbierał myśli, wreszcie ze strzępów wspomnień udało mu się odtworzyć wydarzenia poprzedniego dnia. Ania wyjechała do Niemiec na ryzykowne badanie. Sejm odwołał rząd Olszewskiego. A Marysia nie chciała go znać.

---

[24] Chciałeś do wojska? To pójdziesz! (ros.).

Usiadł na łóżku, zwiesił głowę i wpatrzył się tępo we własne kapcie.

– To jakiś koszmar! – wyszeptał.

Zza drzwi doszedł go odgłos lekkich kroków i podśpiewywanie. Gabrysia szykowała się do szkoły, nucąc przebój grupy Inner Circle. Tyle było optymizmu w jej głosie i tyle radości życia w krótkim „A la la la la long!", że Maksymilian w końcu zebrał się w sobie i wyszedł na korytarz ze słowami powitania na ustach. Nie zdążył. Ledwo zobaczył córkę, z miejsca zapomniał, co chciał powiedzieć.

– O Matko Boska! – wyrwało mu się zamiast tego. – Cóżeś ty z siebie zrobiła?!

Gabrysia zatrzymała się w biegu, wyraźnie dotknięta.

– O co ci chodzi, tato?!

– O to, co masz na głowie! – wrzasnął Petrycy, nie wierząc własnym oczom. – Proszę to natychmiast rozczesać!

Usta córki wygięły się w podkówkę. Była to mina niemal identyczna jak u Ani, mina, która zawsze wytrącała mu oręż z ręki.

„O nie! Tym razem ta sztuczka nie zadziała!" – pomyślał, po czym w kilku krokach przemierzył drogę do łazienki, porwał z koszyczka grzebień, wrócił do przedpokoju i energicznie wbił go w skręcone gęsto loki. Wrzask, który rozdarł powietrze, o mało nie przyprawił go o zawał. W jednej chwili wypuścił z ręki narzędzie tortur i złapał się za serce.

– Co ty robisz! – krzyczała córka, potrząsając trwałą ondulacją. – Zwariowałeś?! To boli!

W drzwiach pokoju pojawił się Franek i jednym spojrzeniem ogarnął sytuację.

– Tato, tego się nie da rozczesać – powiedział z jakimś szczególnym naciskiem. – To już jest na stałe.

Maksymilianowi zdawało się, że śni. Do głowy mu nie przyszło, gdy wręczał jej wczoraj pieniądze na fryzjera, że Gabrysia zafunduje sobie coś tak paskudnego. A takie miała piękne, długie włosy!

– Najnowszy krzyk mody – poinformował go syn. – Połowa dziewczyn w szkole ma już takiego barana.

– Nie! – wyszeptał doktor, odwracając się od nich i krokiem lunatyka zmierzając w stronę kuchni. – To jest przecież jakiś koszmar!

Zaparzył sobie kawę i usiadł przy stole, czekając, aż mała winowajczyni sama przyjdzie wytłumaczyć jakoś swój postępek. Spotkało go jednak rozczarowanie – Gabrysia dokończyła toaletę w łazience, po czym wyszła z domu bez śniadania, trzaskając drzwiami. Pojawił się za to Franek.

– Tato, nie mam już maści – oznajmił, krojąc pół bochenka chleba w grube pajdy i wybijając na patelnię pięć jajek. – Jesz jajecznicę? – zorientował się w ostatniej chwili, a gdy doktor potwierdził, wbił następne pięć.

– Wiesz, czytałem ostatnio, że ma być jakaś zmiana w prawie – zagadnął, nie patrząc ojcu w oczy. – Mają wprowadzić coś takiego jak separacja. To jeszcze nie rozwód, tylko coś podobnego, jak wy teraz macie z mamą.

Doktor omal nie udławił się łykiem kawy.

– Dlaczego mi to mówisz?! – wykrztusił. Przeżycia ostatnich godzin zaczęły mu się wydawać nagle ponad siły jednego człowieka. – Przecież my z mamą nawet nie myślimy… przecież my nigdy… – zaczął się jąkać.

– Tak tylko – mruknął Franek, wygarniając na talerze parującą jajecznicę i nie podnosząc nadal wzroku. – Żebyście wiedzieli, że jest alternatywa.

– Nie planujemy z mamą rozwodu – oświadczył Petrycy z mocą, choć w gardle nadal go drapało, a oczy miał pełne łez. – Nawet sobie nie myśl!

– Okej – wzruszył ramionami syn, stawiając przed doktorem jego porcję, znacznie mniejszą od własnej. – To jak będzie z moją maścią, pojedziesz do tego pszczelarza? Bo jak smaruję, to dużo mniej boli.

– Spróbuję. W sobotę. – Zapach stopionego masła i jajek był tak intensywny, że Maksymilian przełknął ślinę. Nagle zdał sobie sprawę, że jest okropnie głodny i że wczoraj prawie nic nie jadł.

– Sobota to już jutro – poinformował go Franek, po czym rozmowa się urwała. Ramię przy ramieniu zgodnie zajęli się śniadaniem.

Półtorej godziny później doktor – najedzony, wykąpany, ogolony i świeży – pojawił się w klinice, gotów wytężoną pracą nadrobić wszystkie zaległości i przyjąć wszystkich wczorajszych pacjentów. Przy wejściu natknął się na swojego szefa, choć nie powinno go tu być – Lasicki w piątki miał dyżur po południu.

– Proszę cię na chwilę – wycedził kierownik poradni.

Mogłoby się wydawać, że specjalnie tu na niego czekał. Twarz miał ponurą jak gradowa chmura, a w jego oczach na widok doktora pojawiły się złowrogie błyski. Gdy weszli do gabinetu, sięgnął po leżącą na samym wierzchu kartkę z urzędową pieczęcią i podając ją Petrycemu, oznajmił krótko:

– Jesteś zawieszony w obowiązkach służbowych.

Maksymilian nie spodziewał się po tej rozmowie niczego dobrego, bo zdawał sobie doskonale sprawę, że przekroczył wczoraj pewną granicę. Rozmiar retorsji zaskoczył go jednak, i to tak, że tym razem na dobre stracił głos.

– O pacjentów się nie martw, już zostali rozdzieleni – objaśnił wobec tego Lasicki. – Zaraz zaczynam przyjmować, więc jeśli pozwolisz... – Zerknął na zegarek, po czym uprzejmym gestem pokazał mu drogę do wyjścia.

Zamiast zaprotestować, doktor, kompletnie osłupiały, ruszył posłusznie we wskazanym kierunku.

– A tak już całkiem prywatnie, toś się w tym radiu dopiero popisał! – dorzucił szef na odchodnym, robiąc mu miejsce w drzwiach. W jego głosie brzmiała pogarda. – Nie wiem, kto teraz będzie cię jeszcze traktował poważnie.

~

Petrycy wyszedł z poradni, z nikim nie rozmawiając. „To jest jakiś koszmar!" – powtarzał w myślach zdanie, które towarzyszyło mu od chwili przebudzenia. Czuł się kompletnie ogłuszony i bezsilny, momentami zdawało mu się, że śni. Ale wiedział, że przebudzenie nie nastąpi, że jest to jawa, że to się DZIEJE.

Z kilku zdań napisanych na maszynie na kiepskiej jakości papierze wynikało, że jest zwolniony z obowiązku świadczenia pracy „do odwołania". Nie było jednak żadnej informacji, na jakiej podstawie to nastąpiło oraz czy za ten czas otrzyma uposażenie.

Szedł przed siebie, nie bardzo wiedząc, dokąd zmierza. Dopiero po chwili pojawiła się wściekłość, ale tak potężna, że miał ochotę walić pięścią w mury mijanych po drodze budynków. Przed oczami przebiegały mu mroczki, a przez głowę wszystkie zdania, których nie wypowiedział w gabinecie szefa. Nie mógł sobie darować, że tak szybko wyszedł z poradni, ale wiedział, że powrót tam nic nie zmieni. Rozmowa z Lasickim była bezcelowa, doktor mógłby tylko żałować rzuconych w gniewie słów. Pech zaś chciał, że dyrektor kliniki, zapalony wędkarz, jak co roku w czerwcu wyjechał na urlop na Mazury. Baz pagera i telefonu, w sobie tylko znanym miejscu odreagowywał wielomiesięczny stres, jakim jest praca na stanowisku kierowniczym w służbie zdrowia. Petrycy musiał więc czekać na jego powrót, a do tego czasu mógł na zimno przemyśleć swoją sytuację, skonsultować wszystko z kimś kompetentnym, rozważyć możliwości walki. Oczywiście zaraz na myśl przyszła mu Marysia, która nie tak dawno wiodła przed sądem własną batalię z pracodawcą – i wyszła z niej zwycięsko. Ale Maksymilian nie odczuł bynajmniej pokrzepienia, serce tylko znowu dało o sobie znać bolesnym ściskiem. Rozmowa z żoną nie wchodziła w rachubę, musiał szukać innych sojuszników.

W końcu trochę ochłonął. Zorientował się, że idzie jak automat trasą, którą przemierzał prawie każdego dnia, kończąc pracę w klinice. Zatrzymał się na wąziutkim przesmyku między murem bazyliki Trójcy Świętej a torowiskiem na Dominikańskiej i poczekał, aż go wyminie rozpędzona „jedynka". Dopiero wtedy przeszedł na drugą stronę i ruszył prosto do Urzędu Miasta.

– W Stanach Zjednoczonych pracodawca potrafił wydać kupę pieniędzy na sprowadzenie mojego zięcia, zapewnienie mu mieszkania i przeszkolenie, a gdy się okazało, że z powodów rodzinnych musi wrócić do kraju, nie tylko go nie zwolnił, ale udzielił bezterminowego urlopu bezpłatnego na załatwienie jego osobistych spraw! Tak się zachowali obcy ludzie, którzy znali chłopaka od dwóch miesięcy! A ja pracuję w tym szpitalu od lat dwudziestu kilku, facet był ze mną na studiach na jednym roku, wie, jak wielkie mam ostatnio problemy rodzinne… i on robi mi coś takiego?! Czy to jest w ogóle dopuszczalne?! – Wylał swoje najgłębsze żale przed radczynią z biura prawnego.

– Chwileczkę, niech mi pan pozwoli rzucić na to okiem – powiedziała, biorąc do ręki pismo Lasickiego i nakładając okulary. – To nie jest jeszcze nic ostatecznego. Spokojnie.

Przeczytała uważnie dokument, a gdy podniosła spojrzenie, Petrycy wstrzymał oddech.

– Czy to właśnie z powodów rodzinnych odwołał pan wczoraj swój dyżur? – zapytała.

– Nie – jęknął Maksymilian. – Ale te wcześniejsze przypadki właśnie z tym były związane!

– Więc z jakiego powodu? Bo to może mieć istotne znaczenie dla sprawy!

– Ja… Mnie… Zaproponowano mi wyjazd na posiedzenie Sejmu.

Był zakłopotany, a nawet dotknięty tą dziwną surowością, która brzmiała w jej głosie. Dopiero teraz, gdy musiał przed obcą osobą wytłumaczyć swoją decyzję, poczuł się nieswojo. Owszem, już w chwili, gdy ją podejmował, wiedział, że nie jest w porządku wobec pacjentów i wobec szefostwa poradni. Wychodząc, nie potrafił spojrzeć w oczy ludziom siedzącym w poczekalni. A jednak wtedy wydawało mu się, że jest usprawiedliwiony, że w Warszawie rozgrywają się sprawy tak ważne dla nich wszystkich, że nawet oni nie będą mogli odmówić mu słuszności. Teraz już nie był tego taki pewny.

– Wie pani, co się wczoraj działo w Sejmie – dodał tonem wyjaśnienia. – Jestem bezpośrednio zainteresowany tym problemem i kiedy poproszono mnie o komentarz na żywo, nie potrafiłem odmówić.

– A więc to nie sprawa rodzinna – podsumowała sucho kobieta. – Wręcz przeciwnie, sprawa o charakterze publicznym.

Doktor tylko w milczeniu skinął głową. Było mu coraz bardziej wstyd.

– To dobrze – uznała niespodziewanie. – Widzi pan, zwolnienie pracownika, który sprawuje mandat radnego, wymaga zgody rady miasta lub gminy. Do tego czasu nic panu nie grozi, no, może poza tym przymusowym urlopem. – Podniosła rękę z pismem Lasickiego. – Nie jest to wprawdzie szczegółowo uregulowane w kodeksie pracy, ale orzecznictwo idzie w tę stronę, że przysługuje panu za ten okres normalne wynagrodzenie. Pytanie, co pracodawca zamierza zrobić dalej. Gdyby szpital chciał rozwiązać z panem stosunek pracy, musiałby najpierw wysłać do nas odpowiedni wniosek. Do tego czasu może pan spać spokojnie.

Maksymilian odetchnął z ulgą.

– Zgodnie z zapisem ustawy o samorządzie terytorialnym rada gminy odmawia zgody na rozwiązanie stosunku pracy z radnym, jeżeli podstawą rozwiązania tego stosunku są zdarzenia związane z wykonywaniem mandatu – ciągnęła. – Pański wyjazd do Warszawy mógłby zostać potraktowany jako element pełnienia funkcji publicznej.

– Nie wiem, jak mam pani dziękować za tę informację! – wykrzyknął doktor, wstając z miejsca.

– Proszę nie dziękować, wypełniam tylko swoje obowiązki – oświadczyła zimno.

Czy mu się wydawało, czy rzeczywiście w jej głosie dźwięczała dezaprobata? Nieco tym dotknięty, Petrycy skłonił się i ruszył do wyjścia. Już za drzwiami przypomniał sobie, że nie zabrał pisma Lasickiego, więc bez namysłu – i bez pukania – wrócił do gabinetu.

– …przekładają jak chcą, a ty się człowieku martw, czy dożyjesz! Matka ma osiemdziesiąt dwa lata… – Usłyszał zirytowany głos kobiety, która chwilę temu tak mu pomogła. Stała teraz w otwartym oknie, zapalała papierosa i snuła monolog, którego odbiorcą była siedząca przy drugim biurku koleżanka.

– Właśnie wczoraj zadzwonili ze szpitala! – mówiła nieświadoma, że Petrycy stoi o kilka kroków dalej. – Odwołali jej zabieg bez jednego słowa wyjaśnienia, bez informacji, co ma z sobą do tego czasu zrobić!

Siedząca prawniczka dostała napadu kaszlu. Radczyni odwróciła się i dostrzegła doktora. Umilkła. Petrycy, czerwony jak burak, wskazał tylko na dokument, porwał go z biurka i wypadł za drzwi. Biegł w stronę wyjścia, a słowa prawdy dźwięczały mu w uszach jak rój szerszeni. Wyhamował dopiero na widok starszej pani w kapelusiku, która stała pośrodku pustego korytarza i rozglądała się wokół, jakby się zgubiła.

Obok niej, kołysząc się łagodnie, tkwił młody przygarbiony mężczyzna. Z jego opuszczonych wzdłuż ciała rąk i całej postaci biła taka bezradność, że Petrycy, zanim jeszcze bliżej się mu przyjrzał, zorientował się, że ma do czynienia z człowiekiem niepełnosprawnym. Wydało mu się też, że zna tę kobietę, ale nie mógł sobie przypomnieć skąd.

– Mogę w czymś pomóc? – zapytał, przystając.

– Tak – odrzekła dźwięcznym głosem. – Byłam umówiona z radnym Drabelem w pokoju sto czternaście i nie wiem, czy czasem nie pobłądziłam.

Teraz dopiero doktor ją skojarzył. Ależ tak, to przed nią krył się Włodek w czasie biegu przełajowego na Błoniach!

– Dobrze pani idzie – zapewnił. – Na końcu tego korytarza po prawej stronie są schody.

Odprowadził ich kawałek, a potem postanowił wstąpić jeszcze do biura rady. Zastanawiał się, czy Lasicki, zdeterminowany chęcią pozbycia się go z poradni pod nieobecność ordynatora, nie wystosował również pisma do rady miasta. Pierwszą osobą, na jaką się tam natknął, był Drabel we własnej osobie.

– Byłem! Mam! – zakrzyknął, a potem pogrzebał w teczce i wręczył mu niewielki arkusik mocno uperfumowanego papieru. – Choć nie każdy je dostaje. Edycja limitowana.

Na wizytówce widniało wytłoczone złotem damskie imię – Dolores – oraz numer telefonu. Maksymilian dopiero po chwili przypomniał sobie, o co chodzi.

– Dziękuję – powiedział zwięźle, nie chciał bowiem, a już zwłaszcza tutaj, rozwijać tematu. Jeszcze by Włodek zaczął opowiadać o szczegółach! – Aha, szuka cię pewna pani, z którą byłeś umówiony. – Zdziwił się, słysząc we własnym głosie przyganę.

– Pani Maria! – Włodek niespokojnie rozejrzał się wokół. – Rany boskie! Zupełnie o niej zapomniałem!

– Jest w pokoju sto czternaście. Czego od ciebie chce? – zapytał doktor z czystej uprzejmości.

– Reprezentuje jakąś fundację, która zamierza zbudować dom opieki dożywotniej dla osób z upośledzeniem umysłowym – zaczął Włodek, po czym urwał i oko mu nagle błysnęło. – Słuchaj, to jest raczej twój zakres! Trochę w końcu związane ze służbą zdrowia. Pogadałbyś z nią zamiast mnie!

Maksymilian już otwierał usta, by się wyłgać, ale Włodek tknął go palcem w pierś, dokładnie w miejsce, gdzie chwilę wcześniej doktor schował kartę wizytową.

– Zrób to i będziemy kwita! Nie wspomnę ci nawet, ile mnie to spotkanie dodatkowo kosztowało. – Uśmiechnął się obleśnie.

Petrycy skrzywił się, ale właściwie nie miał wyboru. Zresztą nigdzie mu się nie spieszyło. Pacjentów został pozbawiony, a sesja rady zaczynała się dopiero za godzinę. Machnął ręką, odwrócił się z rezygnacją i poszedł w stronę pokoju, w którym dyżurujący radni odbywali zwykle spotkania z mieszkańcami miasta.

~

Tego dnia w holu i korytarzach pałacu Wielopolskich, a nawet na sali obrad, aż szumiało od komentarzy związanych z nocnym odwołaniem rządu. Grupa działaczy samorządowych zbierała podpisy pod rezolucją o ujawnieniu tajnych współpracowników w szeregach krakowskich rajców. Pogłoska o zaskakującym wyznaniu Petrycego na antenie RMF-u rozeszła się lotem ptaka i koledzy, wymieniając porozumiewawcze uśmieszki, raczej unikali towarzystwa doktora. Raz czy drugi ktoś jednak klepnął go pocieszająco w ramię:

– Musiało tam być gorąco jak w piekle! Nie dziwię się, stary, że ci na końcu już nerwy puściły.

Oficjalna debata dotyczyła problemów mieszkaniowych, likwidacji bądź przekształcenia PGM-ów[25] oraz przeciwdziałania skutkom bezrobocia. Doktor siedział w swojej ławie i udawał, że pilnie słucha. W istocie myśli miał zajęte prywatnymi problemami. W pewnej chwili ktoś z tyłu dotknął jego ramienia.

– Joanna Lipska prosi pana o kontakt – powiedział młody dziennikarz RMF-u, obsługujący dziś sesję rady. – Mówi, że to pilne, chodzi o jakiegoś Włocha.

Zadzwonił do niej z biura i umówili się na szesnastą w Rio na św. Jana, jako że w kawiarni Sukiennice, w której zwykli się wcześniej spotykać, nadal jeszcze trwał strajk okupacyjny kelnerek. Tak się szczęśliwie złożyło, że do piętnastej trzydzieści zakończono wszystkie głosowania i doktor zyskał nawet chwilę czasu na zjedzenie obiadu. Nie miał jednak ochoty wstępować do żadnego z pobliskich lokali – mógłby tam jeszcze spotkać kogoś znajomego! Kupił tylko obwarzanka

---

[25] Przedsiębiorstwa Gospodarki Mieszkaniowej „Krowodrza", „Nowa Huta", „Śródmieście" i „Podgórze", zarządzające dotąd zasobami mieszkaniowymi gminy.

na rogu Grodzkiej, po czym ruszył spacerkiem na Rynek. Dopiero po drodze, widząc całe mnóstwo ludzi na rowerach, przypomniał sobie, że nadszedł długo zapowiadany przez ekologów „dzień bez samochodu". Od razu przyspieszył kroku – gdzieś tam musiała być też Janka!

Znalazł ją przed Pałacem pod Baranami. Na jego widok odstawiła rower pod ścianę i machnęła ręką, pokazując, by szedł za nią. Stanęli na dziedzińcu, obok wejścia do Piwnicy, gdzie było dużo luźniej. Przez chwilę żadne z nich nie wiedziało, jak zacząć rozmowę.

– Słuchałyście wczoraj? – zapytał wreszcie Petrycy. Ze zdumieniem stwierdził, że serce mu wali jak oszalałe.

Janka tylko przymknęła powieki na znak potwierdzenia.

– I co?!

Zrobiła jakąś dziwną, wieloznaczną minę.

– Zresztą nieważne! Sam ją zapytam. Kiedy mógłbym przyjechać?

– W tej chwili... to nie najlepszy pomysł – powiedziała powściągliwie.

– Co ja jej zrobiłem? – zapytał w desperacji. – Dlaczego tak mnie traktuje? Czemu odpycha?

Nagle straszne podejrzenie przyszło mu do głowy.

– Janka, powiedz... Czy ona mnie wini o to, że nasze dziecko jest chore?

– Nie, na Boga, nie! – żachnęła się. – Co ty w ogóle mówisz!

– Nie wiem już, co mam myśleć – wyszeptał. – Życie mi się wali, a ja nie wiem czemu.

Janka zagryzła wargi. Jeszcze ciągle dźwięczał jej w uszach głośny, przerażający, niosący się daleko w ciemną noc śmiech, którym jej przyjaciółka przyjęła dramatyczne wyznanie swego męża na zakończenie radiowego wywiadu. Nie było w nim szyderstwa, tylko bardzo dużo goryczy. O tym wszystkim nie mogła mu jednak powiedzieć. Chwilę się zastanawiała, wreszcie ujęła doktora krzepko za ramiona i potrząsnęła nim solidnie, aż się zachwiał.

– Człowieku, zwolnij! – powiedziała, patrząc mu w oczy i akcentując każde słowo. – I pozwól jej odpocząć! Wszystko będzie dobrze, wierz mi.

Było coś w jej spojrzeniu, jakaś głęboka uczciwość, która kazała mu uwierzyć. Odetchnął.

– Daj mi jeszcze dwa tygodnie – poprosiła Janka. – Przez ten czas może mi się uda ją otworzyć.

– Otworzyć?

– Mówię o jej nastawieniu.

– Jakim nastawieniu? Janka, zlituj się i przestań mówić zagadkami!

– Nastawieniu do dziecka, które nosi, do świata, do ludzi. Także do ciebie.

– Do mnie… A jakie ono jest?

Milczenie.

– Co ona o mnie mówi?! Na miłość boską, pomóż mi! Przecież muszę to zrozumieć!

– Maks, nie naciskaj. Ona sama ci powie wszystko, co będzie chciała. Ale musi zechcieć mówić.

– Więc jak ty to robisz? Jak ją… otwierasz?

– Normalnie – wzruszyła ramionami Janka. – Jestem przy niej, ale o nic jej nie pytam. Gdy chce milczeć, milczę. Gdy mówi, staram się uważnie słuchać. Pozwalam jej być sobą.

– A przy mnie nie była sobą?! – Nie wytrzymał doktor.

– Przy tobie… chyba w pewnym momencie siebie zgubiła.

Zgubiła siebie! Petrycy znowu zobaczył mroczki przed oczami.

– Dopiero teraz uczy się odkrywać swoje potrzeby – ciągnęła Janka. – Gdy jest zmęczona – śpi, gdy głodna – je, a kiedy ma ochotę na spacer, po prostu wychodzi. Nie musi wreszcie nikomu służyć, nie jest już żoną, matką czwórki dzieci, pracownikiem dużej firmy i szefową odpowiedzialną za swych ludzi. Jest tylko ona i ten kawałek świata wokół, całkiem ładnego świata.

– Jest jeszcze Beniamin – przypomniał Maksymilian.

– To dziecko, które nosi, na razie nie ma żadnych szczególnych wymagań. Chce tylko, żeby jego mama była spokojna i szczęśliwa. A ja staram się, żeby ona taka właśnie była. I chyba mi się to udaje.

– Ale przecież on się niedługo urodzi. I wszystko – ruchem ręki objął cały świat Marysinych obowiązków i trosk – zacznie się od nowa! Przecież ona nie może zostać u ciebie na zawsze!

– Dlatego ją uczę, jak to robić, żeby się znowu nie zatracić – wzruszyła ramionami Janka. – Uczę ją, jak kochać samą siebie, dbać o swoje potrzeby, okazywać sobie czułość.

Okazywać sobie czułość?! Ciśnienie znów mu skoczyło.

– Słuchaj, Janka, ja nie wiem, czy powinienem się na to wszystko zgadzać – przerwał jej nerwowo. – Jestem jej mężem i, wybacz, ale to ja jej powinienem, hm, okazywać czułość! Kocham ją i zrobię wszystko, żeby ratować nasze małżeństwo.

Przyjaciółka rodziny spojrzała na niego ze swej wysokości metra osiemdziesiąt, jakby próbowała zrozumieć, o co mu chodzi. Potem drgnęła, na jej dekolcie oraz szyi pojawiły się czerwone placki.

– Ja nie wiem, Maks, świntuchu, co ty masz na myśli! – oświadczyła takim głosem, że aż echo odbiło się od ścian dziedzińca, a stojąca przed wejściem do kina para odwróciła głowy w ich stronę. – Bo ja mówię o zaspokajaniu jej potrzeb! O tym, o czym ani ty, ani dzieci, nigdy nie pomyśleliście! To zawsze ona była dla was, nigdy odwrotnie. I to się musi zmienić! Właśnie teraz, gdy ma się narodzić wasz trzeci syn!

– Ale ja… – zaczął doktor i aż się skurczył pod jej spojrzeniem. Chciał zaprotestować, powiedzieć, że przecież on był na każde wezwanie Marysi, że zawsze mogła na niego liczyć. Zamilkł jednak, gdyż coś w purpurowej teraz twarzy Janki sprawiło, że wróciło do niego wspomnienie minionego wieczoru oraz nocy.

– A więc za dwa tygodnie? – zapytał cicho. – Jak dzieci skończą szkołę?

Janka skinęła tylko, po czym zerknęła przez sklepioną bramę w stronę Rynku. Na zalanej słońcem ulicy wszczął się ruch. Cykliści wystartowali.

– Muszę już iść.

– Porozmawiam z nimi – zapewnił Maksymilian, podążając za nią. – Postaramy się to jakoś zmienić, wynagrodzić jej…

Pożegnali się na odległość, unosząc tylko dłonie, gdyż obojgu im było teraz dziwnie niezręcznie. Janka wsiadła na rower, z całej siły nacisnęła na pedały i zniknęła za rogiem.

Maksymilian, lawirując między rowerami, wydostał się na płytę Rynku i pomaszerował ukosem na ulicę św. Jana. Dziennikarka już na niego czekała, usadowiona na wysokim stołku barowym, nad filiżanką kawy i kilkoma stronami zadrukowanego papieru.

– Tu jest wszystko, czego się o nim zdołałam dowiedzieć – powiedziała, podając je doktorowi. – Może pan coś z tego wyciągnie, bo mnie się za wiele nie udało.

– Nie? – zmartwił się Petrycy, z roztargnieniem przerzucając notatki. W głębi ducha ciągle jeszcze był myślami przy rozmowie z Janką. – Szkoda.

– Poza jednym – powiedziała dziennikarka z takim naciskiem, że doktor uniósł głowę i spróbował skupić uwagę na jej słowach. – Wie pan, kto reprezentował Saletriego wtedy, gdy się starał o lokalizację supermarketu na Błoniach?

– Nie, skąd? Nawet jeśli kiedyś wiedziałem, to i tak nie pamiętam. – Wzruszył ramionami.

– Zespół adwokacki z Warszawy – oświadczyła z tryumfem. A widząc, że on nadal nie pojmuje, objaśniła ciszej: – Przekształcony w ostatnich latach w kancelarię „Błaszczyk i Kropp".

Doktor zmartwiał. Teraz dopiero dotarł do niego sens informacji, którą mu przekazała. Z samym Błaszczykiem rozmawiał przecież nie tak dawno w jego eleganckim gabinecie w Śródmieściu Warszawy. Pojechał tam, gdyż taki trop podpowiedział mu Pawlicki. I choć właściciel kancelarii wszystkiego się wyparł, Petrycy szybko znalazł potwierdzenie, że to właśnie u niego pracowała Dominika Niewiadomska.

Kraków, sobota, 6 czerwca 1992

Remont na parterze powoli zbliżał się do końca, Staszek ze swym pomocnikiem przeszli już do malowania stolarki okiennej oraz drzwi. Mimo wietrzenia śmierdziało okrutnie i doktor wolał nie myśleć, co będzie, gdy zaczną lakierować podłogi. Musiał szybko zorganizować miejsce, w którym jego dzieci nie będą narażone na wdychanie szkodliwych oparów.

Rozwiązanie znalazło się samo w postaci pani Moniki, która w piątek po pracy specjalnie na niego poczekała.

– Musimy porozmawiać! – oświadczyła z determinacją niewróżącą nic dobrego.

Petrycy, którego myśli zaprzątały w równych częściach podłość Lasickiego, niedawna rozmowa z Janką oraz sensacyjne informacje ujawnione przez dziennikarkę, wskazał jej miejsce na kanapie i przybrał skupioną minę. Gdy jednak pani Monika zaczęła wymieniać wszystkie zajęcia, jakie wykonuje w jego gospodarstwie, nie udało mu się długo utrzymać napiętej uwagi. Dopiero nagła cisza wyrwała go z zamyślenia.

– Tak? – zapytał, pokrywając roztargnienie rzeczowym tonem.

– To jest praca na cały etat, panie Maksymilianie!

– Chce pani powiedzieć, że to było więcej niż dwie godziny dziennie? – zdziwił się, ale już po chwili musiał przyznać, że coś jest na rzeczy. Pani Monika pojawiała się w ich domu z rana, często już z zakupami, a niejeden raz spotykał ją tam jeszcze po południu. I stale zajęta była jakąś robotą, czy to było prasowanie jego koszul, czy zmywanie pyłu z drewnianych schodów i poręczy.

– Dużo więcej! – powiedziała zdecydowanie.

– Więc oczywiście musimy to uwzględnić w rachunkach. – Rozłożył ręce na znak, że nie jest to dla niego problem. – Proszę podsumować czas, który pani u nas przepracowała.

– Zrobię to – zapewniła. – I poproszę o wypłatę za dwa tygodnie.

To żądanie oznaczało, że doktor będzie musiał niebawem uregulować należność. Skinął jednak głową i chciał się już podnieść z wersalki, gdy doleciała go kolejna fala smrodu z parteru. Zmarszczył nos, a potem spojrzał na siedzącą obok kobietę z nagłym błyskiem w oku.

– Pani Moniko, a gdybym miał do pani jeszcze jedną prośbę? – zaczął w natchnieniu.

Jeszcze tego samego wieczoru dwójka młodszych dzieci, ze spakowanymi do plecaków podręcznikami i dwiema zmianami odzieży, opuściła dom na Focha, by spędzić weekend pod opieką pani Moniki, w dużo lepszym klimacie jej mieszkania przy Mlaskotów. Byli nadęci i obrażeni z powodu tej nagłej, nieuzgodnionej z nimi decyzji, doktor jednak się nie ugiął i przez chwilę miał poczucie, że odpowiedzialnie wywiązuje się z zadań, jakie nakłada nań życie.

Następnego dnia jednak wszystkie troski obsiadły go znowu. Mógł sobie tłumaczyć, że sytuacja w pracy wyjaśni się, gdy tylko profesor wróci z urlopu, mógł sam się przekonywać, że przymusowy urlop jest mu na rękę, bo bardzo teraz potrzebuje odpoczynku. Fakty były takie, że w sobotę już od rana Petrycy miotał się po domu jak ranny tygrys w klatce. Zadzwonił do

Janki i po chwili otrzymał informację zwrotną, że Kapuściński może się z nim spotkać dopiero po weekendzie. Dolores, której numer wybrał chwilę potem, potraktowała go zwięźle i kazała przyjść w poniedziałek o siedemnastej do hotelu Forum. Rozczarowany, zszedł na dół, by przynajmniej zaoferować swe usługi Staszkowi. Majster odrzucił jednak propozycję pomocy, a nawet przegonił doktora z mieszkania babci Isi.

– Zacznij pakować rzeczy na piętrze, Maksiu, bo niedługo wchodzimy tam do was na górę! – polecił.

Petrycy posłusznie wycofał się zatem do swojego gabinetu i zaczął składać do pudeł książki oraz papierzyska. Kiedy jednak dotknął medycznych periodyków, wspomnienie krzywdy doznanej w pracy odezwało się z taką siłą, że rzucił wszystko w kąt. Chwilę krążył po pustych pokojach i porykiwał w duchu, nie mając się nawet na kim wyładować. Dopiero gdy w łazience natknął się na puste pudełko po maści na oparzenia i przypomniał sobie złożoną Frankowi obietnicę, doznał olśnienia. Postanowił pojechać do Bochni i załatwić sprawę, którą odkładał od powrotu z Paryża, a która ciągle domagała się wyjaśnienia.

Bochnia, sobota, 6 czerwca 1992

Na początku czerwca w miasteczku panował zupełnie inny klimat niż w ów smutny lutowy dzień, gdy Maksymilian po raz pierwszy wspinał się stromą uliczką, mijając ludzi z gromnicami i szukając przyjaciela swojego ojca z lat młodości. Teraz z każdej strony niósł się świergot, kląskanie i trele – w ogrodach odbywały się intensywne ptasie zaloty przed drugim lęgiem. Pachniały akacje, a przy płotach mieniły się różem i błękitem łubiny. Wprawdzie było dość duszno, a gdzieś na horyzoncie widać było niepokojące ciemne smugi, ale nad głową doktora ciągle jeszcze rozpościerał się nieskalany błękit. Szybko dokonał zakupów u pszczelarza, a potem – już z torbą wyładowaną miodem i maściami – zadzwonił do drzwi Jerzego Rodziewicza. Nie był pewien, czy zastanie starszego pana w domu – przybył przecież bez zapowiedzi. Po dłuższej chwili ze środka dały się jednak słyszeć powolne kroki i pytanie:

– Kto tam?

– Maksymilian Petrycy – zawahał się przez moment, nie wiedząc, jak objaśnić cel swojej wizyty. W końcu nie powiedział nic, tylko poczekał, aż stary lekarz otworzy. Dłuższą chwilę trwało, nim drzwi się wreszcie uchyliły.

– O! To naprawdę pan! – Staruszek wyraźnie ucieszył się z jego odwiedzin, zaraz jednak zrobił zakłopotaną minę. Ubrany był w piżamę, na którą naciągnął wełniany sweter, siwe włosy miał w nieładzie, na policzkach kilkudniowy zarost. – A ja taki nieprzygotowany. Leżę w łóżku, bo mnie dopadło paskudne zapalenie oskrzeli. – Wydobył z kieszeni swetra chusteczkę, przyłożył ją do ust i zaniósł się długim kaszlem.

Doktor nie wiedział, jak zareagować. Nie chciał się narzucać, ale zależało mu na tej rozmowie. Miał też świadomość, że nie będzie ona przyjemna.

– Proszę dalej, proszę do środka – powiedział jednak Rodziewicz, gdy odzyskał dech. – W pokoju mam rozgrzebane, to usiądziemy sobie może w kuchni. Zaparzę ci herbaty.

Krzątał się, sapał i odkasływał, nalewając wody do czajnika i przestawiając na bok całą baterię pastylek i syropów. Maksymilian wyjął nabyty świeżo słoik miodu wielokwiatowego i wręczył mu mimo protestów.

– Najlepszy byłby syrop z mniszka. A jeszcze lepsze bańki – westchnął Rodziewicz. – Ale co z tego, skoro sam ich sobie nie postawię.

Doktor zastanawiał się właśnie, czy wypada mu zapytać wprost o to, z czym przyszedł. Ocknął się z zamyślenia dopiero, gdy starszy pan postawił przed nim szklankę z herbatą i butelkę soku, a potem usiadł na krześle obok.

– No to mamy nowego premiera – zagaił, lejąc domowej roboty syrop do herbaty. – A budżet przygotowany przez stary rząd uchwalili prawie jednogłośnie, choć mówili, że niby taki fatalny. Banda hipokrytów! Proszę, spróbuj, malina.

Petrycy posłusznie spróbował.

– W jednym tylko bym się nie zgodził z premierem Olszewskim – ciągnął Rodziewicz, dysząc ciężko. – Słuchałem każdego jego słowa w Sejmie, kiedy się to działo, ale z tym się nie zgadzam, co powiedział, że tu jednak przez czterdzieści parę lat była Polska. To nie był wolny kraj, to nie był nasz kraj! – Podniósł głos, łupnął pięścią w blat stołu i rozkaszlał się na dobre.

W kuchni, przy zamkniętym oknie, było bardzo gorąco. Teraz doktor pożałował, że dał się namówić na sok z malin – gdy tylko napił się herbaty, w jednej chwili oblały go poty. A może to wyrażone tak dobitnie poglądy Rodziewicza wywołały ten efekt? Przez chwilę Maksymilian zastanawiał się, do czego może prowadzić taka interpretacja dziejów. Czy naprawdę można było porównywać czasy PRL z okresem zaborów lub hitlerowskiej okupacji?

Gdzieś w dali zagrzmiało, niebo przybrało granatowy odcień.

– A co ty myślisz o odwołaniu rządu? – zapytał stary lekarz, gdy odzyskał dech.

Doktor odpiął jeszcze jeden guziczek u koszuli.

– Mam wrażenie, że zdarzyło się coś bardzo złego – powiedział szczerze. – Doszło do kompromitacji idei i wartości, które są mi drogie. Nie rozumiem, w jaki sposób to się stało. Czy to tylko fatalny zbieg okoliczności? Mam nadzieję, że jakiś niezależny organ jednak wyjaśni wątpliwości[26].

– A któż go ma powołać?! – prychnął Rodziewicz. – Ci sami ludzie, którzy w białych rękawiczkach przeprowadzili zamach stanu? Ci, którzy sprzymierzyli się z komunistami i przy okrągłym stole przehandlowali Rzeczpospolitą?!

Pociemniałe niebo za szybą przecięła błyskawica. Wiatr zaczął teraz szarpać koronami drzew po drugiej stronie ulicy, jakiś spłoszony drozd przeleciał z gałęzi na gałąź, wrzeszcząc przeraźliwie, potem z oddali dobiegł głuchy pomruk grzmotu. Doktor poruszył się niespokojnie, nie przewidział burzy i nie zabrał ze sobą parasola. Gospodarz nie zwrócił uwagi na nagłe wyładowania w przyrodzie.

– Najdalszy jestem od tego, by oceniać tych, których złamano – ciągnął wzburzony, z każdym słowem walcząc o oddech. – Sam wiesz, co przeszedł twój ojciec. Powiedz jednak,

---

[26] Tak zwana Komisja Ciemniewskiego została powołana przez Sejm właśnie 6 czerwca 1992 r.

czy on teraz pchałby się do władzy? Czy nie miałby na tyle skromności i przyzwoitości, by się po prostu usunąć w cień?

Stary człowiek zamilkł, łyknął herbaty, odsapnął. Doktor tymczasem, wyprostowany jak struna, wpatrywał się w niego z napięciem. Nie dlatego, żeby te słowa jakoś szczególnie go dotknęły, choć przywołanie postaci Benedykta jako przykładu konfidenta było w ustach Rodziewicza dość zaskakujące. Petrycy sprężył się, gdyż dostrzegł nagle szansę, by zapytać o tę jedną rzecz.

– A pan nie ma sobie nic do zarzucenia?

Cisza zapadła po tych słowach, przerywana tylko świszczącym oddechem gospodarza. Jego oczy zamgliły się, spuścił wzrok, zamrugał szybko. Chwilę później powietrze za oknem rozdarł błysk i jednocześnie potężny huk, od którego aż szyby w oknach zadzwoniły. Niesione ukośnie wiatrem, na ziemię lunęły strumienie wody. Jerzy Rodziewicz nawet nie drgnął.

– Mam – odpowiedział wreszcie, podnosząc nieco głos, by się przebić przez szum ulewy. – Jest jedna rzecz, o której już dawno chciałem ci powiedzieć. Długo nie rozumiałem, co się właściwie stało. Dopiero kiedy zimą przyszedłeś tutaj zapytać o Benedykta, gdy dowiedziałem się o podejrzeniach, jakie na nim ciążą…

Maksymilian odetchnął głęboko. A więc jednak!

– Nie zrobiłem tego świadomie – ciągnął Rodziewicz. – Po kilku tygodniach śledztwa dali mi do zrozumienia, że Benedykt zdradził. Z ich rozmowy wywnioskowałem, że Wanda jest zgubiona. Tak nie było, ale wtedy nie mogłem tego wiedzieć!

Nagle stary człowiek zaczął płakać. Tak samo jak wtedy, w marcu, gdy po raz pierwszy opowiadał o miłości swego życia. Łzy bezgłośnie spływały mu po policzkach, a on, choć ściskał w dłoni chusteczkę, nie fatygował się nawet, by je obetrzeć. Okna aż drżały od naporu deszczu.

– Nie chciałem się mścić! Ale ta informacja całkowicie mnie załamała, a potem zaczęło się jedno z tych długich przesłuchań. Po kilkunastu godzinach człowiek już sam nie wie, kim jest i co mówi! A oni pytali ciągle tylko o jedno. – Zawahał się, zaplótł dłonie na stole. – Pytali, czy jesteś jego synem.

Maksymilian, który dotąd nie spuszczał z oczu twarzy starszego pana, teraz pochylił głowę, jakby nagle mięśnie karku mu zwiotczały. Wszystko było jasne.

– Powtarzałem, że nie wiem! – Rodziewicz już nie płakał, głos miał mocny. – Powtórzyłem to może tysiąc razy. I w pewnym momencie wyrwało mi się wbrew woli... Jakaś plotka, gdzieś zasłyszana...

– O mnie i mojej matce? – zapytał cicho Maksymilian.

– Nie! Skąd mogłem o was cokolwiek wiedzieć? Powiedziałem tylko, że pierwsza żona odeszła od Benedykta, bo podobno był bezpłodny. Z tego powodu starali się przecież o unieważnienie małżeństwa! Tylko tyle im powiedziałem... i aż tyle. Nie miałem pojęcia, do czego mogli to wykorzystać.

Ale doktor wiedział. Znał treść protokołów z przesłuchań Benedykta i zdawał sobie sprawę, jak straszliwe skutki przyniósł zastosowany wobec niego szantaż. Wszystko, co się działo potem, miało swój początek w wyznaniu Rodziewicza.

Patrzył w blat stołu i walczył z myślami. Czy powinien podzielić się tą prawdą ze starym lekarzem? Rzucić mu ją w twarz, obarczyć odpowiedzialnością? Właściwie po to tu przyjechał. Podniósł wzrok. Zobaczył przed sobą zalane łzami oblicze chorego człowieka, który… rozumiał dokładnie to samo. Wargi mu drżały, gdy mówił:

– Aż ostatnio przeczytałem w „Nowym Świecie" streszczenie twojego radiowego wywiadu. Dopiero wtedy wszystko to ułożyło mi się w jedną całość. Straszliwą. Chciałem kiedyś porozmawiać z Benedyktem i przeprosić go za swoje podejrzenia, ale nie zdążyłem. I nagle okazało się, że to nie on, tylko ja… Że to przeze mnie udało się im go złamać. Niosę teraz ten ciężar i czuję, jak z dnia na dzień staje się coraz większy.

Rozkaszlał się znowu i przerwał na dłuższą chwilę, nim dokończył:

– Zapewne już niebawem spotkam się z Benedyktem i będę mógł mu wytłumaczyć, co się wtedy stało. A może on już teraz wszystko wie? Może wyjdzie mi na spotkanie i powie: Witaj, druhu!

Po raz pierwszy tego dnia na zmęczonej twarzy Rodziewicza pojawił się uśmiech. Zaraz jednak znikł.

– Ale czy ty możesz mi wybaczyć? – zapytał doktora wprost. – Uwierz, nie zrobiłem tego z zemsty ani ze strachu! Po prostu w pewnym momencie nie wiedziałem już, co mówię. Przepraszam… przepraszam.

Petrycy wstał. Nie mógł spokojnie patrzeć na tego człowieka dławiącego się kaszlem i łzami. W duchu musiał przyznać, że mimo tak widocznej słabości Jerzy Rodziewicz potrafił jednak okazać siłę. Uznał swą winę, gdy tylko ją zrozumiał, a jednocześnie pozostał wierny własnym poglądom. Maksymilian wprawdzie nie całkiem się z nimi zgadzał, ale je szanował. Wyrastały z długiej tradycji – może romantycznej, straceńczej, może okupionej ogromną ilością krwi – ale tak bardzo polskiej.

– Ma pan bańki? – zapytał.

A gdy zaskoczony Rodziewicz potwierdził, doktor wskazał dłonią w stronę pokoju, w którym, jak wiedział z poprzednich wizyt, pod zawieszonymi na kilimku szablą oraz ryngrafem z Matką Boską stało łóżko starego lekarza.

– Dobrze się składa, że tu jestem. Będę mógł je panu postawić.

Za oknem ciągle jeszcze padało, choć od zachodu niebo już się zaczęło przecierać. A Petrycy nie miał parasola i nigdzie mu się przecież nie spieszyło.

Kraków, poniedziałek, 8 czerwca 1992

Jakub Kapuściński przyjął rewelacje doktora bez emocji. Jego powściągliwość mocno Petrycego zirytowała, podświadomie bowiem liczył na to, że młody człowiek – mając tak wyraźny trop – z miejsca rozwikła zagadkę. Przecież to Dominika Niewiadomska jako pierwsza uzyskała od Pawlickiego teczki! Zanim przekazała je Michalinie, miała mnóstwo czasu, by usunąć z nich strony z własnoręcznym podpisem Benedykta. Na czyje zlecenie to zrobiła? Dlaczego wysłała je Ulatowi?

W mózgu doktora kłębiły się pytania, a tymczasem bratanek pierwszego męża Janki, zamiast szukać na nie odpowiedzi, zamówił pucharek trójkolorowych lodów z bitą śmietaną i teraz milcząco gmerał w nim łyżeczką. Z wyrazu jego twarzy można było wyczytać tylko tyle, że deser nie bardzo mu smakuje.

– Niech pan spróbuje lodów u Rafała i Moniki na Sławkowskiej – mruknął Petrycy, który ograniczył się do kawy i był z tego wyboru zupełnie zadowolony. – Polecam malagowe, rewelacja.

Siedzieli w Alvoradzie, przy stoliku pod parasolem na zewnątrz lokalu. Wokół trwał popołudniowy ruch, przejeżdżały samochody dostawcze i pojedyncze dorożki, snuła się młodzież zwolniona już ze szkół, turyści szukali wolnych stolików. Doktor zauważył właśnie, jak jakiś rozpędzony rowerzysta, wymijając wycieczkę, o mały włos nie zderzył się ze skarbonką SKOZK-u[27].

„Młodzi! – prychnął w myślach. – Tak to z nimi jest!"

Zdegustowany, znów spojrzał na Kapuścińskiego.

– Odnalazłem też dziewczynę, która podsunęła mi kontakt do Pawlickiego. Może to kolejny zbieg okoliczności, ale rzecz miała miejsce podczas przyjęcia na cześć Saletriego. Wydaje się, że mamy już sporo klocków z tej układanki. Pora zacząć je do siebie przymierzać.

Jeśli sądził, że tym swego rozmówcę poruszy lub zainspiruje, to się pomylił. Kapuściński odłożył łyżeczkę i odchylił się na krześle.

– Po cholerę pan tak uparcie w tym grzebie? – zapytał. – Nie szkoda panu życia? Niech pan to zostawi profesjonalistom!

---

[27] Społeczny Komitet Odnowy Zabytków Krakowa.

Petrycy, już wcześniej podenerwowany czekającym go niebawem spotkaniem z prostytutką, teraz rozzłościł się nie na żarty.

– Gdyby ktokolwiek zajął się tą sprawą na poważnie, nie musiałbym sam w tym grzebać! – odwarknął. Jednym haustem dopił swoją kawę i zaczął się rozglądać w poszukiwaniu kelnerki, żeby zapłacić. – Minęły trzy miesiące, najważniejszy świadek leży nieprzytomny pod respiratorem, a UOP, zamiast prowadzić dochodzenie, nie wiadomo czemu pilnuje jego ciała! To mają być profesjonaliści? To jest jakaś paranoja!

– Pilnuje jego ciała? – zdziwił się Kapuściński. Odsunął pucharek z lodową paćką na bok i ustawił krzesło w pionie. – UOP?

– A jak?! – Wzruszył ramionami Petrycy. – Dwóch waszych ludzi zmienia się tam co kilka godzin. Nie będę panu powtarzać, co o tym sądzi personel szpitala.

Młody człowiek pokręcił głową.

– Skąd pan wie, że oni są z UOP-u?

– Od pielęgniarek, a skąd? Przecież musiały widzieć ich legitymacje.

– To trochę dziwne, bo nikt od nas nie pilnuje Pawlickiego – rzucił Kapuściński.

Doktor zdębiał. Nie zauważył nawet, że przywołana kelnerka, z tacą i gniewną miną, czeka już obok ich stolika.

– Więc kogo, na miły Bóg, spotykam tam za każdym razem?!

– Poprosimy rachunek. – Jakub odprawił ją, a potem popatrzył na Maksymiliana. W jego oczach, zawsze pełnych kpiny, tym razem widać było złowrogie iskierki.

– Nie wiem, panie doktorze – powiedział w końcu. Wyjął portfel i niecierpliwym ruchem odsunął się na krześle od stolika, a od zgrzytu, który wygenerował, Petrycego zabolały zęby. – Ale się dowiem, obiecuję. Niech mi pan to zostawi.

~

Umówiła się z nim, a jakże, w kawiarni Panorama, najbardziej snobistycznym i zapewne też najdroższym lokalu w Krakowie. Wprawdzie w albumie u Karmen widział przez krótką chwilę jej zdjęcie, nie był jednak wcale pewien, czy ją rozpozna. Zapamiętał tylko, że jest piękna tą samą egzotyczną urodą, którą reprezentowała właścicielka agencji.

Gdy przyszedł do hotelu Forum, jeszcze jej nie było. Zamówił colę, starając się nie patrzeć na minę kelnera, i usiadł przy stoliku z widokiem na Skałkę. Nerwowo podrygiwał nogą, rozglądając się dyskretnie. Kazała na siebie czekać.

– Pani Dolores? – zapytał, gdy bez słowa powitania usiadła naprzeciw.

Ubrana była okropnie, w skórzaną kurtkę nabijaną ćwiekami. Nie było w niej też nic uwodzicielskiego – no, może tylko karminowe, zbyt mocno umalowane usta. Co do reszty zaś… Trudno się było zorientować przy tej kurtce, ale przecież z tego, co widział na zdjęciu… Złapał się na tym, że się jej bezwstydnie przygląda, ale nie spuścił spojrzenia. Wiedział w końcu, z kim ma do czynienia, a poza tym ona też zaraz na wstępie otaksowała go wzrokiem – od kołnierzyka białej letniej koszuli po pustą już szklankę, w której topiły się kostki lodu.

– Pan Petrycy – stwierdziła chłodno.

Siedzieli naprzeciw, mierząc się wzrokiem, wreszcie doktor odchrząknął.

– Mam do pani tylko jedno pytanie, to nie zajmie dużo czasu – urwał, gdyż w tej chwili do stolika podszedł kelner.

Zamówiła malibu.

– Z podwójnym mlekiem? – upewnił się kelner, a ona tylko skinęła głową. Wyglądało na to, że bywa tu częstym gościem, skoro obsługa znała jej upodobania.

– Dla pana?

Petrycy podziękował ruchem dłoni.

– Ten radny, pański przyjaciel… – Skrzywiła usta w lekko pogardliwy sposób. – Otóż on zdradził mi, o co chodzi. To żadna tajemnica, mogę to panu powiedzieć w trzy sekundy.

– Będę wdzięczny – ucieszył się Petrycy, którego ta cała sytuacja niezwykle męczyła.

– Ale tego nie zrobię – oświadczyła dziewczyna, ściągając kurtkę i rzucając ją niedbale na sąsiednie krzesło. Długie włosy spłynęły na odkryte ramiona, sukienka zabłysła czerwienią o ton ciemniejszą niż kolor szminki. – Coś za coś, panie doktorze.

Petrycy przyglądał się jej, zdjęty oburzeniem. Miała na sobie coś w rodzaju haleczki – cienkiej, śliskiej, zdobnej w koronkę. A pod spodem nic!

– Zapraszam pana na dancing. Niech mi pan obieca chociaż jeden taniec – wyszeptała, nachylając się przez stolik. Pełne i bardzo kształtne piersi kołysały się przy każdym jej ruchu.

Doktor rozejrzał się szybko w obawie, czy za filarem nie czai się jakiś typek z aparatem. Przez myśl mu przebiegło, że ktoś go tutaj chce skompromitować. Ale oprócz kelnera zmierzającego w ich stronę z białym koktajlem na tacy nie zauważył nikogo, kto by się nimi interesował. Trochę się odprężył.

– Droga pani – zaczął oficjalnie, ale głos go zawiódł. Teraz już rozumiał cmokanie i obleśne miny Włodka. – Ja naprawdę – zawahał się, nie wiedząc, jakich argumentów użyć – nie umiem tańczyć! – dokończył w desperacji.

Roześmiała się, przyjęła od kelnera drinka i upiła łyczek.

– To pana nauczę. Idziemy! – Podniosła się energicznie, kurtkę przewiesiła przez ramię, a drugą ręką ujęła dłoń Petrycego. Doktor zaparł się jednak z całej siły.

– Ale zaraz, dokąd, muszę zapłacić!

Puściła go i nachyliła się.

– A może pan się wstydzi tak ze mną pokazywać, przy wszystkich, w hotelu, hę? – zapytała, owiewając go kokosowym oddechem. Z bliska widział tęczówki jej oczu, wykrojonych w kształt migdałów i oprawionych gęstwiną czarnych rzęs. W tych oczach była czysta kpina. – Może się pan boi, że ktoś nam strzeli fotkę? – Zrobiła dwa kroki w tył. – Skoro tak, to czekam na dole. Czekam na ten taniec. – I poszła, odrzucając do tyłu gęste włosy i kołysząc biodrami jak na pokazie mody.

Maksymilian otarł pot z czoła i poprosił o rachunek.

– Jest tu jakaś dyskoteka na dole?

– Crazy Dragon – odpowiedział kelner takim tonem, jakby ignorancja gościa przekraczała ludzkie pojęcie. A może po prostu był rozczarowany, gdyż Petrycy – zaskoczony wysokością rachunku i wściekły, że ledwie tknięty koktajl pozostał na stoliku – nie zostawił mu ani grosza.

Klub Crazy Dragon mieścił się w podziemiach. Choć wieczór był jeszcze młody, zabawa trwała tu już na całego. Doktor nie lubił głośnej muzyki, zaś miganie kolorowych lamp przyprawiało go o zawroty głowy. Lokal ten skojarzył mu się poza tym z pewną monachijską dyskoteką, w której pobyt o mały włos nie zrujnował mu małżeństwa. Z niechęcią zanurzył się w to piekielne wnętrze obite – łącznie ze ścianami i sufitem – czerwoną wykładziną.

Dolores tańczyła na okrągłym parkiecie umieszczonym pośrodku sali. Od razu przypomniał sobie *Wirujący seks* – film z Patrykiem Swayze, w którym kilka lat temu, z przyczyn dla niego kompletnie niezrozumiałych, zakochały się obie jego córki. Stał chwilę i przyglądał się jej, póki jakiś siedzący przy barze gruby facet ze szklaneczką whisky nie zwrócił mu uwagi, że zasłania. No nie! Petrycy wpadł na parkiet, chwycił dziewczynę za łokieć i wyprowadził z kręgu.

– Droga pani, najpierw interesy, potem przyjemności – powiedział. – Proszę mi poświęcić te trzy sekundy, a potem możemy się bawić!

Z niechęcią dała się zaciągnąć do pustego stolika pod ścianą.

– No?

– Skąd pani zna Lucjana Pawlickiego?

– Nie znam go! – wzruszyła ramionami.

Żeby ją usłyszeć wśród ogłuszającej muzyki, musiał się nachylić. Ogarnął go zmysłowy, ciężki zapach perfum, jej włosy połaskotały go w policzek. Odwróciła głowę i spojrzała na niego z tak bliska, że doktor przymknął powieki.

– Powiedział mi o nim goryl z Feniksa – usłyszał spokojny głos i poczuł jej oddech gdzieś w okolicy skroni. – Sam pracował w SB, podobno krótko, ale nie chciał się poddawać weryfikacji, więc odszedł i zatrudnił się w agencji ochrony. Stał tam za nami podczas tego party i słyszał jak pański... – Znowu to lekceważące zawieszenie, które sprawiło, że Petrycy otworzył oczy i odsunął się, by uważniej na nią spojrzeć. – Jak pański przyjaciel malowniczo opisuje wszystkie pana kłopoty. Od razu skojarzył faceta, ale oczywiście nie mógł się wtrącić do rozmowy. Odwołał mnie chwilę później i poprosił, żebym mu przekazała informację. Nawet nie kazał sobie za nią zapłacić. Może miał z nim jakieś kwasy?

– Wie pani, jak się ten goryl nazywa? – ożywił się Maksymilian.

– Ależ skąd! – Odsunęła się i opadła na oparcie kanapki. – Napiłabym się czegoś! – zażądała głosem kapryśnego dziecka.

Nie musiał nawet wstawać i fatygować się do baru, kelner już szedł w ich stronę.

– Malibu? – upewnił się Petrycy.

– Z podwójnym mlekiem – odpowiedziała, puszczając do niego oko. Było coś łobuzerskiego w jej twarzy, co sprawiło, że doktorowi nagle puściły hamulce.

– Dlaczego pani to robi?! – zapytał, zanim się zdążył zastanowić. – Nie szkoda pani życia, młodości?!

– Szkoda? – przeciągnęła się, wyciągając, jak w tańcu, piękne i gołe ramiona. – Ja właśnie z tego życia i młodości korzystam! Nawet pan nie wie jak!

Złożył zamówienie – dwa takie same koktajle kokosowe. W tym czasie dziewczyna, mimo obecności kelnera, nawet nie zmieniła pozycji. Gdy odszedł, przez chwilę milczeli, patrząc tylko na siebie. Każde z nich próbowało rozgryźć drugą stronę.

– Nie wiem i nie rozumiem. Nie rozumiem, jak można tak niszczyć siebie – powiedział wreszcie doktor. Chciał coś dodać o godności, o podmiotowym traktowaniu, ale mu przerwała.

– A ja nie rozumiem, o co panu chodzi... – Teraz już półleżała, wsparta o wyściełaną kanapę. Drugą rękę wsadziła we włosy, jej pierś uwypukliła się pod cienką sukienką. – Czy o to?

Doktor zamarł. Poczuł nagle na swym udzie jej nagą stopę. Nawet nie wiedział, kiedy pozbyła się butów! Wykonywała posuwiste ruchy, coraz bardziej zbliżając się w rejony, do których dostęp, jak dotąd, miała tylko Marysia. I jak dotąd, doktor był z tego stanu rzeczy zupełnie zadowolony. Teraz jednak zdawało się, że niewiele będzie miał do powiedzenia. Szczupła, lecz muskularna noga dziewczyny przygniotła go, a jej stopa przywarła do jego przyrodzenia z siłą potężnego magnesu. Petrycemu zrobiło się słabo.

– Wystarczy!

Zerwał się, uderzając w stolik, który aż się zachwiał. Sięgnął pod blat tak gwałtownie, że niemal ściągnął obrus, ale nic już tam nie znalazł. – Pani Dolores! Są pewne granice!

Dziewczyna nie słuchała go jednak. Cofnęła się i usiadła prosto, trzymając się za goleń. Posykując, zaczęła rozcierać kość stłuczoną o kant stolika.

– Świnia! – dotarło do uszu Maksymiliana przez dźwięki dyskotekowego przeboju. Była chyba bardzo zła, żeby miała zaciśnięte, a oczy jej błyszczały. Czyżby od łez? Jeśli tak, to zapewne z bólu.

– Bardzo przepraszam! – Z trudem powstrzymał się, by nie ruszyć z pomocą w rozmasowywaniu sińca. Zamiast tego z całej siły zaplótł ręce. Z wdzięcznością powitał kelnera, a gdy ten się oddalił, niemal duszkiem wypił swojego drinka. Ona w tym czasie wydłubała z kieliszka kostkę lodu i przyłożyła ją w bolące miejsce. Dopiero teraz spojrzała wprost na niego.

– To ja rozdaję tutaj karty i stawiam warunki, rozumiesz?! – wycedziła, nadal wściekła. – Chyba nie wiesz jeszcze, doktorku, z kim się umawiasz i jak cenny jest mój czas. Wisisz mi pół bańki!

– Za te trzy sekundy? – upewnił się Petrycy. Po ostatniej kompromitacji w lokalu u Karmen był jednak przygotowany na taki obrót sytuacji. Powoli wyjął portfel i odliczył pieniądze.

– A mogło być tak miło! – Teraz ona pochyliła się w jego stronę, łyskając zmrużonymi oczami, w których odbijały się zielone i czerwone lampy znad parkietu. – Zmarnowałeś jedyną szansę, ty żałosny konowale.

Maksymilian podał jej plik banknotów, które niemal mu wyrwała i wepchnęła niedbale do kieszeni skórzanej kurtki, leżącej za nią na oparciu. Następnie narzuciła ją sobie na ramiona, kryjąc negliż. Aha, więc skończyło się uwodzenie. Nie było już mowy o tańcu, nie było powłóczystych spojrzeń i odymania warg.

– Jak masz naprawdę na imię? – spytał doktor, szykując się do wyjścia. – Bo przecież nie Dolores?

– Gówno cię to obchodzi! – warknęła, a potem zanurzyła usta w swoim mlecznym drinku, patrząc w inną stronę.

Maksymilian wstał.

– Tak czy owak, dziękuję – powiedział. I nagle, wiedziony niezrozumiałym impulsem, wyjął jeszcze z portfela swoją wizytówkę i położył przed nią na stoliku. – Gdybyś chciała się kiedyś z tego wyrwać i potrzebowała pomocy, zawsze możesz na mnie liczyć. Te trzy sekundy z tobą to było naprawdę… niezapomniane przeżycie.

Podniosła szybko wzrok i spojrzała badawczo, jakby nie wiedziała, czy z niej czasem nie zakpił. Petrycy ukłonił się i ruszył do wyjścia, obchodząc szerokim łukiem przestrzeń na środku, pełną podrygujących ciał. Dopiero po chwili przyspieszył kroku, a gdy był już pewien, że Dolores go nie widzi, zaczął biec. Chciał być jak najdalej od tego miejsca, tego świata i tej dziewczyny. Opuszczał hotel w takim tempie, że portier aż się przed nim cofnął, szklane drzwi zaś – uruchamiane na fotokomórkę – ledwie zdążyły się otworzyć. Wsiadł do taksówki, a podając adres, odruchowo polecił kierowcy:

– Tylko szybko, bardzo pana proszę!

W czasie jazdy przez dwa mosty zdołał na tyle ochłonąć, by wytłumaczyć samemu sobie, że przecież nic się nie stało – jeśli nie liczyć faktu, że stracił pięćset tysięcy. Wysiadł przed domem na alei Focha, odetchnął pełną piersią, przygładził włosy, a potem wyjął klucze i otworzył skrzynkę na listy. I wtedy okazało się, że to jeszcze nie koniec emocji na dziś. Wśród stosu makulatury znajdował się długo oczekiwany list od Bogny Grocholskiej, a także telegram z Niemiec. Ten ostatni doktor rozerwał od razu. Andrea Hoffmann zawiadamiała w nim o śmierci swojej babki, która zmarła w niedzielę w monachijskim szpitalu. Informowała też, że pogrzeb Klary

Weiler odbędzie się we czwartek w południe na cmentarzu St. Michael w Altötting.

~

Odnowione drzwi prowadzące do mieszkania babci Isi wyglądały jakoś inaczej. Doktor sam już nie wiedział, czy lśniąca biel w miejsce odrapanej, kremowej i nierównej faktury, do jakiej dochodziły przez długie lata, dodaje im uroku, czy wręcz przeciwnie. Nie chciał się jednak teraz nad tym zastanawiać. Przez osadzone na nowym kicie szybki z ornamentowego szkła dobiegał jednostajny, denerwujący warkot, pachniało intensywnie starym drewnem, a w holu przy wejściu stał worek wypełniony po brzegi trocinami oraz kilka nietkniętych jeszcze puszek z lakierem. Prace na parterze weszły w ostatnią fazę. Ze zgrozą pomyślał, że w najbliższych dniach cały ten rozgardiasz przeniesie się na piętro, a na zakończenie trzeba będzie jeszcze strugać i malować drewniane schody.

Zrzucił buty, odgarnął foliowe zasłony i szybko ruszył na górę. Dzieci już były – świadczyły o tym dwa wybebeszone plecaki leżące na podłodze przy drzwiach do łazienki. Obecność pani Moniki manifestowała się zaś falą smakowitych woni, dolatującą z kuchni.

– Jak się sprawowali? – zapytał, stając w drzwiach.

– W porządku. Przez większą część dnia gonili gdzieś po polu z przyjaciółmi, ale na obiad i kolację przyszli punktualnie. – Zamieszała w rondlu, zmniejszyła gaz i odwróciła się do niego frontem. – Tak jak rozmawialiśmy, policzyłam wszystkie godziny. Razem z zakupami i tym weekendem, to będzie milion[28].

Petrycy oparł się o futrynę, bo mu się zrobiło słabo.

– Milion? Za dwa tygodnie? – wyszeptał. – To chyba niemożliwe?

Zapewne dużo spokojniej przyjąłby tę informację, gdyby nie fakt, że chwilę wcześniej wręczył pół bańki dziewczynie z agencji. Teraz miał się rozstać z dwukrotnie wyższą sumą, a i Staszek Mróz wspominał ostatnio, że po zakończeniu prac na parterze liczy na wypłatę. Jeśli jego wydatki będą rosnąć w tym tempie…

Doktor otarł pot z czoła, a na twarz pani Moniki wystąpiły rumieńce.

– Mam tu wszystko spisane. – Wyjęła z kieszeni fartucha kartkę w kratkę, położyła ją na stole i stuknęła wskazującym palcem w długą kolumnę cyfr. Dłonie miała zniszczone, paznokcie niepomalowane. – Naprawdę, panie Maksymilianie! Znamy się od lat i pani Maria nigdy nie podawała w wątpliwość mojej uczciwości.

– Ależ ja niczego nie podaję w wątpliwość! – Petrycy uniósł ręce obronnym gestem. – Oczywiście, te pieniądze się pani należą. Jutro pójdę do banku i wypłacę.

Wziął kartkę ze stołu i szybko opuścił kuchnię, w której atmosfera zrobiła się nagle dziwnie duszna.

Drzwi do pokojów dzieci, jak zazwyczaj, były pozamykane. Zapukał i zajrzał najpierw do córki.

– Cześć, jak było?

---

[28] Średnia pensja w 1992 r. wynosiła 2 935 000 zł.

Gabrysia siedziała nad książką. Uniosła głowę znad biurka i wywróciła oczami.

– Koszmarnie! – powiedziała szeptem, lecz z wielkim przekonaniem. – Błagam cię, tato, nie wysyłaj nas tam już nigdy!

– Ale dlaczego? – Doktor obejrzał się przez ramię. Z kuchni dobiegało głośne trzaskanie garnków i szum wody w zlewie, na wszelki wypadek jednak przymknął drzwi.

– Bo ty nie wiesz, jak tam jest! – zaczęła Gabrysia, robiąc wielkie oczy.

Doktor dowiedział się następnie, że syn pani Moniki, który przeklina i jak matka nie widzi, pali papierosy na balkonie, wcale nie był zachwycony obecnością gości. Jej trzy perskie koty zaś, wręcz przeciwnie, pchały się im do pościeli i włazíły podczas posiłków na stół.

– Pierwszego wieczoru, jak chłopaki puścili sobie na wideo *Miasteczko Twin Peaks*, jeden z tych persów skoczył mi z szafy prosto na głowę! Myślałam, że umrę ze strachu! – zakończyła Gabrysia z przejęciem.

– *Twin Peaks*?!

Doktor zmarszczył brwi. Nie podobało mu się, że jego dzieci oglądały ten przebój ubiegłego roku, duszną i mroczną atmosferą bijący wszystkie kryminalne seriale, jakie do tej pory emitowano w polskiej telewizji. Postanowił, że poruszy ten temat z panią Moniką, ale... może nie dziś. Nie chciał jej już całkiem do siebie zrazić, gdyż wiedział, że sam sobie nie poradzi i będzie musiał jeszcze nie raz korzystać z jej pomocy.

– Aha, dzwoniła Ania – przypomniała sobie dziewczynka. – Zostaje na razie w Berlinie.

Doktor, który już zmierzał do wyjścia, zawrócił i przysiadł na tapczanie.

– I co?! – zapytał z napięciem.

– Z czym?

– Z nią! Z dzieckiem!

– Chyba okej, a co?

– Nic nie mówiła?!

– Tylko tyle, że jeszcze zostają. Żebyś się nie martwił. Pogoda jest śliczna i chcą pozwiedzać Berlin, skoro już tam pojechali.

Pozwiedzać Berlin! Petrycy poczuł się naraz bardzo stary i zmęczony.

– A co z tym badaniem krwi pępowinowej? Jest wynik?

– Nie wiem. Nic o tym nie mówiła. – Córka, uznając rozmowę za skończoną, znowu pochyliła się nad książką.

– Gabrysiu, to bardzo ważne! – Doktor się nie poddawał. – Czy wiesz, jakie ona ma zamiary? Co zrobi, jeśli dziecko… gdyby okazało się chore?

Wlepiła w niego oczy czyste i przejrzyste jak dwa górskie jeziorka.

– Gdyby dziecko okazało się chore? – powtórzyła. – A co ona może wtedy zrobić?

Petrycy spuścił wzrok. Nie miał serca jej tego uświadamiać.

– Nie martw się, wszystko będzie dobrze! – zapewniła go Gabrysia w przedłużającej się ciszy.

Łatwo powiedzieć, trudniej wykonać. Doktor wstał ciężko.

– Wygląda na to, że jutro zacznie się malowanie parkietu – przypomniał sobie. – Znowu będzie śmierdziało, więc jeśli pani Monika się zgodzi jeszcze raz…

– Nie, błagam! – Dziewczynka aż podskoczyła na krześle. – Ja się boję tego mieszkania i tego jej syna. Nie mogłabym spać u Patrycji? *Please!* Jej mama ciągle mnie zaprasza.

Patrycja była przyjaciółką jego córki od pierwszej klasy podstawówki. Nieraz już u siebie nocowały i doktor aż się zdziwił, że wcześniej nie wpadł na ten pomysł. Ustąpił bez walki.

– Dobrze, zadzwonię do nich. Tylko staraj się nie robić kłopotu. Umyj po sobie naczynia czy coś…

– Jasne. – Wyszczerzyła do niego zęby, wyraźnie ucieszona. – Kocham cię, tato! – dorzuciła następnie, już z nosem w podręczniku.

– Ja też cię kocham – wzruszył się Maksymilian i ucałował ją w czubek pochylonej, zaondulowanej głowy. Zajęta książką – aha! to nie był jednak podręcznik, tylko jakaś powieść w kieszonkowym wydaniu! – nie zwróciła już na to żadnej uwagi.

W pokoju Franka dudniła mocna muzyka, chłopak leżał na podłodze i wyciskał pompki. Wydawało się, że krew zaraz tryśnie mu z policzków. Petrycy próbował się przywitać, przekrzykując magnetofon, ale wycofał się wobec braku odzewu. List ze Szwecji w kieszeni marynarki nie dawał mu spokoju. Zamknął się w gabinecie, rozdarł kopertę i zaczął czytać.

Nie jestem pewna, czy to ten sam, ale kojarzę człowieka, który pomagał w pracach fizycznych przy rozdawnictwie leków i, jak piszesz, wyglądał na osiłka. Przypomniało mi się zdarzenie z nim związane.

Szybko przeleciał oczami rzędy liter układających się w zdania pełne treści. Niestety nie takiej, jak oczekiwał. List był krótki i rozczarowujący. Nie było tu ani słowa o prywatnym życiu Bogny, o powodach, które zmusiły ją do emigracji, ani też o tym, czy Benedykt wiedział wcześniej cokolwiek o jej orientacji. Mowa była tylko o Fabiańczyku – mężczyźnie, którego doktor uznał za ofiarę donosów swego ojca i nawet zdążył go już za to przeprosić.

Co chciała mu przekazać, opisując to wszystko?! Czy była to jakaś wyrafinowana zemsta, mająca odebrać także jemu resztki wiary w ideały z przeszłości?! Pominął kilka grzecznościowych zdań wstępu i jeszcze raz, wytężając uwagę, przeczytał:

Kręcił się nie tylko przy parafii św. Anny i na Akademii Medycznej, ale później także przy kościele w Mistrzejowicach. Zapamiętałam go na tyle, że potrafiłabym jeszcze teraz rozpoznać jego twarz. Wyobraź sobie, że w 84 roku, na krótko przed moim wyjazdem, spotkałam go w Nowym Targu. Chciałam się zaopatrzyć w jakąś świeższą garderobę, żeby nie paradować po Sztokholmie w łachmanach, a sam pamiętasz, że w sklepach państwowych nic wtedy nie było. Ktoś mi powiedział, że najłatwiej dostać dobre gatunkowo materiały i odzież na Podhalu, bo górale otrzymują paczki z Ameryki i mają czym handlować. Nie pracowałam już wtedy, miałam czas, więc pojechałam na targowisko. Rzeczywiście, było w czym wybierać. I pewnie nie zwróciłabym na niego żadnej uwagi, gdyby nie rozmowa dwóch kobiet, którą niechcący usłyszałam. Dotyczyła sytuacji w służbie zdrowia, więc sam rozumiesz. Facet, którego jedna z nich wskazała tej drugiej, stał z jakimś kartonem, z woreczkami oranżady czy gumą do żucia, nieważne, bo to był tylko kamuflaż. W rzeczywistości on sprzedawał jednorazowe igły i strzykawki! Bardzo mnie to ruszyło, bo przecież nie można było ich dostać nawet za cenę złota, w szpitalach bieda aż piszczała i tak naprawdę byliśmy zdani tylko na to, co nam podarują z zagranicy. Podejrzenia nasunęły mi się same, ale z nikim już o tym nie zdążyłam porozmawiać, bo właśnie wtedy moje sprawy przyspieszyły i dostałam paszport. Chwilę trwało, nim po przeczytaniu Twojego listu udało mi się poskładać w jedną całość strzępki własnych wspomnień i przekazanych przez Ciebie informacji. Jeśli jest to ta sama osoba – jego nazwiska nie pamiętam, tylko fakt, że był to taki rudawy blondyn ze złamanym nosem – to byłabym bardzo ostrożna w kontaktach z nim. Nie wiem, jak wszedł w posiadanie towaru, którym wtedy handlował, ani w jaki sposób potem rozkręcał swój biznes, ale coś mi podpowiada, że niekoniecznie uczciwie.

Petrycy odchylił głowę na oparcie fotela i zamknął powieki. Stary dom aż wibrował od odgłosów cykliniarki na dole oraz rocka z pokoju najmłodszego syna. Ale doktor teraz już tego nie słyszał. Oczy go piekły, skronie pulsowały.

„Zrobiłem z siebie kompletnego idiotę" – myślał.

Kraków, wtorek, 31 marca 1992

Na ślad Karola Fabiańczyka trafił w książce telefonicznej. Tuż pod jego nazwiskiem widniał adres firmy, doktor wyszedł więc z założenia, że tam właśnie trzeba go szukać. Udał się zatem na ulicę Beliny-Prażmowskiego i zaraz na wstępie przeżył lekki szok. Spółka Fabex mieściła się w starej willi, która po pięćdziesięciu latach niszczenia doczekała się wreszcie remontu. I to jakiego! Przekroczywszy kutą bramę z domofonem – przez który musiał wyjawić nazwisko oraz cel wizyty – Petrycy z każdym krokiem upewniał się, że gospodarz tej nieruchomości musi być człowiekiem niezwykle zamożnym. Ponieważ sam od pewnego czasu nosił się z myślą o remoncie domu, był w stanie ocenić koszty. I wiedział, że na taki wydatek, jaki tu poniesiono, nigdy w życiu nie będzie go stać.

Oglądał jasno otynkowaną elewację oraz nowe okna z białego plastiku, wyposażone w system srebrzystych żaluzji, ogród z trawą przyciętą jak od linijki i rzędem szmaragdowych tuj przy ogrodzeniu, złocone żyrandole, kamienne parapety i marmurowe posadzki oraz stojące na nich wielkie kanapy i fotele obite skórą. Ale im dalej się posuwał, tym bardziej był rozczarowany. Stwierdził ze zdumieniem, że odnowiona tak radykalnie willa straciła w tym procesie coś bardzo istotnego – swoją duszę.

Do tych luksusowych wnętrz pasowały też trzy sekretarki, które go kolejno przejmowały na drodze do gabinetu szefa. Były nie tylko młode i urodziwe, ale także niezwykle wysportowane. Odniósł wrażenie, że każda z nich mogłaby go położyć jednym palcem, a jednym ze swych długich, wymalowanych paznokci – rozszarpać mu tętnicę. Czuł przed nimi respekt i nic dziwnego, że od razu skojarzyły mu się z bohaterkami serialu *Aniołki Charliego*. Zwłaszcza że pracowały również dla Karola.

Kiedy już przeszedł wszystkie punkty kontrolne i znalazł się wreszcie naprzeciw wielkiego rzeźbionego biurka i siedzącego przy nim człowicka, opuściła go cała odwaga. Fabiańczyk podniósł wzrok znad jakiegoś kolorowego pisma, jeśli się doktor nie mylił, „Playboya".

– Słucham?

Petrycy przyglądał mu się bez słowa. Facet był potężny, miał byczy kark i wielki brzuch. Małe oczka ginęły pod nastroszonymi brwiami, policzki pokrywał kilkudniowy rudawy zarost. Mimo tuszy była w nim siła i wiele męskości. Może to wrażenie powodowała kwadratowa linia szczęki, może złamany – czyżby w jakiejś bójce? – nos, może wygolona prawie na zero czaszka. Z jego twarzy promieniowała zadziorność i dziwna czujność. Miało się wrażenie, że pomimo pozornej ociężałości, ten człowiek stale pręży się do skoku. Milczenie doktora widocznie wyprowadziło go z równowagi, bo poderwał się tak szybko, że wyściełany fotel na kółkach podjechał aż pod okno. Wsparł się oburącz o biurko.

– Słucham?! – powtórzył, nachylony jak goryl, a w jego głosie zabrzmiały tym razem niebezpieczne nuty.

– Zdaje mi się, że poznaliśmy się w stanie wojennym – zaczął niepewnie doktor. Zakładał, że skoro Fabiańczyk przyjął go na hasło „Petrycy, apteka darów", to istnieje prawdopodobieństwo, że jest pod właściwym adresem. – To chyba panu zszywałem ranę głowy po pobiciu na Kopernika.

– A! Możliwe. – Przejechał dłonią po bardzo krótko ostrzyżonych włosach, ale się nie rozluźnił. Wydawał się nawet jeszcze bardziej spięty. Na twarzy miał zresztą także kilka innych blizn, dobrze zagojonych, lecz do wychwycenia przez wprawne oko. – Co pana sprowadza?

– Wie pan, głupia sprawa… – Maksymilian, niezaproszony, żeby usiąść, stał pośrodku pokoju. Trudno było w takich warunkach przejść do rzeczy, ale doktor musiał to w końcu uczynić, po to przecież tutaj przyszedł. – Chciałem pana przeprosić.

– Przeprosić?

Twarz Fabiańczyka nie zmieniła wyrazu, Petrycy zauważył jednak, że jego palce zacisnęły się na krawędzi ciemnego blatu z taką siłą, że aż zbielały paznokcie.

– Nie wiem, jak zacząć. – Doktor z każdą sekundą był coraz bardziej zmieszany. – Dotarłem do dokumentów Służby Bezpieczeństwa. Wynika z nich, że mój ojciec… składał pewne raporty i w nich… jest wspomniane też pańskie nazwisko.

Fabiańczyk nie powiedział ani słowa. Wpatrywał się w Petrycego nieruchomym wzrokiem. Maksymilian zaczął mówić szybciej, żeby skończyć nareszcie tę żenującą scenę i wyjść.

– Nie wiem, czy SB skorzystała z informacji, które im przekazał, ale istnieje takie prawdopodobieństwo. Być może miał pan przez to kłopoty. Możliwe nawet, że tamto pobicie miało coś wspólnego z… – Doktor zająknął się, z przykrości i zakłopotania łzy mu stanęły w oczach. – Z jego donosem.

Przełknął kluchę w gardle, po czym dokończył:

– Ojciec już nie żyje, ale wiem, że miał z tego powodu wielkie wyrzuty sumienia. Jeśli panu w jakiś sposób zaszkodził, czego nie mogę wykluczyć, to bardzo przepraszam.

W ciszy, która zapadła, słychać było głośne brzęczenie muchy uwięzionej za aluminiową żaluzją. Fabiańczyk powoli przetrawiał podane informacje.

– Łatwo tak przepraszać w cudzym imieniu, co? – zapytał wreszcie. – Cudzych grzechów nie trzeba się zapierać!

Doktor tylko rozłożył ręce. Fabiańczyk nie oczekiwał jednak odpowiedzi.

– Nie wierzę w te przeprosiny! – zaatakował. – Po co pan tu naprawdę przyszedł?! Węszyć?

Petrycy, wstrząśnięty, cofnął się o krok.

– Ależ skąd! Dlaczego miałbym to robić?

Choć bardzo się starał panować nad sobą, głos mu się załamał i zadrżał. Było to upokarzające. Odchrząknął i zamrugał powiekami, próbując wziąć się w garść. Fabiańczyk dostrzegł szarpiące nim emocje i trochę się odprężył. W jego jasnych oczach pojawiło się coś na kształt kpiny.

– Nie chcę wracać do tamtych czasów – mruknął, puszczając wreszcie krawędź biurka i prostując plecy. – Nie interesują mnie przeprosiny, kluby kombatanckie ani wspominki. Nie pierwszy raz wtedy oberwałem. I nie oczekuję za to żadnego pomnika.

– Nie chodzi o pomnik. Po prostu wydawało mi się, że powinienem to zrobić. W imieniu ojca i własnym.

Petrycy mówił, a jednocześnie narastało w nim dziwne wrażenie, że gdzieś już widział tego faceta, i że nie było to w zimie osiemdziesiątego trzeciego roku.

– O co jeszcze chodzi?! – Gospodarz najwyraźniej dostrzegł na sobie ten badający wzrok. W jego głosie dało się znowu słyszeć napięcie.

Doktor zmieszał się i odwrócił spojrzenie.

– Próbuję sobie pana przypomnieć…

– No i?

– Nie bardzo potrafię. – Cofnął się w stronę wyjścia. – Tylu nas wtedy było! A poza tym minęło sporo czasu, a ludzie się zmieniają.

Fabiańczyk w kilku krokach pokonał odległość do drzwi i otworzył je na oścież.

– Żegnam!

Nie podał doktorowi ręki na pożegnanie, a drzwi za nim zamknął tak szybko, że niewiele brakowało, a by mu przytrzasnął piętę.

Altötting, czwartek, 11 czerwca 1992

Niebo w Altötting było szafirowe, drzewa zielone, w wielobarwnych kielichach kwiatów posadzonych na grobach brzęczały pszczoły. Maksymilian był tu zaledwie półtora roku temu, a wydawało mu się, że od tamtego czasu minęły już wieki. Odbywał wówczas spacer śladami przodków, o których istnieniu jeszcze kilka miesięcy wcześniej nie miał pojęcia. Teraz w tym samym miejscu, na starym cmentarzu, miała spocząć Klara Weiler.

W normalnych warunkach poprzestałby zapewne na wysłaniu do Andrei telegramu z kondolencjami. Informacja o śmierci ciotki, choć smutna, nie pogrążyła go w żałobie. Obiecali sobie wprawdzie ponowne spotkanie, ale poza jednym listem od jej wnuczki, na który doktor nawet nie odpowiedział, nie mieli już kontaktu. Maksymilian musiał przyznać sam przed sobą, że przez wiele miesięcy, jak tylko się dało, starał się zapomnieć o dramatycznych wydarzeniach, w których oboje wzięli udział. Nie byłby zdziwiony, gdyby taki sam proces wyparcia zachodził i po drugiej stronie granicy.

A jednak zdecydował się pojechać na pogrzeb. Może dlatego, że jego życie już od dawna nie wyglądało normalnie. Próbował pakować i przenosić rzeczy na piętrze, jednak wszystko leciało mu z rąk. Niepokój, który gnał go z kąta w kąt, nie był związany jedynie z przymusową bezczynnością oraz możliwością utraty pracy – te sprawy powierzył prawnikom i liczył na to, że w swoim czasie znajdą pozytywny finał. Nie miał jednak żadnych wieści od Marysi, Ani, a nawet od Jakuba Kapuścińskiego. Od kiedy zaś Staszek przystąpił do lakierowania parkietu w mieszkaniu babci Isi i dzieci, po uzyskaniu wszystkich niezbędnych pozwoleń, wyniosły się na kilka dni do swoich przyjaciół z sąsiedztwa, doktor poczuł się nagle bardzo osamotniony. Zadzwonił do Przemka Jarosza, a następnie kupił bilet i wsiadł do pociągu do Monachium. Miał nadzieję, że w podróży choć przez chwilę zdoła oderwać się od swoich problemów. Gdy już jednak wszedł do przedziału i umieścił walizkę na półce, ogarnęło go przemożne zdziwienie: „Do licha, co ja tu w ogóle robię?".

Pytanie to nie opuszczało go, gdy stał pod pogodnym bawarskim niebem na cmentarzu w Altötting. Ksiądz odprawiał egzekwie, a on rozglądał się ukradkiem po twarzach około trzydziestu zebranych tu osób, natrafiając na ich równie ukradkowe spojrzenia. Zapewne niektórzy byli z nim w jakimś stopniu spokrewnieni, ale nic ich nie łączyło. Fakt, że takie samo skrywane zainteresowanie wzbudzał czarnoskóry partner Andrei – menadżer w amerykańskim koncernie Philip Morris – był dla doktora niewielkim pocieszeniem.

Wnuczka Klary wyglądała na autentycznie przejętą, w jej oczach błyszczały łzy. Cała reszta żałobników miała twarze obleczone w stosowną powagę i filozoficzne uwagi typu: *So ist das Leben*[29] na ustach, lecz Petrycy czuł, że to on jest dla nich jedną z atrakcji dnia. Było mu tym bardziej głupio, że znał już kontekst, w którym go tu dzisiaj postrzegano. Zaraz po przyjeździe uświadomił go w tym względzie Przemek Jarosz.

– Specjalnie dla ciebie, stary, śledzę sprawę w mediach i zbieram wycinki – poinformował z satysfakcją i z całych sił klepnął go w łopatkę. – W końcu to dzięki tobie wszystko wyszło na jaw, nie?

Po czym zostawił go na noc z segregatorem pełnym artykułów prasowych związanych z wypadkami, do jakich doszło w czasie ostatniej wizyty Petrycego w Monachium.

Pierwsze doniesienia pojawiły się już dwunastego stycznia, w kilka godzin po pożarze. Gazety lakonicznie, choć ze smakiem, opisywały samo zdarzenie: Ilse S., 76-letnia mieszkanka Monachium, z nieznanych przyczyn podpaliła mieszkanie swojej sąsiadki i przyjaciółki, a ją samą próbowała otruć. Prawdziwa bomba wybuchła dopiero kilka miesięcy później. Wówczas to pojawiły się pierwsze informacje o Gertrudzie

---

[29] Takie jest życie (niem.).

Koch, funkcyjnej więźniarce z Ravensbrück, poszukiwanej po wojnie przez brytyjski wymiar sprawiedliwości, która pod fałszywym nazwiskiem Ilse Strohmeier jeszcze do niedawna wiodła wygodne życie w stolicy Bawarii, pracując jako pielęgniarka. Wiadomo już było, że u podłoża jej zamachu na życie Klary W. leżały sekrety z przeszłości. O tym jednak, że katalizatorem dramatycznych zdarzeń stało się przybycie do obu kobiet czterdziestopięciolatka z Krakowa, który utrzymywał, że jest wojennym dzieckiem brata jednej, a partnera życiowego drugiej z nich, znalazł doktor tylko jedną wzmiankę. Aż się wzdrygnął, widząc w druku swoje imię, ale zaraz z ulgą stwierdził, że przez większość dziennikarzy nie został zaliczony do głównych postaci dramatu. Dopiero po chwili zaczął się nad tym zjawiskiem głębiej zastanawiać. Dlaczego przeważająca część żurnalistów pominęła milczeniem jego istnienie? Jedyny redaktor, który o tym napisał, powołał się przecież na źródła policyjne, a więc musiała być o tym mowa na konferencji prasowej! Czyżby ujawnienie prawdy, że na ziemiach okupowanych Niemcy płodzili dzieci, które obecnie, w dojrzałym wieku, zaczynają poszukiwać informacji o swym pochodzeniu – było sprawą aż tak wstydliwą i krępującą?

Wyczuwając podskórnie wielką rezerwę wobec tematu „wojennych dzieci", doktor dostrzegał jednocześnie, przynajmniej w niektórych artykułach, pewną gotowość do zmierzenia się z tematem nazistowskiej przeszłości. „Stern" na przykład przypomniał procesy załogi Ravensbrück, przywołując między innymi postać psychopatycznej kapo Carmen Mory, podwójnej agentki wywiadu ze szwajcarskim paszportem, która miała tyle tupetu, że po wyzwoleniu obozu pod przybranym nazwiskiem zgłosiła się do brytyjskiej żandarmerii wojskowej, oferując pomoc w akcji wyłapywania zbrodniarzy. Dopiero dziwna mina, jaką zrobiła na jej widok jedna z aresztowanych, skłoniła brytyjskiego oficera do dyskretnego „przyjrzenia się" tłumaczce i w konsekwencji do pojmania jednej z najbardziej bestialskich nadzorczyń obozowych.

Dziennikarze spekulowali, czy możliwe będzie po tylu latach udowodnienie Gertrude Koch – której tożsamość została potwierdzona ponad wszelką wątpliwość – konkretnych zbrodniczych czynów związanych z jej pracą w „rewirze", selekcją współwięźniarek i przeprowadzaniem na nich eksperymentów pseudomedycznych. Tego właśnie wymagało niemieckie prawo, by uznać oskarżonego winnym[30]. Aby doprowadzić do skazania Gertrude za przeszłość obozową, trzeba było dowieść, że brała bezpośredni udział na przykład w zabójstwie Ilse Strohmeier, pod którą się potem podszywała. Komentatorzy prasowi pesymistycznie oceniali możliwość dotarcia do wiarygodnych świadków, sama zaś podejrzana konsekwentnie odmawiała zeznań i nie przyznawała się do winy. W takiej sytuacji, choć materiał dowodowy w sprawie

---

[30] Był to powód, dla którego wyroki wydawane przez sądy RFN za zbrodnie z czasów nazistowskich były niezwykle łagodne, a procesy osób odpowiedzialnych za ludobójstwo kończyły się czasem nawet uniewinnieniem. Nowa wykładnia prawna została przez niemieckie sądy wprowadzona dopiero w XXI w. i po raz pierwszy zastosowana w procesie Johna Demjaniuka w 2011 r. Skazano go za pomoc w morderstwie co najmniej 28 tys. osób. Wcześniej wykonywanie rozkazów przełożonych w obozach nazistowskich nie było traktowane przez niemiecki wymiar sprawiedliwości jako współuczestnictwo w zbrodni, a strażnika obozowego można było osądzić dopiero za zabójstwo „z własnej inicjatywy".

współczesnej był już zebrany i można się było niebawem spodziewać procesu, w sprawie wojennej przeszłości Gertrude nadal nie było wiadomo nic pewnego.

Kiedy Petrycy skończył czytać, w głowie mu aż huczało i długo nie mógł potem zasnąć. Strzępki tych myśli i wrażeń przelatywały mu przez mózg także podczas pogrzebu, a nawet i potem, gdy na zaproszenie Andrei wziął udział w rodzinnym spotkaniu w restauracji. Nigdy mu się nie podobało polskie słowo „stypa", musiał jednak przyznać, że wobec makabrycznego określenia *Leichenschmaus*[31], którego tutaj używano, było ono wyjątkowo neutralne. Zebrali się w znanym mu już *Gasthofie*, będącym aż do czasów powojennych własnością kilku pokoleń Bayerów. Jeśli nie liczyć zwyczajowych uprzejmości przy obiedzie, nie miał nawet z kim porozmawiać. Nie przedstawiono go nikomu – bo też jako kto miałby zostać przedstawiony? – miał jednak wrażenie, że ludzie zgromadzeni wokół stołu są doskonale zorientowani, kim jest. On natomiast nie miał pojęcia, kim są oni. Poczucie obcości było coraz bardziej dojmujące, potrafił jednak wytłumaczyć sobie ich rezerwę. Był przecież jednym z bohaterów niechlubnej historii, którą opisywano na pierwszych stronach niemieckich gazet. Nie dziwił się specjalnie, że ludzie ci woleli udawać, że nic o tym wszystkim nie wiedzą.

Z wielkim trudem dobrnął do końca obiadu. Podziękował za kawę i deser, podniósł się z miejsca i odwołał Andreę na bok.

---

[31] Słowo złożone z dwóch innych: *Leiche* – zwłoki oraz *Schmaus* – uczta (niem.).

– Zbieram się już. Dziękuję. I jeszcze raz wyrazy współczucia – wymamrotał na pożegnanie.

– Jesteś pewien? – zdziwiła się Andrea. – Jeśli chwilę poczekasz, zabiorę cię do Monachium.

– Nie, dziękuję. Pojadę pociągiem.

Nie nalegała.

– Wobec tego odprowadzę cię kawałek. Mam coś dla ciebie w samochodzie.

Wyszła z nim na parking i ze schowka przy kierownicy wyjęła metalowe pudełko po jakichś kruchych ciastkach, z niego zaś – paczkę listów przewiązanych tasiemką. Zarówno jedwab, jak i koperty były poszarzałe ze starości.

– Policja znalazła to w mieszkaniu Ilse. Oddali je Klarze, gdy uznali, że nie mają wagi dowodowej. Właściwie należą się tobie – powiedziała, wręczając mu je wraz z pudełkiem. – Tak sobie babcia życzyła.

Doktor ze zdumieniem obracał pakiet w palcach. Bał się, że gdy go rozpakuje, wszystko się rozleci.

– Co to jest? – zapytał wreszcie.

– Listy Maxa do matki. Pisane w Krakowie jeszcze w czasie wojny – objaśniła Andrea, on zaś poczuł na grzbiecie zimny dreszcz. Czyżby znowu historia wyciągała ku niemu swoje lepkie macki? Czego nowego miał się teraz dowiedzieć?

– Dziękuję – powiedział tylko, ostrożnie umieszczając listy z powrotem w puszce. Wcale mu się nie spieszyło do tego, by się zapoznać z ich treścią. Ucałował dłoń Andrei, co przyjęła z lekkim rozbawieniem. – *Auf Wiedersehen!*

– *Danke, dass du gekommen bist. Mach's gut, Maximilian!*[32] – uśmiechnęła się, a potem szybko zrobiła półobrót i wróciła do swojej rodziny.

Monachium, czwartek, 11 czerwca 1992

Nie poszedł od razu do domu przyjaciela. Przez kilka popołudniowych godzin włóczył się jeszcze po mieście, które w pełnym rozkwicie wiosny zrobiło na nim zupełnie inne wrażenie niż kiedyś w styczniu. Wtedy czuł się zagubiony na tych tętniących życiem ulicach, w jakiś sposób gorszy od mijających go przechodniów, jak ubogi krewny, przybysz z innego świata. Teraz wręcz przeciwnie – błądząc w wielojęzycznym kolorowym tłumie, Petrycy powoli pozbywał się przygnębienia. Był tu z własnej woli, nic od nikogo nie oczekiwał, ot, jeden z wielu anonimowych przechodniów, rozkoszujących się w stolicy Bawarii świeżą zielenią parków, szumem fontann i pięknem zadbanych starych murów. Przepełniało go uczucie równości i akceptacji.

U Przemka Jarosza zjawił się dopiero wieczorem z bukietem chabrów dla Lisy oraz butelką francuskiego wina do kolacji. Gdy zjedli, komentując ostatnie wydarzenia w Polsce, a małomówna żona Przemka pożegnała się i wycofała do swojej sypialni, doktor poczuł się wreszcie na siłach, by bez ścisku w gardle odpowiedzieć przyjacielowi na proste pytanie „co u ciebie słychać", czyli wprowadzić go w labirynt

---

[32] Dziękuję, że przyjechałeś. Trzymaj się, Maksymilian! (niem.).

swoich problemów. Przenieśli się na taras, na wygodne fotele, wyplatane czymś, co przypominało trochę wiklinę, ale – jak się zaraz dowiedział – było włóknem jakiejś palmy. Przemek otworzył drugą butelkę wina i Maksymilianowi już na dobre rozwiązał się język. Gdy skończył, zapadła długa chwila ciszy, przerywanej tylko delikatnym szelestem zraszacza do trawy i odgłosami miejskiego życia.

– Czy ja dobrze zrozumiałem? Mówisz, że ktoś specjalnie grzebie w twoim życiorysie, żeby cię skompromitować? – zapytał wreszcie gospodarz.

– Im dłużej się nad tym zastanawiam, tym bardziej mi się wydaje, że coś jest na rzeczy – mruknął doktor. – Pomyśl! Te materiały znajdują się zawsze, gdy robi się o mnie głośno. Czy to może być przypadek?!

– Nie mam pojęcia – wzruszył ramionami Przemek. – Ale dziwi mnie, że ktoś wywleka grzechy twoich rodziców, a pomija kompletnym milczeniem tę sprawę, za którą cię chcieli wsadzić w osiemdziesiątym drugim.

Doktor drgnął, bo wspomnienie było bardzo nieprzyjemne.

– Handel walutą, nic chwalebnego. Musiałbyś się dobrze napocić, żeby się z tego oczyścić – ciągnął tymczasem Jarosz, przegryzając orzeszkiem. – Nie wystarczyłoby powiedzieć, że esbecja cię wrobiła, trzeba byłoby udowodnić, że całe to oskarżenie było lipą.

– Bo było! – warknął doktor i dolał sobie wina. – Od początku do końca, łącznie z zeznaniami świadków!

– Ale udowodnić to nie byłoby łatwo i zrobiłby się znowu koło ciebie smród. Gdybym ja chciał cię skompromitować, to właśnie w ten sposób, a nie grzebiąc w papierach twoich starszych – powiedział zimno Jarosz. – Może zatem ten ktoś nie chce o tym przypominać? – myślał dalej na głos. – Może właśnie tam się kryje jakiś klucz.

Petrycy opanował emocje i wytężył uwagę. To, co mówił jego przyjaciel, miało sens.

– Wiesz, ja bym na twoim miejscu zajrzał do swoich akt! – Przemek, olśniony własnym pomysłem, uderzył otwartą dłonią w kolano.

Na taką naiwność doktor nie potrafił powstrzymać śmiechu, choć nie był on wesoły. Przed oczami stanęli mu jak żywi funkcjonariusze UOP wywalający zawartość półek i szuflad w jego mieszkaniu.

– Wybacz, stary, ale to nie takie proste! – stwierdził gorzko. – Ja żyję w Polsce, a nie w Niemczech! U nas akta bezpieki są zamknięte w archiwum MSW i nikt nie ma do nich dostępu, prócz kilku wybrańców, którzy z racji swojego urzędu, bądź bez żadnej racji, zostali tam wpuszczeni! Ja nie mogę sobie tak po prostu zażądać wglądu do własnej teczki.

– No dobrze, a ten znajomy w służbach? – zapytał Jarosz. – Nie mógłbyś tego z nim załatwić? Niech tylko sprawdzi, czy nie ma tam jakichś interesujących informacji albo nazwisk.

Maksymilian znowu prychnął. Nawet nie chciało się mu tłumaczyć, dlaczego Jakub Kapuściński zupełnie nie nadaje się do roli wywiadowcy.

– Wiesz, to wszystko jeszcze nic – postanowił zmienić temat. – Mam teraz poważniejszy problem. Lasicki chce mnie wygryźć z kliniki.

W kilku zdaniach opisał, co zaszło.

– A to drań! – zgrzytnął zębami Przemek. – Ale ja ci powiem, że on zawsze miał na takiego zadatki!

Doktor nawet w oparach alkoholu zdobył się na refleksję, że Lasicki posiada przecież i drugie oblicze – jest niezłym lekarzem oraz świetnym organizatorem, mocno zaangażowanym w sprawy poradni. Uraza jednak, ciągle bardzo żywa, sprawiła, że się nie odezwał. Zatkał sobie usta orzeszkami na długą chwilę.

– Nie ma co, w ogóle sytuacja u nas jest tragiczna – westchnął wreszcie. – Od sierpnia mają być cięcia w funduszu płac, szykują się zwolnienia w szpitalach. Około trzech procent personelu musi dostać wypowiedzenia – mówiąc to, poczuł się nagle bardzo zmęczony.

– Myślisz, że o to mu chodzi?

– W moim przypadku? Raczej nie. Zwalniają personel techniczny, rejestratorki, rzadziej pielęgniarki i lekarzy. Ale i my musimy zaciskać pasa. W Żeromskim ginekolodzy dobrowolnie obcięli sobie pensje, żeby wygospodarować środki na etaty dla stażystów.

– Cholera!

– W każdym szpitalu stoi teraz skarbonka, a w niektórych opłaty za przyjęcie na oddział są już nawet wprowadzane odgórnie – ciągnął Petrycy. – Pacjenci oczywiście protestują, ale potem znowu sami przeprowadzają zrzutki na środki czystości, odczynniki albo jedzenie. Mówię ci, dramat.

Jarosz przez chwilę milczał, obracając w palcach pięknie wykrojony, pusty już kieliszek. Głęboko się nad czymś zastanawiał.

– Na dobrą sprawę, skoro masz tu rodzinę, mógłbyś się postarać o pracę w Niemczech – powiedział wreszcie. – Wymagałoby to sporo zachodu, ale język znasz świetnie, więc przynajmniej jedną z większych przeszkód masz już z głowy. Warto spróbować.

– Pracę w Niemczech?! – Osłupiał Petrycy. – Miałbym się tutaj przeprowadzić?

Przemek – a właściwie teraz już Robert, i nie Jarosz, a Jarosch – tylko skinął głową.

– Ale jak? Z całą rodziną?

– Oczywiście. Co to za życie w rozkroku? Są specjalne szkoły przejściowe, w których dzieci obcokrajowców intensywnie uczą się języka, a potem się je przenosi do szkół niemieckich. System integracji imigrantów tworzą tu już od lat i ponoć całkiem nieźle funkcjonuje.

– Nie wiem, co by na to powiedziała Marysia i dzieci – mruknął doktor. Na samo wspomnienie o najbliższych posmutniał. Dotknęli teraz problemu, który był dla niego najbardziej bolesny.

– Będzie ci i tak dużo łatwiej niż mnie – pocieszył go Przemek, który jeszcze nie słyszał o ostatnich wydarzeniach w rodzinie Petrycych i nic nie zauważył. – A ja nie żałuję.

Maksymilian przygryzł wargę. Nie mógł uwierzyć w to, co usłyszał. Nie pamiętał drugiej tak dobranej i zgranej pary jak Przemek i Beata. Gdy się w zeszłym roku dowiedział o ich rozwodzie, długo nie potrafił się z tym pogodzić.

– Naprawdę nie żałujesz? – zapytał, nagle dziwnie śmiały pod wpływem alkoholu. – A te wszystkie lata z Beatą? Tak je przekreślasz tym jednym zdaniem?

– Nie przekreślam – powiedział Jarosz cicho. – Po prostu przegapiliśmy właściwy moment, kiedy jeszcze można nas było uratować. A potem nagle było za późno.

Pusty kieliszek smętnie zwisał mu z palców.

– Nie wiem, czy gdybyśmy zostali w Polsce, wszystko między nami nie skończyłoby się tak samo – dorzucił po chwili.

W ogrodzie zrobiło się już zupełnie ciemno, odgłosy dalekiej arterii drogowej były coraz cichsze. Nad gęstym żywopłotem przelatywały bezszelestnie nietoperze, a spomiędzy krzaków wytuptał nagle jeż. Przyjaciele zamilkli, obaj pogrążeni w myślach. Petrycy zastanawiał się, jak powiedzieć Przemkowi o tym, co niebawem miało się wydarzyć w jego rodzinie. Kilka godzin wcześniej, czekając na pociąg do Altötting, zauważył młodego człowieka z zespołem Downa, który całkiem samodzielnie kupił bilet, skasował go, a potem wsiadł do przedziału. Scena ta zrobiła na Maksymilianie wielkie wrażenie. Miał oto naoczny dowód, że osoby z upośledzeniem umysłowym nie muszą być zdane na pomoc innych. Myślał o tym również po pogrzebie, kiedy spacerował po Monachium. Zwrócił uwagę, że chodniki i wjazdy do sklepów, jak również środki komunikacji publicznej w większości są przystosowane do potrzeb niepełnosprawnych. Na ulicach widać było osoby na wózkach, w różnym wieku, często wyglądające na bardzo zamożne.

„Nie wiodą na pewno całkiem normalnego życia, ale w jakimś sensie życie zbliżone do normalności. To wcale nie musi być gehenna!" – uświadomił sobie.

I nagle dotarło do niego, ile jeszcze powinno się w tej sprawie zrobić w Polsce. Nie tylko w kwestii infrastruktury, ale także świadomości. Przypomniało mu się zdarzenie, o którym opowiadał kiedyś ksiądz Tadeusz Isakowicz--Zaleski*. Podczas jednego z wyjazdów jego wspólnota znalazła się przypadkiem na mszy świętej dla osób z problemem alkoholowym. Kapłan odprawiający wskazał grupę niepełnosprawnych i oznajmił z ambony swoim podopiecznym: „Jak będziecie dalej pić, to się wam będą rodzić takie dzieci!"[33].

„U nas niepełnosprawność jest łączona z patologią i biedą!" – uświadomił sobie doktor, wpatrując się w drzwi windy prowadzącej na stację metra. Choć wsiadający i wysiadający z niej ludzie robili mu miejsce, nawet ich nie zauważał. Wreszcie zrozumiał coś, z czym zmagał się od chwili, gdy poznał diagnozę Beniamina – własne poczucie wstydu. Nie potrafił się go pozbyć, więc spychał je coraz głębiej w zakamarki świadomości, ono zaś coraz mocniej tam wrastało. Tak, nie mógł już tego dłużej przed sobą ukrywać – wstydził się dziecka, które jeszcze się nawet nie narodziło. Dopiero obrazek z dzisiejszego poranka, widok chłopaka z zespołem Downa będącego taką samą częścią społeczeństwa jak wszyscy inni pasażerowie pociągu, przekonał go, że można też być z takiego syna dumnym.

Teraz przyszła pora, by zrobić swój pierwszy krok.

– Słuchaj, spotkałem dziś na stacji człowieka z zespołem Downa – odezwał się nagle, przerywając zbyt długą już chwilę ciszy. – Był całkiem sam!

---

[33] T. Isakowicz-Zaleski, *Moje życie nielegalne*, Kraków 2012.

– To pewnie Matthias – powiedział Jarosz. Odstawił pusty kieliszek na stół i przesunął dłonią po powiekach. – Syn sąsiadów, mieszkają przecznicę obok.

– Wiesz, zachwyciło mnie, jaki jest samodzielny! – ciągnął doktor. – Wydaje mi się, że tu podejście do niepełnosprawnych jest zupełnie inne niż u nas.

– Szczerze mówiąc, nie wiem – zastanowił się Przemek. – Ten Matthias to jedyny człowiek z Downem, jakiego znam. Rzeczywiście, jest dość samodzielny, jeździ co dzień na warsztaty i sam wraca. Ale nie wiem, czy byłby zdolny żyć na własny rachunek. Raczej nie.

– Tak czy owak, wyglądał na bardzo zintegrowanego. Rozglądałem się dziś trochę po mieście i po raz pierwszy zauważyłem, że naprawdę dla takich osób jest miejsce w społeczeństwie! Uświadomiłem sobie, ile nam jeszcze brakuje.

Gospodarz westchnął z gębi swej obszernej piersi. Zmienił pozycję w fotelu, jakby nagle zaczęło mu być w nim ciasno i niewygodnie, bo też rzeczywiście od czasu ich ostatniego spotkania znowu przytył.

– To nie jest wszystko takie proste, Maks – mruknął. – To nie jest tak, że ludzie tutaj są tak bardzo na ten problem otwarci. I wiem dobrze, co mówię, ze względu na zawód, który wykonuję…

Jarosz był ginekologiem położnikiem, zresztą świetnym i kiedyś w Polsce bardzo przez pacjentki lubianym.

– Przerwanie ciąży z przesłanek eugenicznych jest tu możliwe aż do momentu, gdy płód uzyska zdolność do samodzielnego życia – mówił, nie zdając sobie sprawy, że Petrycego w środku aż zmroziło od tych słów, od razu bowiem pomyślał o Ani. – A diagnostyka idzie naprzód, jest coraz skuteczniejsza. Czytałem niedawno o nowej metodzie wnioskowania o pewnych aberracjach chromosomowych na podstawie obrazu USG. Już w pierwszym trymestrze ciąży można się zorientować, że istnieje ryzyko ukrytych wad wrodzonych! A to, sam rozumiesz, ułatwia podjęcie decyzji.

Maksymilian słuchał go bez słowa, Przemek ciągnął więc dalej przyciszonym głosem:

– Narodziny dziecka z zespołem Downa są w Niemczech uważane za błąd w sztuce lekarskiej. Były procesy, w których skazywano lekarzy na wypłatę odszkodowań, gdyż nie powiadomili rodziców o możliwości wykonania amniopunkcji lub amniocentezy. Powiem ci nawet, że ze względu na to ryzyko ginekolodzy mają teraz kłopoty ze znalezieniem dobrego ubezpieczenia.

Petrycego niewiele obchodziły kłopoty niemieckich ginekologów.

– Ale przecież... są jakieś granice! – zaczął się jąkać. – To przecież jest człowiek! Chyba chrześcijanie... katolicy...

– Zapewniam cię, że gdy w grę wchodzi jakość życia, twoja i twojego dziecka, i to już na wszystkie lata aż do śmierci, to nawet katolicy nie wahają się z podjęciem takiej decyzji. – Przemek spojrzał Maksymilianowi w oczy ponad okrągłym stolikiem z taką siłą, że doktorowi odebrało głos. – Wiem, o czym mówię.

Czy można było coś na to odpowiedzieć? Doktor zbyt dobrze pamiętał to, co przeżył nie tak dawno, by poważyć się teraz na moralizowanie.

– Marysia jest w ciąży – powiedział tylko, odwracając wzrok. – W sierpniu ma się urodzić nasz syn Beniamin. Z zespołem Downa.

– Ach.

Zapadła cisza, bo zraszacz chwilę wcześniej sam się wyłączył. Nie było już o czym rozmawiać. W tym krótkim, ale pełnym treści „ach" Petrycy wyczytał cały dalszy ciąg. Czuł, że nie będzie już więcej mowy o przeprowadzce z rodziną i znalezieniu pracy w Niemczech.

– Jednego żałuję, Maksymilian – powiedział nagle Przemek i doktor drgnął, wyrwany z zamyślenia. – Gdybyśmy mieli z Beatą dziecko, może nasze życie ułożyłoby się inaczej. Wszystko jedno, czy bylibyśmy w Polsce, czy tutaj. Może chciałoby się nam wtedy o nas zawalczyć.

Monachium – Kraków, niedziela, 14 czerwca 1992

Pociąg drgnął i ruszył niespiesznie. Doktor patrzył na nieciekawy krajobraz okolic dworca, a potem na coraz ładniejsze, przesycone zielenią widoczki w dzielnicach mieszkalnych, przez które przejeżdżali. Było to swego rodzaju pożegnanie z Monachium. Dwa ostatnie dni spędził z Przemkiem w Alpach – spacerując łatwiejszymi szlakami, gdyż ze względu na jego problemy z sercem, a także nadmierną tuszę przyjaciela, zdobywanie szczytów raczej nie wchodziło w grę. Nocowali w jakiejś przyjemnej wsi, w której nawet obwieszone wielkimi dzwonkami krowy były czyste i niemal pachnące, a pościel w drewnianych staroświeckich łóżkach sztywna od krochmalu. Teraz miał wrażenie, że jego niemiecka przygoda dobiega końca. Oto zamyka się historia rozpoczęta półtora roku wcześniej szaleńczą wyprawą na poszukiwanie śladów biologicznego ojca. Odeszła Klara, ostatnia z tamtego pokolenia, a poczucie obcości, którego doktor doznał na cmentarzu i podczas stypy, dobitnie mu uświadomiło, że nic go z tamtą rodziną nie łączy. Może gdyby nie dowiedział się od Przemka, jak wiele miejsca gazety poświęciły sprawie Ilse *vel* Gertrude, potrafiłby się otworzyć, nawiązać rozmowę i po prostu patrzeć w przyszłość, która mogłaby być wspólna. Ale teraz czuł, że Historia znowu wkroczyła między nich, przypominając o sprawach, o których wszyscy chcieliby już zapomnieć.

Czy zatem lepiej by było tego wszystkiego nie ruszać?

– Nie! – żachnął się doktor niechcący na głos.

Siedzący naprzeciw zaczytany mężczyzna podniósł wzrok i pytająco uniósł brwi.

– O, *pardon*! – Maksymilian uśmiechnął się przepraszająco. Po czym, choć książka na kolanach współpasażera była niemiecka, dorzucił pod nosem po polsku, tonem wyjaśnienia: – Wyrwało mi się. Takie tam historyczne zaszłości, rozumie pan.

– Rozumiem – nieoczekiwanie odrzekł tamten, także po polsku. – Nawet bardzo dobrze, bo sam jestem historykiem. Wprawdzie literatury, ale może tym lepiej pojmuję emocje.

Petrycy speszył się. Teraz już nie wypadało mu przerwać rozmowy i jak gdyby nigdy nic, zagapić się w okno.

– Mój problem z literaturą nie ma nic wspólnego – zaczął zatem ostrożnie. – Wracam właśnie z pogrzebu ciotki.

– O! Proszę przyjąć wyrazy współczucia – powiedział jego współtowarzysz, a potem znowu opuścił wzrok na zadrukowane stronice. Były to jakieś wiersze.

– Och, prawie jej nie znałem – ciągnął mimo to Petrycy. – Postanowiłem jednak przyjechać, gdyż akurat... miałem trochę czasu. I właśnie uświadomiłem sobie, że zerwała się ostatnia nić łącząca mnie w pewien sposób z tym krajem... czy może tylko miastem.

Mężczyzna słuchał z pochyloną głową, patrząc na niego ponad szkłami okularów. Doktor sam się dziwił swej gadatliwości, a jednak coś kazało mu mówić dalej.

– Nie żeby te więzi wcześniej były silne! – Prawie się roześmiał. – O tym, że moim biologicznym ojcem był Niemiec, dowiedziałem się dopiero półtora roku temu – dorzucił lekko.

Towarzysz podróży ściągnął okulary i zamknął swoją książkę. Na jego twarzy odbiło się żywe zainteresowanie.

– A jak się pan dowiedział? – zapytał.

I nim się Maksymilian Petrycy zorientował, zaczął opowiadać. Kiedy sam wiele miesięcy temu w pociągu do Monachium wysłuchiwał zwierzeń hutnika, który dopiero po upadku muru berlińskiego po raz pierwszy spotkał ojca i jechał poznać swoją niemiecką rodzinę, nie mógł zrozumieć, jak można się tak obnażyć przed nieznajomym w kolejowym przedziale. Teraz już wiedział. Z każdym słowem i zdaniem czuł się lepiej, jakby się pozbywał jakiegoś ciężaru, jakby uczestniczył w sesji psychoterapii – bezpłatnie, doraźnie i niezobowiązująco. Prawdopodobieństwo, że się kiedyś jeszcze spotkają, było przecież znikome.

– Cieszę się, że wracam do domu – zakończył. – Nie żałuję, że się dowiedziałem o tej miłości mojej mamy i o tym, kto naprawdę mnie spłodził. Przyjmuję do wiadomości, że mam w Niemczech jakichś kuzynów, choć ich nawet nie poznałem, mimo że siedzieliśmy zapewne przy jednym stole. Ale jestem Polakiem, duszą i ciałem, i moje miejsce jest w Polsce.

– Wie pan, jedno drugiego nie wyklucza. Można być Polakiem, a jednocześnie utrzymywać kontakty z krewnymi, a nawet pracować w Niemczech – odezwał się po raz pierwszy jego rozmówca, który wcześniej tylko monosylabami zachęcał doktora do kontynuowania opowieści. – Ja na przykład wracam teraz z wykładów, które mam co jakiś czas na zaproszenie Uniwersytetu Ludwika Maksymiliana. Dotyczą literackich związków Polski i Niemiec, od księżniczki Wandy poczynając – uśmiechnął się.

– I co? – zainteresował się doktor, który mimo swych kategorycznych deklaracji miał jeszcze gdzieś w podświadomości rozmowę z Przemkiem Jaroszem i jego zachętę, by poszukał pracy w Niemczech. – Dobrze płacą?

– Dobrze. Nawet bardzo dobrze, jak na nasz przelicznik. Ale zgodziłem się nie tylko z tego powodu – powiedział mężczyzna, całkiem już teraz poważnie. – Chciałem wziąć udział w budowie tego, co stało się możliwe dopiero po osiemdziesiątym dziewiątym roku. Europejskiej jedności. Wiem, że to wzniośle brzmi, ale przecież cel jest wzniosły. Europa bez wojen, bez granic, bez uprzedzeń. Europa tolerancyjna, szanująca narodowe odrębności, a zarazem budująca ponadnarodowe więzi. Piękna idea, w której realizacji wreszcie możemy uczestniczyć.

– Daj Boże! – mruknął doktor. – Wracamy wreszcie tam, gdzie zawsze było nasze miejsce.

– Nasze miejsce zawsze było między Wschodem a Zachodem – odpowiedział mu na to historyk. – Jesteśmy bardzo mocno zakorzenieni w kulturze łacińskiej, a jednak nasze położenie i pewne... inklinacje, sprawiają, że ciążymy też w stronę Wschodu. A kogokolwiek by pan w Niemczech zapytał, odpowie, że Polska należy do Europy Wschodniej.

– Środkowej! – sprostował Petrycy z mocą. – Dopiero ostatnich czterdzieści kilka lat przesunęło nas tak jednoznacznie na Wschód!

– No sam pan widzi. Musimy sobie to miejsce w Europie dopiero wywalczyć – roześmiał się jego rozmówca. – Tymczasem tutaj postrzegają nas nadal przez pryzmat starych uprzedzeń. Jeszcze za czasów Heinego obraz Polski i Polaków był jeśli nie pozytywny, to przynajmniej neutralny. – Podniósł książkę, którą trzymał na kolanach i pokazał doktorowi okładkę. – Dopiero potem, między innymi za sprawą naprawdę dobrej i bardzo poczytnej powieści Gustava Freytaga *Soll und haben*, zaczął się szerzyć w literaturze niemieckiej, a co za tym idzie także w społecznym odbiorze, negatywny wizerunek polskości. Zapóźnienie cywilizacyjne, nieudolność, pijaństwo, wyzysk chłopstwa, brak mieszczaństwa, a w wyniku tego, jak to ujął Freytag, brak kultury. Ale czy ja pana nie nudzę?

– Ale skąd! – zaprotestował Petrycy, zasłuchany. – Tylko zdaje mi się, że o tym samym, z grubsza rzecz ujmując, pisali też polscy pozytywiści.

– Oczywiście. Kraszewski, Sienkiewicz, Konopnicka, Prus... Tyle że oni bili na alarm powodowani miłością i troską, podczas gdy niemieccy autorzy biorący sobie Polskę i Polaków za temat mieli zgoła inne cele. Oni malowali jednostronny ponury obraz naszego kraju po to, by na fali rozpętanego przez Bismarcka *Kulturkampfu* udowodnić, że naród nasz, tak żałosny, skazany jest na upadek i podporządkowanie się silniejszym. W tym samym czasie i w tych samych powieściach rozniecano też nastroje antysemickie. Do czego wszystko to doprowadziło, sam pan wie.

Doktor tylko skinął głową. Słyszał gdzieś, że żołnierze Wehrmachtu, którzy wkroczyli do Polski we wrześniu 1939, byli zaskoczeni, jak bardzo tutejsza rzeczywistość odbiega od lansowanego w Niemczech przekazu. Pomyślał o pakiecie listów Maxa Bayera do matki, które schował w walizce, nawet do nich nie zaglądając. O czym mógł do niej pisać? Jak przedstawiał kraj, w którym pojawił się wraz z armią najeźdźców? Co opowiadał o kobiecie, z którą postanowił się związać?

– A wracając do pańskiej historii – uśmiechnął się znowu jego rozmówca, jakby się domyślił, w których rejonach błądziły myśli doktora. – Wie pan, przez długie lata w dziewiętnastym wieku funkcjonował w Niemczech mit pięknej Polki. W miarę jak coraz częściej zawierano mieszane małżeństwa, rosło zaniepokojenie polityków i duchownych, i to z obu stron. Rozmywały się bowiem różnice narodowościowe, tworzyły się silne więzy na najbardziej podstawowej, intymnej płaszczyźnie, słabły uprzedzenia polityczne.

– Polityków mogę zrozumieć, ale cóż miał przeciw temu Kościół? – zaprotestował Petrycy. – Duchowni akurat powinni się cieszyć.

– Chodziło o problem chrztu dzieci z takich związków. Podział religijny pokrywał się tutaj z podziałem narodowościowym. Zawsze któryś z Kościołów, katolicki lub protestancki, tracił przyszłych wiernych – wyjaśnił krótko współpasażer. – W Polsce na mniejszą skalę, ale w Niemczech doprowadziło to do powstania całego literackiego nurtu, który miał demaskować podstępne zamiary uwodzicielskich i zdradliwych Polek wobec prostolinijnych, uczciwych i naiwnych Niemców. Apogeum tego zjawiska przypadło na lata powstań śląskich.

Petrycy aż się wzdrygnął. Po tym, co usłyszał, wolał się już nawet nie zastanawiać, co zawierały listy Maxa do matki! Ale też nie miał wystarczającej determinacji, by je spalić bez czytania.

„Schowam pudełko na strychu i niech moje wnuki lub prawnuki odkrywają tę tajemnicę – postanowił solennie. – Mnie już wystarczy!"

– Te uprzedzenia i stereotypy, bez względu na upływ czasu i to, co się działo w naszej historii, niestety przetrwały – ciągnął tymczasem literaturoznawca. – Teraz przybrały nową formę, może najbardziej nieprzyjemną ze wszystkich, a mianowicie kawałów o Polakach. Ale wie pan? – zachichotał nagle. – Kiedyś niemieccy znajomi mnie poprosili, żebym im opowiedział jakiś polski dowcip o Niemcach. Opowiedziałem i… nie zrozumieli! To świadczy chyba o tym, że różnice w mentalności jednak są spore i nie będzie nam łatwo je przezwyciężyć. Ale przy odrobinie dobrej woli z obu stron… – Mrugnął do doktora, który ciągle jeszcze tkwił w buntowniczej pozie, z założonymi na piersi rękami. – Niech pan nie rezygnuje tak łatwo z kontaktów z rodziną. Niczym innym nie przełamiemy tych barier, jak tylko osobistymi, międzyludzkimi kontaktami.

Maksymilian Petrycy, nagle zelektryzowany, wyprostował się i rozplątał przedramiona. Skąd on znał te słowa?! Jego towarzysz podróży – kulturalny, elegancko ubrany pan z lekko siwiejącymi skroniami – uśmiechnął się łagodnie znad tomiku wierszy Heinricha Heinego i zaczął opowiadać o tym niemieckim Żydzie, który poświęcił Polsce jeden z pierwszych swoich felietonów podróżniczych, a Polakowi – niedokończoną powieść łotrzykowską *Aus den Memoiren des Herren Schnabelewopski*[34]. Kochał Niemcy, a jednocześnie tak bardzo nie potrafił zaakceptować ograniczeń wolności, które tam panowały, że ostatnich kilkanaście lat życia spędził na dobrowolnej emigracji we Francji, przyjaźniąc się między innymi z Chopinem. Ale doktor Petrycy nie myślał o Heinem, wpatrując się w swego rozmówcę szeroko rozwartymi oczami. Przypomniał sobie krótką chwilę, spędzoną – na prośbę swej ciotki – w sanktuarium w Altötting. To wtedy właśnie w głębi swojej duszy usłyszał słowa zachęty:

„Oczywiście takie odgórne pojednanie nie wystarczy. Nie wystarczy, że je tak po prostu ogłosisz. Ono musi się dokonać całkiem na dole, w sercach. Przez zwykłe, ludzkie kontakty. Runęły mury. Otwierają się granice. Ludzie wreszcie mogą się ze sobą spotykać. To właśnie trzeba wykorzystać, by dokonało się pojednanie. Bez względu na rozmiar ludzkich win ręka Boga kieruje wszystko ku największemu Dobru…".

---

[34] Z pamiętników Pana Sznabelewopskiego (niem.).

Siedział zadumany, milcząc niegrzecznie, zbyt pochłonięty tym wspomnieniem, by zwracać uwagę na sąsiada. Ten zaś, nie widząc żadnej reakcji na swoje słowa, z całym spokojem nałożył znów okulary, otworzył książkę i pogrążył się w lekturze.

A doktor uświadomił sobie, że skoro Andrea wysłała do niego telegram z informacją o śmierci i pogrzebie Klary Weiler, to najwyraźniej zaliczyła go już do rodziny. Nawet jeśli nie był nikim bliskim, znanym i kochanym, w jej mniemaniu przysługiwały mu prawa i obowiązki, które dają więzy krwi. On zaś, przyjeżdżając osobiście na pogrzeb, wszystkiego tego się podjął.

Postanowił, że zaraz po powrocie napisze do niej list.

Kraków, niedziela, 14 czerwca 1992

W domu już prawie nie śmierdziało. Mieszkanie babci Isi odzyskało nawet częściowo swoją dawną przytulność, choć zniknął ów charakterystyczny zapach, jaki miało od lat. Staszek Mróz i jego pomocnik pod nieobecność gospodarzy ustawili meble mniej więcej na dawnych miejscach i ponosili obrazy, które zajmowały obecnie cały stół, starą sofę i część podłogi. Wciąż brakowało dywanów, zasłon i firanek, doniczek z kwiatami, a także tych wszystkich drobiazgów, które nadają każdemu lokum jego niepowtarzalną atmosferę.

Gabrysi jednak to nie przeszkadzało. Otworzyła na oścież okno, oparła się o odmalowany pięknie parapet i odetchnęła pełną piersią. Przyjaźń przyjaźnią, zabawa zabawą, ale po kilku dniach spędzonych u Patrycji miło było wreszcie znaleźć się na własnych śmieciach i tylko w swoim towarzystwie. Tata miał wrócić dopiero następnego dnia, mogła więc robić wyłącznie to, co chciała. Na myśl o tym wyprostowała się i zatarła ręce. W plecaku miała trzy kolejne tomy *Sagi o Ludziach Lodu*, pożyczone od babci Patrycji. Szkoda jej było każdej minuty! Czekały ją teraz długie godziny pasjonującej lektury.

Wyszła na górę, gdzie przygotowania do remontu były już zaawansowane. Zwinięto wykładzinę, część mebli poprzenoszono na strych i do piwnicy, inne owinięto folią. Osobiste rzeczy domowników, spakowane w kartony, czekały na zniesienie na dół. Ale jej tapczanik stał na dawnym miejscu, w schowku nadal była pościel, a nocna lampka na parapecie.

W tanecznych podskokach przemknęła do kuchni i nastawiła wodę na herbatę. Szarpnięciem otworzyła drzwi lodówki i tu zamarła, niemiło zaskoczona. Ze środka wiało nieprzyjemną pustką i chłodem. Pani Monika nie zrobiła zakupów!

Rozczarowana zaczęła przeglądać zawartość szafek. Znalazła paczkę krakersów, grzybki w occie i słoik kiszonych ogórków, a w zamrażalniku torebkę z zielonym groszkiem. Trudno, trzeba będzie na tym jakoś przeżyć do poniedziałkowego poranka.

Właśnie zamierzała – z dość oryginalnie skomponowanym posiłkiem na tacy – opuścić kuchnię, gdy na dole trzasnęły drzwi i dał się słyszeć podwójny tupot na schodach. Wyjrzała zaniepokojona w momencie, gdy do przedpokoju wpadł Franek w towarzystwie Marcina.

– O, ty tutaj? – zdziwił się, a potem rzucił na stół reklamówkę, z której zapachniało kusząco wędliną. – Zamawiam telewizor!

– Cześć, Gabryśka! – uśmiechnął się najlepszy przyjaciel jej brata. – Oglądasz z nami mecz?

„Tylko ich mi tu było trzeba i tego głupiego meczu!" – pomyślała zdenerwowana. Już miała prychnąć i pójść własną drogą, a potem szczelnie zamknąć drzwi do swojego pokoju, gdy nagle spłynęło na nią natchnienie. Odstawiła tacę.

– O nie! – powiedziała, patrząc na nich z góry. – Ja tu byłam pierwsza i telewizor jest mój. Mam teraz na dwójce „Minilistę przebojów".

– Chyba żartujesz! – Franek zamarł z jedną ręką wyciągniętą w stronę kurka od kranu, a z garnkiem w drugiej. – Na jedynce zaraz grają Francja z Anglią!

– A co mnie to obchodzi! – Wzruszyła ramionami, przełykając ślinę. Marcin właśnie wyjął z torby pół bochenka chleba, słoik z musztardą i pęto kiełbasy parówkowej. – Nie myśl, że ci znowu za darmo ustąpię. Teraz moja kolej! Przypomnij sobie *Twin Peaks*.

Nie musieli się nawet zbyt długo targować. *Deal* został zawarty, jedna trzecia wyniesionych z lodówki Marcina prowiantów wylądowała na jej tacy, a rubina przełączono na program pierwszy. I właśnie w tym momencie zadźwięczał dzwonek.

– Gaba, idź otwórz! – wrzasnął Franek, zajęty bez reszty rozpoczynającą się właśnie transmisją ze Studia Sport.

Gabrysia westchnęła, wstała z tapczanu i zeszła na dół. Przed furtką zobaczyła tych samych egzotycznie wyglądających panów, których spotkała wcześniej już dwukrotnie. Zawahała się tylko na krótką chwilę, a potem wcisnęła guzik. Przeczucie podpowiadało jej wprawdzie, że teraz nieprędko będzie mogła pogrążyć się w ulubionej nordyckiej opowieści, ale była pewna, że trzej nieznajomi wracający tu z takim uporem muszą im mieć do powiedzenia coś naprawdę ważnego.

Franek oderwał wzrok od telewizora, gdy siostra wprowadziła do dużego pokoju i usadziła za stołem wyraźnie onieśmielonych gości.

– Mistrzostwa Europy – objaśnił krótko, wskazując ręką na ekran. – Francja – Anglia, mecz o wyjście z grupy.

Uśmiechnęli się i ożywili, widać też lubili piłkę nożną.

– A wieczorem będą grały Szwecja z Danią – dorzucił Marcin tonem towarzyskiej konwersacji, po czym obaj odwrócili się i zajęli już tylko tym, co się działo na stadionie w Malmö.

Gabrysia tymczasem, dość niepewna w swej roli gospodyni, wniosła herbatę i talerzyk z krakersami. Gdy zajęła miejsce, najstarszy z gości odchrząknął i zaczął uroczyście:

– To jest historia, która w pewnym sensie dotyczy także ciebie – powiedział. – Myślałem, że jako pierwszej opowiemy ją pani Marii, ale skoro nie możemy się z nią spotkać, a czasu jest coraz mniej…

Franek zerknął przez ramię i mimowolnie nastawił ucha.

– Dawno, dawno temu w małym domku pod lasem żyli sobie mąż i żona wraz z trzema synami: Tadzikiem, Kazikiem i Jerzykiem – mówił gość przyjemnym głosem, lecz z dziwnym akcentem. – Dwaj starsi byli piękni i mądrzy, a trzeciego wszyscy nazywali Głuptaskiem…

Chłopiec wzruszył ramionami i znowu całą swą uwagę skierował w telewizor. Kto by tam w czasie Euro słuchał jakichś bajek!

Dopiero w przerwie meczu podszedł do stołu, żeby poczęstować się słonym ciasteczkiem. Gabrysia – z brodą opartą na złożonych rękach i wypiekami na twarzy – podążała ciągle jeszcze szlakami gawędy starszego pana. Zaciekawiony Franek już się chciał dowiedzieć, co ją tak zafascynowało, gdy nagle przy wejściu znowu odezwał się dzwonek. Siostra nawet nie drgnęła, więc sam wyjrzał przez okno, a potem ruszył otwierać. Przed furtką stała ciocia Janka.

~ VI ~

Była sobie raz dziewczynka ani mała, ani duża, ani ładna, ani brzydka, ot, taka, jakich wiele. Rodzice dali jej na imię Ajgul. Miała czerwoną sukienkę z grubego haftowanego materiału, kolorową wełnianą chustę, czapeczkę z zajęczego futerka obszytego jedwabiem i ciepły kożuszek na zimę. Miała też naszyjnik ze starych srebrnych monet i błyszczące wisiorki, które wplatała w dwa czarne warkocze. Sama była na świecie, sierota, bo odumarli ją ojciec i matka, a bracia jej poszli na daleką wojnę i słuch o nich zaginął. Został jej gliniany domek, stary wyliniały wielbłąd, niewielkie stado owiec i ogród, w którym latem rosły olbrzymie arbuzy. Ale jak miała się tym wszystkim zająć? Niepodobna!

Zatroszczyli się krewni i sąsiedzi o dziewczynkę, zebrali się w wielkim namiocie i dalejże radzić, co z nią począć. Uradzili, że czas najwyższy już ją wydać za mąż. Jeden z nich, który miał siedmioro dzieci, a nie tak dawno przy narodzinach najmłodszego syna zmarła mu żona, powiedział, że zapłaci *kałym*[35] i stanie z nią na ślubnym kobiercu. Ona zajmie się jego obejściem, zwierzętami i dziećmi, a on zapewni jej bezpieczeństwo i poważanie w gromadzie. Zamruczeli pozostali z akceptacją, poszeptali i zabili na zgodę białego barana. Dziewczynki nikt o zdanie nie zapytał.

---

[35] Wykup za pannę młodą.

Kiedy jej o tym powiedzieli, najpierw płakała trzy dni i trzy noce. Potem chodziła i błagała, żeby jej nie oddawali staremu, ale wspólnota nie chciała zmienić zdania i wycofać danego słowa. Pewnej księżycowej nocy dziewczynka zabrała wszystkie swoje skarby, zaprzęgła starego wielbłąda do sanek wymoszczonych owczymi skórami, zawiązała w węzełek suszone mięso, owoce i *baursaki* na drogę – i ruszyła do miasta. Słyszała, że są tam szkoły, że można znaleźć pracę oraz dach nad głową. Wiedziała, że *batiuszka* Stalin troszczy się i dba o każdego *grażdanina*[36], który serce ma czyste, kocha komunistyczną ojczyznę i pracy się nie lęka. Miała też nadzieję, że nikt jej tam nie będzie swatał.

Ale droga do miasta była daleka i trudna. Zwłaszcza zimą, gdy step zasypał śnieg, w każdej chwili mógł się zerwać groźny *buran*, a na bezdrożach grasowały stada wygłodniałych wilków. Dziewczynka nic jednak nie miała do stracenia, bo wolała raczej umrzeć, niż pójść za tego, kogo jej wyznaczyła starszyzna.

~

Siedzą dwaj bracia w izbie nędznej, zimnej, pustej. Odziani w łachmany, nogi mają obwiązane szmatami. Tulą się do siebie, żeby im było cieplej. Nagle Głuptasek podnosi głowę. Nastawia czujnie ucha, a potem szarpie starszego brata za rękaw. Budzi się Kazik ze snu – niesnu, pyta, o co chodzi.

---

[36] Obywatela (ros.).

– Słuchaj! – powiada Głuptasek w swojej dziwnej mowie. – Ktoś za oknem płacze!

– Śpij, śpij! – odpowiada średni brat. – Nikt nie płacze, tylko wilki wyją.

Zima bowiem przyszła nagła i sroga, nawiała tyle śniegu, że niskie domki wyglądały jak wielkie zaspy i zdarzało się, zwłaszcza na obrzeżach miasta, że po ich płaskich dachach przebiegały nocą wilki. Szczęście, że udało się braciom w samą porę wrócić do miejsca, z którego wyruszyli, inaczej pewnie by zamarzli gdzieś w stepie. Szczęście, że zastali domek zamknięty i dobrze utrzymany, jakby ciągle na nich czekał.

Żadne pióro nie opisze tej wędrówki powrotnej, tej ich tułaczki, nędzy i poniewierki. To, co otrzymali od armii – mundury, bieliznę i buty – sprzedali, żeby kupić bilet na pociąg. Ale nie na długo to starczyło. Dojechali zaledwie do Ałma Aty i znaleźli się sami w środku bezmiernej krainy, zamieszkanej przez ludzi zamkniętych, obcych, którzy sami każdego dnia walczyli, by utrzymać się przy życiu. Niewielu już mężczyzn widywano na polach, drogach i w obejściach – coraz młodsi i coraz starsi szli na wojnę, odnajdywani bezlitośnie przez posłańców z *wojenkomatu*[37]. Ich miejsce przy najcięższych pracach zajmowały *krasnoarmiejki*[38]. Dzieci pozbawione opieki błąkały się, żebrząc o jedzenie. To od nich uczyło się sztuki przeżycia dwóch wychudzonych oberwańców, posuwających się ciągle wzdłuż linii kolejowej na północ.

---

[37] Komisja poborowa.
[38] Tak nazywano kobiety, których mężowie poszli na wojnę i które przejęły ich obowiązki.

Konduktorki w pociągach litościwym okiem patrzyły na te bezdomne dzieci, udawały, że nie widzą ich stojących u drzwi restauracyjnego wagonu. Wspierali też *bezprizornych*[39] podróżni, dzieląc się z nimi resztkami własnego jedzenia. Szczególnie Głuptaska darzono uśmiechem i dobrym słowem, bo potrafił – jak żadne inne z cierpiących, opuszczonych dzieci – podbijać nawet najbardziej zatwardziałe serca.

Wreszcie dnia pewnego stanęli obaj bracia przed domkiem swej matki. Cicho tu było i pusto, ogródek zarósł chwastem, szyby pokryły się kurzem naniesionym ze stepu. Daremnie kołatali do drzwi i wołali. Nikt im nie wyszedł na spotkanie.

Dopiero po długiej chwili za plecionym płotem wszczął się ruch. W drzwiach domku sąsiadów ukazała się kobieta, pchająca przed sobą wózek inwalidzki. Siedział na nim jej syn – młody chłopak wychudły, zmieniony, z obiema nogami obciętymi powyżej kolan – ten sam, który przed rokiem przez nikogo nieżegnany wyruszał na front. Teraz oboje rodzice nie odstępowali od jego boku – matka gładziła jego czarne włosy, które ledwie zaczęły odrastać na pokrytej bliznami głowie, a ojciec poił z kubka wzmacniającym *ajranem*. To od nich dowiedzieli się dwaj bracia, że gdy zeszły śniegi i odnaleziono ciało ich ojca, matka wdowa, opuszczona również przez wszystkich synów, by wyżywić siebie i Rozalkę, odeszła do kołchozu w Kokpiektach, gdzie była praca przy uprawie zboża oraz słoneczników. Sąsiedzi opowiedzieli te nowiny, poczęstowali Kazika i Głuptaska gorącą *łapszą*[40] i podarowali im

---

[39] Dzieci ulicy, bezdomni.
[40] Kazachska zupa z makaronem, rodzaj rosołu.

kilka kostek *kiziaku*, bo był to koniec listopada i wiatr niósł już zapach zimy. Ale nic więcej nie mogli dla nich uczynić.

Tej nocy, gdy Głuptasek usłyszał za oknem płacz, cały *kiziak* już się wypalił i bracia nie mieli co wsadzić do pieca. Drżeli z zimna, ale i tak byli szczęśliwi, że chronią ich grube ściany z gliny i potężna czapa śniegu.

– Śpij! – rozkazał średni brat. – Nikt nie płacze, tylko wilki wyją. Biada temu, kto im wejdzie w drogę.

W tej chwili rozległo się pukanie do drzwi. Jakiś głosik, cichy i cienki, zawołał coś w nieznanym języku. Niechętnie wygrzebał się Kazik spod derki, którą byli przykryci. Pukanie powtórzyło się, bardziej natarczywe, a potem dobiegło ich całkiem wyraźnie rosyjskie: *Pomogitie!* Otworzył więc, wpuszczając do środka falę mroźnego powietrza i ledwie żywą ze zmęczenia, wystraszoną, zapłakaną dziewczynkę w futrzanej czapce obszytej czerwonym jedwabiem. W ciemności za jej plecami widać było połyskujące groźnie ślepia i ciemne sylwetki gotujących się do skoku drapieżników. Średni brat szybko zatrzasnął drzwi i jeszcze oparł się o nie plecami, a Głuptasek oddał dziewczynce swe okrycie, by się ogrzała.

Dopiero po wielu godzinach, gdy wzeszło słońce, a Ajgul odpoczęła i przestała dygotać, dowiedzieli się, że jej wielbłąda zagryzły wilki, a ona sama ledwie uszła z życiem. Poszli razem na step i odnaleźli w śniegu wielką plamę krwi, poszarpane szczątki zwierzęcia oraz wywrócone sanki. Mróz był trzaskający, ale oni pożyczyli od sąsiadów siekierę i porąbali kości, które potem – wraz z sankami i skórą martwego wielbłąda – sprzedali na *barachołce*. Za uzyskane pieniądze dziewczynka znalazła dla nich wszystkich kąt we wspólnej izbie u pewnej kazachskiej rodziny. Było tam ciasno i roiło się od robactwa, ale nie brakowało *kiziaku* na opał i nie groziło im, że zamarzną. Głuptasek znowu mógł siedzieć przy piecu, a średni brat i dziewczynka chwytali się różnych zajęć, by zarobić na łyżkę strawy. Tak dotrwali do wiosny, a gdy mróz zelżał i śniegi zaczęły schodzić, bracia postanowili wyruszyć do Kokpiektów na poszukiwanie matki i siostry. Ciężko im było pożegnać Ajgul, którą obaj pokochali jak siostrę, a może i bardziej, bo śmiała się chętnie i często, oczy miała jak dwa czarne węgle, włosy jak skrzydło kruka, a zęby jak perły. Ona też się zasmuciła. A że nie miała nikogo na świecie, dobrego *batiuszki* Stalina nie udało się jej w mieście spotkać i nikt prócz dwóch braci się tu o nią nie zatroszczył, zapytała, czy może pójść razem z nimi. I tak się właśnie stało.

~

Chodzi wdowa po polu, brodzi w rozlewisku po wiosennych roztopach, wygrzebuje z błota zeszłoroczne kłoski zboża, opłukuje je w brudnej wodzie i skrzętnie chowa do worka. Gdyby miała dość czasu i siły, pewnie by każdy całowała z wdzięczności, bo to przecież na przednówku dar niebios dla niej i dla Rozalki. Nadgniłe pod śniegiem ziarna trzeba będzie jeszcze raz umyć, przebrać i ususzyć, by nie zaszkodziły. Potem rozetrze się je na grubych żarnach i już będzie można ugotować zacierkę, by choć trochę napełnić pusty żołądek, oszukać stałego towarzysza ostatnich miesięcy – głód. Gdyby jeszcze mieć choć gram tłuszczu, choćby nawet baraniego łoju! Ale to były już tylko marzenia. Mięso i tłuszcz w czasie wojny to najdroższy i raczej niedostępny rarytas.

Chodzi wdowa po polu, zgięta wpół, obok niej inne kobiety – Polki, Ukrainki, Żydówki, Rosjanki, nawet rosyjskie Niemki – a wszystkie przygnała tu ta sama potrzeba. Nagle słychać z daleka jakieś głosy. Kołchoźnice unoszą głowy, osłaniają oczy daszkiem z dłoni przed blaskiem wiosennego słońca, patrzą, jak ktoś biegnie przez step, jak rozchlapuje wodę i błoto, aż bryzgi lecą w górę.

Patrzy i wdowa, i aż oczy przeciera ze zdumienia, i ciągle nie może uwierzyć w to, co widzi. Przez rozmiękłą ziemię biegnie ku nim dwóch postawnych młodzieńców – jeden szybciej, zgrabniej, jakby go skrzydła niosły. Drugi, niższy i gorzej zbudowany, sadzi za nim pokracznie, ale to on właśnie głośno krzyczy w dziwnym, przez nikogo niezrozumiałym języku. Tylko leśniczyna zna ten język, tylko ona wie, że biegnący woła: „Matulu!".

Mszana Dolna, czwartek, 18 czerwca 1992 (Boże Ciało)

W oddali biły dzwony. Głęboki, dawno zapomniany, przejmujący dźwięk. Jak pociągnięta magnesem, kolebiąc się na boki, Marysia ruszyła w tamtą stronę. Flip zatrzymał się zdziwiony na granicy sadu, a potem, z wyciągniętą szyją i wyprężonym ogonem, pognał za nią. Wydawał się uszczęśliwiony. Po raz pierwszy od kiedy tu przyjechali, szedł ze swoją panią na prawdziwy spacer.

Droga schodziła łagodnie w stronę miasteczka. Marysia dostrzegła, że ktoś ku niej zmierza, a po chwili minęło ją dwoje młodych ludzi z plecakami. No tak, tędy właśnie przebiegał szlak prowadzący na Lubogoszcz. Odpowiedziała uśmiechem na ukłon, ale w sercu coś ją ścisnęło. Dziewczyna była taka podobna do Ani!

Chwilę stała zamyślona, trzymając się za brzuch. Znowu zabrzęczały jej w uszach słowa córki, ostre i raniące, wypowiedziane z pretensją w chwili, gdy się dowiedziała, że jej matka też jest w ciąży. „Nie mogliście się zabezpieczać?!" Najgorsze było to, że Ania miała rację. Marysia wiele razy zadawała sobie to samo pytanie. Jakże inaczej wyglądałoby teraz jej życie, gdyby nie tamten moment zapomnienia.

– Mogliśmy, ale żadne z nas wtedy o tym nie pomyślało! – wykrzyknęła teraz, tak jakby chciała, żeby Ania usłyszała jej odpowiedź mimo całej dzielącej je odległości. – A potem było już za późno!

Odwróciła się spłoszona, lecz dwoje młodych turystów zniknęło już za zakrętem drogi.

– Naprawdę, nie musiałaś wtedy tego mówić, mogłaś mi okazać trochę litości – wyszeptała przez łzy. – Przecież nie miałam już wtedy żadnego wyboru! Gdy dziecko zostanie poczęte, gdy mały człowiek jest w drodze, nie ma się już nad czym zastanawiać!

Drgnęła, bo nagle poczuła na ręce coś mokrego. Flip trącił ją zimnym nosem, a potem liznął od nadgarstka aż po łokieć. Pogłaskała go po łbie, wywołując entuzjastyczny taniec wszystkich czterech łap i machanie ogonem. Nie skakał jednak na nią, jak to miał w zwyczaju, tak jakby wiedział, że jego pani nosi teraz w sobie coś bardzo cennego.

Beniamin był jej skarbem. Dopiero ostatnio to zrozumiała. Chciała go urodzić mimo diagnozy i wszystkich spodziewanych trudności. Już go kochała. Od kilku dni czuła się tak wypełniona miłością, że była w stanie wreszcie wybaczyć Ani jej ostre słowa i późniejszą nieczułość. Ta fala rozgoryczenia już tylko temu miała służyć. Marysia odetchnęła głęboko, a jej żal i łzy uleciały w bezchmurne niebo, znikając bez śladu.

Pies pobiegł w dół, oglądając się na nią raz za razem. Podjęła więc swoją wędrówkę, choć brzuch ciążył jej coraz bardziej. Nie chciała rezygnować z tego spaceru. Nie teraz, gdy wreszcie zainteresowało ją, co jest tam dalej, za płotem Janki i za zakrętem drogi. Głos dzwonów wzywał ją z zadziwiającą siłą, więc szła, dźwigając przed sobą Beniamina, chłonąc barwy, zapachy i melodie otaczającego ją świata. Już się go nie bała. Po raz pierwszy od dawna poczuła, że jest on przyjazny i otwarty. Nie chciała się go wyrzekać.

Czy to goście, których Janka przywiozła jej w niedzielę, i opowiedziana przez nich historia, zdziałały ten cud? Nie wiedziała. Ale wreszcie poczuła, że wszystko w jej życiu układa się tak, jak powinno. Wszystko jest po coś i nic nie dzieje się przez przypadek. Tak jakby mimo wszelkiego zła, które się wydarzało, jakaś niewidzialna ręka kierowała nią, czule i delikatnie, w tę stronę, gdzie znajdował się SENS. Ciągle jeszcze nie mogła tego sensu pojąć, nie znała też kierunku, w którym podążała, ale wierzyła, że kiedyś – z dystansu, z perspektywy być może wielu lat i tysiąca nowych doświadczeń – zrozumie, czemu to wszystko się zdarzyło. Że nawet cierpienie, choć z początku mogło wydawać się jej ponad siły, tak naprawdę było darem.

Postanowiła przyjąć wszystko, co jej zgotował los. Nie chciała już tracić ani jednego dnia, ani jednej chwili z tego czasu, który był jej udziałem. Choć było pewne, że prócz szczęścia doświadczy w nim również bólu. I że będzie go musiała znosić samotnie.

Wyszła zza zasłony drzew i zatrzymała się. U swych stóp miała Mszanę. Dzwony umilkły, za to z oddali dobiegł ją teraz zbiorowy śpiew. Z białego kościoła, małego jak tekturowe pudełko, wypływała kolorowa, mieniąca się struga wiernych. Ich głosy z powodu odległości były słabe, ale zdołała rozpoznać pieśń. Podążali za złotym baldachimem, pod którym – teraz to sobie uświadomiła – krył się Najświętszy Sakrament.

„Boże Ciało! – pomyślała. – Jak mogłam zapomnieć!”

Śledziła wzrokiem ten pochód czci i chwały, a Flip z wywieszonym jęzorem leżał u jej stóp w wysokiej trawie. Poczucie pokoju i harmonii przepełniało ją całą. Nawet myśl, że będzie musiała za chwilę wracać krętą drogą pod górkę, nie przerażała jej.

– Dziękuję – wyszeptała w otwierającą się przed nią przestrzeń wypełnioną blaskiem. – Dziękuję za to, że jesteś.

Kraków, czwartek, 18 czerwca 1992

Maksymilian dochodził właśnie do przejścia podziemnego obok Jubilata, gdy od strony wzgórza wawelskiego rozległy się potężne uderzenia dzwonu Zygmunta. Po raz pierwszy od kilku dni spojrzał w niebo i zobaczył nad sobą czysty, niezmącony nawet jedną chmurką błękit. Mimo wczesnej godziny było już bardzo gorąco. Otarł pot z czoła, poluzował krawat i zbiegł ze schodów.

Wyjazd do Niemiec niczego w jego życiu nie zmienił. Po powrocie był nawet bardziej przygnębiony niż wcześniej. Ze wszystkich stron dobiegały głosy potępienia na lustratorskie zapędy odwołanego rządu. Jeszcze nie wyjaśniono sprawy, komisja sejmowa dopiero zaczęła przesłuchiwać świadków, a wyrok już wydano, niemal jednogłośnie. Nagle się okazało, że ze względu na swoje przekonania zalicza się do grupy „oszołomów", „neurotycznych wyznawców spiskowej teorii dziejów" i „gorliwych chrześcijan prowadzących ideologiczno- -polityczną krucjatę".

„Czy to ja jestem nienormalny, czy wszyscy wokół zwariowali?" – pytał sam siebie, z niedowierzaniem przerzucając strony gazet. Nigdzie nie mógł się dopatrzyć nawet śladu chęci szczerej rozmowy o problemie, o którym z własnego bolesnego doświadczenia wiedział, że istnieje.

Nie zniknął też żaden z jego rodzinnych kłopotów. Ania, której mieszkanie mieli teraz zająć na czas remontu piętra, nadal nie dała znaku życia z Berlina. Marysia podobno czuła się lepiej.

– Ma teraz gości i bardzo dobrze jej to zrobiło! – zadudniła entuzjastycznie Janka, do której zadzwonił nie tylko z pytaniem o zdrowie żony, ale i po to, by go znowu umówiła z Kapuścińskim.

– Gości? – zdziwił się tak, że aż przysiadł na sofie. – A kto u niej jest?

– Wszystkiego się dowiesz w sobotę! – powiedziała tajemniczo przyjaciółka rodziny i rozłączyła się, nie wiedząc, jaki tajfun sprzecznych uczuć, a w rezultacie rozgoryczenia, wywołała w duszy Petrycego.

Wszystko to sprawiło, że w piękny i słoneczny dzień Bożego Ciała Maksymilian nawet nie sprawdził pogody i wyruszył na Wawel w wełnianej marynarce oraz z parasolem w ręku. Choć ledwo dyszał, nie zwolnił kroku, bo bicie Zygmunta uświadamiało mu, że już jest spóźniony. Wyszedł z przejścia podziemnego, przeciął plac Kossaka i – nie rozglądając się – zdecydowanie wkroczył na pasy przez Zwierzyniecką. Nagle tuż nad jego uchem rozległo się ostre dzwonienie. Petrycy stanął jak wryty. Z lewej nadjechał ozdobiony chorągiewkami tramwaj, minął go o centymetry i przetoczył się w stronę Salwatora.

– Mało brakowało! – usłyszał nagle za plecami znajomy głos. – Witam kolegę! Coś ty dzisiaj taki zamyślony?

Za doktorem stał Mariusz Skwarek, kardiolog, ten sam, który jeszcze miesiąc temu na Alejach udawał, że go nie dostrzega. Teraz nie tylko uśmiechał się serdecznie, ale jeszcze uścisnął mu dłoń. Petrycy, zaskoczony, wydukał jakieś słowa powitania. Nie zdążył jednak odpowiedzieć na pytanie, gdy Skwarek, pociągając go jednocześnie ku wolnemu już przejściu przez jezdnię, rzucił:

– Słyszałem o twoich problemach w robocie. Wiesz, takie rzeczy się rozchodzą. Masz jakieś plany, póki się sprawa nie wyjaśni?

Doktor wzruszył ramionami.

– Nic konkretnego. Chciałem się przyłączyć do Lekarzy Świata[41]. Organizują przychodnię dla bezdomnych, może będę mógł im jakoś pomóc.

Weszli w ulicę Powiśle i włączyli się w strumyczek przechodniów, ciurkający żywo w stronę katedry.

– Tak, tak, na pewno – powiedział Skwarek z lekkim roztargnieniem, jakby w gruncie rzeczy niewiele go to obchodziło. – Bo widzisz, stary, właśnie szukamy endokrynologa na trzy dni w tygodniu. Płacimy nieźle, warunki mamy świetne, lokal przy Długiej, a więc samo centrum. Wpadnij do mnie do Hipokratesa jakoś na początku przyszłego tygodnia, to obgadamy szczegóły.

Oszołomiony doktor zdołał tylko skinąć głową.

– A pompka jak, w porządku? – upewnił się jeszcze kolega, stukając go w pierś, a gdy doktor zrobił wieloznaczną minę i zaczął coś bąkać o ucisku za mostkiem, przerwał mu niecierpliwie: – Wpadnij koniecznie! Może trzeba cię będzie zamknąć w szpitalu i założyć holtera. Muszę lecieć!

Uniósł dłoń na pożegnanie i oddalił się spiesznie. O udo obijał się mu pękaty woreczek, wypełniony wielobarwną, wonną treścią – zapewne jedna z córek miała dziś sypać

---

[41] W 1984 r. na tajnym spotkaniu w podziemiach kościoła Świętego Krzyża w Warszawie został powołany komitet założycielski polskiej filii organizacji Médecins du Monde, pod nazwą Lekarze Świata. Z powodu sprzeciwu władz komunistycznych zarejestrowanie jej było możliwe dopiero w sierpniu 1989 r. Jednym z inicjatorów tej inicjatywy i przez trzy dekady przewodniczącym organizacji był prof. Zbigniewa Chłap*. W 1995 r. przekształcono ją w Stowarzyszenie Lekarze Nadziei i pod tą nazwą działa do dziś, m.in. prowadząc przychodnie dla bezdomnych w Warszawie i Krakowie oraz uczestnicząc w licznych misjach humanitarnych na całym świecie.

kwiatki. Doktor zaś został w okolicach Starego Browaru, kompletnie zaskoczony. W miarę jednak jak docierał do niego sens złożonej propozycji, mięśnie jego karku napinały się, a krok robił się coraz bardziej sprężysty. Ponownie spojrzał w niebo, po czym ściągnął marynarkę i wkroczył na Wawel z podniesioną głową.

Pod murem Muzeum Katedralnego dostrzegł grupę postaci w czarnych pelerynach i spiczastych kapturach. Byli to członkowie jednego z bractw, które zawsze licznie brały udział w procesji Bożego Ciała. Doktor widywał ich co roku, nigdy jednak – choć wyglądali jak wyjęci żywcem ze średniowiecza – nie zrobili na nim aż takiego wrażenia. Zatrzymał się, z napięciem przywierając wzrokiem do twarzy jednego z nich.

Siwy, rozwichrzony brodacz stał w prażącym słońcu i najspokojniej w świecie przecierał rękawem szaty druciane okulary. Kaptur odrzucił na plecy, laskę z trupią czaszką oparł o ścianę. Tak! Bez żadnej wątpliwości był to człowiek, który kiedyś bardzo mu pomógł, a którego – po kilku daremnych próbach odszukania – doktor był już skłonny zaliczyć w poczet duchów. Nocny portier ze szpitala w Prokocimiu!

Msza święta, procesja i wszystko, co w kontekście nabrzmiałej sytuacji politycznej miało zostać powiedziane przez kardynała Franciszka Macharskiego* przy ostatnim ołtarzu, nagle przestało się liczyć. W kilku krokach Maksymilian pokonał dzielącą ich odległość. Wiedział, że znowu daje się ponieść emocjom, w dodatku w bardzo szacownym miejscu i przy świadkach, ale było mu wszystko jedno. Nie zamierzał drugi raz pozwolić mu zniknąć.

Po długich godzinach spędzonych przed katedrą, a potem w rozgrzanym tunelu ulicy Grodzkiej i na patelni Rynku doktor z westchnieniem ulgi zanurzył się w chłodny cień północnej kruchty bazyliki Franciszkanów. Przez chwilę oswajał się z panującym tu mrokiem, potem podszedł do wmurowanego w ścianę po prawej stronie epitafium. Należało do Sebastiana Petrycego – lekarza, filozofa i poety, wykładowcy Uniwersytetu Jagiellońskiego, uwiecznionego na płaskorzeźbie ze złożonymi nabożnie rękami. Napis wyryty poniżej ułożył osobiście, jako swe ostatnie przesłanie dla potomnych:

(…) *Żyjesz, gdy pracą i cnotą ku dobru pospolitemu żyjesz,*
Żyjesz, gdy życie masz za mus, a świat za nieświetny,
Gdy tyleś nań dbały, byleś był najmniej skalany[42].

„Łatwo powiedzieć! – westchnął Maksymilian. – Tobie też nie do końca się to udało!"
Wiedział, że krakowski medyk w roku 1606, będąc w orszaku Maryny Mniszchówny, wziął udział w wyprawie do Moskwy. Podjęta przez magnatów próba osadzenia na tronie carskim Dymitra Samozwańca zakończyła się jednak wielką rzezią, Petrycy zaś, wraz z wieloma innymi polskimi panami, na przeszło półtora roku został uwięziony, o czym zresztą wspominał gorzko w tym samym epitafium. Gdy zaś

---

[42] Tłumaczenie z łaciny autorstwa Rafała Wójcickiego, w: *Sebastian Petrycy. Horatius Flaccus w trudach więzienia moskiewskiego*, Biblioteka Pisarzy Staropolskich, t. 31, Warszawa 2006.

powrócił wreszcie nad Wisłę, okazało się, że jego młodszy syn Gabriel Archanioł zaginął bez śladu. Do końca życia miał się Sebastian obwiniać o zaniedbanie ojcowskich obowiązków. Z tego powodu ufundował hojne stypendium dla uniwersytetu, z którego część przeznaczona była na utrzymanie syna – gdyby się odnalazł.

Doktor też przeżył niedawno ciemną godzinę, gdy Franek przy odpalaniu petardy własnej roboty uległ poparzeniu. Nie mógł sobie poradzić z wyrzutami sumienia i dopiero nocny portier dziecięcego szpitala w Prokocimiu za pomocą kilku mądrych zdań oraz dwóch kubków dobrze osłodzonej herbaty sprawił, że Maksymilian – na jakiś czas przynajmniej – odzyskał równowagę ducha i nawet próbował się zmienić. Teraz jakiś wewnętrzny głos mówił mu, że to spotkanie na Wawelu nie było przypadkowe. Może w chwili, gdy życie splątało mu się jak jeszcze nigdy dotąd, ten obcy człowiek – brat Rafał, bo tak się przedstawił – znowu pomoże mu rozsupłać węzły?

Poklepał zimny marmur epitafium Petrycego, zszedł ze stopni kruchty i wkroczył do kościoła. Przyklęknął przed Najświętszym Sakramentem, a potem przeszedł do kaplicy Męki Pańskiej, gdzie byli umówieni. Usiadł w ławce koło relikwii błogosławionej Anieli Salawy z takim uczuciem, jakby po długiej nieobecności odwiedził starą znajomą. Gdy był dzieckiem, często przychodził tu z Benedyktem i słuchał jego opowieści na temat świątobliwego życia tej prostej służącej oraz jej skutecznego wstawiennictwa w modlitwie. Była darzona w Krakowie kultem już od chwili śmierci w latach dwudziestych, choć heroiczność jej cnót uznano dopiero w 1987 roku, a na ołtarze wyniesiona została zaledwie rok temu, podczas pielgrzymki Jana Pawła II do Polski. Niebawem zaś, mimo kontrowersji związanych z lokalizacją, miała się doczekać pierwszego w Krakowie kościoła pod swoim wezwaniem.

Skrzypiące kroki na kamiennej posadzce sprawiły, że Petrycy uniósł głowę. Brat Rafał miał teraz na sobie przewiewną koszulę w kratę, w ręku trzymał jakieś kartki, a przeraźliwy dźwięk generowały gumowe podeszwy jego adidasów. Wyglądał zupełnie inaczej niż w grubej czarnej szacie i kapturze, ale doktor chyba wolał to jego luzackie wcielenie, które znał już ze spotkania w szpitalu.

– Widzę, że jesteś umęczony – powiedział brodacz, siadając obok.

Doktor skinął głową. Była to prawda.

– Interesuje cię nasza duchowość? Mam tu coś dla ciebie. – Wręczył mu zwitek cienkiego papieru.

– Rozważania drogi krzyżowej? – zapytał doktor z niedowierzaniem.

– Nie tylko.

Petrycy przerzucił kartki zadrukowane jak dawne pisemka z samizdatów i zerknął na ostatnią stronę. „Nasza sytuacja po uzyskaniu wolności po roku 1989" – głosił tytuł krótkiego eseju.

„Tak wiele słyszy się narzekania, obserwuje ponurości. Tych kilkadziesiąt osób w rzędzie nie może zrobić wszystkiego i niewiele zrobi, o ile wszyscy się do tego nie przyłożą, przynajmniej znacząca część społeczeństwa. Nie możemy oczekiwać, że tyle złego, ile się wydarzyło i trwało tak długo, zmieni się jakąś ustawą, jedną czy drugą. Odmienić się muszą ludzie"[43].

– Kto to napisał? – zapytał doktor z ożywieniem.

– Ksiądz Tadeusz Fedorowicz z Lasek* – odparł Rafał. – Ciekawa postać, bardzo mądry człowiek. Wiele przeżył.

– „Pan Jezus nam przypomina, żebyśmy nie wyrywali gwałtownie kąkolu z pszenicy. Nasza niecierpliwość może rujnować pokój między ludźmi. Należy nie tyle walczyć ze złem, co czynić dobro. Kijem nie bić w ciemność, tylko z tego kija uczynić pochodnię i oświetlać drogę. Przez czynienie dobra odbudujemy kulturę naszego narodu..." – przeczytał doktor na głos.

– Ksiądz Fedorowicz mawiał też, że kąkol będzie aż do końca czasów. Jezus po to przyszedł na świat, by dać świadectwo prawdzie, a nie po to, by wszystko dobrze urządzić. Naszym zadaniem nie jest wyrywać kąkol, ale czynić dobro, być świadkami Prawdy i Miłości.

– Hm – mruknął Petrycy. – To bardzo trudne, zwłaszcza teraz.

– A kiedyś było łatwe? – Uśmiechnął się brat Rafał. – Zło jest hałaśliwe, tryumfuje głośno i publicznie, jak przy ukrzyżowaniu. Dobro zwycięża po cichu, dyskretnie, w taki sposób, jak odbyło się zmartwychwstanie. Tym bardziej nie należy tracić z oczu końca naszej drogi.

---

[43] Cytuję za: Ks. T. Fedorowicz, *Bez cienia goryczy*, Poznań 2016, s. 66. Nauka spisana przez Jerzego Chełkowskiego w czasie rekolekcji odprawianych przez ks. Fedorowicza w latach 1987–1990 w kościele św. Marcina w Warszawie.

Petrycy czekał na ciąg dalszy. Skoro już, przez przypadek, zeszło na politykę, chciał od swego rozmówcy jakiejś konkretnej rady, jednoznacznego stwierdzenia, gdzie leży dobro, a gdzie zło, oraz kto w tej chaotycznej i trudnej do ogarnięcia rzeczywistości ma, do cholery, rację! Był już gotów zrezygnować z polityki, tymczasem dziś, przy czwartym ołtarzu, kardynał Macharski wystąpił z gorącym – nie tylko na skutek upału – apelem o większe zaangażowanie w życie publiczne, o wypełnianie obywatelskich obowiązków i poszanowanie godności własnej oraz innych. Prosił też rządzących, by pomogli ludziom szanować i współtworzyć państwo. I te właśnie słowa trafiły doktora w samo serce. Jakże miał się teraz wycofać?!

Z napięciem popatrzył na twarz swojego rozmówcy. Brat Rafał wsparł łokcie o kolana, pochylił się do przodu i zapatrzył w przestrzeń. Naprzeciw, w czarnym ołtarzu kaplicy, widniała spowita w szkarłatny płaszcz figura Chrystusa Ubiczowanego.

– Bardzo rozsądne argumenty przemawiały za tym, żeby Go zabić. Można powiedzieć, że była to racja stanu – odezwał się wreszcie.

– Co masz na myśli? – Nie zrozumiał doktor.

– Sanhedryn bał się, że Jezus zechce wzniecić powstanie przeciw Rzymowi. Dlatego, żeby ocalić naród, trzeba było Go usunąć.

– No tak…

– Judasz liczył na coś zgoła przeciwnego. Chciał, żeby Jezus stanął na czele ludu i poprowadził go do zwycięstwa. Być może spodziewał się, że jego Mistrz, osaczony, zacznie jednak walczyć. Może to nim kierowało, kiedy Go zdradzał.

– Ale się zawiódł – szepnął doktor. – Bo Jezus miał całkiem co innego na myśli.

– Moje myśli nie są myślami waszymi ani wasze drogi moimi drogami. – Pokiwał głową brat Rafał. – Nie jesteśmy w stanie ogarnąć Bożych zamysłów, ale możemy i powinniśmy liczyć na to, że On włączy naszą dobrą wolę i starania w swój plan, w swoją rację stanu. Tylko Bóg może wykorzystać różne, czasem zupełnie przeciwstawne dążenia ludzi, by osiągnąć to, co sam zamierzył.

Ściągnął okulary i pomasował palcami powieki oraz nasadę nosa.

– Nie martw się więc, tylko rób to, co ci serce i sumienie dyktują – powiedział. – Nie musisz zbawiać świata, bo on już został zbawiony!

Kraków, piątek, 19 czerwca 1992

– O! Dawno już pana nie było! – powitała Petrycego jedna ze znajomych sióstr. Zawahała się, lecz w końcu otworzyła mu drzwi. – Nie wolno nam teraz nikogo tu wpuszczać, no ale przecież to pan.

– Wyjeżdżałem – powiedział oględnie. Nie wiedział, jak szybko wieści się rozchodzą i czy pielęgniarka słyszała już o jego problemach w pracy. – Co z nim? – skierował temat rozmowy na bezpieczne tory.

– Niedobrze – powiedziała siostra, marszcząc czoło. – Już raz było blisko…

Po dwóch tygodniach nieobecności Maksymilian mógł stwierdzić, że Pawlicki rzeczywiście wygląda gorzej. Skórę miał jak pergamin, żółtą i suchą, wargi spieczone, mięśnie zwiotczałe, a nos wyostrzony. Uszkodzona czaszka, pozbawiona sporego fragmentu kości, jeszcze bardziej się zapadła.

Na oddziale nie było tym razem nikogo z UOP-u, czy kto tam pilnował nieprzytomnego policjanta, nie było też jego żony ani matki. Doktor był o tej porannej godzinie jedynym odwiedzającym.

Właściwie nie planował, że tu przyjdzie. Kiedy jednak dzieci wyszły do szkoły, a Staszek zaczął kuć z taką mocą, że nawet w piwnicy dygotały stropy, Maksymilian nie zastanawiał się długo. Był umówiony z Jakubem Kapuścińskim, miał jednak sporo wolnego czasu i sam nie wiedział, kiedy nogi poniosły go do szpitala.

– To znowu ja – powiedział, stając przy łóżku.

Nie oczekiwał cudu. Coś innego gnało go tutaj i sprawiało, że z zadziwiającą regularnością składał te wizyty. Nie potrafił sobie tego wytłumaczyć i dopiero dziś, dzień po rozmowie z bratem Rafałem, błysnęła mu w głowie zupełnie nowa myśl. Może rzeczywiście chodziło o uporządkowanie swoich spraw, ale wedle boskiej, a nie ludzkiej racji stanu?

Nie tylko przeczytał drogę krzyżową, którą mu podsunął brat Rafał, ale sprawdził też cytat z księgi Izajasza, który przywołał pod koniec rozmowy. I odkrył, że tak naprawdę jest w nim mowa o przebaczeniu.

„Niechaj bezbożny porzuci swą drogę i człowiek nieprawy swoje knowania. Niech się nawróci do Pana, a Ten się nad nim zmiłuje, i do Boga naszego, gdyż hojny jest w przebaczaniu"[44].

Przypomniał sobie ostatnią rozmowę z Pawlickim w węgierskiej restauracji. Nad talerzem z plackami ziemniaczanymi i kubkiem kefiru policjant wykrzyczał mu wówczas wiele różnych rzeczy, także obelg i pomówień. Ale wśród nich było coś istotnego. On się przyznał. Powiedział wprost, że uczestniczył w działaniach, które były – krótko i po prostu – złe. „Ale nie muszę chyba za każdym razem, kiedy z tobą rozmawiam, bić się w piersi i biczować!" – wrzasnął.

„Wystarczyłoby przeprosić" – odpowiedział wówczas doktor, ogarnięty poczuciem słuszności i moralnej przewagi, którą dawało mu czyste sumienie.

Jeszcze wtedy nie wiedział, że bezpieka użyła jego osoby, by za pomocą fałszywych oskarżeń złamać Benedykta i skłonić go do współpracy, że mieli w mieszkaniu założony podsłuch, a ich rodzina była inwigilowana od lat. Dopiero teraz, po przejrzeniu teczki swego przybranego ojca, miał pełną świadomość krzywd, jakich doznali od systemu i – już konkretnie – od tego człowieka tak bardzo kreatywnego w wykonywaniu swej pracy.

Przypomniał sobie jego matkę, prostą kobietę z podkarpackiej wsi, którą kilka razy zdarzyło mu się tutaj spotkać. Kiedy już przyjechała, przesiadywała na oddziale długie godziny, a siostry nie miały serca jej wyprosić. Głaskała syna po rękach i z napięciem obserwowała wyraz jego twarzy, rejestrując każde drgnienie powieki i każdy skurcz mięśni.

---

[44] Iz 55, 7.

– Mój maleńki – szeptała, a po jej pomarszczonych policz-kach spływały czasem łzy. – Tak bardzo chciałam, żebyś miał lepsze życie. Żebyś nie musiał harować tak jak my. Nawet nie wiesz, jak bardzo zawsze byliśmy z ciebie dumni!

Kiedyś Petrycy spotkał ją na korytarzu i zagadnął o syna.

– Lepiej, dziękuję bardzo! – Ucieszyła się z jego zaintere-sowania. – Znał pan Lucusia?

– Słabo – odchrząknął doktor. – Może mi pani powie-dzieć, co syn robił zawodowo?

– Był w milicji – odpowiedziała od razu. – Ale tej nie-mundurowej.

– O! To była też taka milicja?

– A jakże! – Uśmiechnęła się, nieco rozbawiona jego nie-wiedzą. – Tam właśnie brali najlepszych! A pan skąd go znał?

– Spotkaliśmy się kiedyś przypadkiem – odpowiedział Maksymilian wymijająco. – Jestem lekarzem.

– A! – Spojrzała z szacunkiem i postanowiła dokończyć swą opowieść o synu. – Lucuś zawsze był najlepszy i w szkole, i na studiach. Wiedzieliśmy od razu, że on na gospodar-stwie nie zostanie. I poszedł do miasta, poszedł na zawsze. Prowadził śledztwa jak porucznik Borewicz!

– Opowiadał coś czasem o tej pracy?

– Nie – zawahała się, spuściła oczy. – Rzadko nas odwie-dzał. Zajęty był. Obowiązki, rodzina.

Doktor nie pytał już dalej, nagle zakłopotany, że skłonił ją do tak osobistych zwierzeń.

– Idę odwiedzić wnuczki – powiedziała po chwili kobieta, wyciągając z kieszeni płaszcza kolorową chustkę i wiążąc ją pod brodą. – Dawno ich nie widziałam. Takie z nich panny

wyrosły! Jak już tu jestem, to im przywiozłam trochę kieł-
baski. Lucuś zawsze mówił, że takiej dobrej jak u mamy, to
nigdzie nie kupi.

Coś dławiło Petrycego w gardle, gdy patrzył na nią aż
skurczoną z bólu i ciągle tak rozkochaną w synu.

„Porucznik Borewicz... – myślał teraz, przyglądając się
twarzy nieprzytomnego. – A więc w ten sposób widziałeś
swoją rolę, taką sobie tworzyłeś legendę. Popatrz, jak to
spojrzenia ludzi na to samo mogą się różnić!"

Nie potrafił go już nienawidzić. Przez te tygodnie, gdy
odwiedzał Pawlickiego w szpitalu, wytworzyła się między
nimi nawet swoista więź. Doktor zastanawiał się, nie po raz
pierwszy zresztą, czy Lucjan jest świadomy, co się wokół
niego dzieje. Czy słyszy słowa? Odbiera myśli?

– Czy to ty mnie tutaj tak uparcie przywołujesz? – zapytał
nagle. W ciszy, która panowała na sali, zabrzmiało to bardzo
donośnie. – Jesteś tu? Możesz mnie usłyszeć?

Kto wie, czemu miał służyć ten czas z pozoru bezsensow-
nego cierpienia. Cierpienia chorego, dla którego nie było
już nadziei, jego rodziny, ciągle liczącej na cud, a nawet całkiem obcych ludzi, którzy tak jak doktor towarzyszyli temu
wszystkiemu z boku, nie potrafiąc zachować obojętności,
przytłoczeni myślami o kruchości ludzkiego ciała i o tym,
jak cienka linia oddziela życie od śmierci.

A może nie był to czas bezsensowny? Może był darowa-
ny tym, którzy nie zdążyli pozamykać swoich ziemskich
spraw i „nawrócić się do Pana"? Może tam, w niedostępnej
dla nikogo sferze świadomości, dokonywały się najważniejsze w życiu człowieka decyzje i wybory? Może również ci,

którzy przyglądali się temu przedłużonemu odchodzeniu, mieli przed sobą jakieś zadanie?

Doktorowi zadzwoniły znowu w uszach słowa Lucjana wykrzyczane w furii podczas ich ostatniej rozmowy: „A myślisz, że dlaczego zadzwoniłem wtedy i zaproponowałem ci kupno tej teczki? Uznałem, że tak spłacę rachunek!".

Są zapewne na świecie ludzie niezdolni, by przeprosić za wyrządzone zło. Przedstawiają swoje argumenty, racjonalizują, usprawiedliwiają się – i na tym koniec. Jak jednak wyglądałby świat, gdyby nie było na nim ludzi zdolnych do przebaczenia?

„Przebaczyć znaczy dokonać w sobie przemiany zła w dobro – przypomniał sobie nagle przeczytane lub zasłyszane gdzieś słowa. – Bóg dopuszcza zło, by dać człowiekowi możliwość dokonania takiej przemiany. Mężowie duchowni mówią, że przemiana zła w dobro jest większym cudem, niż stworzenie świata z niczego. Większa bowiem przepaść dzieli dobro od zła niż byt od niebytu...".

Kto to powiedział?! Tischner?

„Człowiekowi nie dano możliwości stwarzania z niczego. Ma on jednak moc przebaczania, czyli przemiany zła w dobro – przywołał w pamięci dalszy ciąg cytatu. – Dzięki przebaczeniu jest najbardziej podobny do Boga"[45].

– Spłaciłeś rachunek wobec mnie – powiedział Petrycy na głos, patrząc na nieruchomą, pożółkłą twarz. – Nic więcej od ciebie nie żądam.

---

[45] J. Tischner, *Nieszczęsny dar wolności*, Kraków 1993 (szkic: *Ewangelizacja czy dekomunizacja*), s. 114.

Słowa wybrzmiały i nic się nie wydarzyło. Leżącemu nie drgnęła nawet powieka.

– Jeśli spotkasz Go pierwszy, przekaż Mu ode mnie, że to nie było aż tak trudne – szepnął jeszcze doktor, zbierając się do wyjścia.

~

Zrobił sobie długi spacer ulicą Kopernika i Plantami do Rynku, gdzie akurat odbywały się targi kolekcjonerów. Manewrując między rozłożonymi wprost na ziemi stoiskami, na których można było znaleźć i skarby, i zwykłe śmieci, dobrnął do Szewskiej. Jakub czekał już przy stoliku w Alvoradzie. Petrycy nie znosił tego lokalu, a jednak – siłą bezwładności – zawsze spotykali się właśnie tutaj.

– Sprawdziliście kancelarię Niewiadomskiej? – zapytał bez wstępów. – Czy to ona ukradła z teczki dokumenty?

– Sprawdzamy. To musi potrwać – rozczarował go od razu bratanek pierwszego męża Janki. A widząc zawiedzioną minę doktora, dorzucił: – Ale miał pan rację, ktoś w szpitalu podszywał się pod UOP.

Maksymilian nigdy tego nie twierdził. Chrząknął jednak znacząco, licząc na to, że dowie się więcej. I rzeczywiście.

– Szefowa pielęgniarek zaklina się, że pokazywali legitymacje i tylko dlatego mieli wstęp na oddział – ciągnął Jakub. – Chcieli też, żeby do nich zadzwonić, gdyby Pawlicki zaczął się wybudzać. Wygląda na to, że ktoś koniecznie zamierzał porozmawiać z nim jako pierwszy.

– Wiecie już, kto to?!

Kapuściński uspokoił go ruchem ręki.

– Przekazałem wszystko kolegom, którzy prowadzą sprawę kradzieży akt. Przesłuchali pracowników oddziału i żonę Pawlickiego, pokazali tonę zdjęć. Podobno złapali jakiś trop.

– I co?! – Nie wytrzymał znowu Petrycy.

Jego rozmówca upił łyk kawy, rozejrzał się wokół i dopiero po chwili milczenia rzucił kątem ust:

– Trop prowadzi do półświatka. Nic więcej panu nie powiem.

– Półświatka?! To znaczy gdzie?

– Gdzie! Wszystkim chciałby pan kierować, we wszystko się wtrącać, a nie wie pan nawet, co to półświatek! – Zdenerwował się młody człowiek. – Środowisko przestępcze! Prostytucja, narkotyki, przemyt alkoholu. Takie rzeczy.

Doktor zmarszczył brwi. Wcale mu się to nie podobało. Ani to, co usłyszał, ani sposób, w jaki zostało to powiedziane. Coś mu się jednak przy okazji przypomniało i postanowił na razie się nie obrażać. Kapuściński był dla niego jedynym źródłem informacji.

– A propos prostytucji – podjął temat. – Widziałem się z kobietą, która przekazała informację o Pawlickim. Twierdzi, że namówił ją do tego ochroniarz z Feniksa.

Kapuściński spojrzał na niego i skrzywił się, jakby kawa nagle przestała mu smakować.

– Tyle razy mówiłem, żeby pan się w to nie mieszał!

– Nie zawadziłoby tego gościa przesłuchać.

Jakub zmilczał, lecz wyraz jego twarzy dobitnie świadczył, co sądzi o sugerowaniu śledczym, czym się mają zająć.

– Warto by też, skoro jesteśmy przy temacie… – ciągnął z uporem Petrycy – …zapoznać się, dla odmiany, z moją teczką. Nie wątpię, że taka istnieje. Może znajdzie się w niej coś, co rzuci nowe światło na tę sprawę.

– To jakieś żarty? – zdziwił się Jakub. – Przecież nie ma takiej możliwości!

Była to odpowiedź dokładnie taka, jakiej się doktor spodziewał. Ale postanowił trochę się pokłócić, choćby przez wzgląd na Przemka, który mu udzielił tej rady.

– Pan wybaczy, ale nie uwierzę – oświadczył z mocą. – Nie uwierzę, że instytucja, w której jest pan zatrudniony, nie ma możliwości skorzystania w prowadzonym śledztwie z archiwów, które jej podlegają!

– A jeśli nawet, to co? – odparował powinowaty Janki. – To nie znaczy, że może je udostępniać pierwszemu lepszemu, kto o to poprosi!

Doktora zatkało. Teraz dopiero zdenerwował się nie na żarty.

– Ja nie jestem pierwszy lepszy – warknął cicho, a oczy zwęziły mu się w groźne szparki. – To ja byłem inwigilowany przez te wszystkie lata, na mnie gromadzono informacje, które są w tej teczce! I uszanowałbym chore prawo, które panuje w tym kraju, bo to jednak jest prawo, gdyby nie fakt, że ktoś sobie tymi aktami żongluje kompletnie poza prawem!

Kapuściński poczuł, że przeholował.

– Moi koledzy nad tym pracują, panie doktorze, i robią wszystko, żeby to wyjaśnić. Nie może pan niczego przyspieszyć.

– Ależ mogę! – przerwał mu doktor. – Zapewniam pana, że znam swoje życie lepiej niż każdy śledczy i mógłbym pomóc, gdyby mnie ktokolwiek zechciał wysłuchać.

– Przekażę to moim kolegom – zapewnił go Jakub, dopijając kawę.

Doktora zdjął nagły żal.

– A ja tak na pana liczyłem! – wyrwało mu się.

– Przykro mi, że nie mogłem pomóc...

Przyłożył dwa palce do czoła, uśmiechnął się przepraszająco i ruszył do wyjścia, Maksymilian zaś został przy stoliku z poczuciem klęski. Co sobie po nim obiecywał? Przecież od początku wiedział, że to zgrywus i błazen!

Przypomniał sobie ich pierwsze spotkanie, zresztą w tym samym lokalu. Młody funkcjonariusz, udając konika, zaproponował mu kupno dewiz. W jego mniemaniu był to świetny dowcip, a Petrycy o mało nie uciekł – żartowniś nawiązał bowiem do fałszywych oskarżeń, które dziesięć lat wcześniej zmontowała przeciw doktorowi Służba Bezpieczeństwa.

Maksymilian gwałtownie wyprostował się na krześle. Zaraz, zaraz! Skoro facet twierdzi, że nie ma dostępu do akt, to skąd wtedy wiedział o rzekomym handlu walutą?!

Przez witrynę wychodzącą na Szewską zobaczył, jak Jakub, z rękami w kieszeniach, zmierza spacerowym krokiem w stronę Plant. Poderwał się i niemal zbijając z nóg wchodzącą do lokalu parę młodych ludzi, wypadł na zewnątrz. Rozgrzany asfalt był miękki jak plastelina, powietrze gęste. Gdy dopędził Kapuścińskiego, ledwo dyszał.

„Muszę zacząć uprawiać jakiś sport! Muszę znowu zacząć grać w tenisa!" – postanowił, po raz nie wiadomo już który. A potem zadał mu swoje pytanie.

Jakub zmarszczył brwi i zapatrzył się w skupieniu w wejście do jednej z kamienic naprzeciwko. Brudnoróżowy tynk odpadał płatami ze ścian starego budynku, odsłaniając rzędy cegieł i skruszonej zaprawy. Ale młody człowiek zdawał się studiować tylko sklepioną półkoliście bramę i widoczne nad nią godło – baranka. Dopiero po dłuższej chwili Petrycy skojarzył, że właśnie tutaj, w sieni za tą bramą, znaleziono przed piętnastu laty ciało Stanisława Pyjasa*. Spojrzał czujnie na twarz Kapuścińskiego, ale niczego poza głębokim namysłem nie zdołał z niej wyczytać.

– Ma pan rację, chciałem przed spotkaniem upewnić się, z kim będę miał przyjemność – przyznał wreszcie Kapuściński. – Ufam oczywiście swojej cioci, ale sam pan rozumie.

– Więc jednak widział pan moją teczkę?! – Nie wytrzymał doktor. Bał się, że młody człowiek zaraz znowu się wycofa, i chciał to z niego wydusić, by nie miał już możliwości odwrotu. Ale to nie było potrzebne.

– Nie widziałem pana teczki – spokojnie odrzekł Jakub. – Ściągnąłem informacje z policji. W osiemdziesiątym drugim prowadzono przeciw panu sprawę karną w komendzie MO na Siemiradzkiego. I jej akta, przynajmniej w części, tam zostały.

~

Trudno było wytrzymać we trójkę na wspólnej przestrzeni. Salon babci Isi został zastawiony meblami zniesionymi z góry, zarzucony książkami i zeszytami, odzieżą, ciężarkami Franka oraz kosmetykami Gabrysi. Maksymilian tylko z największym trudem mógł się tu odnaleźć, zwłaszcza że w kuchni wciąż jeszcze urzędowała pani Monika, szykując obiad na weekend i trzaskając buntowniczo garnkami. Wzięła się do tego, zanim wrócił do domu, i gdy usłyszała, że cała rodzina wyjeżdża na najbliższe dni za Kraków, a jej o tym wcześniej nie uprzedzono, mocno się zdenerwowała. Doktor Petrycy już poprzednio bardzo się jej naraził, gdy okazał niedowierzanie, że domowe obowiązki mogą zajmować aż tak dużo czasu. Udowodniła mu wprawdzie swoją rację i otrzymała wypłatę, ale uraza pozostała.

Napięcie wisiało w powietrzu, także między dziećmi. Pomysłowy Franek poprzestawiał meble, by wygospodarować choć kawałek wolnego miejsca do ćwiczeń. Sapał teraz rozgłośnie, robiąc brzuszki.

– Uch, nie mogę tego słuchać! – denerwowała się Gabrysia. – Przestań tak dyszeć! I przestań się pocić!

– To nie słuchaj i nie wąchaj – odburknął jej młodszy brat.

Odłożyła książkę i otworzyła na oścież wszystkie okna. To jej jednak nie pomogło.

– Tato! Zrób coś! – zażądała chwilę potem. – Niech on sobie ćwiczy gdzie indziej! Nie widzisz, jakie to jest nieestetyczne?

– A ty co?! – ryknął na to Franek, podrywając się z podłogi i ruszając na siostrę z zaciśniętymi pięściami. – Będziesz mogła gadać o estetyce, jak sama zmyjesz tę tapetę i obetniesz swojego kołtuna!

Doktor powstrzymał rękoczyny, ale nie zajął stanowiska w sporze, gdyż w głębi duszy trzymał stronę Franka. Chętnie by zrejterował do piwnicy, gdzie wyniesiono jego fotel oraz książki z gabinetu, ale uznał, że nie tak się przecież tworzy relacje w rodzinie. Trwał więc dzielnie na posterunku, choć dużo go to kosztowało. Wreszcie, gdy oboje odrzucili jego pomysł, by zagrać w Eurobusiness lub choćby Master-Minda, a Gabrysia wyniosła się z kocem i książką do ogródka, zdecydował się przyłączyć do syna. Właśnie w chwili, gdy po zrobieniu kilkunastu pompek zroszony potem, rozebrany do gatek padł na podłogę, w drzwiach objawiła się pani Monika. Patrząc na niego z góry, oświadczyła wrogo, że kończy na dziś, zostawia w kuchni krokiety oraz barszczyk i niech sobie z tym robią, co chcą.

– Możecie nawet rozdać bezdomnym! – oznajmiła obrażonym głosem i wyszła, energicznie zamykając za sobą drzwi.

– Coś słabo z tobą, tato – orzekł po chwili Franek, obserwując z boku, jak ojciec leży bez ruchu, z twarzą przyklejoną do błyszczącego, świeżo odnowionego parkietu. W jego głosie dźwięczała jawna dezaprobata. – Ty zupełnie nie masz kondycji!

To była kropla, która przepełniła czarę. Doktor, stękając, wstał z podłogi, wziął szybki prysznic, a potem wymknął się do piwnicy. Z westchnieniem ulgi zapadł w swój fotel wciśnięty między nowy piec a okno.

„Co robię źle?! – zastanawiał się, przybity. – Dlaczego własne dzieci mnie nie znoszą? Nawet pani Monika ma do mnie pretensje, choć zapłaciłem jej wszystko co do grosza".

Różnie się dotąd działo w jego życiu. Jak każdy, przechodził lepsze i gorsze chwile. Do dziś na wspomnienie tych kilku miesięcy wkrótce po narodzinach Ani, gdy w pracy przeżywał istny koszmar, a Marysia zdecydowała się od niego odejść, czuł jeszcze nieprzyjemny ucisk w piersi. Nic się jednak nie mogło równać z tym, co go spotkało w ostatnim czasie. Na każdym polu – prywatnym, zawodowym, a także tym, które określał jako działalność na rzecz dobra wspólnego – doznawał samych niepowodzeń.

„Czy to już dno, czy można upaść niżej?" – zapytał się teraz w duchu.

Wyobraźnia go jednak zawiodła, a zaraz potem myśl zaczęła mu błądzić, powieki zaś ciążyć, jakby były z ołowiu. Zmusił się jeszcze, by sięgnąć po omacku po stary wełniany sweter, który trzymał w piwnicy z myślą o tych zimowych wieczorach, gdy trzeba było tu schodzić i dorzucać do pieca.

Kiedy się ocknął, w piwnicy panował mrok, a i ogródek spowity był cieniem. Mimo to Gabrysia nadal tkwiła na swym kocu – widział ją przez podłużne piwniczne okienko, zaczytaną, z kciukiem w ustach i wypiekami na twarzy. Doktor przeciągnął się, zapalił lampkę, którą zniesiono mu tutaj wraz z całym dobytkiem, a potem sięgnął do jednego z pudeł. Znajdowały się w nim teczki z materiałami do habilitacji, które zabrał ze swojego gabinetu w klinice wraz z innymi osobistymi rzeczami. Na samym wierzchu zaś leżał wytłuszczony i pozaginany od kartkowania notes Pawlickiego.

Wziął go do rąk i znowu zaczął przerzucać. Zastanawiał się, co z nim zrobić. Tych kilkaset nazwisk, które jemu nic kompletnie nie mówiły, mogło mieć znaczenie dla śledztwa. Powinien je przekazać Kapuścińskiemu choćby po to, by nie usłyszeć kiedyś w przyszłości zarzutu, że coś zataił.

Walcząc ze sobą, bawił się zapisanymi gęsto stronami, gdy coś nagle przykuło jego uwagę. Jakaś nieregularność, odstępstwo od normy. Doktor zatrzymał się na literze M i spojrzał uważniej na rząd cyfr obok nagryzmolonego kulfonami nazwiska: SZ. MALIK. Stanowczo był zbyt długi, nieprzypominający żadnego ze znanych Petrycemu numerów telefonicznych!

Drgnął, tknięty nagłym przeczuciem. A co, jeśli nie chodziło tutaj o kontakt do jakiegoś, powiedzmy, Szymona Malika, ale o numer konta, na którym znajdował się szmal? Nie żaden tam szmalik, ale prawdziwie grube pieniądze, zabezpieczenie Pawlickiego na przyszłość, którego z taką desperacją poszukiwała jego była żona?

Na myśl o Ilonie poruszył się niespokojnie. Kiedy jej składał obietnicę, że da znać o każdym tropie prowadzącym do rachunku bankowego, robił to z pełnym przekonaniem. Teraz jednak miał wątpliwości. Czy taki układ był etyczny? Kasa trzymana na zagranicznym koncie niemal na pewno została zdobyta nieuczciwie, z krzywdą wielu ludzi. Samo zaś istnienie konta mogło być dowodem rzeczowym w sprawie przeciw… No właśnie, przeciw komu? Tajemniczy „boss", którego istnienia doktor był pewien, a nawet miał już koncepcję, kto zacz, pozostawał nieuchwytny, poza jego zasięgiem. Pawlicki leżał nieprzytomny na granicy życia i śmierci. Zapewne nigdy nie stanie przed sądem i nie zdradzi już nikomu, co wie. Jego żona zaś pozostawała bez środków do życia.

„Niech idzie do pracy! – Wzruszył ramionami doktor. – Ma dwie ręce i jak obetnie paznokcie, to będzie mogła nimi zarabiać jak każdy".

Ale coś go męczyło. W końcu dał jej słowo honoru!

Jeszcze raz spojrzał na nagryzmolone ręką Pawlickiego cyfry i litery. Sz. Malik. Szmalik. Czy to możliwe, żeby człowiek, który zjadł zęby w tajnych służbach i znał z pewnością najbardziej skomplikowane sposoby kodowania oraz szyfrowania wiadomości, zastosował tak prymitywny sposób ukrycia numeru konta?

„Chyba że wiedział, iż nikt z jego branży na taki szczegół nie zwróci uwagi – pomyślał Maksymilian. – Tylko taki naiwniak, jak ja, albo... jego żona!"

Po dzisiejszym spotkaniu z Kapuścińskim szczerze wątpił, czy służby zechcą podjąć ten ślad, gdyby im go podsunął. A jeśli nawet pójdą wskazanym tropem i okaże się, że nie jest to tylko owoc wyobraźni doktora, lecz rzeczywiście numer zagranicznego konta – co z tym zrobią? W najlepszym przypadku pieniądze trafią na Skarb Państwa. Żadna z osób pokrzywdzonych nie ujrzy z tej kwoty ani złotówki.

Zrzucił sweter i z notesem w ręku wyszedł z piwnicy. Franek już skończył gimnastykę i zajadał się przygotowanym przez panią Monikę obiadem na jutro. Doktor schował dumę do kieszeni i też łyknął barszczu, pokręcił się jeszcze chwilę między kuchnią a salonem, wreszcie usiadł na sofie i sięgnął po telefon. Wybrał numer Ilony Pawlickiej i zamarł w pełnym napięcia oczekiwaniu, przezornie trzymając słuchawkę w sporej odległości od skroni.

– Halo?! – Rozległ się jej świdrujący głos. – Kto tam?!

– Petrycy. Chodzi o ten notatnik Lucjana.

– Znalazł pan coś?! – Zawibrowało mu w uchu.

– Uhm. Można tak powiedzieć.

Długa chwila ciszy po drugiej stronie, jakieś westchnienia.

– Już straciłam nadzieję...

– Pani Ilono, chciałbym szybko zakończyć tę sprawę – powiedział doktor. – Spotkajmy się, powiedzmy, za pół godziny, gdzieś na mieście. Powiem pani, co podejrzewam, ale będę miał jedną prośbę…

– No ciekawa jestem! Słucham! – Zabrzmiało to jak następujące po sobie trzaśnięcia z bicza. Aż przymknął oczy. Oho, najwyraźniej wróciła do formy.

– Będzie pani musiała potem przekazać ten notes funkcjonariuszom UOP-u – rzucił szybko, żeby się nie rozmyślić.

– Myślę, że to da się zrobić – zgodziła się bez entuzjazmu.

– To o dziewiątej w Rynku? Zdąży pa…? – zaproponował i urwał, bo z ogródka doszedł go nagle wrzask Gabrysi.

Podbiegł do okna. Na ulicy stała Ania – majestatyczna, uśmiechnięta, w dżinsowych spodniach-ogrodniczkach eksponujących pięknie jej ciążowy brzuch, dużo większy niż przed wyjazdem. Za jej plecami z zaparkowanego na chodniku błyszczącego samochodu na zachodnich numerach Tomek wyciągał kolorowe torby i paczki.

– Dzięki ci, Boże! – wyszeptał Petrycy, opierając się ręką o odnowiony drewniany parapet. Stał tak pochylony, przyglądając się przez łzy scenie przed domem, i dopiero po chwili zorientował się, że ze słuchawki, którą ściska w opuszczonej ręce, dochodzi jeszcze jakiś jazgot.

– Tak, tak, za pół godziny pod Adasiem – zapewnił Pawlicką schrypniętym głosem.

Powoli odzyskał zdolność ruchu. Rozłączył się, włożył notes do kieszeni wiszącej na oparciu krzesła marynarki, a marynarkę naciągnął wprost na podkoszulek. Otarł starannie oczy kraciastą chustką i wkładając buty, spojrzał jeszcze do lustra w przedpokoju, by sprawdzić, czy nie widać po nim wzruszenia. Dopiero potem wyszedł do ogrodu, żeby się przywitać.

Kraków, sobota, 20 czerwca 1992

Od samego rana tata wydawał się wściekły. Gabrysia domyślała się przyczyny. Niezapowiedziany powrót Ani i Tomka sprawił, że musiał się wynieść z sypialni, w której już się zdążył urządzić, i w efekcie spędził noc na bardzo niewygodnej sofie w salonie. Wiercił się i wzdychał na wystających sprężynach i córka nie była pewna, czy w ogóle zdołał zasnąć. W każdym razie gdy rano zbudził ją przeraźliwy dźwięk budzika, ojciec już stał przy oknie i pił kawę.

– Wstawajcie – powiedział tylko sucho, a potem polecił Gabrysi, by zapukała do sypialni siostry i jej męża. – Jedziemy do Mszany.

Wydawało się, że zupełnie się nie cieszy z powrotu Ani. Gdy przyjechała, przywitał się z nią w przelocie i zaraz wyszedł gdzieś na dwie godziny. Ania w tym czasie z błyszczącymi szczęściem oczami opowiadała, jak cudownie było w Berlinie. Pokazywała ciuszki i zabawki, które kupili dla małego na czymś, co nazywała *Flohmarkt*[46]. Ubranka w większości były niebieskie. Okazało się, że to będzie chłopiec!

– Jest zdrowy – powiedziała Ania, patrząc ojcu poważnie w oczy, gdy już wrócił i usiadł gdzieś z boku.

Skinął głową i uśmiechnął się, ale jakoś, zdaniem Gabrysi, półgębkiem. Potem pozbierał swoją pościel i zwolnił im sypialnię, gdyż widział, że Tomek po kilkunastogodzinnej jeździe pada ze zmęczenia. Wszystko to robił jakby z przymusem

---

[46] Pchli targ (niem.) – bardzo popularna w Niemczech forma pozbywania się używanych rzeczy.

i nawet wiadomość, że Ania i Tomek też chcą odwiedzić mamę, i zawiozą ich tam jutro autem, które przywieźli od Mistrza dla pana Podróżnika, wcale go nie ucieszyła.

Gabrysia czuła, jak bardzo ta obojętność dotyka jej siostrę. Był taki moment, że Ania zagryzła wargę, jakby się miała rozpłakać. Bardzo szybko się jednak opanowała, a nawet przeszła do kontrataku, dopytując, czemu ojciec nie zrobi w końcu prawa jazdy i nie kupi samochodu, zamiast zmuszać siebie i rodzinę do poruszania się wyłącznie środkami komunikacji publicznej. Gabrysia dobrze pamiętała z dzieciństwa, jak mama tłumaczyła, że auta raczej nigdy mieć nie będą, bo tatuś ma traumę po jakimś wypadku. Co to jest trauma, dzieci nie wiedziały, ale na pewno nie było to nic miłego. Toteż Gabrysia nie zdziwiła się wcale, że doktor nie odpowiedział Ani na to pytanie, wyraził jedynie wdzięczność Tomkowi, że zechce ich jutro z sobą zabrać. Oświadczył też, że tłok w mieszkaniu babci jest przejściowy, gdyż dzieci zostaną dłużej u cioci w Mszanie i przyjadą dopiero na rozdanie świadectw, on zaś po powrocie zamierza się zainstalować w piwnicy.

– Ja nie zostaję! – zaprotestował od razu Franek, który wyczytał gdzieś w gazecie, że we wtorek ma się odbyć pokaz sztucznych ogni nad Wisłą, i koniecznie chciał go zobaczyć. – Zamówili firmę aż z Orleanu! Umrę, jak mnie to ominie!

– A ja mam egzamin wstępny do liceum – wtrąciła nieśmiało Gabrysia.

Ania zaś, cała czerwona, oznajmiła, że tata nie musi przecież wynosić się do piwnicy, gdyż oni nie zabawią tu długo. Postanowiła bowiem w najbliższym możliwym terminie już na stałe wyjechać z Tomkiem do Stanów Zjednoczonych.

W tatę jakby piorun strzelił, przez twarz przeleciał mu dziwny skurcz. Gabrysia spodziewała się wybuchu i awantury, wiedziała bowiem, jak bardzo mu zależy, żeby Ania skończyła studia. Nic takiego jednak nie nastąpiło. Doktor tylko pochylił głowę i zacisnął usta, a potem wyszeptał:

– To w końcu twoje życie. Możesz z nim zrobić, co chcesz.

I to, przynajmniej dla Gabrysi, było gorsze niż największa awantura.

Teraz jechali w piątkę pięknym srebrnym oplem. Gabrysia usiadła z tyłu między Frankiem a Anią, ale brat zaczął narzekać, że nie wytrzyma z dwiema tak wyperfumowanymi siostrami. Wówczas ojciec znowu zareagował w sposób nieprzewidywalny. Poprosił Tomka, żeby się zatrzymał, wyskoczył gwałtownie i pokazał Frankowi, że też ma wysiadać. Wszyscy już myśleli, że zostawi chłopaka na chodniku, on jednak tylko kazał mu się przenieść do przodu i uchylić okno. Sam zaś zajął miejsce obok Gabrysi i tam już pozostał.

Humory ojca nie byłyby może aż tak dla niej ważne, gdyby nie fakt, że dziewczynka od kilku dni miała nieczyste sumienie. Wiedziała, że doktor nie chciał przekazać mamie informacji o trzech panach, którzy już tyle razy byli u nich w domu i koniecznie chcieli się z nią spotkać. Dobitnie to kiedyś Gabrysi powiedział:

– To nie są twoje sprawy, więc się nie wtrącaj. Mama jest chora, nie wolno jej denerwować. Trzymaj się od tego z daleka!

A ona mimo tych ostrzeżeń zdecydowała się pod jego nieobecność wpuścić nieznajomych i wysłuchać ich pięknej, wzruszającej historii, opowiedzianej językiem jakby wyjętym ze starych powieści. O reszcie zadecydował przypadek, a właściwie ciocia Janka, która pojawiła się niespodziewanie, przepytała ich krótko i sama zaproponowała, że zabierze ich do Mszany. Kiedy ojciec wrócił z Niemiec, Gabrysia o niczym mu nie wspomniała, teraz zaś bała się, że może oni ciągle jeszcze tam siedzą? W takim wypadku prawda oczywiście wyjdzie na jaw i tata będzie się na nią złościć.

Od czasu do czasu zerkała na jego lewy profil, doskonale widoczny na tle okna. Ojciec siedział z groźnie zmarszczonym czołem i nastroszonymi brwiami, zaplecione ręce trzymał na kolanach i właściwie nie odrywał od nich wzroku. Jeśli nie liczyć zajścia z Frankiem, od chwili wyjazdu nie odezwał się ani razu, choć przecież nie spał. Nie wiedziała, o czym myśli, ale na pewno nie było to nic przyjemnego.

Kraków, wtorek, 3 lutego 1970

Stał w nasilającej się śnieżycy przed hotelem Cracovia, czekając na taksówkę. Gdy wreszcie nadeszła jego kolej, wsiadł, dzwoniąc zębami i dygocąc tak, że kierowca dopiero za drugim razem zrozumiał, jaki adres podaje. Może przypuszczał, że jest pijany, bo uważnie mu się przyjrzał we wstecznym lusterku.

– Ciężki dzień mamy za sobą, co? – rzucił ze zrozumieniem, włączając się do ruchu na alei Puszkina i podkręcając ogrzewanie.

Petrycy nawet nie miał siły, by mu coś odpowiedzieć.

Ich dzielnica nadal była ciemna, a widoczność utrudniał dodatkowo padający gęsto śnieg. Taksówkarz klął pod nosem, sunąc powoli swym moskwiczem przez rozjeżdżoną bryję ścielącą się przed nimi w świetle reflektorów niczym połyskująca powierzchnia jakiegoś bagniska. Dopiero w okolicach ulicy 1 Maja[47] pojaśniało wreszcie i samochód mógł przyspieszyć.

Do tego czasu Maksymilian na tyle odtajał, że zdjął czapkę i rękawiczki. Piekącymi z niewyspania oczami zapatrzył się w obrączkę, którą miał na palcu. Co powiedzieć Marysi? Jak ją przekonać do powrotu? Był tak zmęczony, że żadne argumenty nie przychodziły mu do głowy.

Moskwicz gwałtownie zahamował. Petrycy zjechał z siedzenia i zatrzymał się na przednim oparciu. Nagle zrobiło mu się gorąco, miał ochotę wysiąść i już pieszo, bezpiecznie, pokonać resztę drogi do mieszkania teściów. Wyjrzał przez okno – dojechali dopiero do młyna na Wieczystej.

– Niechże pan uważa! – wychrypiał. – Nie trzeba się aż tak spieszyć!

Zwalczył panikę i włączył rozsądek, długo jednak dochodził do siebie, ze ściśniętym gardłem i spoconymi dłońmi, podczas gdy taksówkarz, miotając przekleństwa na brać kierowców, pogodę i służby miejskie, jechał wzdłuż alei Planu 6-letniego i Igołomskiej[48]. Śnieg najspokojniej padał dalej. Na ulicy prawie nie było ruchu, przechodnie przemykali w zadymce jak słabo widoczne cienie, czasem z lewej przesunął się

---

[47] Do 1951 i po 1990 roku Juliana Dunajewskiego.
[48] Obecnie al. Jana Pawła II i ul. Tadeusza Ptaszyckiego.

rozmazany kształt tramwaju. Maksymilian dotknął palcami obrączki i zaczął nią kręcić – nawet nie wiedział, kiedy powstał ten luz, trzymała się już właściwie tylko na stawie międzypaliczkowym bliższym. No tak, żył ostatnio w ciągłym stresie, nie dojadał, pasek od spodni też musiał zaciągać coraz mocniej. A Marysia wręcz przeciwnie – przytyła. Męczyła się z tą tuszą, zapisała się nawet na gimnastykę, żeby trochę zrzucić, ale nie zawsze udawało się jej zdążyć. Syknął cicho, gdy przypomniał sobie wczorajszą scenę. Niepotrzebnie powiedział jej przykre słowa. Ale żeby od razu uciekać z dziećmi z domu?! Przecież nikt normalny tak nie reaguje! No chyba że coś narasta w nim przez długie dni, tygodnie i miesiące, aż wreszcie nie daje się już tego stłumić i dochodzi do wybuchu. Czy to możliwe, że Marysia była z nim nieszczęśliwa? Jak to się stało, że w ogóle tego nie zauważył?!

Teściowie mieszkali w Mogile, na osiedlu Wandy. Gdy tam dojechali, Maksymilian wiedział już, co robić. Bez słowa wyminął w drzwiach matkę Marysi, która mu otworzyła, i jej ojczyma, piastującego w ramionach zawiniątko z uśpioną – tak! – Anią. Wkroczył do dużego pokoju i ruszył do żony z wyciągniętymi ramionami. Siedziała z Jasiem przed telewizorem i oglądała dobranockę. Na jego widok uniosła się z miejsca, jednak nie zdążyła nic powiedzieć, rzeczywistość bowiem wykroczyła nieco ponad plany doktora. Maksymilian z całym rozmachem wdepnął w stojący na środku dywanu nocnik, poleciał do przodu i z wielkim hukiem padł przed nią na kolana, omal nie odgryzając sobie języka, gdy czubkiem brody zahaczył o brzeg wersalki. Krew trysnęła na wełnianą narzutę, Marysia krzyknęła cienko, a z przedpokoju rozległ się przeraźliwy płacz nagle obudzonego niemowlęcia. Tylko Jasiek, nie odrywając wzroku od wdzięcznych główek Jacka i Agatki, na czworakach przesunął się w kąt tapczanu, by splątane ciała rodziców nie zasłaniały mu tego, co się działo na czarno-białym ekranie.

Petrycy ocknął się dopiero w środku nocy, na tej samej wersalce, w kompletnie ciemnym pokoju. Z początku nie wiedział, gdzie jest, ale pulsujący ból w ustach szybko przywrócił mu pamięć. Nie, nie stracił przytomności, musiał za to stoczyć regularną bitwę z teściami, którzy chcieli go od razu prowadzić na ostry dyżur do szpitala Żeromskiego. Wyrwał im się, naskrobał szronu z zamrażalnika i napchał go do ust, dzięki czemu opanował krwotok. Kiedy jednak usiadł z żoną w pokoju na wersalce, a synek wdrapał się mu na kolana, okazało się, że doktor nie bardzo może mówić. Marysia, widząc jego wysiłki, położyła mu palec na ustach, on zaś – zdziwiony czułością tego gestu – przymknął na chwilę oczy. I wtedy urwał mu się film.

Uniósł się teraz na łokciu, by wstać, a wtedy na fotelu obok poruszyła się ciemna sylwetka. Była tu przez cały ten czas, gdy spał! Wyciągnął do niej rękę, ujęła ją bez słowa. Wysilając wzrok w ciemności, usiłował spojrzeć jej w oczy.

– Frócz! – wyszeptał z wysiłkiem.

Westchnęła, a potem przejechała ręką po jego włosach.

– Pod jednym warunkiem – powiedziała cicho, spokojnie, choć głosem twardym jak granit. – W październiku wrócę też na uczelnię.

– Jaszne – mruknął, choć w głębi ducha nie podobało mu się stawianie sprawy w formie ultimatum. Uznawał jednak, że tak samo jak on, miała prawo zdobyć wykształcenie, a jej przerwa w studiach zrobiła się już za długa. – Jakosz to żorganiżujemy – wyseplenił pokrzepiająco i delikatnie, żeby nie potęgować bólu w ustach, ucałował jej dłoń.

Zza ściany doleciał nagle ostrzegawczy skrzek. W pierwszym odruchu oboje się wzdrygnęli, ale zaraz przyszło rozluźnienie, ich palce na krótką chwilę splotły się mocniej.

– Idę po nią, zanim się na dobre rozedrze – powiedziała Marysia, wstając. – Rozłóż tapczan i wyjmij pościel, jest w schowku.

Jasiek aż do rana przespał jak aniołek w łóżku dziadków, Ania robiła im tej nocy pobudkę jeszcze trzykrotnie. Rankiem Heniek klepnął go z rozmachem w ramię i bez słowa zaczął znosić bagaże Marysi do swojego trabanta. Tylko babcia Wisia westchnęła rozdzierająco:

– A więc wracacie do Krakowa! Jaka szkoda, że tam jednak nie zostaliśmy. Nad Młynówką!

Jak zwykle nikt nie zwrócił uwagi na westchnienia babci. Henryk był już na schodach, Marysia usiłowała utulić płaczącą w beciku Anię, Maksymilian zaś sznurował Jaśkowi buciki, a spuchnięty język bolał go tak, że z trudem otwierał usta. Chciał jej powiedzieć, że Młynówki już nie ma, ale po pierwszej próbie zrezygnował.

Mszana Dolna, sobota, 20 czerwca 1992

Nie potrafiła się przyzwyczaić do Nowej Huty. Maksymilian nieraz słyszał, jak bardzo jego teściowa tęskni za małym domkiem na osiedlu robotniczym, w którym się urodziła i spędziła dzieciństwo. Wszyscy uważali, że marudzi. Przecież drugi mąż do niczego jej nie zmuszał! Przekonywał tylko, że to jednak dwa pokoje, duża piwnica i działeczka z żyzną ziemią zaraz po sąsiedzku. A wiadomo było, że obu mieszkań nie będzie im wolno zatrzymać, bo urząd kwaterunkowy na to nie pozwoli. Przeprowadzili się więc na osiedle Wandy, ale babcia Wisia chyba nigdy nie czuła się tam jak w domu.

Tomek przyhamował gwałtownie na światłach i doktor podniósł głowę. Zauważył, że młodsza córka szybko odwróciła wzrok. Niemal bezwiednie wyciągnął rękę i ujął jej dłoń, rejestrując przy okazji ze wstrząsem, że czternastolatka ma pomalowane na czerwono paznokcie. Nie odezwał się jednak, zbyt zajęty swoimi problemami. Nurt wspomnień porwał go znowu.

W tamtą zimową noc, gdy pojechał do Huty po Marysię, rozpoczął się tak naprawdę długotrwały proces formowania ich związku, poznawania się, docierania i stapiania w całość. Nigdy by nie przypuszczał, ile wysiłku i dobrej woli będzie go to kosztować! Ale też efekt przeszedł najśmielsze oczekiwania. Jeszcze nie tak dawno wydawało mu się, że osiągnęli poziom, na którym nic już nie może im zagrozić. Miał niekiedy wrażenie, że nawet ich myśli biegną podobnym torem, że rozumieją się bez słów. Byli jedno. A potem nagle zaczęła go zaskakiwać – swoim rozmachem, sprytem, ale przede wszystkim ambicją, o którą nigdy by jej nie podejrzewał. Ze zdumieniem obserwował, jak jego żona podejmuje walkę o ocalenie dla załogi prywatyzowanego zakładu. Była tak bliska sukcesu! Gdyby rząd nie zablokował przekształceń własnościowych w całym kraju, może już dzisiaj Marysia stałaby na czele spółki pracowniczej.

Zawsze wydawała mu się podobna do swojej matki – cicha, rzetelna, obowiązkowa, usuwająca się ze swoimi potrzebami w cień. A mimo to wyczuwał w niej pazur, którego istnienia osoby postronne nigdy by nie podejrzewały. Dopiero gdy poznał Pelagię, ciotkę Marysi z Londynu, zrozumiał, że jego żona w swojej osobowości łączy cechy obu sióstr. Była skromna, łagodna i uległa, ale potrafiła też walczyć jak lwica i przyćmiewać otoczenie swym blaskiem. Nagle przyszło mu na myśl, że może i obie siostry, Wiktoria oraz Pelagia, także w gruncie rzeczy były bardziej skomplikowane, niż się mogło na pozór wydawać? Może tylko okoliczności wydobywały i uwypuklały te, a nie inne ich przymioty?

Otrząsnął się z tych wspomnień i rozważań, dopiero gdy wjechali do Mszany. Puścił rękę Gabrysi i uśmiechnął się do niej, a córka aż się rozpromieniła.

„Dlaczego nie robię tego częściej?! – zganił w myślach sam siebie. – Taki drobny gest, a jakie daje poczucie bliskości!"

Poprowadził Tomka na obrzeża miasteczka, a potem pod górę, do małego domku w wielkim sadzie, gdzie Janka spędzała każde lato. Samochód kołysał się na wybojach bitej drogi, jadąc wzdłuż równej linii owocowych drzew. Flip stał w bramie, czujnie śledząc zbliżające się auto. Nagle zaczął szczekać i biegać w kółko jak oszalały. Maksymilian jeszcze nie zdążył wysiąść, gdy pies rzucił się na niego, wywijając młyńca ogonem.

– Dobrze, dobrze, starczy! – śmiał się Petrycy, rozczulony, wycierając wylizaną twarz. W duchu jednak nie było mu do śmiechu.

„Przynajmniej on się cieszy na mój widok" – myślał, zerkając w stronę zasłoniętych okien.

Na ganku pojawiła się Janka, pokrzykując dziarsko i wypytując dzieci o świadectwa. Maksymilian dopiero teraz uświadomił sobie, że choć za kilka dni miał się zakończyć rok szkolny, on sam zupełnie się tym dotąd nie zainteresował! Z auta wygrzebała się Ania i wpadła prosto w ramiona przyszywanej ciotki. Potem przyszła kolej na Tomka. Tłumaczył, że zaraz musi jechać z powrotem do Krakowa, do rodziców, z którymi się jeszcze nie widział, a chciałby im pokazać nowy samochód. Janka gwałtem zatrzymywała go na obiad.

Nikt nie zauważył trzech postaci, które w międzyczasie ukazały się na polnej drodze. Dopiero gdy Flip z głośnym szczekaniem rzucił się w stronę płotu, spojrzał tam i doktor. Zobaczył siwego starca o jasnym spojrzeniu i opalonej na brąz skórze, obok którego maszerował drobny Azjata z mocno przerzedzoną i przetykaną srebrnymi nićmi fryzurą. Najmłodszy mężczyzna mógł mieć powyżej dwudziestki, był pięknie zbudowany i łączył w doskonały sposób cechy obu fenotypów. Uśmiechał się już z daleka i kiwał ręką w stronę domu.

– A oni co tu robią?! – zapytał zdumiony Petrycy, ale w panującym zamieszaniu nikt tego nie dosłyszał.

– Mieszkają u sąsiadów – doszedł go nagle głos z okna. Podniósł głowę i zobaczył – po raz pierwszy od dwóch miesięcy – twarz swojej żony. Aż się zdziwił, jaka była spokojna i odprężona.

– To Kazimierz, mój stryj, jego syn Josef i wnuk Pietia – powiedziała, odmachując nadchodzącym. – Przyjechali z Semipałatyńska. Szukają tu miejsca na letnią kolonię dla polskich dzieci z Kazachstanu.

Zniknęła, a Petrycy złapał Jankę za ramię.

– Jak ty to zrobiłaś?! – zapytał oszołomiony, wskazując ruchem brody w górę.

Uniosła brwi, nie rozumiejąc, o co pyta.

– Wyzdrowiała! Jest taka jak dawniej!

Uśmiechnęła się.

– Wyzdrowiała, ale myślę, że już nie jest taka jak dawniej – odpowiedziała cicho. – Nie wiem, jak to się stało. Ja nic nie zrobiłam. Myślę, że ona sama znalazła to w sobie.

Mogiła, niedziela, 20 sierpnia 1944

Wiktoria była rozżalona. Młodsza siostra, zawsze taka zalatana i zajęta, niespodziewanie pojawiła się w ostatni piątek w domku rodziców. Wpadła jak po ogień, by ją namówić na wspólną wyprawę po prowiant na wieś. Nie widziały się już od miesięcy, aż tu nagle coś takiego!

– W niedzielę, bo tylko wtedy mam wolne – oświadczyła kategorycznie. – Bądź u mnie rano!

Godzina policyjna kończyła się o piątej – Wiktoria wyszła z domu kwadrans po i przez puste, spowite drżącym brzaskiem ulice dotarła do mieszkania siostry nieopodal stacji kolejowej Grzegórzki. Do odjazdu pociągu miały jeszcze dużo czasu, myślała, że wreszcie sobie pogadają od serca. Od czasu śmierci małej Madzi prawie ze sobą nie rozmawiały. Pelagia była tak oschła i daleka, jakby to rodziców i siostrę obwiniała o to, co się wydarzyło. A przecież i oni cierpieli, robili sobie wyrzuty. Przecież kochali to dziecko, jakby było ich własne! Wystarczyłoby jedno słowo, jeden gest wybaczenia, trochę serdeczności ze strony Pelagii, a wszystkim zrobiłoby się znacznie lżej!

Tylko tyle jej chciała powiedzieć, ale się nie udało. Najpierw stróż dziwnie długo trzymał ją przy bramie, wypytywał, gdzieś tam chodził, a potem się okazało, że Pelaśka nagle zmieniła plany.

– Ja nie mogę, wypadło mi coś bardzo ważnego! – powiedziała, gdy siostra już się wdrapała na ostatnie piętro. I rzeczywiście wyglądała na mocno zdenerwowaną. – Jedź sama!

– Ale co się stało?! – próbowała się dowiedzieć Wisia.

– Nie mogę ci powiedzieć – ucięła krótko Pelagia. – Kup mąkę, krupy, słoninę… Wszystko, co dostaniesz, kup i przynieś mi do kiosku.

Do kiosku! Jakieś nowe obyczaje teraz u niej panowały, nawet nie wpuściła Wiktorii do mieszkania, tylko szeptem przekazała jej swe polecenia i pieniądze na korytarzu. Podejrzany był też ten jej napad wilczego apetytu. Zawsze była drobna i szczupła, rodzice mawiali, że żyje powietrzem. Coś się musiało za tym kryć, tego Wiktoria była pewna! A czasu, by się nad tym zastanowić miała aż nadto, czekając na stacji na pociąg do Mogiły.

Ludzi w wagonie nie było wielu, na mszę do cystersów jechało kilka rodzin z dziećmi i jakieś siostry zakonne z Krakowa. W Czyżynach dosiadło jeszcze trochę narodu, a wszyscy opuścili pociąg dopiero na ostatniej stacji. Wisia też wysiadła i rozejrzała się wokół. Rumieniec wstydu okrył jej policzki. Z każdej strony ciągnęli pięknie ubrani ludzie i skręcali w stronę klasztoru. Tylko ona w swej codziennej sukience, rozdeptanych, lecz wygodnych butach, z przewieszonym przez ramię płaszczem, w który miała wszyte woreczki na towar, wybrała się tu dziś, przy niedzieli, po prostu na handel. Wstyd! Nawet Niemcy, choć zabierali Polakom kolejne święta i dni wolne, a tydzień roboczy rozciągnęli do sześćdziesięciu godzin, nigdy nie odważyli się nakazać pracy w niedzielę!

Z nisko opuszczoną głową ruszyła przed siebie. Wielu miejscowych znała osobiście, przecież przyjeżdżała tu regularnie jeszcze przed wojną. Tylko dzięki tym kontaktom, jakie miała w Mogile i okolicznych wsiach, udawało się jej teraz uchronić od głodu rodzinę. Wedle niemieckich rozporządzeń miesięcznie przysługiwało pracującym Polakom cztery kilo chleba, 75 deko mąki i ćwierć kilo marmolady. Kto mógł o tym przeżyć?! Trzeba było kupować na czarnym rynku albo można było od razu położyć się i umrzeć. A nikt przecież nie chciał umierać!

Wiedziała, że dużo bardziej opłaca się jeździć dalej – do Kocmyrzowa, a stamtąd wąskotorówką do Kazimierzy Wielkiej. Nie miała jednak czasu na takie wyprawy. Na początku okupacji, gdy straciła posadę w kuchni bursy księdza Kuznowicza*, zatrudniła się w niewielkiej prywatnej fabryczce guzików i korali koło Matecznego. Dzięki temu miała *Arbeitskartę*, bez której groziłaby jej natychmiastowa wywózka na roboty do Rzeszy. Nie były to wprawdzie mocne papiery, w razie łapanki nikt by jej z transportu nie wyciągnął, ale jakoś się dotąd udawało. A czasem zdołała urwać godzinkę czy dwie i wyskoczyć na wieś po prowiant.

W opactwie odezwały się dzwony, chłop powożący furmanką na gościńcu wojewódzkim zaciął konia, a Wiktoria przyspieszyła kroku – tyle że w przeciwną stronę. Dwa z mogilskich młynów mieściły się koło klasztoru, a dwa następne kawałek dalej, we wsi. Pelagia poleciła jej pójść do Lelity*, bo znała osobiście i jego, i jego szwagra Siemka*. Ale żeby się tam dostać, Wiktoria musiałaby się teraz wmieszać w ten wystrojony, spieszący do kościoła tłum. A tego, będąc w swym codziennym brzydkim ubraniu, za nic nie chciała! Postanowiła, że pójdzie do młyna pani Klękowej*, zwłaszcza że wiozła dla jej czterech córek, z którymi była zaprzyjaźniona, po sznurku korali.

Minęła rzeźnię, potem sklep i restaurację Staszyszyna*, przeszła przez mostek nad młynówką[49] i ruszyła w stronę kopca Wandy. Stały tu przy drodze małe domki, niektóre murowane, inne z grubych bali, otoczone pięknymi ogrodami i osłonięte plecionymi z wikliny płotkami. Kawałek dalej zabudowa się kończyła, a zaczynały stawy klasztorne[50]. Niosło się z tamtej strony głośne rechotanie żab. Było tak pięknie, sielsko i spokojnie, że aż ją coś w dołku ścisnęło. Za stawami, w stronę Wisły, rósł jeszcze do niedawna młody las. Teraz wycięto wszystkie drzewa, a to samo groziło i sadom, bo Niemcy budowali tutaj – rękami Polaków – rowy

---

[49] Młynówka Dłubni (inna niż płynąca przez Kraków Młynówka Królewska), a nawet dwie młynówki, zasilały młyny w Bieńczycach, Krzesławicach i Mogile.

[50] Obecnie na tym miejscu znajduje się stadion KS „Hutnik".

przeciwczołgowe przed zbliżającym się ze wschodu frontem. Żal było Wisi tej pięknej okolicy, ale cóż zrobić, nakaz to nakaz! Pierwszego dnia sama zgłosiła się na miejsce zbiórki i wzięła w tym udział. Ale potem migała się już od tej roboty, groźby zamknięcia na kilka dni w bunkrze bez jedzenia, a także antybolszewickie plakaty, nie robiły na niej wrażenia. Doprawdy, Pelaśka mogła sobie darować ostatnio to spojrzenie pełne pogardy i komentarz: „Połaszczyłaś się na flaszkę wódki? A tam Warszawa walczy!".

Myśl o siostrze i jej ostrym, ciętym języku spowodowała, że do oczu Wiktorii napłynęły łzy. Ha! Łatwo było mówić, jak się miało lewe zaświadczenie lekarskie o niezdolności do pracy! Ona takich papierów nie umiała sobie załatwić, była zdrowa jak rydz i bała się zapowiadanych przez Niemców kar!

Tak, była inna niż Pelaśka. Nie tylko inaczej zbudowana – przy kości, szeroka w biodrach – ale też nieśmiała, lękliwa. Jej siostra, gdy tylko nadarzyła się sposobność, wyfrunęła z domu – uczyła się przed wojną na fotografa we Lwowie, została mistrzem, urodziła nieślubne dziecko, pracowała w Krakowie dla gazety i obracała się w kręgach lewicowej inteligencji.

„A co ja? Niby starsza, a co przeżyłam? Tylko praca w kuchni, wyjazdy na wieś po prowiant, a od święta na odpust! I nawet jeszcze żadnego kawalera od serca nie miałam!"

Pogrążona w ponurych myślach Wiktoria weszła na most nad Dłubnią, zatrzymała się i oparła o drewnianą poręcz. Rzeka płynęła wartko, meandrując wśród zagonów i zabudowań, woda połyskiwała zielono na omszałych kamieniach. Po policzkach Wisi spływały łzy żalu i skapywały do głównego nurtu, który porywał je w stronę Wisły. Roztkliwiała się jesz-cze chwilę nad sobą, ale potem zaciekawiło ją, jak długo jej łezki będą płynąć przez Kopcowy Staw i Kępę, zanim zleją się w jedno z królową polskich rzek? A kiedy dotrą do Bałtyku? Kap, kap… Nachyliła się i nagle omal nie krzyknęła.

Pod mostem, tuż obok przypory, zobaczyła ludzkie nogi.

~ VII ~

Wiele łez wylała tej wiosny wdowa po leśniczym, zanim słońce osuszyło step i pokryło go wielobarwnym dywanem tulipanów, irysów, łąkowych storczyków, ostróżek i wyki. Były to łzy szczęścia, że tak niespodziewanie odzyskała swoich dwóch synów po miesiącach rozłąki. I były to łzy żalu po najstarszym, który poszedł na wojnę z obcym wojskiem. Gdy dostała zawiadomienie, że zaginął w boju, rozpacz na zmianę z nadzieją szarpały sercem biednej matki. Ukojenie znajdowała w modlitwie, a czasem widywała go w snach i budziła się z przekonaniem, że – choć w niewoli, znosząc głód, chłód i poniewierkę – Tadzik żyje i nie zamierza się poddać.

Gdy na wyżynie wciśniętej między góry Ałtaj i Tarbagataj, opływanej życiodajnymi wodami Irtyszu, zaczynała się najpiękniejsza pora roku, na szczytach władzy szalał zimny wicher. Ktoś trafił na budzącą grozę tajemnicę katyńskiego lasu, a potem, chcąc odwrócić uwagę od własnych zbrodni, rozgłosił to na cały świat. Zachmurzyło się łaskawe oblicze *batiuszki* Stalina, z jego oczu i ust posypały się gromy. Do kołchozu najpierw dotarła wieść o aresztowaniu polskich delegatów w miasteczku. Zaraz potem leśniczyna i inne Polki zostały wezwane do powiatu, gdzie wręczono im sowieckie paszporty. Gdy nie chciały ich przyjąć, wszystkie zamknięto w więzieniu w Kokpiektach, a potem przewieziono do Semipałatyńska.

Trudno opisać, co przeżywały w zimnej i wilgotnej celi, w oddaleniu od swych dzieci, niedorosłego rodzeństwa i starych, często niedołężnych rodziców. Jakąż rozpacz musiały mieć w sercach, pędzone pieszo do odległej o siedem dni drogi stacji kolejowej, z każdym krokiem dalej od najbliższych, którzy na tej nieludzkiej ziemi tak bardzo byli zależni od ich pracy, opieki i zaradności! A jednak jakieś poczucie wspólnoty sprawiło, że żadna z nich się nie ugięła. Wielokrotnie przesłuchiwane, za każdym razem potrafiły się oprzeć. Czy to śpiewane w celi pieśni maryjne i odmawiane na głos modlitwy dawały im siłę, by się przeciwstawić i przyjąć spokojnie wyroki skazujące? Czy gdyby któraś z nich wiedziała, że więcej już nie zobaczy pozostawionej w kołchozie ukochanej istoty, postąpiłaby inaczej?

Skierowano je do fabryki skór zwanej *koż-zawodem*, a potem wywieziono do Swierdłowska, gdzie pracowały jako *lesoruby*[51]. Dopiero gdy na wyżynach Kremla znów zmieniła się pogoda i wąsate oblicze mocarza złagodniało, wynędzniałe do cna łagiernice zostały zwolnione i mogły wrócić do swych rodzin. Niektóre pozostały jednak na zawsze w miejscu zesłania, inne zaś nie miały już do kogo wracać.

Tego roku szalała w całym wielkim kraju jeszcze sroższa niż dotąd epidemia tyfusu. W kołchozie pierwsza zachorowała malutka Rozalka i zgasła cicho po kilku dniach, akurat wtedy, gdy zarazili się jej bracia i czarnooka kazachska dziewczyna. Wszyscy trafili do szpitala, sąsiedzi zaś pochowali Rozalkę w twardym stepie i oznaczyli miejsce małym

---

[51] Robotnicy leśni pracujący przy wyrębie.

krzyżykiem, który ktoś szybko ukradł. Wiatry i zwierzęta zrównały kopczyk z ziemią i gdyby nie to, że obok coraz to powstawały nowe mogiły, nikt już nie potrafiłby pokazać leśniczynie, gdy wróciła, gdzie znajduje się grób jej najmłodszego dziecka.

Czas płynął, jesień prawic z dnia na dzień zamieniła się w zimę. Synowie leśniczego wraz z Ajgul dobrze się do niej tym razem przygotowali. Przez całe lato wszyscy zbierali w stepie świeże krowie łajno, które wieczorem bosymi stopami ugniatali ze słomą, formowali z tej masy klocki i suszyli je na słońcu. Zapasy *kiziaku* miały im pomóc przeżyć mroźne miesiące, doczekać kolejnego roku, a potem końca wojny i powrotu do ojczyzny. Wyobrażali sobie tę chwilę, przewracając wytarte już strony *Trylogii*, słuchając opowieści starych ludzi i śpiewając tęsknie adwentowe pieśni. Ajgul siedziała wraz z nimi i powoli, z dnia na dzień, uczyła się nowych słów. Jej czarne oczy co i rusz uciekały w stronę średniego syna wdowy, pąsowe usta same układały się w uśmiech, a w brązowych policzkach pojawiały się wtedy dwa rozkoszne dołeczki. On zaś od tych spojrzeń czerwieniał aż po nasadę jasnych włosów, niebieskie oczy zasnuwała mu mgiełka rozmarzenia i zdawało się, że nie istnieje dlań na świecie nic ważniejszego i cenniejszego od tej drobnej dziewczyny o obco brzmiącym imieniu. Ale leśniczyna dobrze wiedziała, że nie ma żadnej przyszłości dla tego uczucia, które ich połączyło ponad różnicami języka, wiary i obyczaju, uczucia pięknego, lecz krótkotrwałego jak stepowy kwiat.

– Gdy już wrócimy do domu… – zaczynała każde swoje zdanie, bo też ta jedna myśl, o powrocie, trzymała ją jeszcze przy życiu. A po więziennych przejściach i utracie Rozalki życie ledwie się w niej tliło.

Nie wiedziała, bo i skąd, że daleko i wysoko ponad ich głowami zapadają decyzje zdolne przesunąć granice i wstrząsnąć losami całych narodów. Gdy w stepie spadły pierwsze płatki śniegu, *batiuszka* Stalin i dwóch innych mocarzy zasiadło przy stole, by zagrać w karty o nowy podział świata.

~

Jeszcze tej samej zimy wdowa po leśniczym pożegnała średniego syna. Znowu na nieludzkiej ziemi formowano polskie wojsko i to do niego został Kazik powołany. Poborowym w pociągu do Sum towarzyszył ksiądz – ten sam, którego po przyjeździe z tajgi spotkali w Semipałatyńsku, który przywiózł im wiadomości o pierwszej armii tworzonej w Buzułuku, ale z nią nie odjechał, tylko jeszcze przez wiele miesięcy pracował wśród Polaków w semipałatyńskiej *obłasti*. Ciężko zachorował i omal nie umarł, był aresztowany wraz z kobietami za odmowę przyjęcia sowieckiego obywatelstwa, siedział w więzieniu, a teraz został wezwany do *wojenkomatu* i rozpoczął – wraz z Kazikiem i innymi – swą drogę powrotną do kraju.

Dawno, dawno temu w przedwojennym świecie leśniczy zabrał kiedyś swoich synów na wycieczkę do Lwowa. Ale żaden z nich nie był nigdzie dalej, żaden nie znał Polski, którą teraz mieli wyzwolić. Jechał więc Kazik pociągiem i rozglądał się po tej ziemi, którą widział po raz pierwszy – mijał pola zryte przez okopy i pocięte zasiekami, spalone wioski i owocujące już sady, w których między drzewami ziały leje po bombach, mijał miasta tętniące gorączką. Widział twarze ludzi ubranych biednie i wychudzonych, którzy przez lata zaglądali śmierci w oczy i z których każdy nosił w sercu najboleśniejsze rany. Ale były to twarze rozpromienione nadzieją, że oto wojna zbliża się do kresu, że kończy się koszmar, a wraca normalność. Przez Równe, Łuck, Chełm i Lublin jechał Kazik aż do Warszawy.

Cieszył się, że zobaczy miasto, które znał wcześniej tylko z opowieści oraz ze stron *Trylogii*. Wiedział, że stoi w nim Zamek i że tam właśnie odbywały się elekcje królów, że niejeden już najazd obcych zniosło i wyszło z niego zwycięsko. W uszach dźwięczały mu słowa czytane w zimne i głodne wieczory:

„Stolica wynurzała się coraz wyraziściej z sinawej oddali. Wieże rysowały się długą linią na błękicie. Spiętrzone dachy Starego Miasta, kryte czerwoną dachówką, płonęły w blaskach wieczornych. Nic wspanialszego nie widzieli nigdy w życiu Litwini nad owe mury białe i wyniosłe, poprzecinane mnóstwem wąskich okien, zwieszające się na kształt stromych wiszarów nad wodą; domy zdawały się wyrastać jedne z drugich, wysoko i jeszcze wyżej; nad ową zaś zbitą i zacieśnioną masą tynów, ścian, okien, dachów bodły niebo wieże strzeliste"[52].

Taki widok spodziewał się ujrzeć średni syn i jego towarzysze, do takiej Warszawy wyrywały się im serca. Już w drodze doszły ich jednak słuchy o wybuchu powstania. To zaś, co zobaczyli na drugim brzegu Wisły, na co patrzeć

---

[52] H. Sienkiewicz, *Potop*, t. 4, Kraków 2015, s. 86.

musieli potem przez długie miesiące – mimo rozpaczliwych, niekiedy samowolnych prób niesienia pomocy i własnych ofiar – nieomal bezczynnie, o czym usłyszeli od nielicznych, którym udało się do nich przedrzeć przez rzekę, to wszystko nawet w najłagodniejsze dusze wlewało nienawiść i pragnienie odwetu. To wtedy zaczął Kazimierz marzyć o marszu na zachód, o zdobyciu Berlina i zrównaniu go z ziemią. Wiedział, że droga tam jest daleka i pełna niebezpieczeństw, ale gdy kolejnej zimy wreszcie ruszyli – szedł ze wszystkimi, z tą samą gniewną zaciekłością.

Na szlaku zobaczyć miał morze, o którym dotąd słyszał tylko baśnie i legendy. Aż drżał z niecierpliwości, by dotknąć morskiej piany i zanurzyć stopy w słonej wodzie Bałtyku. Słyszał o umocnieniach broniących tam dostępu, wiedział, że bój będzie śmiertelny, ale gdy przyszedł czas, bez wahania ruszył do ataku.

Nie było mu jednak dane ani zobaczyć morza, ani pomścić Warszawy. Coś zagwizdało cienko, jak pszczoła koło ucha. Coś użądliło go w miejscu, gdzie ramię łączy się z szyją. Nawet nie wiedział, że pada, dopiero gdy tłuste błoto mlasnęło, składając zimny pocałunek na jego policzku, poczuł strach. Ale nie trwało to długo – mleczna mgła przysłoniła mu oczy, przez myśl przemknęła jeszcze matka, a potem Głuptasek i dziewczyna o czarnych jak węgielki oczach – i zapadł w ciemną otchłań, bez marzeń i snów.

Mszana Dolna, sobota, 20 czerwca 1992

– Kawałek wyżej i poszłaby tętnica. Trochę niżej, a dostałbym w serce. A tak, to mi tylko przestrzelili szczyt lewego płuca. – Kazimierz uchylił koszuli, pokazując niewielką bliznę na brązowej, pomarszczonej skórze.

Siedzieli przy stole na wolnym powietrzu, w ażurowym cieniu pod zadaszeniem z pędów winorośli. Nad ich głowami zwisały całe kiście drobnych jeszcze i zielonych owoców. W sierpniu dawały zawsze obfity plon, z którego niewielką część Janka przerabiała na wino i nalewki, a resztą się dzieliła. Dzieci Petrycych nie przepadały za cierpkimi gronami o mocnym aromacie, ale Maksymilian lubił ich smak, a przede wszystkim cenił ich dobroczynne działanie na układ pokarmowy i naczyniowy.

– Kiedy tylko doszedłem do siebie, próbowałem zasięgnąć języka i dowiedzieć się czegokolwiek o bracie. Jakiś czas leżałem w szpitalu na zapleczu frontu. Rozpytywałem o niego w Czerwonym Krzyżu i w dowództwie wojsk, ale nikt nic nie wiedział – snuł swoją opowieść Kazimierz, podczas gdy na stół wjechał garnek z chłodnikiem owocowym. – Nie udało mi się odkryć nic więcej ponad to, że zaginął w bojach pod Charkowem w marcu czterdziestego trzeciego roku. Za wiele się o tym w historii Wielkiej Wojny Ojczyźnianej nie wspominało i dopiero niedawno się dowiedziałem, że na skutek niemieckiej kontrofensywy Armia Czerwona straciła wówczas kilkadziesiąt tysięcy żołnierzy. Los wielu z nich nie został nigdy wyjaśniony.

Janka zaczęła rozlewać zupę. Znała już widać tę historię, bo słuchała tylko jednym uchem. Także na twarzy Marysi nie widać było emocji. Ale Gabrysia, która nakładała na talerze makaronowe muszelki, zamarła z łyżką w ręce i wpiła się wzrokiem w twarz starszego pana. Podczas niedzielnego spotkania zdążyła wysłuchać tylko części opowieści. Ciocia, która pojawiła się niespodziewanie na Focha, zaraz porwała jej gości do Mszany. Teraz dopiero dziewczynka miała okazję się dowiedzieć, co było dalej.

– Pogodziliśmy się w końcu z tym, że zginął. I dopiero niedawno, jakoś na początku lat osiemdziesiątych, jak grom z jasnego nieba spadła na nas wiadomość…

– Że żyje?! – Nie wytrzymała dziewczynka.

– Nie przerywaj! – Uciszył ją Franek, także zasłuchany.

– Nie, niestety umarł już wiele lat temu – odpowiedział Kazimierz, uśmiechając się do niej. – To był wasz dziadek, ojciec waszej mamy.

Marysia tylko potwierdziła skinieniem z wyrazem pogodnej zadumy na twarzy. Maksymilian nie mógł oderwać od niej wzroku, wciąż oszołomiony zmianą, jaka w niej zaszła. Starał się jednak nadążać i za tym, co się działo przy stole.

– Wybraliśmy się wtedy całą rodziną do Semipałatyńska – ciągnął starszy pan. – Chcieliśmy z żoną pokazać wnukowi miejsce, gdzie los nas ze sobą zetknął. Wiadomo już wtedy było, że Ajgul ma przed sobą co najwyżej kilka miesięcy życia. Białaczka… – Głos mu drgnął i Kazimierz spuścił wzrok. Wkrótce się jednak opanował. – Od czasów wojny zaszły tam wielkie zmiany. Zamiast lepianek stoją murowane domy, przez step, w którym pochowano kości mego ojca, biegnie droga, a dalej zaczyna się osiedle bloków. Długo krążyliśmy po okolicy, zanim udało się nam określić mniej więcej, gdzie to mogło być.

Janka nalała mu chłodniku, zbyt był jednak pochłonięty tym, o czym mówił, żeby teraz jeść. Za to jego syn i wnuk ochoczo zanurzyli łyżki w różowym zawiesistym daniu. Rozmawiali między sobą tylko po rosyjsku, ale Janka znała ten język na tyle dobrze, by zrozumieć, że im smakuje.

– Odnaleźliśmy wreszcie naszą uliczkę i stanęliśmy, zadziwieni, aż tu nagle ktoś do nas woła. Jakiś staruszek o kulach macha do nas ze swojego ogrodu. Podchodzimy do płotu, i co się okazuje? Że to syn naszych dawnych sąsiadów, kaleka od czasu kontrofensywy pod Stalingradem! Ciągle jeszcze mieszka w tym miejscu, w słoneczne dni przesiaduje przed domem i z nudów przygląda się przechodniom. Zwrócił najpierw uwagę na mojego brata Jerzyka, a potem skojarzył Ajgul i mnie. Zaprosił na herbatę i dał nam to... – Starszy pan wyciągnął ze skórzanej torebki, którą miał ze sobą, pięć pożółkłych kopert. – Okazało się, że Tadzik pisał z Krakowa listy na stary adres w Semipałatyńsku. Nas już tam wtedy nie było, ale sąsiedzi odbierali je, żeby nam oddać, gdy kiedyś wrócimy. Przechowywali te listy przez tyle długich lat!

Przez stół podał je Maksymilianowi i siedzącej obok niego Ani. Petrycy pomyślał od razu o podobnych kopertach, które ukrył w jednym z pudeł w piwnicy. Dotąd nie miał odwagi nawet ich otworzyć. Ania jednak bez wahania rozłożyła przed sobą wyblakłe papiery. Pierwszy list został wysłany w styczniu czterdziestego piątego roku. Ostatni datowano na grudzień czterdziestego dziewiątego.

– „Mamo kochana, żyję. Długo by pisać o tym, co się działo. W najgorszym momencie pomogła mi pewna dziewczyna, bardzo dobra osoba, o wielkim sercu. Na imię ma

Wiktoria" – odczytała na głos Ania, a potem spojrzała okrągłymi oczami na matkę.

– To o babci! – wykrzyknęła.

Mogiła, niedziela, 20 sierpnia 1944

Na brzegu Dłubni, pod mostem, leżał mężczyzna. W pierwszej chwili myślała, że topielec, ale gdy chwytając się krzaków, zeszła na dół, stwierdziła z ulgą, że żyje. Patrzył na nią półprzytomnie i dygotał jak w febrze, co zresztą nie było dziwne, gdyż nogi miał zanurzone w rzece. Dłubnia nazywana była wprawdzie przez miejscowych „Gorącą", bo rzadko zamarzała, ale woda była naprawdę chłodna, poranek, jak to w sierpniu, nie należał do upalnych, jeśli zaś ten człowiek przeleżał tu całą noc… Dotknęła ostrożnie jego twarzy i spróbowała zajrzeć mu w oczy. Nie odpowiadał na pytania, wzrok miał mętny, a czoło rozpalone. Przyjrzała mu się uważniej i nagle strach ścisnął ją za serce.

Ogolona głowa, ręce i nogi wychudzone do granic, łachmany na grzbiecie… Czyżby to był… Poruszyła go, próbując wyciągnąć z rzeki, i zobaczyła na plecach wymalowane farbą litery SU. A więc jednak! Miała przed sobą żołnierza Armii Czerwonej, zapewne więźnia zbiegłego z pobliskiego obozu! Nigdzie nie widać było śladów krwi, nie wyglądał na rannego, tylko mocno gorączkował. Wiktoria z trudem przesunęła go wyżej, ułożyła w suchym miejscu i okryła własnym płaszczem.

– Poczekajcie – wyszeptała, trzęsąc się ze zdenerwowania tak samo jak on. – Znajdę tylko jakieś ubranie i zaraz wracam! Musicie się przebrać, inaczej zaraz was znajdą. Nie ruszajcie się stąd!

Obóz jeniecki znajdował się blisko stacji kolejowej[53]. Stały tam rzędy baraków, jakieś warsztaty i magazyny, a w kilku z nich, odgrodzonych od reszty drutem kolczastym, przetrzymywano więźniów sowieckich. Pracowali na lotnisku w Rakowicach, przy budowie dróg, a ostatnio także przy sypaniu szańców wokół Krakowa. Od strony parku przy Klasztornej obóz nie był strzeżony i wiedziała, że okoliczni mieszkańcy przez druty podają czasem uwięzionym jedzenie. Mówili na nich „Mongołowie", gdyż wielu z nich miało azjatyckie rysy twarzy. Ale ten tutaj pochodzić musiał z europejskiej części Sowietów. Jeśli tylko uda się go normalnie przyodziać, ukryć łysą głowę i tę chorobliwą chudość, można by go wyprowadzić bez wzbudzania podejrzeń. Wisia wiedziała, że gra idzie o życie, z trudem opanowała drżenie. W okolicy mieszkało wielu Niemców, głównie lotników z Rakowic – zajmowali co lepsze budynki, wprowadzali się do dworów i willi, przejęli także zarząd jednego z mogilskich młynów i nawet u pani Klękowej zakwaterowali swoich żołnierzy. Trzeba było bardzo uważać.

Wdrapała się na drogę, rozejrzała wokół i przebiegła przez most. Było pusto, gdyż wszyscy, którzy szli albo jechali do kościoła, skręcili już za pierwszą młynówką w stronę klasztoru. Do zabudowań Klęków miała stąd dwa kroki. Piętrowe, biało tynkowane budynki, mieszczące prócz młyna także wytwórnię wody sodowej oraz rozlewnię piwa, stały opustoszałe. Widać cała rodzina udała się na mszę świętą,

---

[53] Obecnie w tym miejscu stoją bloki osiedla Na Skarpie.

a niemieccy lokatorzy albo jeszcze spali, albo byli nieobecni. Wiktoria pokręciła się po podwórzu, gdzie w tygodniu zajeżdżały wozy z ziarnem. Wszystkie drzwi były pozamykane, a okna od izb mieszkalnych na górze zasłaniały firanki. Co począć? Tak bardzo liczyła na pomoc którejś z córek właścicielki! Spuściła spojrzenie i zobaczyła wyglądającego zza węgła może dwunastoletniego chłopaczka. Obserwował ją czujnie, a gdy spostrzegł, że jego obecność została odkryta, obrócił się na pięcie i zniknął gdzieś w kępie zieleni.

– Poczekaj! – zawołała, biegnąc za nim. – Nie wiesz, gdzie wszyscy?

– Jak to gdzie? – Dobiegło z krzaków. – W kościele, a gdzie.

– Och! – złapała się za głowę. – Co ja teraz zrobię? Umówiłam się z panienkami, miały mi oddać stare ubrania na handel, a nie mogę czekać. Nie wiesz, kto tu jeszcze miałby męskie spodnie, koszule, albo może nawet *ancug*[54] do sprzedania?

Wyciągnęła portfelik, a z niego plik „młynarek"[55]. Chłopak ostrożnie wyszedł z ukrycia.

– Gotówką płacę!

Dzieciakowi zaświeciły się oczy. Podrapał się w rozwichrzoną strzechę włosów koloru pszenicy.

– Może u nas by się znalazł jaki *ferszalunek*[56]. Chodźcie! – Skinął na nią i poprowadził w stronę chałup ciągnących się ku Wiśle.

---

[54] Garnitur, ubranie (niem.).

[55] Waluta okupacyjna, nazywana tak popularnie od nazwiska dyrektora Banku Emisyjnego GG, Feliksa Młynarskiego.

[56] Ubranie, często robocze.

Kwadrans później szła już wysadzaną wierzbami drogą z powrotem, niosąc związane w węzełek koszulę, spodnie i kamizelkę, a do tego kaszkiet i podniszczone, ale całkiem jeszcze zdatne skórzane półbuty. Matka niedorostka na wspomnienie o sprzedaży zalała się łzami – ubranie było własnością jej starszego syna, którego losu Wiktoria mogła się tylko domyślać. Kiedy jednak kobieta zobaczyła pieniądze, rozsądek wziął górę.

Okrężną drogą, sprawdzając wielokrotnie, czy jej kto nie obserwuje, Wisia wróciła nad Dłubnię i zeszła pod most. Już miała gotowy plan. Za chwilę drogą na Lublin jechać będą chłopskie furmanki wracające z kościoła. Dostrzegła kilka znajomych twarzy, wiedziała, komu można zaufać.

„Poproszę, żeby nas podwieźli do Branic. Powiem, że to mój narzeczony – myślała gorączkowo. – Że chciałam mu pokazać kopiec Wandy i lamus, a jak by się nam udało znaleźć przewoźnika przez Wisłę, to i Niepołomice... Ale zasłabł, jak schodziliśmy z kopca, i nie może teraz iść".

Zamierzała z Branic przejść polami do Przylasku Rusieckiego, gdzie na uboczu, już blisko wałów Wisły, miała zaprzyjaźnionych gospodarzy. Kupowała u nich warzywa jeszcze dla kuchni w bursie Kuznowicza, a w trudnych wojennych czasach ta znajomość bardzo się zacieśniła. Na pewno przechowają uciekiniera, przecież front już niedaleko.

Ponownie przeliczyła pieniądze. Ubranie kosztowało słono, bo Wiktoria targowała się tylko dla niepoznaki – rozpacz matki, która miała się rozstać z ostatnią pamiątką po synu, zrobiła na niej przygnębiające wrażenie. Ale wokół działo się tyle zła, tylu ludzi ginęło lub było więzionych, że rozpamiętywanie tego nie miało sensu. Teraz ona mogła uratować czyjeś życie i tylko to się liczyło.

Nieznajomego nie było w miejscu, gdzie go zostawiła. Dostrzegła go dopiero po chwili, gdy się poruszył – siedział w najciemniejszym kącie, okryty jej płaszczem, już w miarę przytomny. Powitał ją westchnieniem pełnym ulgi, być może podejrzewał, że sprowadzi Niemców lub granatową policję. Nie znała rosyjskiego, więc położyła przed nim swój węzełek i na migi pokazała mu, że musi się przebrać.

Był tak słaby, że nie mógł sam się podnieść. Pomogła mu, ale gdy przyszło do rozbierania, odsunął jej rękę.

– Niech się odwróci… Proszę.

Wisia aż podskoczyła z wrażenia.

– Mówicie po polsku?! – wyszeptała, niezmiernie przejęta.

– Ja jestem Polakiem – odpowiedział z godnością, a potem znowu wstrząsnął nim dreszcz.

Mszana Dolna, sobota, 20 czerwca 1992

Flap leniwie obszedł stół, przy którym siedziało liczne towarzystwo, otarł się od niechcenia o nogi Maksymiliana, a potem rzucił na przelatującego motylka. Ptaki wśród drzew podniosły rwetes, ostrzegając się wzajemnie przed drapieżnikiem, którego zęby i pazury, a także wytrwałość w tropieniu gniazd z młodymi, zdążyły już dobrze poznać.

– „To, że udało mi się przeżyć, tylko jej zawdzięczam. Nie wiem, czym sobie zasłużyłem na tyle dobroci, ale ona czuje do mnie wielki sentyment, a i ja ją szczerze polubiłem… – czytała dalej Ania. Doktor zaglądał jej przez ramię. Nietknięte owocowe danie na talerzach przed nimi pachniało oszałamiająco, zwabiając nad stół osy z pobliskiego sadu. – Postanowiliśmy się pobrać. To dlatego nazwisko nadawcy niewiele wam mówi".

– To prawda, przyjął nazwisko babci, Wawrzszczyk – potwierdziła Marysia. – Zapewniała mnie, że bardziej mu się podobało, było bardziej „stąd". Podejrzewam jednak, że chodziło im o ukrycie tożsamości. Babcia nieraz wspominała, jak potwornie Niemcy obchodzili się z żołnierzami Armii Czerwonej, którzy dostali się do niewoli[57]. Ale dopiero teraz dowiedziałam się, jak bezlitośnie po zakończeniu wojny potraktowali ich sami Rosjanie.

– *W Sowietskim Sojuzje pojti w pljen' eto było predatielstwo*[58] – odezwał się po raz pierwszy syn Kazimierza. Pomimo że nie mówił po polsku, udowodnił, że dużo rozumie.

– Tak – skinął jego ojciec. – Żołnierzy, którzy wracali z niewoli do Związku Radzieckiego, uważano za zdrajców. Tworzono dla nich obozy przejściowe, a potem stawiano przed sądem i zsyłano do łagrów bądź do batalionów pracy. Ich rodziny szykanowano. Przez dziesiątki lat mieli ograniczenia w osiedlaniu się, wyborze pracy, studiowaniu. Gdyby Tadzik nie zaginął bez śladu, mój syn, a może i wnuk, też

---

[57] Według historyków żołnierze radzieccy stanowią drugą co do wielkości (po Żydach) grupę ofiar II wojny światowej. Trudno oszacować, ilu walczyło wśród nich obywateli II Rzeczpospolitej, ale np. z relacji byłych więźniów Auschwitz wynika, że wielu uśmierconych w tym obozie jeńców sowieckich mówiło po polsku.

[58] W Związku Radzieckim pójść do niewoli oznaczało zdradę (ros.).

mieliby problem. Musieliby w kwestionariuszach osobowych podawać, że ktoś z ich rodziny był w obozie jenieckim.

– Więc pewnie dobrze się stało, że ojciec zmienił nazwisko i został tutaj – westchnęła Marysia. – Był zresztą wyniszczony do granic. Jedno zdanie z jego listu mówi tak wiele! „Ważę teraz czterdzieści pięć kilo, jednak wzmacniam się i wracam do zdrowia…" – urwała, ale szybko odzyskała głos. – Choć lekarze bardzo się starali, ojciec nigdy do zdrowia nie wrócił. Zmarł, kiedy miałam dwa latka. Pamiętam jak przez mgłę białą pościel na łóżku i wychudzoną postać, do której zabraniano mi się zbliżać.

Starszy pan skinął głową. Wargi mu drżały, usiłował to ukryć.

– Zdążył nam jeszcze napisać o narodzinach córki. Stąd wiedzieliśmy, o kogo pytać – powiedział cicho. – Pod waszym dawnym adresem dowiedzieliśmy się, że Wiktoria już zmarła, ale Marysia żyje, nazywa się teraz Petrycy i mieszka przy Puszkina. Musieliśmy jeszcze tylko odnaleźć tę ulicę, a to nie było łatwe, bo w międzyczasie zmieniła się jej nazwa i na nowym planie jest już Focha. Ale ktoś nam to wyjaśnił i… oto jesteśmy. Przepraszam, że tak bez zapowiedzi.

Marysia wstała, podeszła do niego i objęła na tyle, na ile jej pozwalał Beniamin.

– Dziękuję! – wyszeptała.

Potem wzięła z rąk Ani listy.

– Słyszałam od matki, że wicher historii przywiał mojego ojca z Kresów do Krakowa. Ale nie miałam pojęcia, że po drodze był na Syberii, a potem w Kazachstanie, że próbował się zaciągnąć do armii Andersa, a ostatecznie został przymusowo wcielony do Armii Czerwonej. Nie wiedziałam nawet o tym, że był w niewoli i że to mama pomogła mu, gdy uciekł! – Usiadła, tuląc listy do piersi, jak wielki skarb. – Czemu jej o to nie wypytałam, kiedy jeszcze był czas? Wspominała, że nie lubi swojego nowego osiedla, bo zbudowano je na zbiorowych mogiłach jeńców sowieckich z pobliskiego obozu. A ja zbywałam to śmiechem. Myślałam, że cuduje, bo źle znosi wyprowadzkę z Krakowa!

– Serio? – Franek podniósł wzrok znad pustego talerza. – Blok babci stoi na grobach? Przecież obok jest cmentarz?

– Nadal nie wiem, ile w tym prawdy – powiedziała z wahaniem Marysia. – Gdyby tam rzeczywiście były groby, to pewnie po wojnie, przed rozpoczęciem budowy, ekshumowano by ciała na cmentarz. Ale coś się tam działo podejrzanego, to pewne. Ojciec napisał, że zdecydował się uciec, bo własowcy zaczęli kopać wielkie doły po drugiej stronie toru kolejowego. Więźniowie byli wtedy zatrudnieni przy tworzeniu fałszywego lotniska koło kopca Wandy. Gdy wracali do obozu po pracy i zobaczyli te roboty, zinterpretowali je w jedyny możliwy sposób[59].

Teraz nikt już nie jadł, wszyscy bez słowa wpatrywali się w Marysię, także przybysze z Kazachstanu, choć przecież jako pierwsi poznali treść listów.

– Gdy ojciec uświadomił sobie, że prawdopodobnie zostaną wszyscy rozstrzelani przed nadejściem frontu, zaraz

---

[59] Jak ustalili historycy, w dołach miało być przechowywane paliwo lotnicze. Przed nadejściem frontu obóz jeniecki został zlikwidowany, a więźniowie wywiezieni w nieznanym kierunku. Podaję za: Tomasz Owoc, *Jeńcy wojenni w okupowanym Krakowie*, Kraków 2016.

następnej nocy zrobił podkop od strony parku, gdzie obóz nie był pilnowany. W niedzielę jeńcy nie pracowali, a strażnicy pili lub wychodzili na miasto. Liczył na to, że nie od razu wykryją, że go nie ma. Ale sam przyznaje, że gdyby nie mama, pewnie by mu się nie udało ujść z życiem. Dopadł go atak zimnicy... – Urwała, marszcząc brwi.

– Czego? – zapytała Gabrysia, niezwykle poruszona.

– Choroby, na którą potem umarł. I znowu nie mogę pojąć, jak to się stało, że przez czterdzieści lat nie sprawdziłam, co to właściwie takiego.

– No, malaria przecież! – wszedł jej w słowo Maksymilian.

– Właśnie. – Popatrzyła wprost na niego szeroko otwartymi oczami. – Malaria! Zaraził się nią w Uzbekistanie, kiedy wraz z braćmi próbował się zaciągnąć do Andersa.

– I nie on jeden – wtrącił Kazimierz. – Miejscowi w Szachriziabs mówili nam, że od lat nie było u nich malarii. Ale akurat w tym roku na rozkaz z Moskwy polecono zalać wodą poletka ryżowe, dotąd suche, które były wylęgarnią komarów. W efekcie doszło do istnej epidemii malarii, także jej miejscowej odmiany, którą nazywano papadaczą. Do tego doszedł dur brzuszny i tyfus. Zmarło tam wtedy kilka tysięcy Polaków, dużo więcej, niż poległo później pod Monte Cassino. – Pokiwał głową w zadumie. – Ja zachorowałem na krwawą biegunkę, a Tadzik na malarię. Mniej więcej w tym samym czasie wylądowaliśmy w szpitalu. Zanim wróciliśmy do zdrowia, nasze wojska zostały ewakuowane do Persji. W ostatniej chwili przywieziono do szpitala Jerzyka, który wypadł z ciężarówki, rozbił głowę i chyba tylko cudem przeżył. I tak się znowu spotkaliśmy, wszyscy trzej. Niestety na krótko.

– To, że Tadeusz został w Krakowie, mogę doskonale zrozumieć – odezwał się Maksymilian, wypowiadając myśl, która nurtowała go już od dłuższego czasu. – Ale dlaczego pan zdecydował się wrócić do Związku Radzieckiego?! I dlaczego po wojnie nie staraliście się o repatriację? Przecież była taka możliwość, wiem doskonale, bo jedną rodzinę z Wileńszczyzny dokwaterowano do domu moich rodziców.

– Chcieliśmy, nawet bardzo – powiedział Kazimierz. – Ale nie było to takie proste. Nie wyobrażałem sobie rozstania z Ajgul. Gdy tylko zaczęto mówić o repatriacji, wzięliśmy ślub i wystąpiliśmy o zgodę dla niej na opuszczenie *Sowietskowo Sojuza*. Długo to trwało, ale się udało, tylko dlatego, że chodziło o żonę. Żadnej Polce, która związała się z obywatelem radzieckim, nie dawano zgody na wyjazd męża. Nawet nie chcę wam opisywać, do jakich scen dochodziło, do jakich straszliwych wyborów. Na siłę zatrzymywano też specjalistów, ludzi, którzy sowieckim urzędnikom wydawali się nadal potrzebni. My, można powiedzieć, mieliśmy szczęście. Wydano nam *bumagę* i wciągnięto na listę tuż przed odejściem czwartego transportu. Ostatniego…

– I? – ponaglił go Maksymilian. Sam się zdziwił, że ta historia aż tak go zainteresowała.

– Byliśmy gotowi do drogi. Cały dobytek zmieścił się w dwóch małych węzełkach. Aż strach opowiadać, jakie to były skarby nędzarzy! Suchary odkładane z głodowych racji, ostatnie motki włóczki, sznurki, rzemienie, jakieś szmaty, które służyły za ubrania.

Petrycy tylko kiwnął głową. Czytał wydane w drugim obiegu wspomnienia Józefa Czapskiego z nieludzkiej ziemi i wiedział, jak okropnego spustoszenia w psychice sybiraków dokonały lata skrajnej nędzy i poniewierki. Także żołnierze Andersa jeszcze przez wiele miesięcy po wyjściu ze Związku Radzieckiego ukrywali pod siennikami zaoszczędzone kawałki chleba, wywołując pełne politowania uśmiechy Anglików i swych polskich kolegów, którzy nigdy nie doświadczyli łagrów i zesłania.

– Tak! – Kazimierz też ocknął się z krótkiej chwili zamyślenia. – W każdym razie, byliśmy już w drodze do Semipałatyńska, skąd odjeżdżał transport. I wtedy to się stało.

– Ale co?! – nie wytrzymała tym razem Gabrysia.

– Mama straciła świadomość. Może z emocji, ze wzruszenia, bo tak bardzo chciała wrócić do kraju, do swojej normalności, a wiedziała już, że nasz dom zostaje po drugiej stronie granicy i że będzie musiała szukać dla nas całkiem nowego miejsca. – Kazimierz bezradnie rozłożył ręce. – Myślałem wtedy, że umiera! Mogłem ją zostawić w szpitalu, ale nie potrafiłem. Po trzech dniach wyszła z *bolnicy*, ale pociąg już odjechał. Ostatni transport odszedł bez nas! Potem nie było już na repatriację żadnych szans.

– A co się stało z Jerzykiem? – zapytała nagle Ania. Doktor spojrzał na nią uważnie, bo i jego los trzeciego syna obchodził najbardziej. Córka miała wilgotne oczy, wydawała się nie mniej przejęta od Gabrysi.

– Jerzyk? Mieszkał z nami długie lata. Odszedł wkrótce po śmierci Ajgul. I tak znacznie przekroczył wiek, jaki osiągają zwykle ludzie jego kondycji.

– To dziwne, jak bardzo ten najsłabszy i nierozgarnięty wpłynął na losy całej rodziny – odezwała się Marysia. Dotąd siedziała milcząca, z zagadkowym uśmiechem. Teraz po raz pierwszy uchyliła zasłonę, której doktor, od kiedy ją zobaczył w oknie, nie potrafił przeniknąć. – Nawet podczas tego wyjazdu z Ajgul i Pietią do Semipałatyńska odegrał główną rolę. Gdyby nie on, sąsiad zapewne nigdy by was nie poznał? I nie otrzymalibyście listów Tadeusza!

– Święta racja! – pokiwał głową Kazimierz. – Nie myślałem o tym w ten sposób, ale rzeczywiście.

Marysia patrzyła przez długość stołu prosto w oczy swojego męża. Doktor próbował zrozumieć, co oznacza to jej spojrzenie.

Pietia zaczął coś mówić po rosyjsku, potem włączył się Josef. Janka tłumaczyła. Doktor nie bardzo mógł skupić uwagę, ale zrozumiał, że opowiadali o chorobie popromiennej Ajgul, a potem o ruchu społecznym, który w zeszłym roku wymógł na władzach zamknięcie poligonu nuklearnego w rejonie Semipałatyńska[60]. Dolatujące strzępy zdań przejmowały go zgrozą:

---

[60] Nevada-Semipalatinsk (obecnie Nevada-Semei) – antynuklearna organizacja, utworzona w lutym 1989 r. po tym, jak w wyniku kolejnej podziemnej próby jądrowej zostało skażone miasto Shagan, a później tereny na zboczach Ałtaju. Na poligonie nuklearnym w Semipałatyńsku od 1949 r. przeprowadzono pond 450 eksplozji, z których ostatnia miała miejsce 19 października 1989 r. W wyniku protestów społecznych 29 sierpnia 1991 r. prezydent Nazarbajew zamknął poligon i oficjalnie proklamował, że Kazachstan jest państwem bez broni jądrowej. Dzień ten został później uznany za międzynarodowy dzień przeciw testom atomowym. Pozostałości arsenału jądrowego były likwidowane wspólnym wysiłkiem Kazachstanu, Rosji i USA aż do 2010 r. Ambasadorem ruchu Nevada-Semipalatinsk jest Karipbek Kuyukov, jedna z ofiar. O strasznych skutkach skażenia, które odczuwa miejscowa ludność, opowiada m.in. dokument Antony'ego Buttsa *After the Apocalypse* z 2010 r.

– Bez wiedzy mieszkańców... badanie wpływu promieniowania na ludność... skażenie setek tysięcy kilometrów kwadratowych... wady genetyczne...

– Radzieccy wojskowi i naukowcy na własnych obywatelach sprawdzali, jakie byłyby skutki wojny jądrowej, gdyby do niej doszło! – podsumowała grzmiącym głosem Janka, czerwona z oburzenia.

Rozmowa pochłonęła ją tak bardzo, że zapomniała o podaniu drugiego dania. Nikt jednak nie był głodny, w talerzach z niedojedzonym chłodnikiem pływały osy. Roztrząsanie bezwzględnego, skrajnie niegodziwego stosunku władz radzieckich do cywilnej ludności jednej z republik, którego ofiarą padła również jego Ajgul, było chyba dla Kazimierza zbyt trudne.

– Tylu ludzi zostało mi w pamięci z tamtych dawnych czasów, tyle twarzy! – Zmienił temat, zwracając się bezpośrednio do Maksymiliana. – Wywieźli z nami na przykład jedną arystokratkę, nie pomnę już, z którego rodu. Wielkiego ducha była to kobieta, promieniowało od niej jakieś światło... Utopiła się w bagnisku, ratując życie trzem małym dziewczynkom. Kochał się w niej taki lwowiak, prawdziwy baciar. Przez jakiś czas zastępował nam ojca. Potem odjechał z wojskiem do Persji. Ciekawe, gdzie jest teraz. Czy żyje?

Petrycy poruszył się niespokojnie. Ciągnęło go do żony. Przecież po to tu przyjechał, żeby z nią porozmawiać.

– Pamiętam też pewnego polskiego księdza – ciągnął tymczasem stryj Marysi. – Trudno opisać, ile dobrego zrobił dla ludzi samą swoją obecnością. Mógł odjechać z Andersem, ale został z nami na jeszcze prawie dwa lata. Potem został powołany do Wojska Polskiego, tak jak ja. Widziałem go ostatni raz na Pradze, potem zniknął mi z oczu. Dużo bym dał, żeby się dowiedzieć, co się z nim stało. Bo widzi pan, dla nas, zesłańców, religia stała się w pewnym momencie jedynym sposobem na utrzymanie tożsamości, a wiara sposobem na przeżycie.

Doktor słuchał go z roztargnieniem, co i rusz zerkając na Marysię. Tylko ona siedziała bez słowa, pogrążona w zadumie, choć wokół biesiadnicy rozmawiali na różne tematy. Tomek znowu wspomniał coś o powrocie do Krakowa, a Ania z Janką próbowały go przekonać, żeby jeszcze chwilę został. Josef i Pietia pokazywali młodszym dzieciom zdjęcia, Gabrysia z Frankiem zaś, rozbawieni, po raz pierwszy w życiu próbowali zrobić użytek z języka, którego przez cztery lata obowiązkowo uczyli się w szkole. Kazimierz zaczął z kolei opowiadać o dzieciach z polskich rodzin, potomkach dawnych zesłańców, które za miesiąc miały przyjechać na wakacje do Polski. W ostatnich dniach udało mu się znaleźć dla nich pensjonat, nawiązać w Mszanie współpracę z miejscową szkołą i domem kultury.

Doktora w tym momencie wszystko to bardzo mało obchodziło. Przez dłuższą chwilę nie spuszczał wzroku z twarzy swojej żony, ale podświadomość widać nie zadziałała i nie zdołał przykuć jej uwagi. Wreszcie nie wytrzymał. Przeprosił starszego pana, wstał i podszedł do Marysi.

– Chodźmy do sadu – zaproponował. I poszli.

~

Wiatr szeleścił gałązkami, pszczoły brzęczały wokół kwitnących krzaczków malin, a gdzieś z daleka niosło się bzyczenie
spalinowej podkaszarki. Po kilkunastu metrach minął ich
rozpędzony Flap – biegł jak gepard przez wysoką trawę, ze
stulonymi uszami i wyciągniętym ogonem. Z pełnego rozpę-
du dał susa na drzewo i w mgnieniu oka wspiął się na jeden
z konarów. Maksymilian spojrzał w górę i zobaczył zielone
ślipia świecące spomiędzy kiści zawiązanych śliwek. Gałęzie
wokół aż się uginały od owoców.

– Będzie klęska urodzaju – stwierdził, uśmiechając się
niepewnie. Nie miał pojęcia, jak zacząć rozmowę, a żona mu
tego nie ułatwiała. Zatrzymała się, odwróciła i oparła plecami
o pień. Patrzyła poważnie, bez słowa. To poczucie obcości
i dystansu było okropne.

– Powiedz coś! – zażądał. – Przecież musimy w końcu
zacząć ze sobą rozmawiać!

– Dobrze – odparła. I tyle.

Nie mógł znieść jej milczenia, tak bardzo go raniło.

– Chciałem ci o czymś opowiedzieć – zaczął z desperacją. – Ostatnio spotkałem na dyżurze w radzie miasta panią
z niepełnosprawnym synem. Maria Rogowska, jeśli dobrze
zapamiętałem nazwisko. Zakłada fundację, której celem jest
budowa domu dożywotniej opieki dla takich jak on. Mają na
to kawałek ziemi w Bodzowie, w pięknym miejscu, z widokiem na klasztor na Bielanach. Pytała, w jaki sposób miasto
mogłoby wesprzeć ich starania. A ja od razu pomyślałem
o nas.

Szukał na jej twarzy znaku, że to pojmuje i podziela jego uczucia. Ale jej wargi nawet nie drgnęły, a brwi, które unosiła zawsze tak wymownie, tworzyły teraz dwa nieruchome łuki.

– Musimy zrobić wszystko, żeby się im udało! – wykrzyczał. Wiedział, że jest za głośny i zbyt natarczywy, ale chciał przynajmniej w ten sposób przelać na nią choćby część swoich emocji, nawiązać łączność. – W tym domu Beniamin może znaleźć swoje miejsce, gdy nas już zabraknie!

Dopiero wtedy drgnęła, a przez jej twarz, dotąd pogodną, przeleciał jakiś cień.

– No widzisz – powiedziała cicho. – Już mi mówisz, co mam robić. Podjąłeś decyzje, masz plany. A ja mam się podporządkować i pomóc ci w ich realizacji.

– Marysiu! – Ręce mu opadły. – Czy to źle, że myślę o nas jako o jedności? Zawsze mi się wydawało, że nią właśnie jesteśmy.

– Tylko dlaczego to ja zawsze muszę dostosowywać się do ciebie? Mam już zadyszkę, boli mnie w boku! Chcę iść swoim tempem – odrzekła ze złością.

– Nie rozumiem cię. – Pokręcił głową.

– Ty już myślisz o tym, co będzie, jak nas nie będzie. A ja każdego dnia muszę się zbierać w sobie, żeby wstać z łóżka i zmierzyć się z myślą o dziecku, choć ono się jeszcze nie urodziło – mówiła teraz cicho, ze zniechęceniem, jakby znowu opuściły ją siły.

Chwycił ją za ramiona, próbował objąć, niezdarnie, bo przez te tygodnie rozdzielenia już się oduczył i nie pamiętał, jak się to robi. Przeszkadzał mu jej brzuch, to, że była odchylona w stronę pnia, i te jej bezwolne, wiotkie ręce, które nie robiły nic, by mu odpowiedzieć uściskiem.

– Przecież po to tu jestem, żeby ci pomóc. Trzeba wrócić do życia, trzeba działać! Dla naszego dziecka, dla nas!

Odsunął się i zajrzał jej w oczy.

– Nie wiem, co mam zrobić, żeby było jak dawniej – wyszeptał. – Pomóż mi.

Wreszcie do niej trafił. Odetchnęła głęboko, aż do brzucha, który stał się jeszcze większy. Powoli wypuściła powietrze, a w jej oczach błysnęła determinacja.

– Nigdy już nie będzie jak dawniej, Maks – powiedziała. – Możemy oczywiście utrzymywać tę fikcję, szczególnie że młodsze dzieci ciągle nas bardzo potrzebują. Ale to, co się stało, to się nie odstanie.

– Jak to fikcję? – Nie zrozumiał. – Czy ty mnie już nie kochasz?

Umknęła spojrzeniem gdzieś w bok.

– Odpowiedz! – zażądał, wyciągając rękę w stronę jej policzka i zmuszając ją, by na niego spojrzała. – Nie kochasz mnie?!

– O miłość trzeba dbać – odrzekła wymijająco, wzruszając ramionami. – Pielęgnować ją. A myśmy to w którymś momencie zaniedbali.

Przypomniał sobie wszystkie te sytuacje, gdy inne sprawy były ważniejsze od niej, gdy wyjeżdżał, pozostawiając jej troskę o dom i dzieci, gdy czasem po prostu zapominał o jej istnieniu. Łącznie z tym pamiętnym czwartkiem, kiedy emocje pognały go do Warszawy zamiast na umówione z nią spotkanie.

– Wiem – przyznał. – Masz rację.

Ale to pokorne wyznanie tylko pogorszyło sprawę. Spojrzała na niego z gniewem.

– Powinieneś był ze mną pójść na te badania! Być ze mną w szpitalu, czekać na korytarzu, do ostatniej chwili trzymać za rękę. Nie powinieneś był wtedy, w kuchni, mówić tych słów!

– Jakich słów?!

– Właściwie jednego słowa. – Przygarbiła się i przygryzła wargi, jakby chciała coś pohamować. Wybuch jeszcze większego gniewu? Czy może płaczu? – Urodzisz!

Maksymilian wpatrywał się w nią z napięciem. Tak, pamiętał doskonale tamtą rozmowę.

– Przypisałeś sobie wyłączne prawo do podjęcia decyzji. A ono przysługuje przecież nam obojgu.

Wyprostowała się i odsunęła od pnia. Mówiła coraz głośniej, z rosnącym wzburzeniem. Opalenizna na jej policzkach pociemniała, nabiegła krwią. Kot za jej plecami z wdziękiem linoskoczka zszedł na najniższą gałąź śliwy, zeskoczył na ziemię i znikł w wysokiej trawie. A Maksymilian spuścił wzrok i patrzył bezmyślnie w ślad za nim, bo nie mógł już znieść tego, co – dotąd ukryte pod zasłoną pozornego spokoju – czytał teraz w jej oczach jak w otwartej księdze.

– Przekreśliłeś mnie jako osobę rozumną, zdolną do kierowania się sumieniem! Odebrałeś mi prawo stanowienia o sobie! Zachowałeś się nie jak mąż, ale jak pan!

O tak, w tym, co mówiła, było wiele prawdy. Ale przecież ona też nie wiedziała wszystkiego…

Kraków, piątek, 17 kwietnia 1992
(Wielki Piątek)

Długo patrzył na zapis: 47, XY, +21. Doskonale zdawał sobie sprawę, co on oznacza. I nawet nie powinien się dziwić. Związek tej aberracji chromosomowej u płodu ma bardzo wiele wspólnego z wiekiem rodziców, a zarówno on, jak i Marysia byli już dobrze po czterdziestce. Ale i tak od razu nadleciało pytanie: „Dlaczego właśnie my?!".

Wyszedł z sekretariatu i usiadł na pierwszym wolnym miejscu w szpitalnym korytarzu. Oparł łokcie na kolanach i pochylił głowę, obserwując z uwagą nierówną fakturę kamiennej posadzki. Ostre krawędzie mikroskopijnych szczerb i pęknięć rozmazały się nagle, zlały w jedno.

„Dlaczego znowu spotyka mnie coś takiego?!"

Ktoś otworzył drzwi, strumień powietrza wtargnął gwałtownie na korytarz i wyrwał mu ze zwiotczałych palców karteczkę z wynikiem. Zaraz potem z głośnym trzaskiem zamknęło się okno z drugiej strony, szyba zadzwoniła ostrzegawczo, rozległ się stukot drewniaków, pielęgniarka dopchnęła drewnianą ramę i przekręciła mosiężną klameczkę. Potem wszystko ucichło. Słońce, które wyszło nagle zza chmur, rozświetliło lamperię na ścianie. Petrycy nadal siedział ze wzrokiem utkwionym w świstku papieru opadłym na podłogę kilka metrów od niego i spoczywającym teraz w plamie złocistego blasku. Nie potrafił wstać, żeby go podnieść. Był tam wypisany wyrok, od którego nie miał możliwości odwołania. Choć... Może?

„Nie! – Uderzony tym nagłym impulsem drgnął i złapał się za głowę. Ścisnął z całej siły, aż poczuł tępy ból w skroniach. – Panie, zabierz ode mnie tę myśl!"

Ale myśl nie odchodziła. Nie wystarczyło zatkać uszu, by się od niej uwolnić. W mózg, czy może w głąb duszy doktora, sączyły się słowa wypowiadane nie wiadomo przez kogo. Słowa wyważone, racjonalne, przekonujące, trafne.

„To jest dożywocie. Nawet jeśli chłopiec urodzi się bez wielkich wad układowych i narządowych, nigdy nie będzie samodzielny. Będziecie obciążeni opieką nad nim aż do końca waszych dni. Pomyśl, co to będzie za życie? Nie umrzecie w spokoju, ale w męce spowodowanej troską o jego los. Pozostawicie ten ciężar swoim starszym dzieciom".

Doktor siedział nadal jak sparaliżowany. Nie zauważył pielęgniarki, która przechodząc korytarzem, zatrzymała się i spojrzała na niego bystro. Nie słyszał uwag, które wymieniała szeptem z koleżanką, patrząc w jego kierunku. W końcu obie zniknęły za drzwiami.

„Pomyśl, jeszcze nie jest za późno! Jest przecież rozwiązanie. Nawet teraz, ciągle jeszcze możesz to zrobić – podpowiadał głos. – Doskonale wiesz, do kogo trzeba pójść".

Maksymilian przetarł oczy. Nie potrafił tego zakończyć, wstać i wyjść. Wbrew sobie, słuchał.

„Jak by to wyglądało? – zapytał w końcu. – Mam zaprzeczyć wszystkiemu, w co dotąd wierzyłem i co głosiłem otwarcie? Nie jestem aż takim hipokrytą!"

„Ale tu nie chodzi o ideały, o twoje przekonania i o jakąś teorię. Tu chodzi o życie. Nie masz czasu na rozmyślania. Teraz trzeba działać!"

– Nie! – Zerwał się z miejsca.

Kilkoma krokami przeciął korytarz, porwał z podłogi karteluszek, wsunął go do kieszeni i ruszył przed siebie, na oślep, byle dalej od tych myśli i od tego głosu. Rozwiązanie, które mu podpowiadał, było jeszcze do niedawna powszechną praktyką. Przy stwierdzonej wadzie rozwojowej można było usunąć chory płód właściwie bez ograniczeń czasowych. W połowie szóstego miesiąca wykonanie zabiegu ciągle jeszcze było możliwe. Tylko że… Dla doktora Petrycego to nie był płód, ale dziecko. Chore, inne, upośledzone, wymagające opieki aż do końca życia, ale jednak dziecko, człowiek, ludzka istota, Boży dar.

„Wolisz się męczyć do końca życia? – popłynął za nim szept, delikatny i subtelny, a jednak niezwykle przenikliwy. – Chcesz to zrobić twojej rodzinie? Przecież tu nie chodzi tylko o ciebie!"

„Marysia nigdy się na to nie zgodzi!" – uciął krótko, przyspieszając kroku.

„A skąd wiesz?"

„Znam ją!"

„Czyżby? I jesteś pewny, że jest tak zupełnie pozbawiona egoizmu? Że zechce poświęcić swoją wolność, wszystkie swoje plany, zawodowe i inne? Wiesz to na pewno?"

„No więc dobrze, nie wiem! – Maksymilian był już cały spocony. Opędzał się, jak mógł, wybiegając na ulicę. – Ale nigdy jej tego nie zaproponuję!"

„A gdyby ona zaproponowała to tobie?"

Samo rozważanie takiej możliwości powodowało cierpienie ponad siły.

„Odejdź! – jęknął, osłaniając przed słońcem załzawione oczy. – Boże, zabierz ode mnie te myśli!”

Nie wiedział, jak długo błądził między budynkami szpitalnymi, ślepy i głuchy, nie poznając znajomych i nie odpowiadając na ukłony. Zajęty był tylko tym, co się działo w jego duszy. A trwała tam walka, której wynik ciągle nie był przesądzony. Nawet nie przypuszczał, że można być tak rozdartym i że jest to aż tak bolesne.

Ocknął się przed ołtarzem w kościele św. Mikołaja. Nigdy potem nie mógł sobie przypomnieć, jak tam trafił. Miał przed sobą ziejące złotą pustką, otwarte na oścież tabernakulum. W ramach obchodów Triduum Paschalnego jeszcze poprzedniego wieczoru Najświętszy Sakrament przeniesiono do ciemnicy. Po prawej stronie ołtarza dwie osoby kończyły dekorowanie Grobu Pańskiego przed liturgią Wielkiego Piątku.

Zaledwie kilka godzin temu doktor uczestniczył w wielkoczwartkowym czuwaniu. Pamiętał czytania, pamiętał rozważanie męki Jezusa w Ogrójcu. Przeżywał te uroczystości rok w rok, słuchał o krwawym pocie, którym przesiąkły szaty Zbawiciela. Ale dopiero teraz zrozumiał, choć w części, co Jezus musiał czuć w tamtej chwili, w momencie gdy miał dobrowolnie przyjąć na siebie cierpienie.

„Czego ode mnie oczekujesz? Że powiem to samo? – wybuchnął. – To właśnie chcesz usłyszeć?! *Nie moja, ale Twoja wola niech się stanie*?!”

Dopiero gdy pełen pretensji zadał to pytanie, gdy wreszcie wybrzmiało, zorientował się, że prześladujące go dotąd podszepty umilkły. I nie pojawiły się w ich miejsce żadne inne. Nie przyszła też odpowiedź. Miał w sobie ciszę i pustkę. Możliwość podjęcia samodzielnej, wolnej decyzji.

Wiedział, że może zrobić wszystko. Bóg zrozumie, może nawet… wybaczy.

„Ale czy ja sobie wybaczę? Czy będę mógł patrzeć w oczy ludziom, których przekonywałem do swoich wartości? Jak zniosę spojrzenia dzieci? Co, jeśli któreś z nich zada mi kiedyś pytanie: *A gdybym to ja miał się urodzić chory*?"

Klęczał z nisko pochyloną głową. Nie myślał o tym, że tabernakulum jest puste. Przecież wierzył, że On, Pan wszelkiego stworzenia, jest wszędzie. W nim samym i wokół niego, w tym kościele, w ich domu na Focha, w Marysi i w dziecku, które od tylu miesięcy rozwijało się pod jej sercem. Przypomniał sobie jego ruchy, wyczuwane w chwilach bliskości przez ciepło jej ciała.

– Bądź wola Twoja! – wyszeptał. – Nie tak jak ja, ale tak jak Ty chcesz, niech się stanie!

To miał być syn. Trzeci syn, najmłodszy i najbardziej kochany.

„Tak właśnie, od tych słów, zacznę rozmowę z Marysią" – postanowił.

Powoli wstał z kolan.

„Wybacz mi Boże, że w ogóle o tym pomyślałem!" – szeptał w duchu, wychodząc z kościoła.

Ale wspomnienie tamtej pokusy było ciągle jeszcze tak silne, że nie potrafił spojrzeć Marysi prosto w oczy, kiedy przyszedł moment, by pokazać jej wynik i powiedzieć prawdę. Gdy usłyszał jej pytanie, wypowiedziane cicho, głosem drżącym, jakby żebrała o litość, jakby stała na skraju przepaści, wszystko to wróciło.

– I co teraz? – zapytała.

– Jak to co? – rzucił, spoglądając gdzieś ponad jej głową. – Nic! Urodzisz.

Wiedział, że zabrzmiało to twardo i obojętnie, ale nie potrafił inaczej. Podjął decyzję i za nic nie chciał już wracać do tamtych koszmarnych zmagań, przeżywać tego jeszcze raz. Wygrał tę walkę sam ze sobą, ale nie wiedział, co by zrobił, gdyby teraz ona wystawiła go na próbę. Po prostu nie mógł pozwolić jej i sobie na żadne wątpliwości.

Mszana Dolna, sobota, 20 czerwca 1992

Siedzieli oparci o pień, kłosy trawy łaskotały Maksymiliana w odsłonięte przedramiona, jakiś trzmiel buczał głucho, zaglądając w kielichy orlików, których cała kępa rosła nieopodal pod czereśnią. Doktor nawet nie pamiętał, w którym momencie osunął się na ziemię, a ona usiadła obok. Dopiero teraz wrócił do rzeczywistości, usłyszał znowu dźwięki, poczuł zapachy.

– Powinienem był od razu ci o tym wszystkim opowiedzieć. Przepraszam. – Sięgnął po jej dłoń i przycisnął ją do serca. – Nie wiem, czemu nie potrafiłem się przed tobą otworzyć.

Nie wyrwała mu ręki, ale nie wykonała też żadnego czułego gestu. Patrzyła z takim smutkiem, że aż go zabolało serce.

– Teraz rozumiem, że należało to razem przepracować i przepłakać. Nie na tym polega małżeństwo, żeby zmagać się z problemami i walczyć osobno. Ale wtedy… może chciałem udawać kogoś innego niż jestem? Wstyd mi się było przyznać do tego, co wtedy czułem. O czym myślałem. Bo to było tak mocne, rzeczywiste. Straszne!

– Mnie też przyszło to na myśl – powiedziała cicho. – Ale nigdy nie brałam tego rozwiązania pod uwagę.

– Więc dlaczego tak zareagowałaś? Dlaczego przestałaś się wtedy do mnie odzywać?

– Bo mówiłeś tylko o swoich planach, projektach i pracy. Nie dałeś mi nawet chwili, żeby przeżyć ten ból, nie pochyliłeś się nade mną, nie zapytałeś, co czuję. Wszystko już miałeś pod kontrolą, opanowane i poukładane – swoje uczucia i całą naszą przyszłość.

– Bo tak było! Gdy wróciłem do domu, zastanawiałem się już tylko nad tym, jak to zrobić, żeby nam umożliwić normalne życie, żeby zapewnić środki na rehabilitację Beniamina, żeby w miarę możliwości ograniczyć rozmiary jego kalectwa.

– A ja? Gdzie w tym wszystkim byłam? Żadnego słowa zapewnienia, że mnie będziesz wspierał, że nie opuścisz, że przejdziemy to razem?! Wtedy, w tej kuchni, rozsypałam się w drobne kawałeczki! A ty tego nawet nie zauważyłeś.

– Zauważyłem. Nie sądziłem tylko, że muszę ci składać aż takie zapewnienia. Dla mnie to było oczywiste. Przecież to ci kiedyś przyrzekłem i nigdy nie zamierzałem złamać tej przysięgi.

Urwali. Trzymali się za ręce, siedząc w trawie – ona po turecku, on z wyprostowanymi przed sobą nogami. Wokół aż huczało od bujnego łąkowego życia, żadne z nich jednak nie zwracało na to uwagi.

– Staszek remontuje już górę – powiedział wreszcie Maksymilian. – Wie, że się musi pospieszyć. Na początek lipca wszystko będzie gotowe.

Skinęła obojętnie głową. Zdjęła mrówkę z łydki i odłożyła ją na listek babki. Potem uwolniła dłoń z jego uścisku i odchyliła się do tyłu, opierając na rękach. Doktor pogłaskał ostrożnie jej wypięty brzuch, wyczuwając nieregularności w miejscach, gdzie rozpierało się jego dziecko. Trzeci syn.

– Już się nie mogę doczekać – powiedział nagle.

Marysia drgnęła, spojrzała bystro, a potem przygryzła wargę.

– Ja nie wracam na Focha, Maks. Długo o tym myślałam i… po prostu nie mogę.

Poczerwieniał, jakby mu wymierzyła policzek. Chciał coś powiedzieć, ale tylko otworzył usta i zamknął je z powrotem.

– Dziękuję, że mi opowiedziałeś o tym wszystkim – ciągnęła cicho. – Szkoda tylko, że tak późno. Pewnych rzeczy nie da się naprawić.

– Nie wierzę w to, co mówisz! I ty sama chyba w to nie wierzysz! – wybuchnął.

Przyłożyła palec do ust, patrząc mu głęboko w oczy. I już wiedział, że jest dokładnie tak, jak powiedziała. Nic jej nie skłoni do powrotu, nic – jeśli sama tego nie zechce. Aż go zatchnęło, za mostkiem poczuł przejmujący ból.

– Ale co się stało? – Próbował jeszcze walczyć. – Przecież nie chodzi tylko o to, że powiedziałem o jedno słowo za dużo i niewłaściwym tonem! Ludzie nie rozstają się z takich powodów!

Wzruszyła ramionami. Sama nie wiedziała, co się w niej zmieniło przez te ostatnie tygodnie. Na jedną krótką chwilę z zakamarków jej pamięci wychynęła elegancka postać Bonnenfanta, ale Marysia szybko znowu zepchnęła ją w niebyt.

– Zrozumiałam tylko, że to nie jest takie życie, jakie bym chciała mieć – powiedziała. – Nie byliśmy nigdy partnerami w naszym związku. Zawsze pełniłam rolę, którą narzucała mi trochę biologia, trochę tradycja, a trochę... ty. Teraz, kiedy to życie się roztrzaskało, nie chce mi się już zbierać i lepić skorup. Chcę czegoś nowego.

– Czego?! – Klęczał teraz koło niej, z bólu zgięty wpół. Zdawało mu się, że śni – i był to znowu koszmar.

– Nie wiem jeszcze – odrzekła pogodnie. – Dopiero nad tym myślę. I ogromną frajdę mi sprawia tworzenie siebie na nowo.

– Tworzenie siebie! Tak po prostu przekreślasz wszystko, co nas łączyło, te dwadzieścia pięć lat?! Tak po prostu mi oświadczasz, że już nie wrócisz, bo chcesz czegoś nowego. Co cię nagle opętało?

Wzruszyła ramionami, a ten obojętny gest sprawił, że doktor ujrzał przed sobą czerwoną ścianę. Wyprostował się.

– A dzieci?! – wypalił z najgrubszej rury. – Franek i Gabrysia już nic dla ciebie nie znaczą?!

Skurcz przebiegł przez jej twarz. A więc dobrze, trafił we właściwy punkt!

– Możesz sobie mnie nie kochać, w porządku! – Głos mu drgnął, ale dokończył z mocą: – Jakoś sobie z tym poradzę! Ale nie wierzę, że opuścisz własne dzieci!

– Nie opuszczę ich – odpowiedziała spokojnie, choć spojrzenie miała już teraz mroczne, bez tego wewnętrznego światła, którym wcześniej promieniowała. Jakby cała jej wcześniejsza pewność siebie i beztroska pod wpływem jego słów gdzieś wyparowały. – I ciebie też nie opuszczę. Ale już będę inna. Bo to siebie tworzę tu na nowo. Tylko tyle i aż tyle.

– Nic z tego nie rozumiem! – jęknął Maksymilian. – Powiedz mi, wracasz do domu czy nie?

– Na razie nie.

– Będziesz tu mieszkać? Z Janką?

– Dopóki będzie mnie tu znosić. A potem może sama… Może tu, a może w Mogile, w mieszkaniu po mamie. Jeszcze nie wiem. Tak daleko w swoich planach nie zaszłam.

– A nasz syn?! Przecież on jest chory, będzie potrzebował lekarzy, szpitala, rehabilitacji.

– Przede wszystkim będzie potrzebował miłości. I ja mu ją dam. A wszystko inne będzie nam dodane, wierz mi.

– Będzie, bo ja wam to zapewnię! – rozzłościł się doktor. – Bo ja się martwię o to, co będziecie jeść i pić! Bo oczywiście nie zostawię cię samej, bez środków do życia, bo zadbam, żeby ci niczego nie brakowało.

– Maks! – Pochyliła się i chwyciła go za rękę, przerywając ten strumień wymowy. – Ja to wszystko wiem i doceniam. Ale to nie w tym pokładam największą ufność, wierz mi.

Uspokoił się pod wpływem jej dotyku i oklapł, jakby uszło z niego powietrze. Ale ucisk w żołądku i klatce piersiowej nie ustępował. Nie powiedział jej przecież wszystkiego! Nie wiedziała jeszcze, że został zawieszony w obowiązkach służbowych, a remont pochłonął niemal wszystkie ich oszczędności. Ale to nie był właściwy moment, by o tym wspominać.

– Nie rozumiem cię, Marysiu – wyszeptał tylko. – Przeraziłaś mnie. Nie wiem, co nas czeka, i nie potrafię tak jak ty spokojnie patrzeć w przyszłość.

Uśmiechnęła się po raz pierwszy, od kiedy wyszli razem do sadu. A on urwał, bo przypomniał sobie nagle spotkanie z Mariuszem Skwarkiem i propozycję nowej pracy – lżejszej i lepiej płatnej. To było rzeczywiście jak dar zesłany przez niebo.

– Może zresztą masz rację – powiedział, ściskając mocniej jej dłoń. – Nie trzeba się martwić o jutro, dość ma każdy dzień swojej własnej biedy – zrewanżował się cytatem.

Jakby dla potwierdzenia jego słów od strony domu rozległo się nagle donośne wołanie:

– Maksymilian? Telefon do ciebie!

Przez trawy brnęła w ich stronę Janka, wymachując rękami i rozwijając w pełni swój potencjał wokalny, aż spłoszone szpaki poderwały się z czereśni. Doktor wypuścił z uścisku rękę żony. Poczuł kolejny skurcz w sercu, jakby przeczucie nadchodzących złych wieści.

– Idź.

Marysia uśmiechała się. Wszystko, co chcieli sobie powiedzieć, zostało powiedziane. Ruszył więc do chałupki, uświadomiony po drodze przez Jankę, że to Kuba dzwoni i twierdzi, że sprawa jest ważna.

– Pawlicki nie żyje – oświadczył młody człowiek bez żadnego wstępu. – Zmarł dziś w nocy. Uznałem, że będziesz chciał wiedzieć.

Doktor poczuł, że zaczyna mu brakować tchu. Głośno wciągnął powietrze, ale piersi miał ściśnięte jakby stalową obręczą. Nawet nie zwrócił uwagi, że młody człowiek mówi mu na „ty". Wiadomość go zaskoczyła, choć się jej spodziewał. Ale jeszcze bardziej przerażające było to, co funkcjonariusz UOP-u przekazał mu w dalszej kolejności.

– Przejrzałem jeszcze raz dokumenty tamtej sprawy z osiemdziesiątego drugiego, tak jak prosiłeś – powiedział. – Wynotowałem kilka nazwisk i wiem, czyje zeznania cię pogrążyły.

Doktor z najwyższą trudnością wydobył z siebie głos.

– No czyje? – zapytał ochryple.

– Facet nazywał się Fabiańczyk. Kojarzysz?

Petrycy nie odpowiedział. Ogarnęła go nagle taka słabość, że musiał się oprzeć plecami o ścianę. Ożeż, cholera jasna, psiakrew!

– Zeznał, że przywiozłeś jakieś duże pieniądze z Francji ukryte w kartonie z koniakiem. Był świadkiem, jak je wypakowywałeś w Zarządzie Regionu na Karmelickiej.

Kapuściński mówił coś jeszcze o konikach, którzy rozpoznali doktora na zdjęciach i zeznali, że handlował walutą w różnych miejscach w Krakowie. Podawał jakieś nazwiska i daty. Wszystko to docierało do świadomości Petrycego już jak przez mgłę.

Poczuł, że w jego piersiach eksploduje granat. Siła wybuchu wstrząsnęła całym ciałem, potem ból niespodziewanie skoncentrował się już tylko w okolicach czoła. Uświadomił sobie, że leży na deskach, a ciepła, czerwona fala zalewa mu oczy. Zdążył w panice pomyśleć, że to koniec, że

Marysia i dzieci zostaną teraz same. A dalej była już tylko ciemność.

~

Obudziło go miarowe pikanie aparatury. Znał ten odgłos, nie musiał otwierać oczu, by wiedzieć, gdzie jest. Ale skąd się tu znalazł? Przed oczami miał świetlistą pomarańczową zasłonę, uniesienie jej wydawało się zadaniem ponad siły. Powoli do jego świadomości docierało to, co się zdarzyło, wracały obrazy, twarze, słowa. Rzucił głową i jęknął głucho, w ustach poczuł twardy przedmiot.

„Zaintubowali mnie" – zdążył pomyśleć, ale ta konstatacja już w następnej sekundzie przestała być istotna.

– Maksymilian… – Usłyszał z boku znajomy głos, a na ręce poczuł dotknięcie ciepłej dłoni.

Powieki uniosły się same, nie wiedział, skąd się w nim wziął ten nagły przypływ sił. Nad sobą dostrzegł twarz Marysi, zmęczoną, poszarzałą. Żona pochylała się, a łzy kapały jej z policzków na prześcieradło, którym Maksymilian był przykryty.

– Proszę, nie umieraj – szeptała, ściskając jego rękę coraz mocniej.

„Nie zamierzam umrzeć, przyrzekam!" – chciał powiedzieć, ale rura, która sięgała mu aż do gardła, uniemożliwiała wydobycie głosu.

Przymknął więc powieki, by dać jej znak, że nieśpieszno mu na tamten świat, szczególnie teraz, gdy tyle musi naprawić. Z pewnym wysiłkiem otworzył oczy po raz drugi, a wtedy ona uśmiechnęła się przez łzy.

Biogramy postaci historycznych
w kolejności występowania w tekście

Stefan Dymiter, „Kororo" (1938–2002) – cygański skrzypek wirtuoz, samouk nieznający nut. W dzieciństwie stracił wzrok, amputowano mu nogi, miał też niedowład jednej ręki. Był uzależniony od pomocy innych, utrzymywał się z gry na ulicach m.in. Krakowa. Współpracował z Piwnicą pod Baranami, raz w życiu wystąpił w Filharmonii Krakowskiej. Pochowany na cmentarzu w Kowarach, swej rodzinnej miejscowości. Źródło: https://pl-pl.facebook.com/StefanDymiter/.

Bogdan Włosik (1962–1982) – pracownik Huty im. Lenina, uczeń III klasy technikum wieczorowego, zamordowany strzałem w brzuch przez funkcjonariusza SB. Stało się to w miesięcznicę wprowadzenia stanu wojennego, gdy w Nowej Hucie doszło do antykomunistycznych demonstracji, ale poza obszarem walk ulicznych. Pogrzeb Włosika na cmentarzu w Grębałowie stał się wielką milczącą manifestacją 20 tysięcy ludzi. Przez cały okres PRL jego zabójca pozostawał bezkarny. W 1992 r. krakowski Sąd Apelacyjny wymierzył mu karę 10 lat pozbawienia wolności. W październiku tego samego roku w miejscu, w którym Bogdan Włosik został śmiertelnie postrzelony (naprzeciw kościoła Arka Pana w Bieńczycach), stanął ufundowany ze składek społecznych pomnik autorstwa Heleny Łyżwy, z napisem: „Bogdanowi Włosikowi i innym, którzy w latach 80-tych zginęli za wolność i solidarność".

Grzegorz Przemyk (1964–1983) – maturzysta, poeta, bestialsko pobity w komisariacie MO, zmarł w szpitalu na trzy dni przed swoimi dziewiętnastymi urodzinami. O spowodowanie śmierci zostali oskarżeni (a potem skazani) niewinni sanitariusze pogotowia ratunkowego, którzy przewozili go z komisariatu do szpitala. Tuszowaniem sprawy kierowali osobiście członkowie Biura Politycznego KC PZPR. Pogrzeb Grzegorza Przemyka, prowadzony przez księdza Jerzego Popiełuszkę, stał się potężną – choć milczącą – manifestacją sprzeciwu. Świadek pobicia, przyjaciel Grzegorza, który nigdy nie przestał głosić prawdziwej wersji dramatu, był przez lata zastraszany i inwigilowany przez SB. Bezpieka podejmowała też próby kompromitacji matki Przemyka, poetki i działaczki opozycyjnej Barbary Sadowskiej. O historii Grzegorza Przemyka i jej kulisach opowiada książka Cezarego Łazarewicza *Żeby nie było śladów*.

Marek Kurzyniec – krakowski anarchista, w latach osiemdziesiątych działacz ruchu Wolność i Pokój. Jeden ze współzałożycieli Federacji Anarchistycznej. Był wielokrotnie zatrzymywany przez policję i karany za akcje uliczne. W ramach Komitetu Wolny Kaukaz jeździł z pomocą humanitarną do Czeczenii. Podczas wyprawy w 1997 r. został tam porwany z kilkoma przyjaciółmi i przetrzymywany przez 53 dni. Źródło: http://www.przeglad-anarchistyczny.org/biogramy/118-kurzyniec.

Jerzy Bińczycki (1937–1998) – wybitny aktor teatralny i filmowy, kreujący m.in. role Fana w spektaklu *Pokój na godziny* Ladovskyego, XX w *Emigrantach* i Edka w *Tangu* Mrożka, Bogumiła Niechcica w serialu *Noce i dnie* oraz profesora Wilczura w filmie *Znachor*. Kandydat w wyborach do Senatu z ramienia Unii Demokratycznej w 1991 r. Przez większość życia był związany z Teatrem Starym w Krakowie; w 1998 r., na krótko przed śmiercią, został jego dyrektorem naczelnym i artystycznym. Źródło: http://encyklopediateatru.pl.

Ks. Józef Kurzeja (1937–1976) – jako wikariusz parafii w Raciborowicach, za zgodą kardynała Wojtyły, podjął działalność duszpasterską we wsi Mistrzejowice, gdzie miało powstać 40-tysięczne osiedle. 29 sierpnia 1970 wybudował z desek niewielką altanę, „zieloną budkę", w której zaczął prowadzić katechizację, a później także odprawiać msze św. Z obawy, by pod jego nieobecność nie zniszczono budynku, nocował w nim także zimą, bez ogrzewania, w rezultacie podupadł na zdrowiu. Poddawany był rozmaitym szykanom, podobnie jak wspierający go parafianie. Jego starania o budowę kościoła zostały uwieńczone sukcesem, ale trzy miesiące przed poświęceniem kamienia węgielnego ks. Kurzeja zmarł. W 2005 r. wszczęto na stopniu diecezji jego proces beatyfikacyjny. Źródło: www. mistrzejowice.net.

Ks. Kazimierz Jancarz (1947–1993) – jako wikariusz parafii św. Maksymiliana Kolbego w Mistrzejowicach założył Konfraternię Akademicką, skupiającą studentów i pracowników nauki. Po ogłoszeniu stanu wojennego został duszpasterzem środowisk robotniczych, dla których utworzył Duszpasterstwo Ludzi Pracy. W czerwcu 1982, na wieść o proteście internowanych w Załężu, poprowadził nowennę połączoną z głodówką solidarnościową. Choć uwięzieni w większości zostali zwolnieni, od tamtej pory w Mistrzejowicach narodziła się tradycja czwartkowych mszy św. za ojczyznę, gromadzących tysiące ludzi; dwukrotnie gościł tu też ks. Jerzy Popiełuszko. W następnych latach powstały nowe Konfraternie: Robotnicza, Samarytańska i Nauczycielska, a także Chrześcijański Uniwersytet Robotniczy. Po pacyfikacji Huty im. Lenina w nocy z 4 na 5 maja 1988 r. dla zapewnienia skuteczniejszej pomocy poszkodowanym powołał Wikariat Solidarności z Potrzebującymi. Ukoronowaniem jego działań było zorganizowanie w Mistrzejowicach Międzynarodowej Konferencji Praw Człowieka w sierpniu 1988 r. W 1989 r. został przeniesiony na probostwo do Luborzycy, gdzie zmarł nagle na serce w marcu 1993 r. Źródło: www. mistrzejowice.net.

Ks. Mikołaj Kuczkowski (1910–1995) – prawnik z wykształcenia, obrał drogę kapłaństwa w 1939 r. po śmierci narzeczonej. W okresie stalinowskim ze względu na swe doświadczenie w pracy adwokackiej został mianowany kanclerzem Kurii Metropolitalnej w Krakowie Od 1970 r. wspierał działania duszpasterskie zainicjowane w Mistrzejowicach przez ks. Józefa Kurzeję, a po jego śmierci w 1976 r. został proboszczem tej parafii i budowniczym kościoła św. Maksymiliana Kolbego. Po śmierci spoczął w trumnie z desek szalunkowych, które zabrał z budowy mistrzejowickiej świątyni. Źródło: www. mistrzejowice.net.

Joanna Szczepkowska – aktorka teatralna i filmowa, poetka, felietonistka. Córka aktora Andrzeja Szczepkowskiego i wnuczka Jana Parandowskiego, badacza i miłośnika antyku, autora m.in. *Mitologii* i prezesa polskiego Pen Clubu. Znana z niekonwencjonalnych wystąpień publicznych, z których pierwsze było oświadczenie na antenie Dziennika Telewizyjnego, że „4 czerwca 1989 r. skończył się w Polsce komunizm". Występowała na scenach m.in. teatrów Współczesnego, Polskiego, Powszechnego i Dramatycznego, grała też w wielu spektaklach Teatru Telewizji. Jest autorką m.in. monodramu *Goła baba*, odtwórczynią m.in. roli Marty w *Matce Królów*, Cecylii Puciatówny w *Kronice wypadków miłosnych* oraz Matki w filmie *Mecz*. Źródło: http://encyklopediateatru.pl.

Kazimierz Świtoń (1931–2014) – z zawodu elektromonter prowadzący we własnym mieszkaniu naprawę sprzętu RTV. Współpracownik KOR, a potem ROPCiO. W 1978 r. z Romanem Kściuczkiem, Ignacym Pinesem, Tadeuszem Kickim i Władysławem Suleckim założył w Katowicach pierwszy w Polsce Komitet Pracowniczy, a następnie Komitet Założycielski Wolnych Związków Zawodowych. Za swą działalność był wielokrotnie zatrzymywany i skazany na rok więzienia. We wrześniu 1980 r. został członkiem „Solidarności". W stanie wojennym był aktywnym uczestnikiem demonstracji rocznicowych oraz akcji upamiętnienia poległych górników. Od 1989 r. działał w Chrześcijańsko-Demokratycznym Stronnictwie Pracy, następnie w Górnośląskiej Chrześcijańskiej Demokracji. W latach 1991–1993 pełnił mandat posła RP. W 1998 r. stał się inicjatorem akcji w obronie krzyża na oświęcimskim żwirowisku. Źródło: http://www.encysol.pl/wiki/ Kazimierz_Świtoń.

Ks. Tadeusz Isakowicz-Zaleski – duchowny archidiecezji krakowskiej, pochodzący z rodziny kresowej i mocno zaangażowany w sprawy Wschodu, duszpasterz Ormian. Współzałożyciel i wieloletni prezes Fundacji im. Brata Alberta w Radwanowicach, prowadzącej ośrodki dla osób niepełnosprawnych intelektualnie na terenie całego kraju. Związany z działalnością opozycyjną (m.in. Duszpasterstwem Ludzi Pracy w Mistrzejowicach), został dwukrotnie pobity przez „nieznanych sprawców". Kapelan strajku w Hucie im. Lenina w 1988 r., zatrzymany po pacyfikacji, rok później został członkiem honorowym Komisji Robotniczej Hutników „Solidarność". Autor tomików poetyckich, felietonów oraz książek historycznych, m.in. głośnej monografii *Księża wobec bezpieki na przykładzie archidiecezji krakowskiej.*

Prof. Zbigniew Chłap (ur. 1928) – krakowski lekarz patomorfolog, autor wielu prac naukowych, dziekan Wydziału Lekarskiego AM, wykładowca uczelni w Algierii, Tunezji i Maroku. Współtworzył struktury „Solidarności" Akademii Medycznej i Państwowego Szpitala Klinicznego w Krakowie, a w stanie wojennym punkt lekarski i aptekę darów przy parafii św. Anny. Był też członkiem działającego w Mistrzejowicach Wikariatu Solidarności z Pokrzywdzonymi. W 1984 r. doprowadził do utworzenia polskiej filii organizacji charytatywnej Médecins du Monde, przekształconej w 1995 r. w Stowarzyszenie Lekarze Nadziei, na którego czele stał do 2018 r. Zwolennik odtworzenia samorządu lekarskiego, członek Naczelnej Rady Lekarskiej i współautor uchwalonego w 1991 r. kodeksu etyki lekarskiej.

Ks. kardynał Franciszek Macharski (1927–2016) – od urodzenia związany z Krakowem, tu ukończył szkoły oraz Wyższe Seminarium Duchowne, którego rektorem został jakiś czas później. Przez 27 lat pełnił godność arcybiskupa metropolity krakowskiego. Jako dewizę biskupią przyjął słowa „Jezu ufam Tobie" i przez całe życie krzewił kult Bożego Miłosierdzia. Choć nigdy tego nie potwierdził, mówi się, że wstawiennictwu św. Faustyny zawdzięczał własne uzdrowienie z choroby nowotworowej w 1992 r. Przez całe życie był bardzo zaangażowany w sprawy społeczne swojego miasta, po którym już nawet jako kardynał poruszał się w prostej sutannie i bez asysty. Po przejściu na emeryturę mieszkał w klasztorze Sióstr Albertynek w Krakowie.

Ks. Tadeusz Fedorowicz (1907–2002) – urodzony jako trzecie z dziewięciorga dzieci w rodzinie ziemiańskiej na Kresach Wschodnich. Ukończył prawo na Uniwersytecie Jana Kazimierza we Lwowie, później służył w Dywizjonie Artylerii Konnej Szkoły Podchorążych we Włodzimierzu Wołyńskim. W 1936 r. przyjął święcenia kapłańskie, następnie odbywał posługę duszpasterską w Tarnopolu i Lwowie. W czerwcu 1940 r. uzyskał zgodę władz kościelnych na dobrowolny wyjazd z internowanymi w głąb ZSRR. Pracował przy wyrębie lasu w Republice Maryjskiej aż do chwili, gdy po układzie Sikorski-Majski zezwolono zesłańcom na opuszczanie miejsc przymusowego pobytu. Zaciągnął się do polskiego wojska, organizowanego w rejonie Buzułuku przez gen. Andersa. Stamtąd został oddelegowany do Kazachstanu, do posługi dla rodzin wojskowych. W 1943 r. aresztowany za odmowę przyjęcia obywatelstwa radzieckiego, kilka miesięcy spędził w więzieniu. Wiosną 1944 został kapelanem IV Dywizji im. Jana Kilińskiego, z którą przemierzył szlak bojowy aż do Warszawy. Po wojnie przez długie lata był kapelanem w zakładzie dla ociemniałych w Laskach. Niezwykle ceniony rekolekcjonista, spowiednik oraz kierownik duchowy, autor książki autobiograficznej *Drogi Opatrzności*. Źródło: http://tadeuszfedorowicz.pl/kalendarium.

Stanisław Pyjas (1953–1977) – student polonistyki i filozofii na Uniwersytecie Jagiellońskim, współpracownik KOR, członek nielegalnej grupy studenckiej zwanej Anarchistami, współautor listu do Sejmu domagającego się wyjaśnienia wszystkich przypadków łamania praworządności w Radomiu i Ursusie. 7 maja 1977 r. jego zwłoki znaleziono w bramie kamienicy przy ul. Szewskiej w Krakowie. Wywołało to masowe demonstracje studenckie, tzw. Czarne Juwenalia, zakończone 15 maja Czarnym Marszem, po którym pod Wawelem odczytano deklarację założycielską Studenckiego Komitetu Solidarności. Śledztwo w sprawie śmierci Stanisława Pyjasa zostało umorzone. Student fizyki Stanisław Pietraszko, który jako ostatni widział go żywego w towarzystwie nieznanego mężczyzny, niespełna trzy miesiące później również zginął tragicznie w niewyjaśnionych okolicznościach. Źródło: http://www.encysol.pl.

Ks. Mieczysław Kuznowicz (1874–1945) – jezuita, działacz społeczny. W 1906 r. objął kierownictwo jezuickiej Opieki św. Stanisława Kostki nad Terminatorami i przekształcił ją w Związek Młodzieży Rzemieślniczej i Rękodzielniczej. Za cel stawiał sobie katolickie wychowanie młodzieży, podnoszenie jej kwalifikacji zawodowych oraz propagowanie wśród niej abstynencji od alkoholu i tytoniu. Siedziba związku, wybudowana ze składek społecznych na otrzymanej od władz miasta parceli przy ul. Skarbowej, mieściła bursę ze stołówką dla trzystu uczniów, bibliotekę, teatr i salę sportową. Dzięki życzliwości prezydenta Juliusza Lea związek otrzymał również w wieczystą dzierżawę teren na Błoniach, gdzie wkrótce powstał istniejący do dziś Park Sportowy „Juvenia". W 1939 r. ks. Kuznowicz został aresztowany przez Niemców, a po zwolnieniu z Montelupich już do końca wojny musiał się ukrywać. Budynek bursy został przez okupantów przekształcony w szpital PCK, potem znacjonalizowany przez władze komunistyczne i przejęty przez Izbę Skarbową. W 1992 r. odzyskany przez jezuitów, dziś pełni znowu swoje dawne funkcje. Źródło: http://bursakrakow.pl.

Franciszek Lelito – prowadził w Mogile młyn, który wraz z domem wybudowali przy końcu dzisiejszej ulicy Żaglowej jego rodzice, Ignacy Lelito i Katarzyna z Kołodziejczyków. Wraz z całą rodziną był związany z Polską Partią Socjalistyczną. W czasie wojny prowadził działalność konspiracyjną, za co został wraz ze szwagrem

Józefem Siemkiem aresztowany przez gestapo. Źródło: *Czas za-trzymany 2. Wybór tekstów oraz fotografie z terenów Nowej Huty i okolic*, red. Adam Gryczyński, t. 1: *Wspomnienia Zofii Kopras*, Kraków 2008, s. 72–74.

Józef Antoni Siemek (1913–1983) – działacz PPS, a potem PZPR, publicysta, w latach 1950–1955 zastępca szefa Urzędu ds. Wyznań i dyrektor Funduszu Kościelnego, w latach 1965–1972 szef Głównego Urzędu Kontroli Prasy, Publikacji i Widowisk. W okresie okupacji mieszkał w Mogile, a pracował w Krakowie. Należał wówczas do Chłopskiej Organizacji Wolnościowej „Racławice" i współpracował z Radą Pomocy Żydom „Żegota". Na przełomie lat 1943 i 1944 był więziony na Montelupich. Źródło: iPSB.

Elżbieta Klękowa – od końca lat dwudziestych wraz z mężem Józefem (a po jego śmierci w czasie okupacji już samotnie) prowa-dziła w Mogile młyn, rozlewnię piwa z Karwiny, wytwórnię wody sodowej i oranżady oraz produkcję dachówki ceramicznej. Była cenioną działaczką lokalnej społeczności i jej postać często pojawia się na kartach wspomnień mieszkańców Mogiły. Młyn, który był prawdopodobnie miejscem akcji *Krakowiaków i Górali* Wojcie-cha Bogusławskiego, został po wojnie upaństwowiony, a później zburzony. Źródło: *Czas zatrzymany…*, s. 129–130.

Jan Staszyszyn (zm. 1932) – około 1900 r. wybudował w Mogile murowany dom, którego parter zajmował sklep spożywczy z re-stauracją. W czasie II wojny światowej sklep prowadziła jego żona Helena (zm. 1941) wraz z synem Janem, który w 1944 r. został rozstrzelany przez Niemców za działalność konspiracyjną, oraz synową Jadwigą z Żuwałów. Sklep przetrwał w rękach rodziny Staszyszynów do 1949 r., kiedy to zamieniono go w państwowy Bar Mogilski, a w 1954 r. w związku z budową Nowej Huty w ogóle zlikwidowano. W miejscu domu Staszyszynów biegnie obecnie linia tramwajowa, a na terenie ogrodu stoją dwa bloki Osiedla Młodości. Źródło: *Czas zatrzymany…*, s. 72–76.

Posłowie

O jednej osobie, której nazwisko opatrzone gwiazdką powinno się znaleźć pośród innych notek biograficznych, chciałabym napisać osobno. Panią Marię Rogowską miałam okazję poznać osobiście, gdy w połowie lat dziewięćdziesiątych pracowałam w „Dzienniku Polskim". Podziwiałam jej wielką siłę ducha i determinację w dążeniu do celu, którym była budowa Domu Opieki Dożywotniej dla osób z upośledzeniem umysłowym. Mam nadzieję, że portret przedstawiony w książce – choć na pewno subiektywny, a być może nawet przerysowany – oddaje choć część prawdy o tej wyjątkowej kobiecie, którą do dziś ze łzami w oczach wspominają członkowie założonej przez nią Fundacji Matki Teresy z Kalkuty, współpracownicy oraz sąsiedzi placu budowy w Bodzowie.

Już od wielu lat wyobraźnia podsuwa mi obrazy tego, co by się działo w Bodzowie, czym to miejsce mogłoby się stać dla wielu rodzin i ich niepełnosprawnych dzieci, gdyby te wielkie plany udało się zrealizować. Niestety budowa nigdy nie została ukończona, a po śmierci jej inicjatorki w 2010 roku Dom zaczął popadać w ruinę. Najlepiej ilustruje to chwytający za serce reportaż Artura Zakrzewskiego *Strach matki*, wyemitowany w telewizji TVN (do znalezienia w Internecie, link na stronie Fundacji Matki Teresy z Kalkuty).

Czy taki ma być finał tej historii? Nie mogę się z tym pogodzić, dlatego tutaj – dzięki uprzejmości Wydawnictwa WAM – zamieszczam apel do Nieznanego Adresata:

Fundacja Matki Teresy z Kalkuty poszukuje strategicznego partnera, który pomoże doprowadzić to dzieło do skutku!

Liczę na to, że ktoś, tak jak pani architekt Małgorzata Bereźnicka w reportażu, pomyśli sobie: „Być może ten projekt czeka na mnie!". I zdarzy się cud.

O tym, że nie należy nigdy wątpić w siłę marzeń i miłości, przekonuje na swoim blogu Agata Komorowska, wyjątkowa matka czwórki dzieci, w tym syna z zespołem Downa. Odwiedziny na Jej stronie bardzo mi pomogły przy pisaniu tej książki, podobnie jak obserwacja – niestety, często z daleka – wielu innych rodziców z niepełnosprawnymi dziećmi, którzy dzielnie i z pogodą ducha każdego dnia stawiają czoło stojącemu przed nimi zadaniu. Im dedykuję tę powieść, z wiarą, że mój apel trafi do właściwej Osoby lub Instytucji, że Dom zostanie jednak ukończony i zacznie pełnić swoją funkcję.

Wiara była siłą, która tysiącom Polaków pozwoliła przeżyć zesłanie w głąb Związku Radzieckiego. Pisząc bajkę o trzech braciach i zgłębiając temat wysiedleń ludności z Kresów Wschodnich, przeczytałam wiele poruszających wspomnień i relacji, które są tego świadectwem. Największe wrażenie zrobiła na mnie książka Marii Ryś-Kolankowskiej *Widziane oczyma dziecka. Tajga – Kazachstan 1939–1945* oraz *Zsyłka* Marii Leszczyńskiej. Ślady tych dwóch lektur na pewno można odkryć w historii Głuptaska i jego rodziny.

Inspiracją, choć innego rodzaju, była też opowieść historyczno-literacka Piotra Roguskiego *(Nie) poszła za Niemca*, która dostarczyła mi obfitego materiału do przeprowadzenia rozmowy Petrycego z nieznanym współpasażerem w pociągu z Monachium do Krakowa. Jestem wdzięczna panu Profesorowi za zachętę do kontynuowania w powieści niemieckiego wątku.

Dziękuję też serdecznie moim Bliskim za to, że mimo przeciwności motywowali mnie do pracy, a także wszystkim Czytelnikom, którzy oczekiwali na kolejną część sagi. Mam nadzieję, że Ich nie rozczarowałam, i zapewniam, że ostatni tom cyklu, nad którym pracuję, zakończy się szczęśliwie.

Spis treści

Kupując tę książkę,
wspierają Państwo działalność
Fundacji Matki Teresy z Kalkuty w Krakowie

Część dochodów ze sprzedaży książki
zostanie bezpośrednio przekazana na działalność Fundacji

Inne formy wsparcia Fundacji to:

przekazanie darowizny na konto
PL 62 1020 2892 0000 5802 0016 1422

przekazanie 1% podatku
KRS 0000067177

biuro@fundacjamatkiteresy.org.pl
tel. 12 444 62 46
tel. kom. +48 501 571 961
www.fundacjamatkiteresy.org.pl

Fundacja im. Matki Teresy z Kalkuty w Krakowie
ul. Pietrusińskiego 3/12
30-321 Kraków

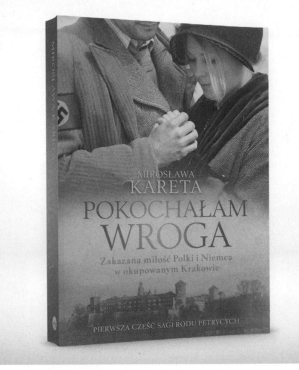

Mirosława Kareta

Pokochałam wroga

Zakazana miłość Polki i Niemca w okupowanym Krakowie

To był związek nie do pomyślenia. Dla otoczenia, dla rodziny i dla samej Jadwigi. Podczas wojny nawet szlachetny człowiek ubrany w niewłaściwy mundur - zawsze będzie śmiertelnym wrogiem. Zwłaszcza gdy rywalem do serca kobiety jest członek ruchu oporu...

Pierwszy tom sagi rodziny Petrycych zachwyca intrygującą fabułą, autentycznością moralnych dylematów i wiernym oddaniem realiów okupowanej Polski. Podobne historie pisało samo życie - na ich ślady Autorka, dziennikarka i historyk, natrafiła w Krakowie i w Monachium, miastach, z którymi związana jest od lat.

ss. 436, format 142 × 202 mm, oprawa miękka

wydawnictwowam.pl

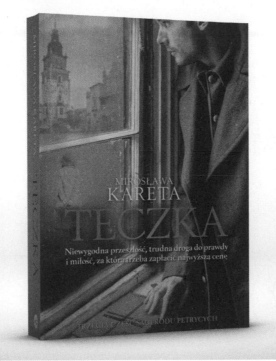

Mirosława Kareta

Teczka

Niewygodna przeszłość, trudna droga do prawdy i miłość, za którą trzeba zapłacić najwyższą cenę

Poświęcenie dla drugiego człowieka i wierność etosowi lekarza kosztowały Benedykta Petrycego utratę wolności, zdrowia i pracy. Po kilku latach od jego śmierci w Krakowie zaczynają krążyć niejasne plotki i pomówienia. W jaki sposób przybrany syn Benedykta zniesie kolejny cios, wymierzony w rodowe nazwisko? Czy uda mu się odkryć, kto jest reżyserem skandalu? Jak daleko będzie gotów się posunąć, by dotrzeć do prawdy?

Kolejna odsłona dziejów rodziny Petrycych ukazuje mroczną powojenną rzeczywistość i działania władz, które nie dawały człowiekowi możliwości wyboru. Opowiada o złamanych życiorysach, nieuleczonych ranach i sytuacjach, w których nawet miłość mogła okazać się fałszywym drogowskazem.

ss. 496, format 142 × 202 mm, oprawa miękka

wydawnictwowam.pl

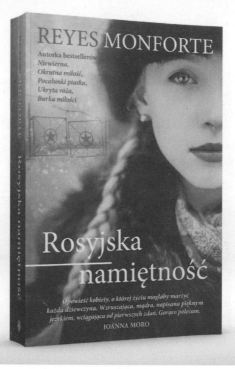

Reyes Monforte

Rosyjska namiętność

Miłość silniejsza niż zatruty umysł geniusza

Wyjątkowa, piękna i przepełniona głębokim uczuciem jak utwory genialnego kompozytora Siergieja Prokofiewa. Taka była Lina - jego muza, kochanka i żona. Ich wspólna historia rozgrywa się na tle wielkich wydarzeń XX wieku, na tle drapaczy chmur Nowego Jorku oraz w kręgu artystów paryskiej awangardy. Na co dzień spotykali się z Coco Chanel, Hemingwayem, Picassem, Matisse'em, Ravelem, Diagilewem...

Szczęśliwe lata kończą się, kiedy Prokofiew podejmuje decyzję o powrocie do Związku Radzieckiego. W sowieckiej Rosji czasu stalinowskiego terroru Lina zostaje oskarżona o szpiegostwo, jest torturowana w złowrogiej Łubiance, a w końcu skazana na morderczą pracę w łagrze. Tylko wewnętrzna siła, pasja życia i niezniszczalna miłość, którą darzy męża, pozwalają jej przetrwać.

ss. 688, format 136 × 210 mm, oprawa miękka

wydawnictwowam.pl